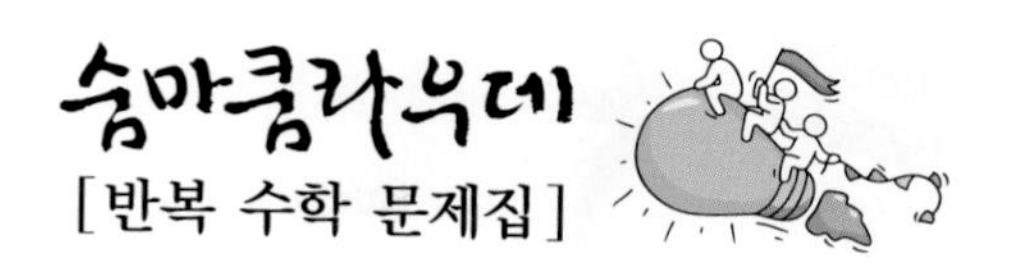
숨마쿰라우데
[반복 수학 문제집]

한 개념씩 쉬운 문제로 매일매일 공부하자!
STARTUP
스타트업 중학수학

2-하

이룸이앤비
Education&Books

반복 학습이 진정한 실력을 키운다!

수학을 어떻게 하면 잘 할 수 있을까요?

『반복 학습이 기적을 만든다』라는 책의 저자는

“공부를 잘하는 학생은 ‘반복’에 강한 학생이다.

그들은 자기가 얼마만큼 **‘반복’**하면

그 지식을 자기 것으로 만들 수 있는지 잘 알고 있다.”

고 말하면서 반복하는 습관을 가지는 것이

실력을 높이는 방법이라고 설명하였습니다.

숨마쿰라우데 스타트업은 반복 학습의 중요성을 담아

한 개념 한 개념 체계적으로 구성한 교재입니다.

한 개념 한 개념 매일매일 꾸준히 공부하고

부족한 개념은 반복하여 풀어 봄으로써

진정한 실력을 쌓을 수 있기를 바랍니다.

집필진과 검토진 쌤들의 추천 코멘트!!

반복수학교재 스타트업 이래서 추천합니다

김승훈쌤(세종과학고)

기초를 다지는 것은 실력 향상을 위해서 중요합니다. 단계형 교육과정인 수학에서는 더욱 그렇습니다. 스타트업은 기초문제를 유형별로 나누고 문제를 해결하기 위한 방법과 노하우를 풍부하게 제공하여 혼자서도 충분히 학습할 수 있는 책입니다. 여러분의 수학실력 향상을 위한 첫 계단이 될 수 있는 책입니다.

김광용쌤(용산고)

수학은 복잡하고 어렵다는 편견은 잠시 내려놓고 천천히 할 수 있는 것부터 해볼까요? 꾸준히 운동하면 근육이 생기는 것처럼 수학에서도 반복적인 문제풀이는 수학적 능력을 기르는 좋은 방법이 될 수 있습니다. 스타트업이 여러분에게 수학하는 즐거움을 알게 해주는 그 시작이 되었으면 합니다.

김용환쌤(세종과학고)

아무리 개념을 잘 알아도 반복적으로 익혀놓지 않으면 실제 시험에서 당황하기 쉽습니다. 수학을 잘 한다는 것은 내용을 잘 알고 있는 것인데 그 내용을 잘 알기까지 많은 반복 연습이 따르는 것입니다. 자기 것으로 만드는 반복 연습에 스타트업이 많은 도움을 줄 것입니다.

이서진쌤(메가스터디 강사)

유형별로 반복적인 문제풀이를 해나감으로써 개념을 익히기 안성맞춤입니다. 특히 개념을 익히기에 쉬운 문제들로 구성되어 있어 수학을 시작하는 학생들에게 부담감이 없을 것 같습니다. 또한 유형을 공부하고 난 다음 리뷰테스트로 한 번 더 복습할 수 있게 되어 있어 좋습니다. 고등 수학! 스타트업으로 시작해 보세요!

왕성욱쌤(중계동)

시험에 자주 출제되는 유형별로 개념 설명이 잘 되어 있고 같은 페이지에 바로 적용해서 풀 수 있는 확인문제들이 있어서 개념을 확실하게 다지기에 좋은 교재입니다. 수학을 두려워하는 학생들도 차근차근 풀어나가다 보면 자신감을 갖고 기본기를 잘 쌓을 수 있는 교재입니다.

주예지쌤(메가스터디 강사)

스타트업은 반복학습하여 익힐 수 있도록 문제들이 잘 구성되어 있습니다. 꼭 알아야 하는 기본 개념과 개념을 이해하고 문제에 적용하는 팁이 알차게 들어 있는 교재입니다. 쉬운 문제로 구성되어 있어 매일매일 부담없이 공부할 수 있는 교재입니다.

정연화쌤(중계동)

문제만 많이 구성되어 있는 느낌의 교재들은 책을 펼치기도 전에 빽빽한 디자인에 지치기 쉬운데요. 스타트업은 한 페이지에 한 개념씩 구성되어 있어 가볍게 시작할 수 있습니다. 개념이해를 돕는 유형별 기초문제! 풍부한 문제해결의 노하우와 팁! 알기 쉽고 자세한 풀이!! 최근 수학의 기조인 개념이해와 기초실력 향상을 반영한 책입니다.

김미경쌤(인천)

집에서 혼자 공부할 수 있는 교재이고 학원 수업용, 숙제용으로 안성맞춤인 교재입니다. 쉬운 문제들이지만 학교 시험에 꼭 나오는 문제들로 구성되어 있어 좋습니다. 특히 단순 계산만 하는 것이 아니라 학교시험맛보기 코너를 통해 시험 문제 유형을 확인할 수 있어 좋았습니다. 주위 학생들에게 꼭 추천하고 싶은 교재입니다.

1 숨마쿰라우데 **스타트업**의 **개념 설명**은?

❶ 소단원별로 중요 개념을 한 눈에 볼 수 있게 구성했습니다.

❷ 한 개념 한 개념씩 다시 풀어 설명해 놓았습니다.

❸ 개념마다 선생님의 팁을 통해 꼭 기억할 부분을 확인할 수 있습니다.

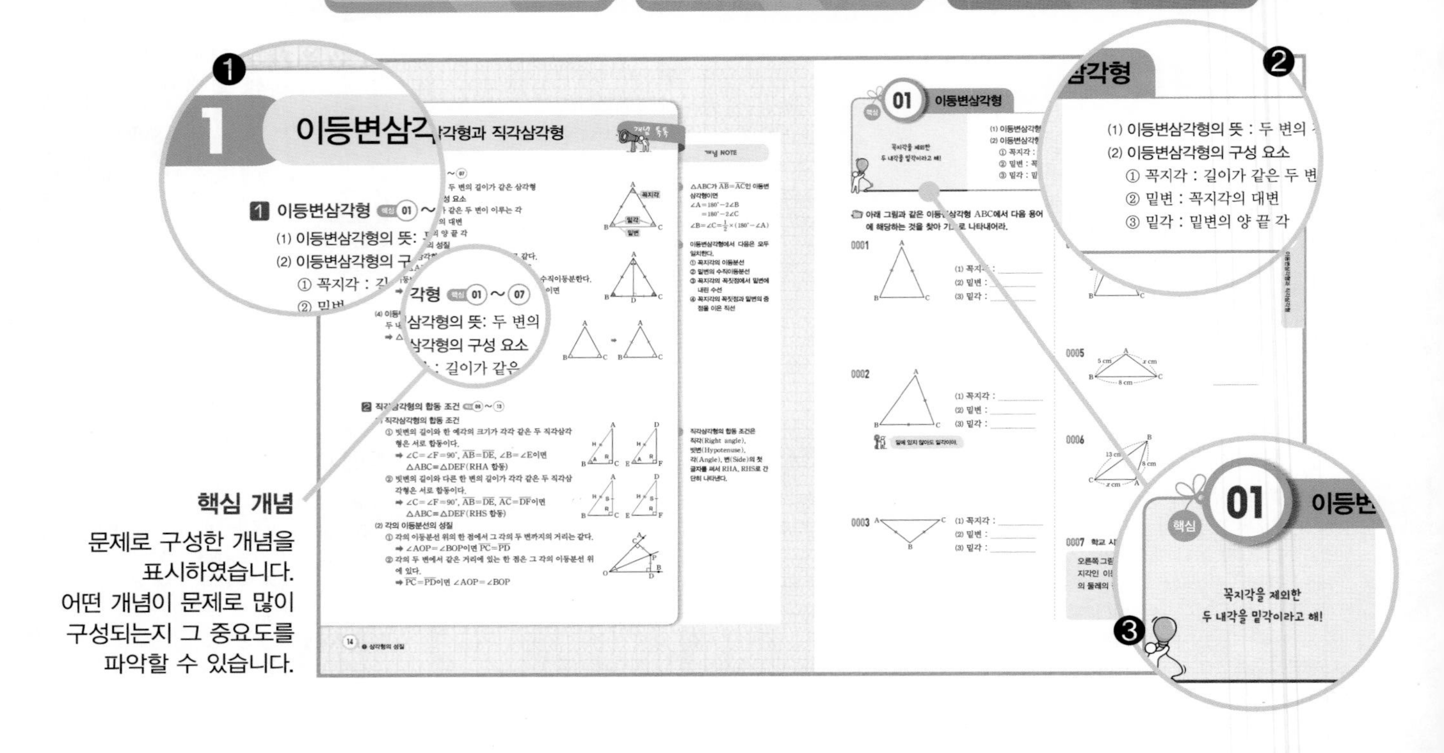

핵심 개념
문제로 구성한 개념을 표시하였습니다.
어떤 개념이 문제로 많이 구성되는지 그 중요도를 파악할 수 있습니다.

소단원별 학습 플래너를 이용하여 스스로 공부 계획을 세워 봅시다~

YOU CAN DO IT!
스타트업으로 공부하면

1. 계산력이 향상된다.
2. 수학에 자신감이 생긴다.
3. 스스로 공부하는 습관이 생긴다.

학습 내용	공부한 날짜	반복하기
01. 이등변삼각형	월 일	□□
02. 이등변삼각형의 성질(1)	월 일	□□
03. 이등변삼각형의 성질(2)	월 일	□□
04. 이등변삼각형이 되는 조건	월 일	□□
05. 폭이 일정한 종이 접기	월 일	□□
06. 이등변삼각형의 성질의 활용(1)	월 일	□□
07. 이등변삼각형의 성질의 활용(2)	월 일	□□
Mini Review Test (01~07)	월 일	□□
08. 직각삼각형의 합동 조건(1)-RHA 합동	월 일	□□
09. 직각삼각형의 합동 조건(2)-RHS 합동	월 일	□□
10. 직각삼각형의 합동 조건	월 일	□□
11. 직각삼각형의 합동 조건의 활용(1)	월 일	□□
12. 직각삼각형의 합동 조건의 활용(2)	월 일	□□
13. 각의 이등분선의 성질	월 일	□□
Mini Review Test (08~13)	월 일	□□

2 숨마쿰라우데 **스타트업**의 **문제 구성**은?

❶ 각 개념을 확실히 잡을 수 있도록 쉬운 문제로 구성했습니다.

❷ 학교 시험 맛보기로 실전 연습을 할 수 있습니다.

❸ Mini Review Test를 통해 실력을 확인할 수 있습니다.

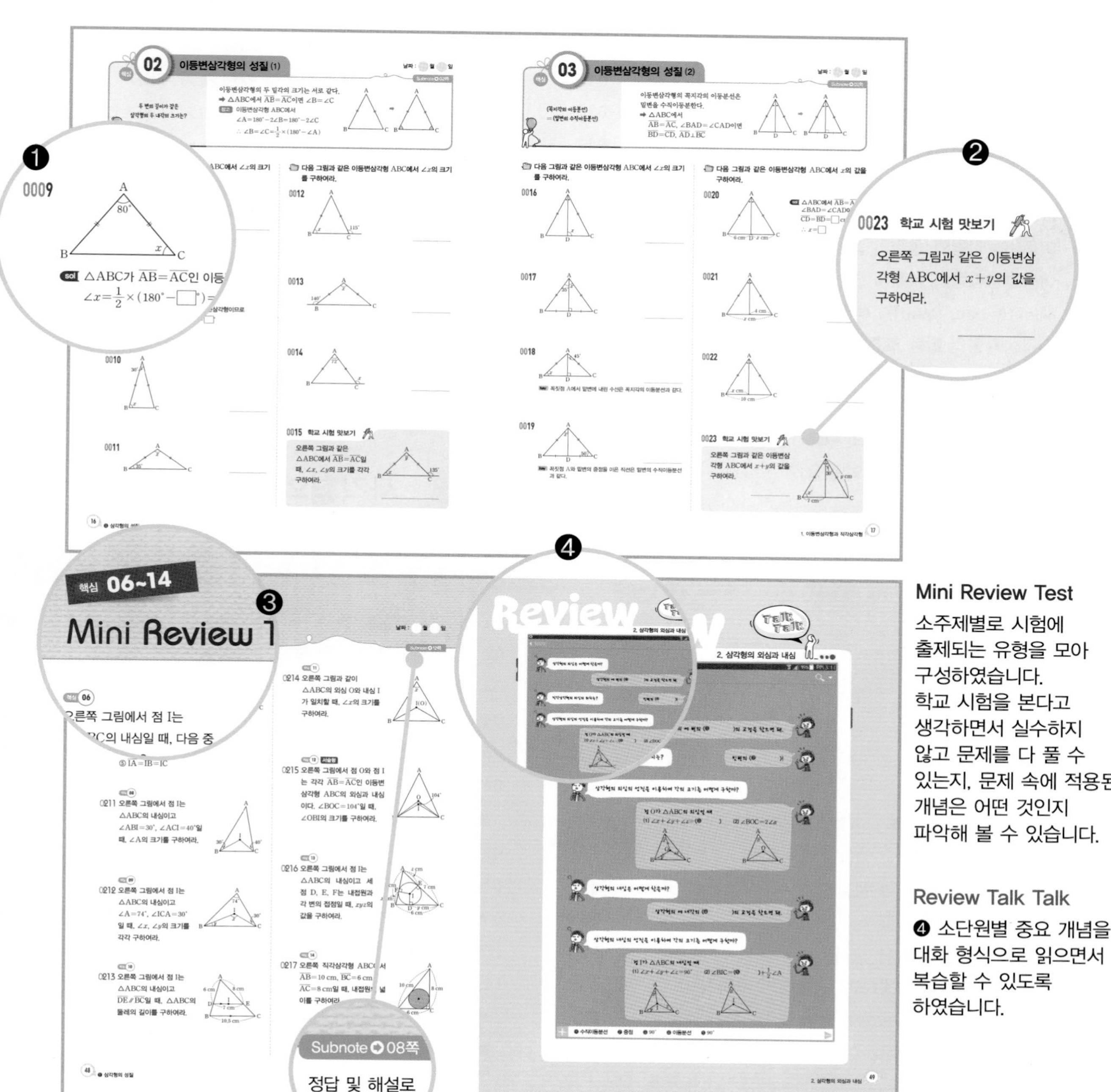

Mini Review Test

소주제별로 시험에 출제되는 유형을 모아 구성하였습니다. 학교 시험을 본다고 생각하면서 실수하지 않고 문제를 다 풀 수 있는지, 문제 속에 적용된 개념은 어떤 것인지 파악해 볼 수 있습니다.

Review Talk Talk

❹ 소단원별 중요 개념을 대화 형식으로 읽으면서 복습할 수 있도록 하였습니다.

1 삼각형의 성질

01 이등변삼각형과 직각삼각형

02 삼각형의 외심과 내심

2 사각형의 성질

03 평행사변형의 성질

CONTENTS

04 여러 가지 사각형의 성질

3 도형의 닮음

05 도형의 닮음

4 닮음의 활용

06 평행선과 선분의 길이의 비

07 삼각형의 무게중심

08 닮은 도형의 넓이와 부피

5 피타고라스 정리

09 피타고라스 정리

CONTENTS

6 확률

10 경우의 수

11 확률

숨마쿰라우데 STARTUP 중학수학 2-하

50일 완성 학습 PROJECT

● 핵심개념 144개를 하루에 30분씩 50일 동안 내 것으로 만들어 보자!

START UP 플래너

단원	중단원	핵심	차시	학습 날짜	이해도
1 삼각형의 성질	1. 이등변삼각형과 직각삼각형	01~04	01 일차	월 일	☺ 😐 ☹
		05~07	02 일차	월 일	☺ 😐 ☹
		Review test | 08~09	03 일차	월 일	☺ 😐 ☹
		10~11	04 일차	월 일	☺ 😐 ☹
		12~13 | Review test	05 일차	월 일	☺ 😐 ☹
	2. 삼각형의 외심과 내심	01~03	06 일차	월 일	☺ 😐 ☹
		04~05 | Review test	07 일차	월 일	☺ 😐 ☹
		06~09	08 일차	월 일	☺ 😐 ☹
		10~12	09 일차	월 일	☺ 😐 ☹
		13~14 | Review test	10 일차	월 일	☺ 😐 ☹
2 사각형의 성질	3. 평행사변형의 성질	01~04	11 일차	월 일	☺ 😐 ☹
		05~06 | Review test	12 일차	월 일	☺ 😐 ☹
		07~09	13 일차	월 일	☺ 😐 ☹
		10~11 | Review test	14 일차	월 일	☺ 😐 ☹
	4. 여러 가지 사각형의 성질	01~04	15 일차	월 일	☺ 😐 ☹
		05~08 | Review test	16 일차	월 일	☺ 😐 ☹
		09~12	17 일차	월 일	☺ 😐 ☹
		13~15	18 일차	월 일	☺ 😐 ☹
		16~17 | Review test	19 일차	월 일	☺ 😐 ☹
3 도형의 닮음	5. 도형의 닮음	01~03	20 일차	월 일	☺ 😐 ☹
		04~05 | Review test	21 일차	월 일	☺ 😐 ☹
		06~09	22 일차	월 일	☺ 😐 ☹
		10~12 | Review test	23 일차	월 일	☺ 😐 ☹

공부는 이렇게~

01	계획 세우기	작심 3일이 되지 않도록 자신에게 맞는 계획표를 세워 보자!
02	개념 익히기	매쪽 문제 풀이를 하기 전 개념과 원리를 확실하게 이해하자!
03	문제 풀기	개념을 다양한 문제로 익혀 보자!
04	오답노트 만들기	문제 풀이 후 틀린 문제는 오답노트에 정리하자! [key] 또는 [말풍선]에서 참고해야 할 사항도 오답노트에 정리하자!
05	오답노트 복습	다음날 공부하기 전에 오답노트를 꼭 점검하고 진도를 나가자!

단원		핵심	차시	학습 날짜	이해도
4 닮음의 활용	6. 평행선과 선분의 길이의 비	01~04	24 일차	월 일	☺ 😐 ☹
		05~07	25 일차	월 일	☺ 😐 ☹
		08~10	26 일차	월 일	☺ 😐 ☹
		11~12 | Review test	27 일차	월 일	☺ 😐 ☹
	7. 삼각형의 무게중심	01~04	28 일차	월 일	☺ 😐 ☹
		05~07 | Review test	29 일차	월 일	☺ 😐 ☹
		08~11	30 일차	월 일	☺ 😐 ☹
		12~13 | Review test	31 일차	월 일	☺ 😐 ☹
	8. 닮은 도형의 넓이와 부피	01~03	32 일차	월 일	☺ 😐 ☹
		04~06	33 일차	월 일	☺ 😐 ☹
		07 | Review test	34 일차	월 일	☺ 😐 ☹
5 피타고라스 정리	9. 피타고라스 정리	01~03	35 일차	월 일	☺ 😐 ☹
		04~06	36 일차	월 일	☺ 😐 ☹
		07~08 | Review test	37 일차	월 일	☺ 😐 ☹
		09~11	38 일차	월 일	☺ 😐 ☹
		12~14	39 일차	월 일	☺ 😐 ☹
		15~17 | Review test	40 일차	월 일	☺ 😐 ☹
6 확률	10. 경우의 수	01~03	41 일차	월 일	☺ 😐 ☹
		04~06	42 일차	월 일	☺ 😐 ☹
		07~08 | Review test	43 일차	월 일	☺ 😐 ☹
		09~11	44 일차	월 일	☺ 😐 ☹
		12~14	45 일차	월 일	☺ 😐 ☹
		15~17 | Review test	46 일차	월 일	☺ 😐 ☹
	11. 확률	01~03	47 일차	월 일	☺ 😐 ☹
		04~06 | Review test	48 일차	월 일	☺ 😐 ☹
		07~09	49 일차	월 일	☺ 😐 ☹
		10~11 | Review test	50 일차	월 일	☺ 😐 ☹

1 삼각형의 성질

이미 배운 내용

[초등학교 3~4학년군]
- 여러 가지 삼각형

[중학교 1학년]
- 기본 도형
- 작도와 합동
- 평면도형의 성질

이번에 배울 내용

1. 이등변삼각형과 직각삼각형
   - 이등변삼각형
   - 직각삼각형의 합동 조건
2. 삼각형의 외심과 내심
   - 삼각형의 외심
   - 삼각형의 내심

1 이등변삼각형과 직각삼각형

스스로 공부 계획 세우기

	학습 내용	공부한 날짜	반복하기
1. 이등변삼각형과 직각삼각형	**01.** 이등변삼각형	월 일	□□
	02. 이등변삼각형의 성질(1)	월 일	□□
	03. 이등변삼각형의 성질(2)	월 일	□□
	04. 이등변삼각형이 되는 조건	월 일	□□
	05. 폭이 일정한 종이 접기	월 일	□□
	06. 이등변삼각형의 성질의 활용(1)	월 일	□□
	07. 이등변삼각형의 성질의 활용(2)	월 일	□□
	Mini **Review** Test(**01**~**07**)	월 일	□□
	08. 직각삼각형의 합동 조건(1)-RHA 합동	월 일	□□
	09. 직각삼각형의 합동 조건(2)-RHS 합동	월 일	□□
	10. 직각삼각형의 합동 조건	월 일	□□
	11. 직각삼각형의 합동 조건의 활용(1)	월 일	□□
	12. 직각삼각형의 합동 조건의 활용(2)	월 일	□□
	13. 각의 이등분선의 성질	월 일	□□
	Mini **Review** Test(**08**~**13**)	월 일	□□

1 이등변삼각형과 직각삼각형

1 이등변삼각형 핵심 01 ~ 07

(1) 이등변삼각형의 뜻: 두 변의 길이가 같은 삼각형

(2) 이등변삼각형의 구성 요소

① 꼭지각 : 길이가 같은 두 변이 이루는 각

② 밑변 : 꼭지각의 대변

③ 밑각 : 밑변의 양 끝 각

(3) 이등변삼각형의 성질

① 이등변삼각형의 두 밑각의 크기는 서로 같다.

➡ $\triangle ABC$에서 $\overline{AB}=\overline{AC}$이면 $\angle B=\angle C$

② 이등변삼각형의 꼭지각의 이등분선은 밑변을 수직이등분한다.

➡ $\triangle ABC$에서 $\overline{AB}=\overline{AC}$, $\angle BAD=\angle CAD$이면 $\overline{BD}=\overline{CD}$, $\overline{AD}\perp\overline{BC}$

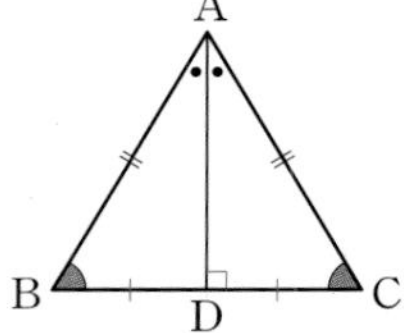

(4) 이등변삼각형이 되는 조건

두 내각의 크기가 같은 삼각형은 이등변삼각형이다.

➡ $\triangle ABC$에서 $\angle B=\angle C$이면 $\overline{AB}=\overline{AC}$

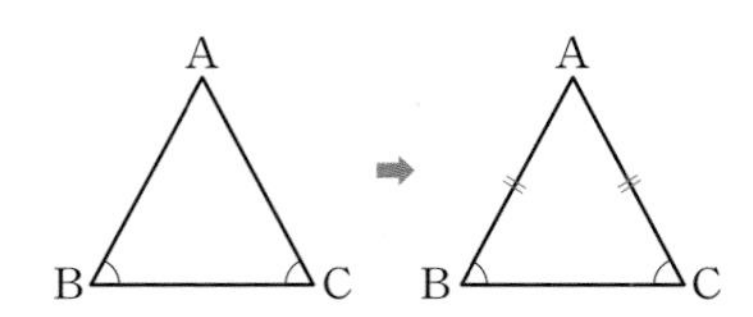

개념 NOTE

$\triangle ABC$가 $\overline{AB}=\overline{AC}$인 이등변삼각형이면

$\angle A=180^\circ-2\angle B$

$=180^\circ-2\angle C$

$\angle B=\angle C=\frac{1}{2}\times(180^\circ-\angle A)$

이등변삼각형에서 다음은 모두 일치한다.

① 꼭지각의 이등분선

② 밑변의 수직이등분선

③ 꼭지각의 꼭짓점에서 밑변에 내린 수선

④ 꼭지각의 꼭짓점과 밑변의 중점을 이은 직선

2 직각삼각형의 합동 조건 핵심 08 ~ 13

(1) 직각삼각형의 합동 조건

① 빗변의 길이와 한 예각의 크기가 각각 같은 두 직각삼각형은 서로 합동이다.

➡ $\angle C=\angle F=90^\circ$, $\overline{AB}=\overline{DE}$, $\angle B=\angle E$이면 $\triangle ABC\equiv\triangle DEF$(RHA 합동)

② 빗변의 길이와 다른 한 변의 길이가 각각 같은 두 직각삼각형은 서로 합동이다.

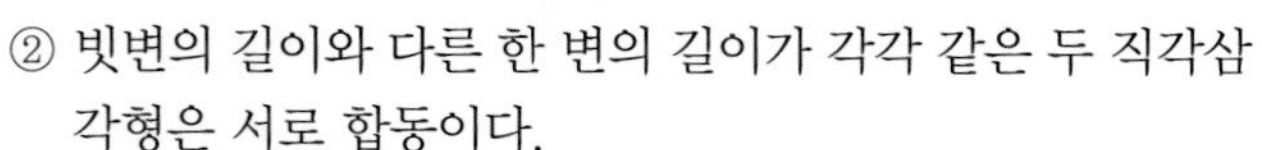

➡ $\angle C=\angle F=90^\circ$, $\overline{AB}=\overline{DE}$, $\overline{AC}=\overline{DF}$이면 $\triangle ABC\equiv\triangle DEF$(RHS 합동)

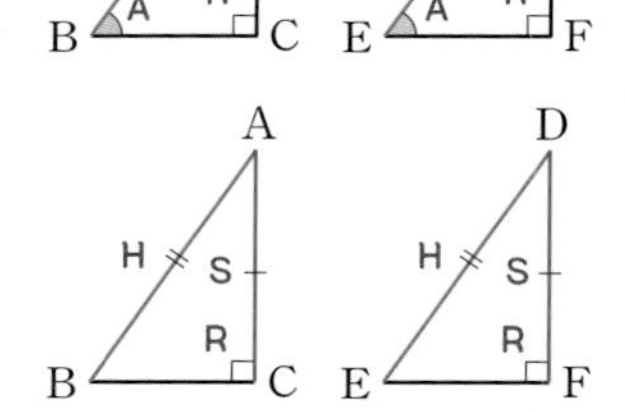

(2) 각의 이등분선의 성질

① 각의 이등분선 위의 한 점에서 그 각의 두 변까지의 거리는 같다.

➡ $\angle AOP=\angle BOP$이면 $\overline{PC}=\overline{PD}$

② 각의 두 변에서 같은 거리에 있는 한 점은 그 각의 이등분선 위에 있다.

➡ $\overline{PC}=\overline{PD}$이면 $\angle AOP=\angle BOP$

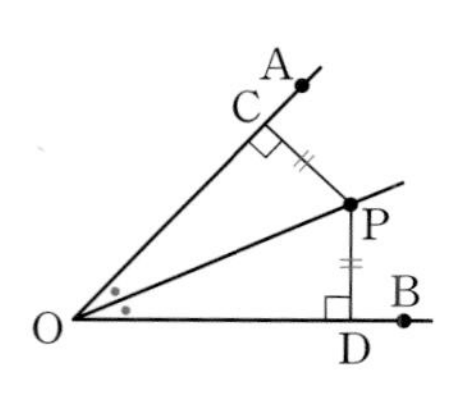

직각삼각형의 합동 조건은 직각(Right angle), 빗변(Hypotenuse), 각(Angle), 변(Side)의 첫 글자를 써서 RHA, RHS로 간단히 나타낸다.

핵심

01 이등변삼각형

날짜 :  월  일

Subnote ➔ 02쪽

꼭지각을 제외한
두 내각을 밑각이라고 해!

(1) 이등변삼각형의 뜻 : 두 변의 길이가 같은 삼각형

(2) 이등변삼각형의 구성 요소

① 꼭지각 : 길이가 같은 두 변이 이루는 각

② 밑변 : 꼭지각의 대변

③ 밑각 : 밑변의 양 끝 각

아래 그림과 같은 이등변삼각형 ABC에서 다음 용어에 해당하는 것을 찾아 기호로 나타내어라.

0001

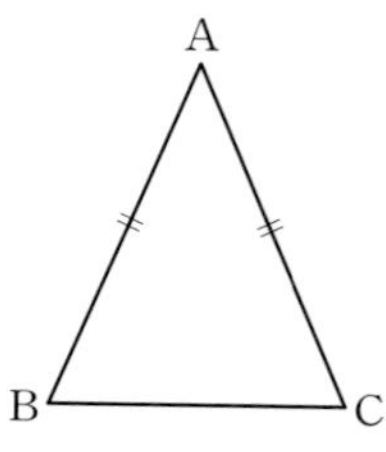

(1) 꼭지각 : ____________

(2) 밑변 : ____________

(3) 밑각 : ____________

0002

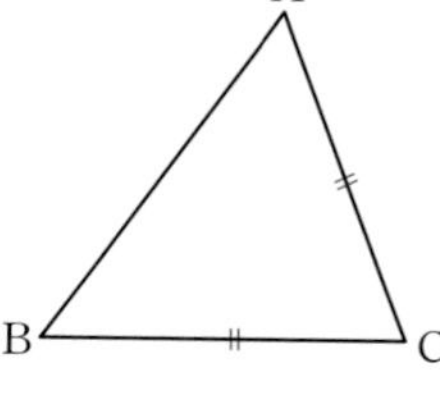

(1) 꼭지각 : ____________

(2) 밑변 : ____________

(3) 밑각 : ____________

밑에 있지 않아도 밑각이야.

0003

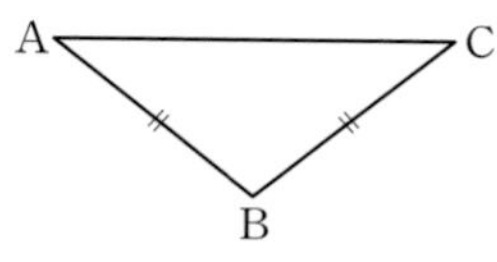

(1) 꼭지각 : ____________

(2) 밑변 : ____________

(3) 밑각 : ____________

다음 그림과 같이 ∠A가 꼭지각인 이등변삼각형 ABC에서 x의 값을 구하여라.

0004

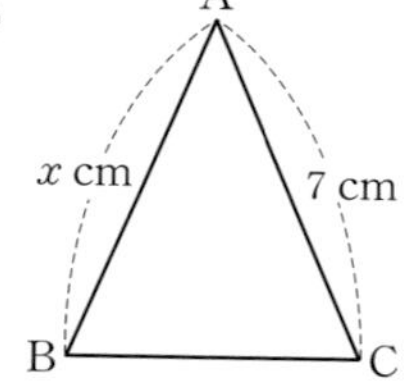

sol ∠A가 꼭지각이므로

$\overline{AB}=\overline{AC}=\square$ cm

$\therefore x=\square$

0005

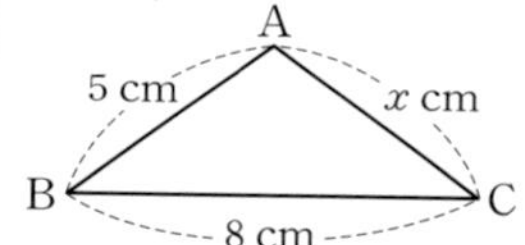

____

0006

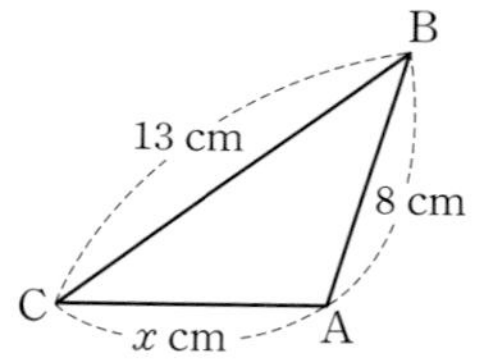

____

0007 학교 시험 맛보기 

오른쪽 그림과 같이 ∠A가 꼭지각인 이등변삼각형 ABC의 둘레의 길이를 구하여라.

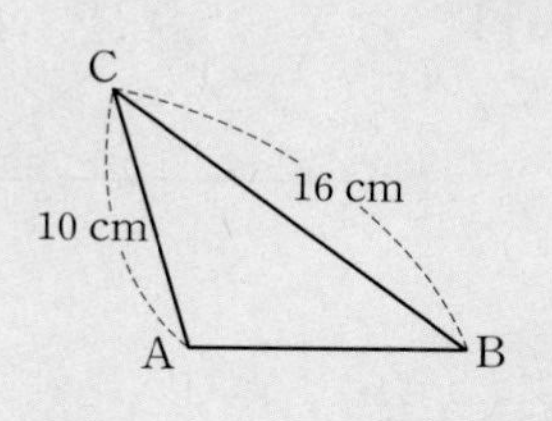

____

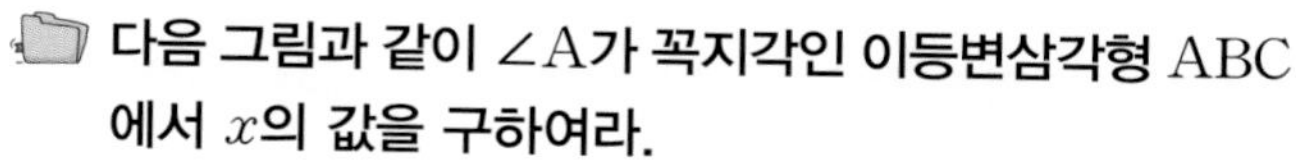

1 이등변삼각형과 직각삼각형

핵심

02 이등변삼각형의 성질 (1)

날짜 : 월 일

Subnote ➡ 02쪽

두 변의 길이가 같은 삼각형의 두 내각의 크기는?

이등변삼각형의 두 밑각의 크기는 서로 같다.

➡ △ABC에서 $\overline{AB}=\overline{AC}$이면 ∠B=∠C

참고 이등변삼각형 ABC에서

∠A=180°−2∠B=180°−2∠C

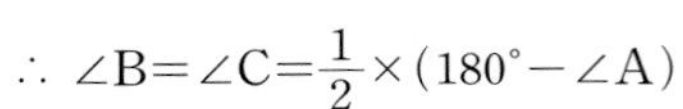

∴ ∠B=∠C=$\frac{1}{2}$×(180°−∠A)

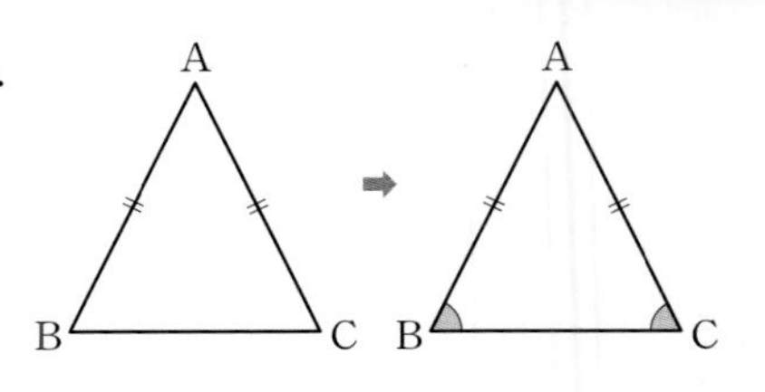

다음 그림과 같은 이등변삼각형 ABC에서 ∠x의 크기를 구하여라.

0008

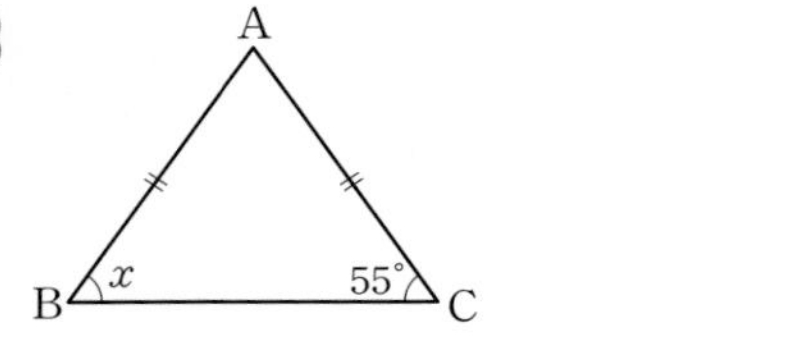

0009

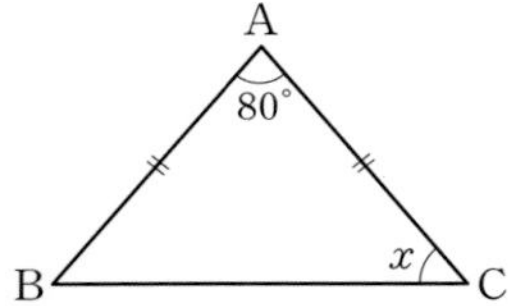

sol △ABC가 $\overline{AB}=\overline{AC}$인 이등변삼각형이므로

∠x=$\frac{1}{2}$×(180°−□°)=□°

0010

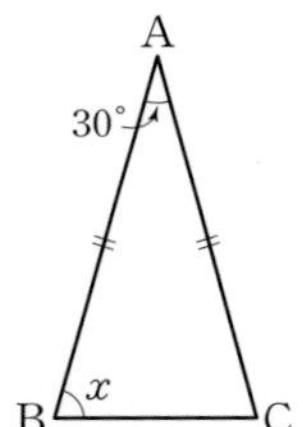

0011

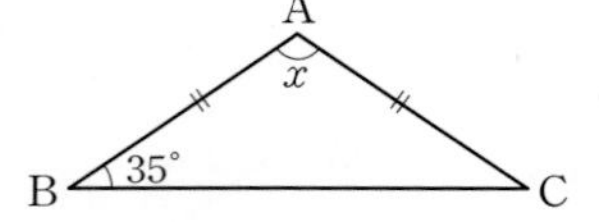

다음 그림과 같은 이등변삼각형 ABC에서 ∠x의 크기를 구하여라.

0012

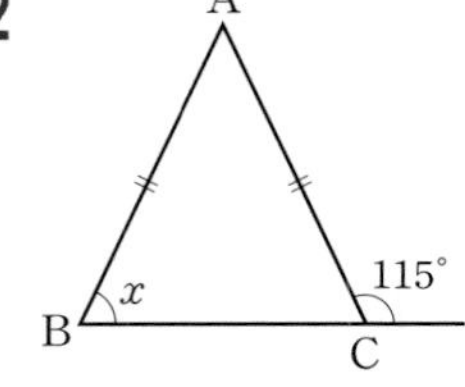

0013

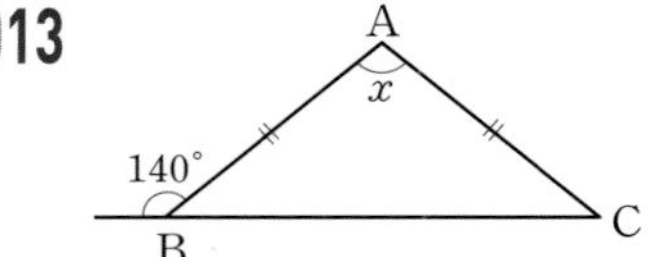

0014

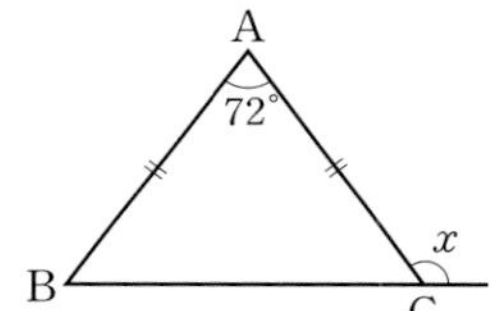

0015 학교 시험 맛보기 

오른쪽 그림과 같은 △ABC에서 $\overline{AB}=\overline{AC}$일 때, ∠$x$, ∠$y$의 크기를 각각 구하여라.

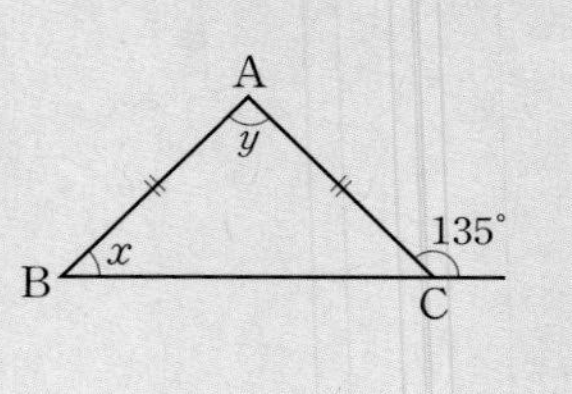

핵심

03 이등변삼각형의 성질 (2)

날짜 :  월  일

Subnote ➲ 02쪽

(꼭지각의 이등분선)
=(밑변의 수직이등분선)

이등변삼각형의 꼭지각의 이등분선은 밑변을 수직이등분한다.

➡ △ABC에서
$\overline{AB}=\overline{AC}$, $\angle BAD=\angle CAD$이면
$\overline{BD}=\overline{CD}$, $\overline{AD}\perp\overline{BC}$

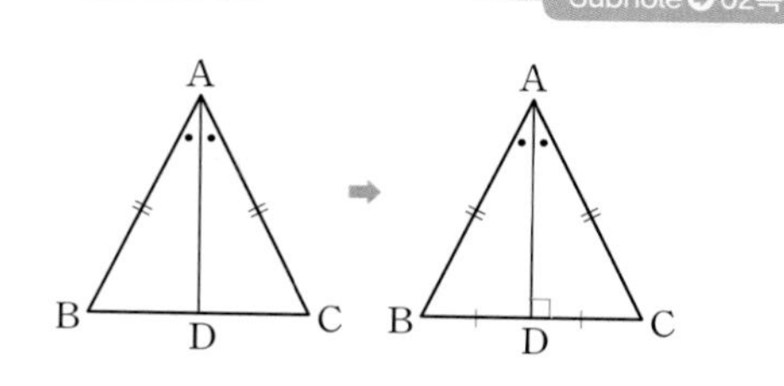

다음 그림과 같은 이등변삼각형 ABC에서 $\angle x$의 크기를 구하여라.

0016

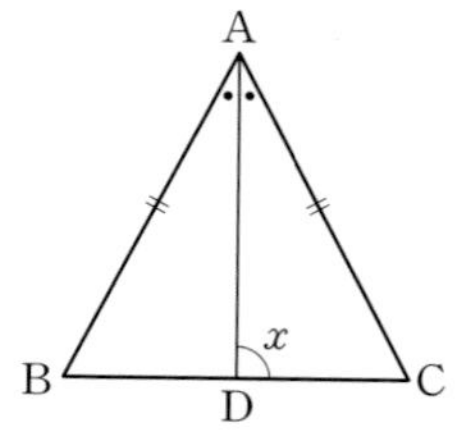

0017

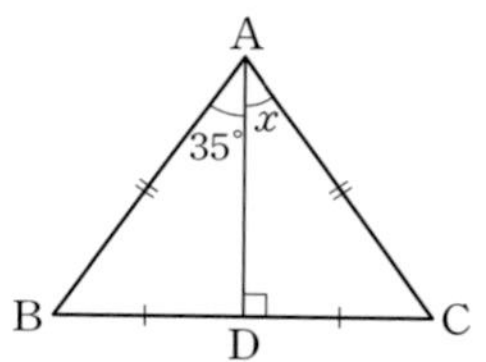

0018

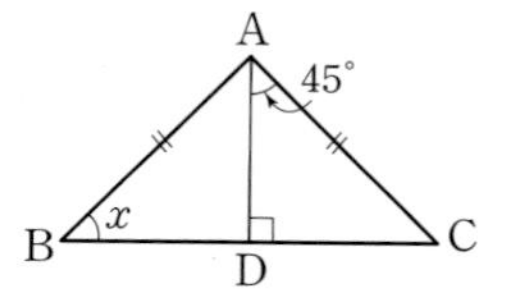

key 꼭짓점 A에서 밑변에 내린 수선은 꼭지각의 이등분선과 같다.

0019

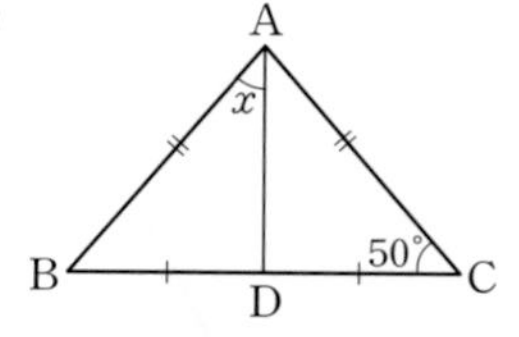

key 꼭짓점 A와 밑변의 중점을 이은 직선은 밑변의 수직이등분선과 같다.

다음 그림과 같은 이등변삼각형 ABC에서 x의 값을 구하여라.

0020

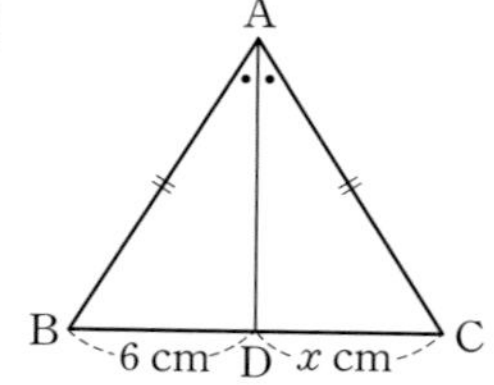

sol △ABC에서 $\overline{AB}=\overline{AC}$, $\angle BAD=\angle CAD$이므로
$\overline{CD}=\overline{BD}=\square$ cm
$\therefore x=\square$

0021

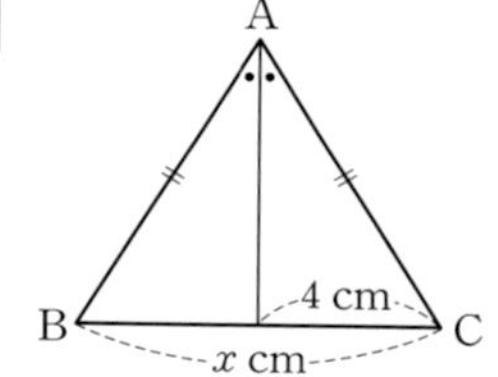

0022

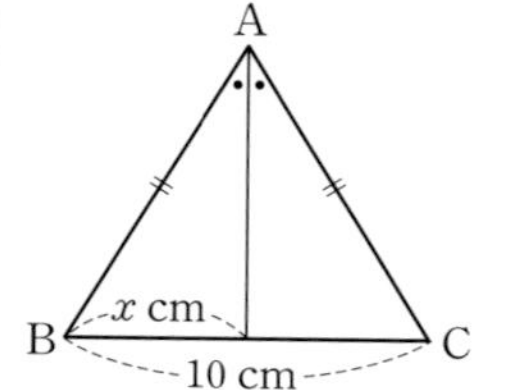

0023 학교 시험 맛보기 

오른쪽 그림과 같은 이등변삼각형 ABC에서 $x+y$의 값을 구하여라.

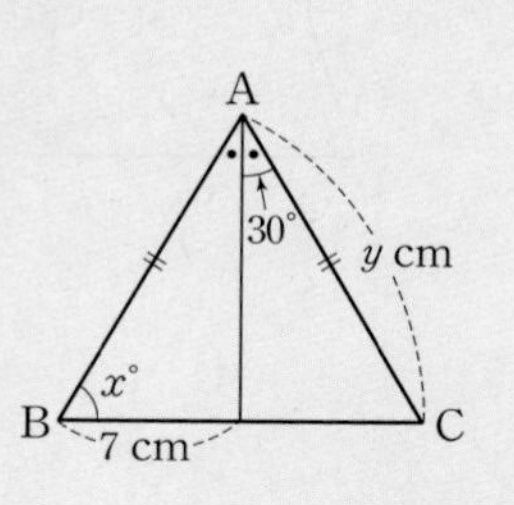

핵심

04 이등변삼각형이 되는 조건

날짜 :  월  일

Subnote ➲ 02쪽

두 변의 길이가 같아도 이등변삼각형이 되지만 두 내각의 크기가 같아도 이등변삼각형이 돼!

두 내각의 크기가 같은 삼각형은 이등변삼각형이다.

➡ △ABC에서 ∠B=∠C이면 $\overline{AB}=\overline{AC}$ └ 이등변삼각형

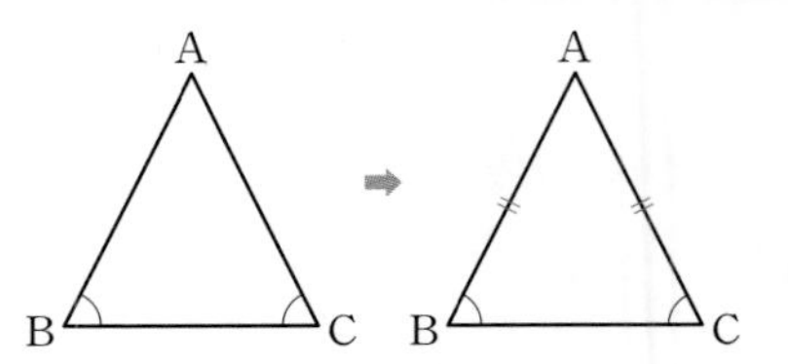

다음 그림과 같은 △ABC에서 x의 값을 구하여라.

0024

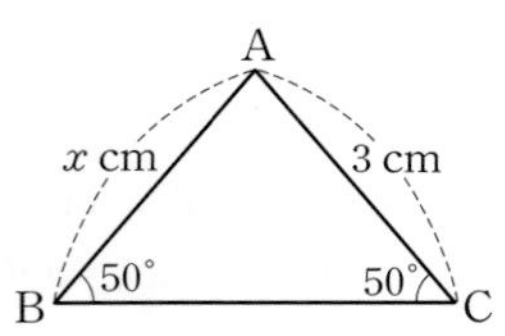

0025

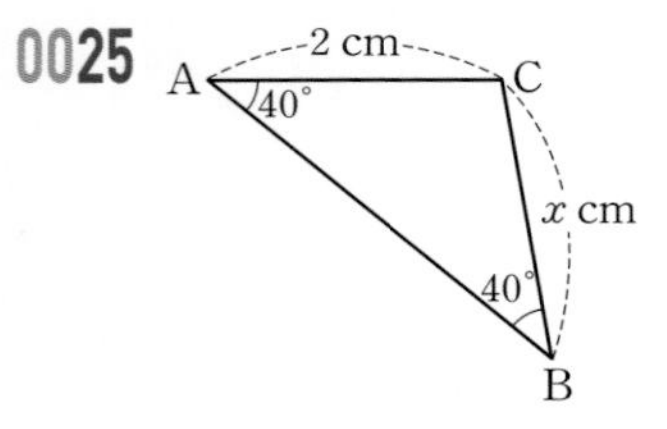

0026

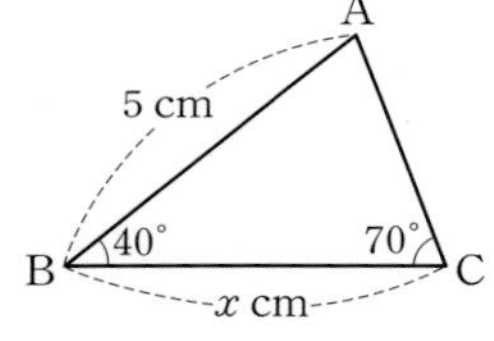

먼저 ∠A의 크기를 구해!

0027

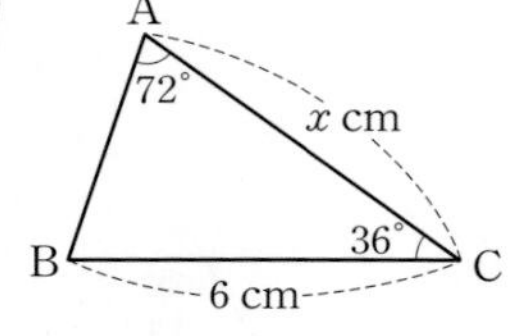

다음 그림과 같은 △ABC에서 x의 값을 구하여라.

0028

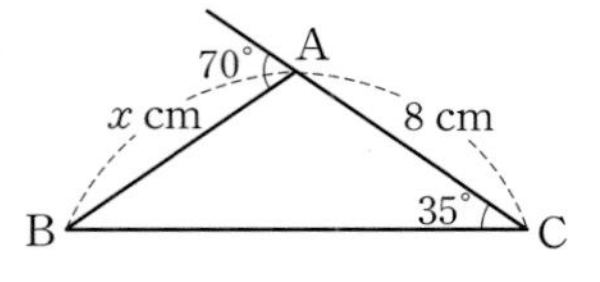

삼각형의 한 외각의 크기는 그와 이웃하지 않는 두 내각의 크기의 합과 같아.

sol ∠B+∠C=70°이므로

∠B+35°=70° ∴ ∠B=□°

즉, ∠B=∠C이므로

$\overline{AB}=\overline{AC}$=□ cm ∴ x=□

0029

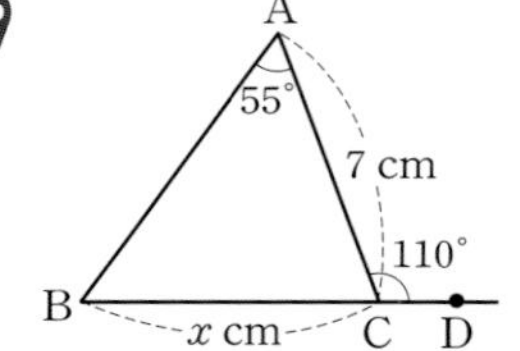

0030 학교 시험 맛보기 

오른쪽 그림과 같은 △ABC에서 $x+y$의 값을 구하여라.

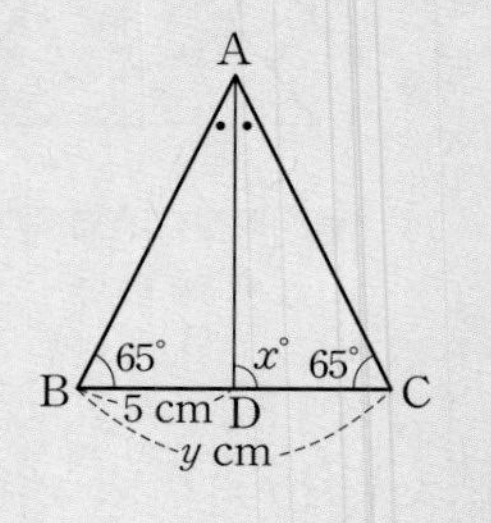

핵심 **05**

폭이 일정한 종이 접기

날짜 : 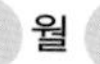 월  일

Subnote 03쪽

두 직선이 평행할 때, 동위각 또는 엇각의 크기가 각각 같아!

폭이 일정한 종이를 오른쪽 그림과 같이 접었을 때,
$\angle ABC = \angle CBD$(접은 각),
$\angle ACB = \angle CBD$(엇각)
➡ $\angle ABC = \angle ACB$
➡ $\triangle ABC$는 $\overline{AB} = \overline{AC}$인 이등변삼각형이다.

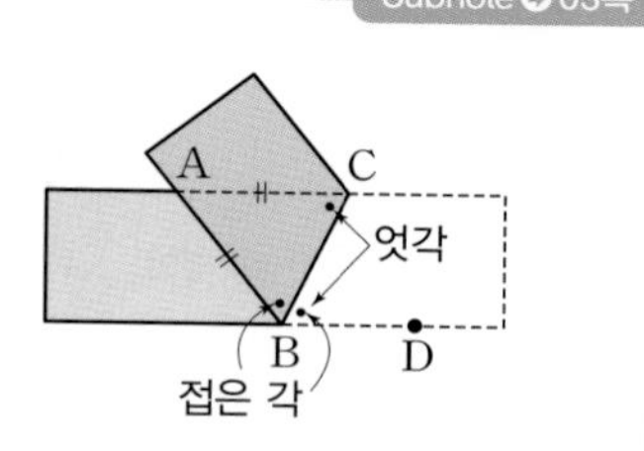

📂 폭이 일정한 종이를 다음 그림과 같이 접었을 때, x의 값을 구하여라.

0031

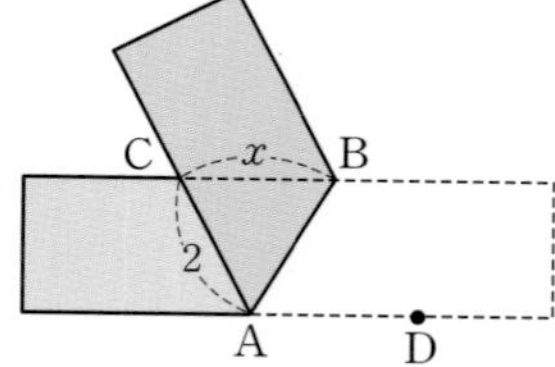

이등변삼각형을 찾아봐!

sol $\angle CAB = \angle BAD$ (접은 각)
$\angle CBA = \angle BAD$ (엇각)
$\therefore \angle CAB = \square$
따라서 $\overline{CA} = \square$이므로 $x = \square$

0032

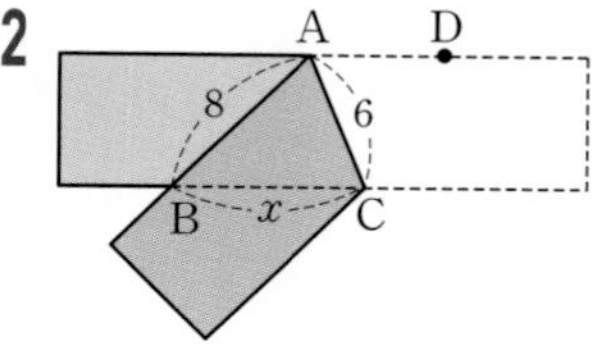

0033

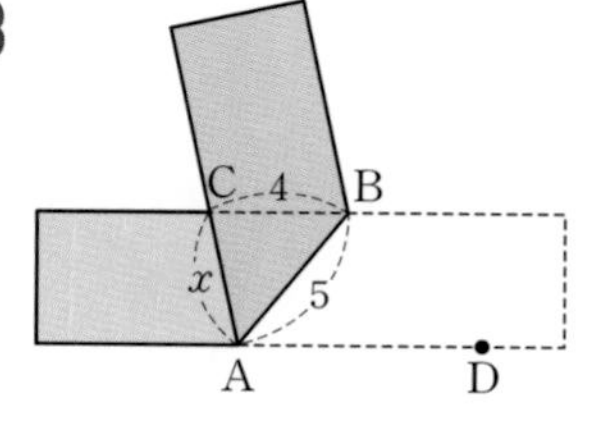

📂 폭이 일정한 종이를 다음 그림과 같이 접었을 때, $\angle x$의 크기를 구하여라.

0034

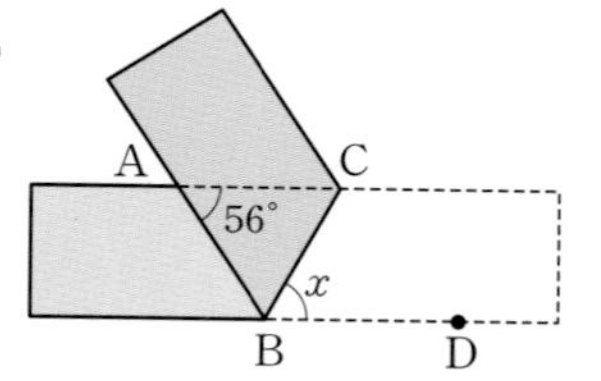

sol $\angle ABC = \angle x$ (접은 각), $\angle ACB = \angle x$ (엇각)
따라서 $\triangle ABC$는 이등변삼각형이므로
$\angle x = \frac{1}{2} \times (180° - \square°) = \square°$

0035

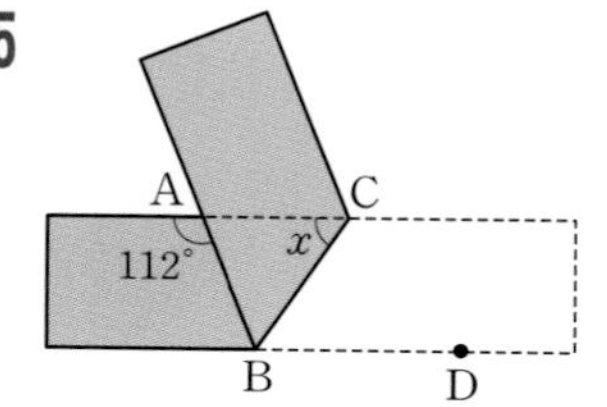

0036 학교 시험 맛보기 

폭이 일정한 종이를 오른쪽 그림과 같이 접었을 때, $x+y$의 값을 구하여라.

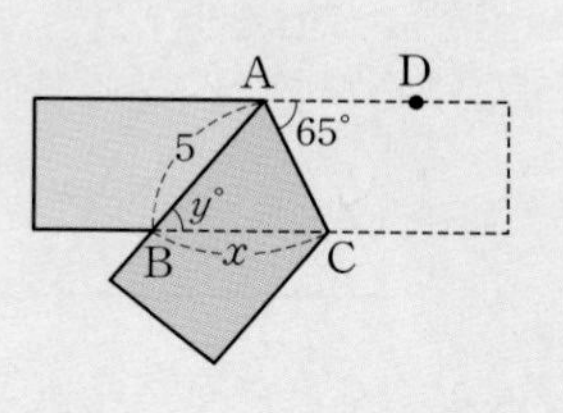

06 이등변삼각형의 성질의 활용 (1)

핵심

날짜 : 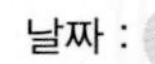 월  일

Subnote ➡ 03쪽

이등변삼각형의 두 밑각의 크기가 같음을 이용해!

$\triangle$ABC에서 $\overline{AB}=\overline{AC}$일 때,

(1)

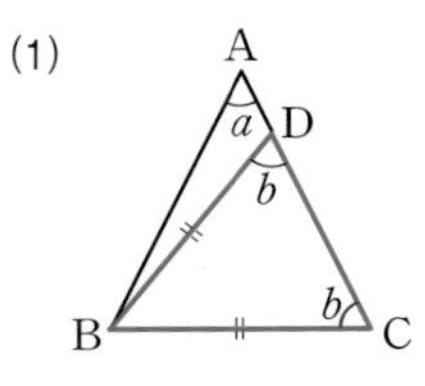

$\angle b=\frac{1}{2}\times(180°-\angle a)$

(2)

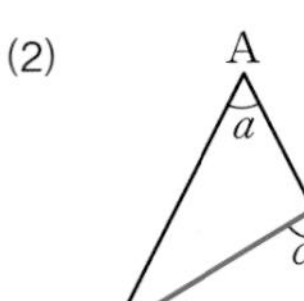

$\angle c=\angle a+\frac{1}{2}\angle b$

다음 그림과 같은 $\triangle$ABC에서 $\overline{AB}=\overline{AC}$일 때, $\angle x$의 크기를 구하여라.

0037

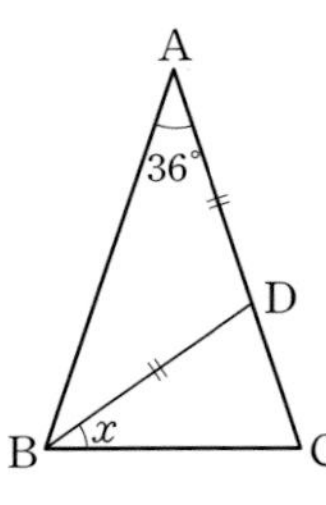

sol $\triangle$ABC에서
$\angle B=\frac{1}{2}\times(180°-36°)=\square°$
$\triangle$ABD에서
$\angle ABD=\angle DAB=\square°$
$\therefore\ \angle x=\square°-\square°=\square°$

0038

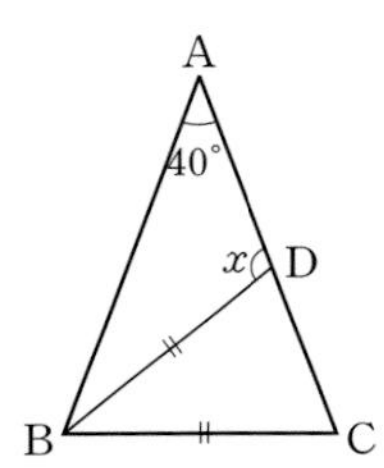

0039

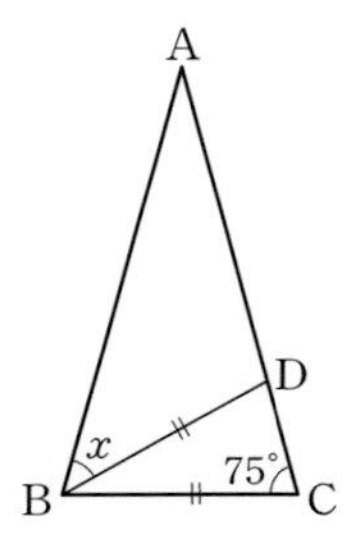

0040

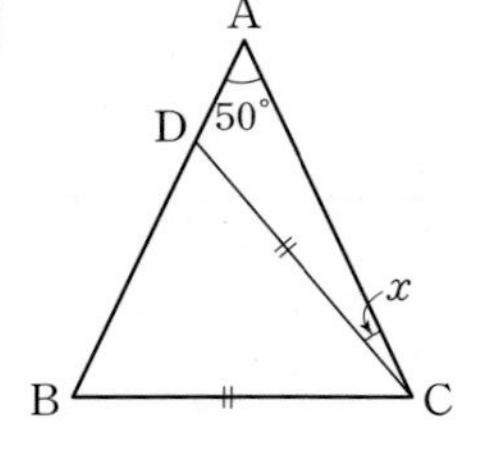

다음 그림과 같은 $\triangle$ABC에서 $\overline{AB}=\overline{AC}$일 때, $\angle x$의 크기를 구하여라.

0041

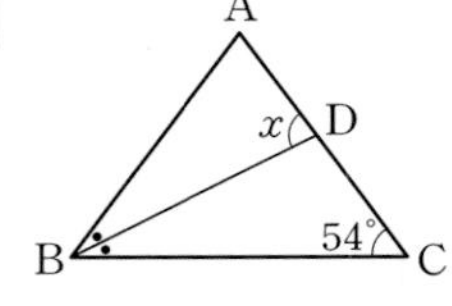

sol $\angle B=\angle C=54°$이므로
$\angle DBC=\frac{1}{2}\times54°=\square°$
$\triangle$DBC에서
$\angle x=\square°+54°=\square°$

0042

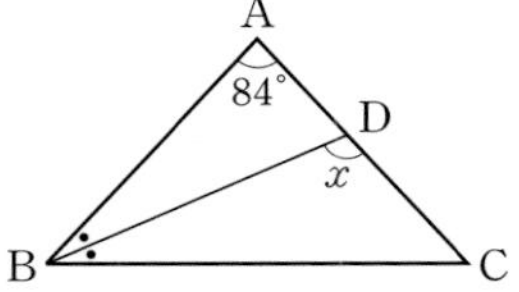

0043

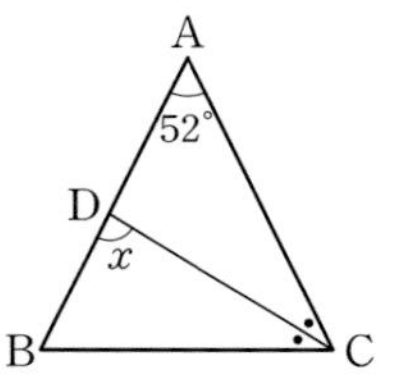

0044 학교 시험 맛보기

오른쪽 그림과 같이 $\overline{AB}=\overline{AC}$인 $\triangle$ABC에서 $\overline{BD}$는 $\angle$B의 이등분선이고 $\overline{CD}$는 $\angle$C의 외각의 이등분선일 때, $\angle x$의 크기를 구하여라.

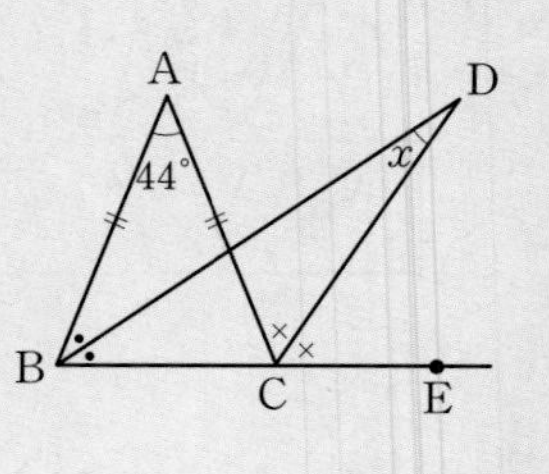

핵심 07 이등변삼각형의 성질의 활용 (2)

날짜 :  월  일

Subnote ➔ 03쪽

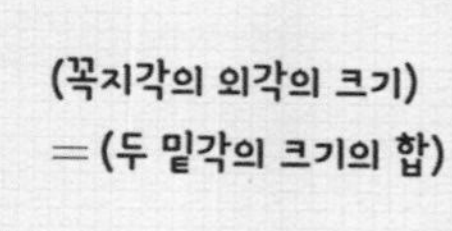

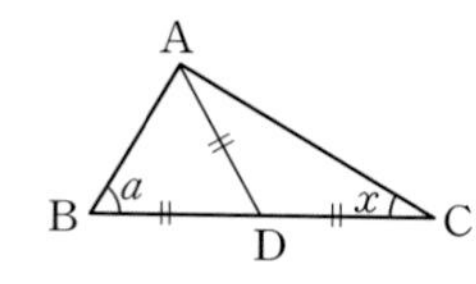

➡

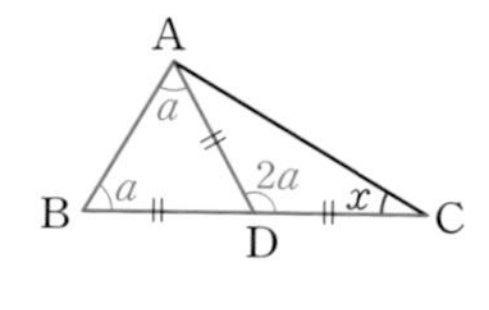

$\angle ADC = 2\angle a$

➡

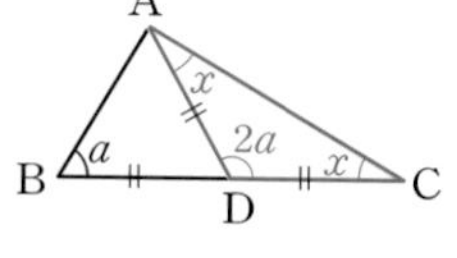

$\angle x = \frac{1}{2} \times (180° - 2\angle a)$

다음 그림에서 $\angle x$의 크기를 구하여라.

0045

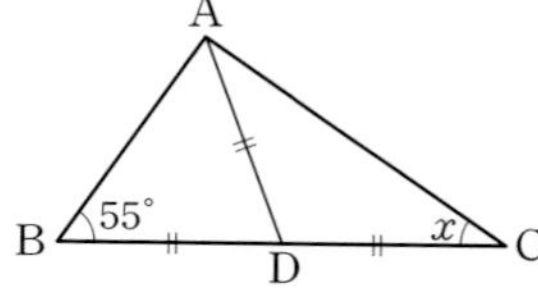

sol $\triangle ABD$에서 $\angle BAD = \angle B = 55°$

$\therefore \angle ADC = \angle B + \angle BAD = 55° + 55° = \square°$

$\triangle ADC$에서 $\angle DAC = \angle x$이므로

$\angle x = \frac{1}{2} \times (180° - \square°) = \square°$

0046

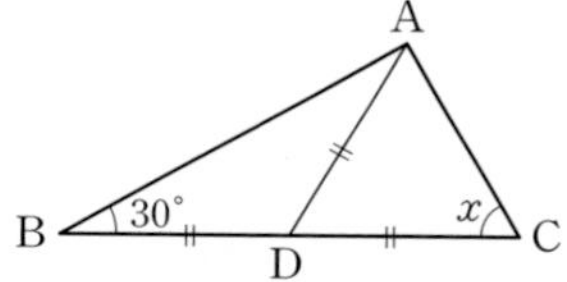

0047

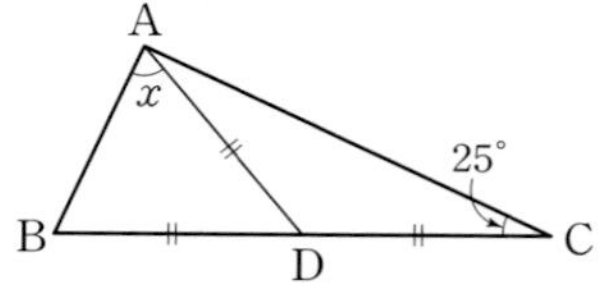

0048

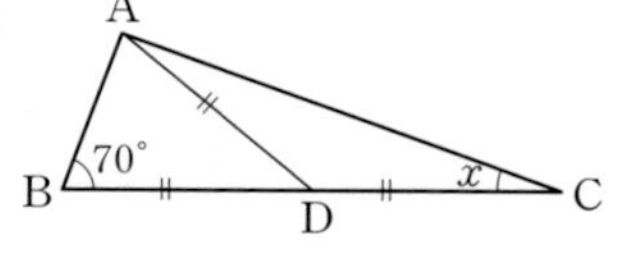

0049

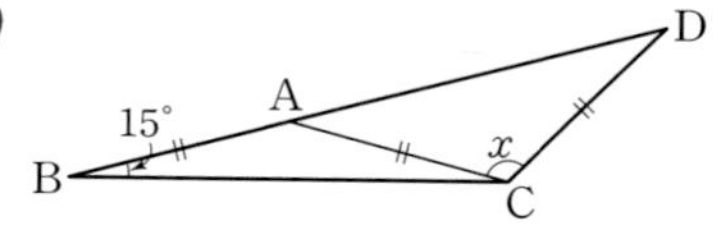

0050

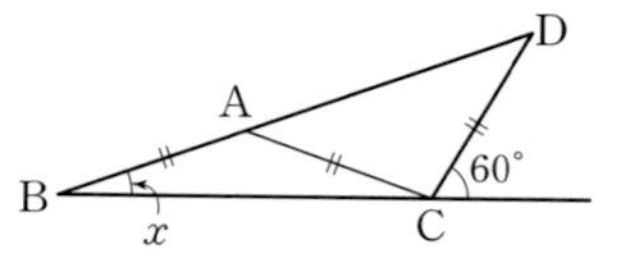

sol $\triangle ABC$에서 $\angle ACB = \angle B = \angle x$

$\therefore \angle DAC = \angle B + \angle ACB = \square$

$\triangle ACD$에서 $\angle D = \angle DAC = \square$

$\triangle BCD$에서 $60° = \angle B + \angle D = \square$

$\therefore \angle x = \square°$

0051

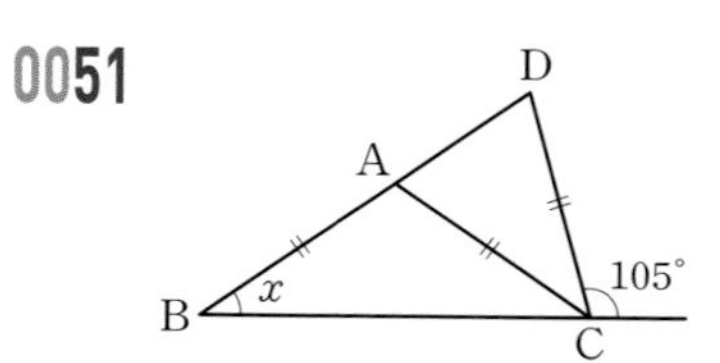

0052 학교 시험 맛보기 

오른쪽 그림과 같이 $\overline{AB} = \overline{AC}$인 이등변삼각형 $\triangle ABC$에서 $\overline{AD} = \overline{BD} = \overline{BC}$일 때, $\angle x$의 크기를 구하여라.

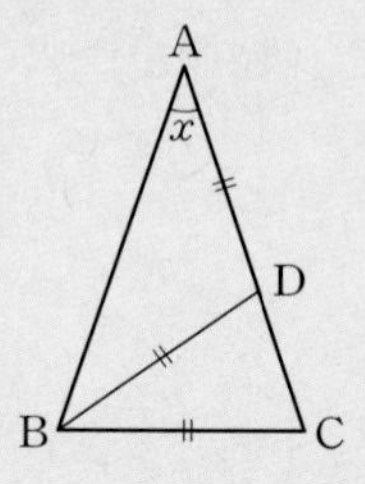

핵심 01~07

Mini Review Test

날짜 : 월 일

Subnote ➡ 04쪽

핵심 01

0053 오른쪽 그림과 같이 ∠C가 꼭지각인 이등변삼각형 ABC의 둘레의 길이를 구하여라.

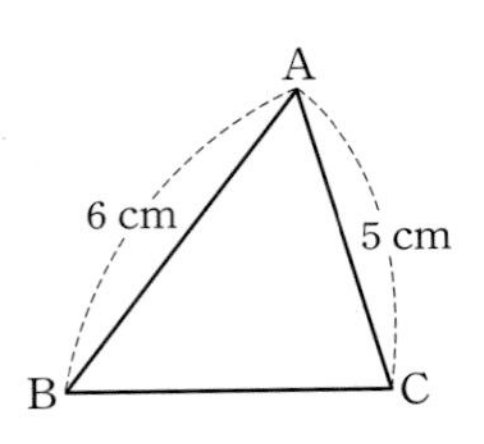

핵심 02

0054 오른쪽 그림과 같은 △ABC에서 $\overline{AB}=\overline{AC}$일 때, $\angle x$, $\angle y$의 크기를 각각 구하여라.

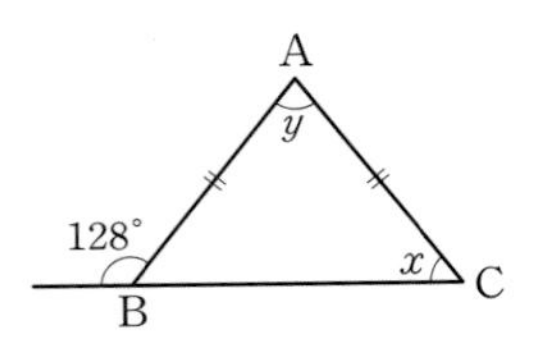

핵심 03

0055 오른쪽 그림과 같은 △ABC에서 $\overline{AB}=\overline{AC}$일 때, $x+y$의 값을 구하여라.

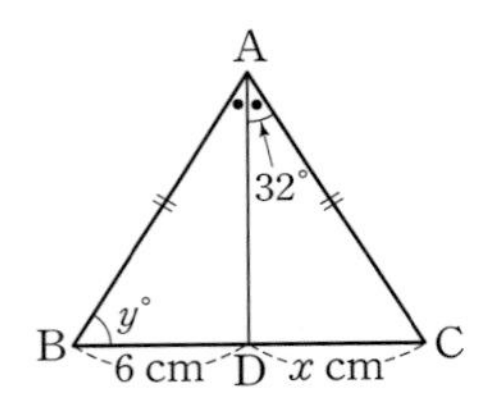

핵심 04

0056 오른쪽 그림과 같은 △ABC에서 x의 값을 구하여라.

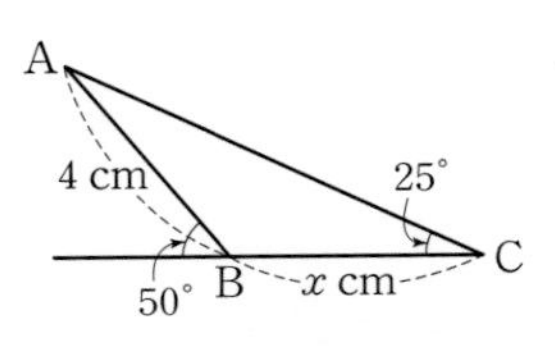

핵심 05

0057 폭이 일정한 종이를 다음 그림과 같이 접었을 때, $\angle x$의 크기를 구하여라.

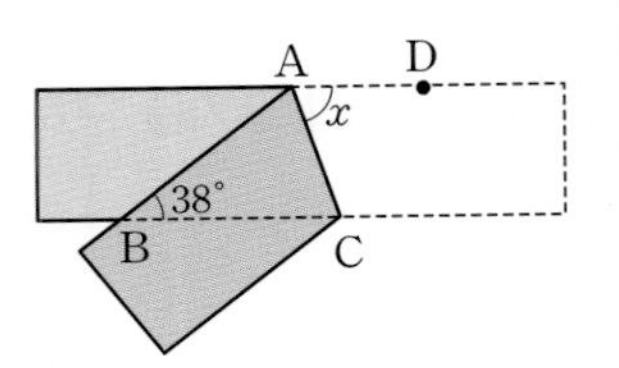

핵심 06 서술형

0058 오른쪽 그림과 같이 $\overline{AB}=\overline{AC}$인 이등변삼각형 ABC에서 $\overline{CB}=\overline{CD}$일 때, $\angle x$의 크기를 구하여라.

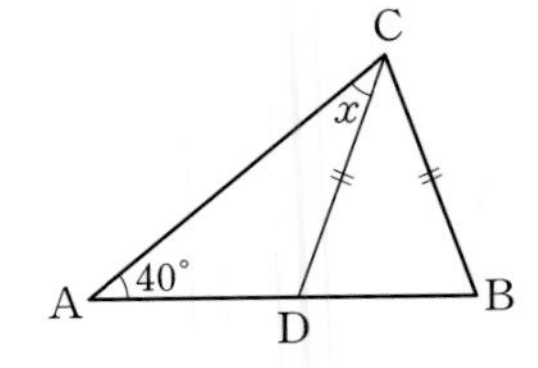

핵심 06

0059 오른쪽 그림과 같이 $\overline{AB}=\overline{AC}$인 이등변삼각형 ABC에서 $\overline{BD}$는 ∠B의 이등분선이고, $\overline{CD}$는 ∠C의 외각의 이등분선일 때, $\angle x$의 크기를 구하여라.

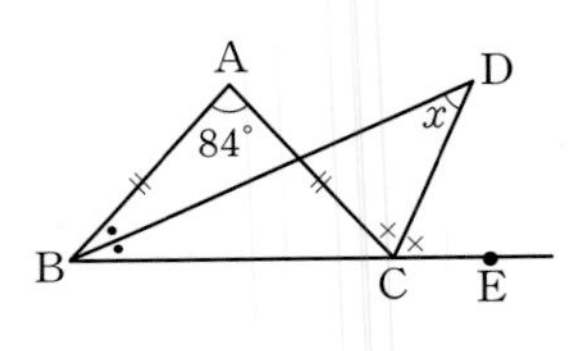

핵심 07

0060 오른쪽 그림과 같은 △ABC에서 $\overline{AD}=\overline{BD}=\overline{BC}$일 때, $\angle x$의 크기를 구하여라.

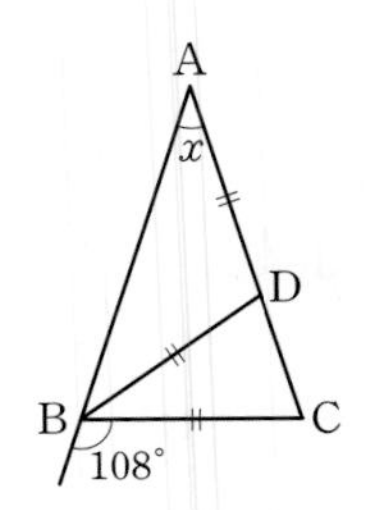

핵심 08 직각삼각형의 합동 조건 (1)-RHA 합동

날짜 : 월 일

Subnote ➔ 04쪽

R: 직각(Right angle)
H: 빗변(Hypotenuse)
A: 각(Angle)

RHA 합동

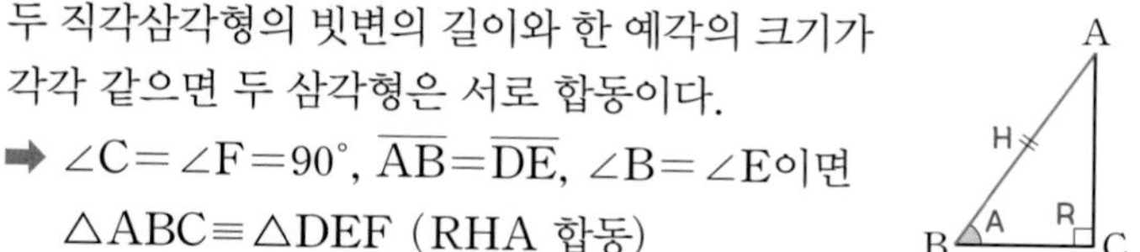

두 직각삼각형의 빗변의 길이와 한 예각의 크기가 각각 같으면 두 삼각형은 서로 합동이다.

➡ $\angle C=\angle F=90^\circ$, $\overline{AB}=\overline{DE}$, $\angle B=\angle E$이면 $\triangle ABC\equiv\triangle DEF$ (RHA 합동)

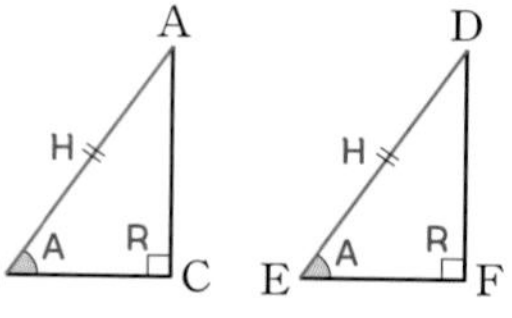

참고 직각삼각형은 한 내각의 크기가 90°이므로 한 예각의 크기가 정해지면 다른 예각의 크기도 정해진다.

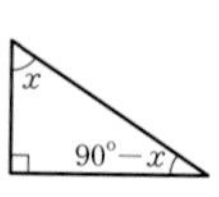

0061 다음은 '빗변의 길이와 한 예각의 크기가 각각 같은 두 직각삼각형은 합동이다.'가 성립함을 설명하는 과정이다. □ 안에 알맞은 것을 써넣어라.

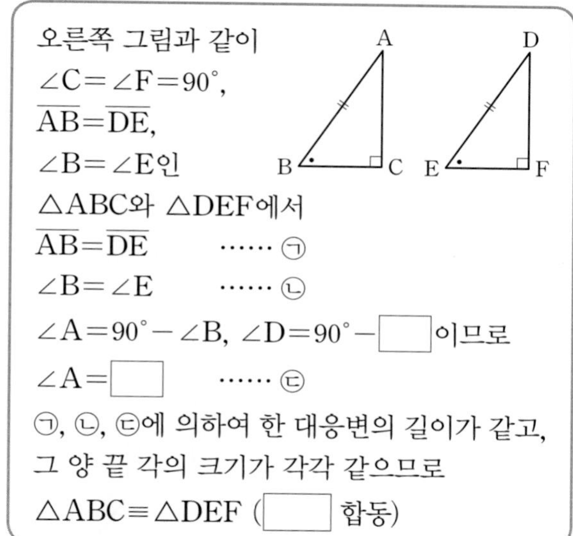

오른쪽 그림과 같이
$\angle C=\angle F=90^\circ$,
$\overline{AB}=\overline{DE}$,
$\angle B=\angle E$인
$\triangle ABC$와 $\triangle DEF$에서
$\overline{AB}=\overline{DE}$ …… ㉠
$\angle B=\angle E$ …… ㉡
$\angle A=90^\circ-\angle B$, $\angle D=90^\circ-$□이므로
$\angle A=$□ …… ㉢
㉠, ㉡, ㉢에 의하여 한 대응변의 길이가 같고, 그 양 끝 각의 크기가 각각 같으므로
$\triangle ABC\equiv\triangle DEF$ (□ 합동)

따라서 빗변의 길이와 한 예각의 크기가 각각 같은 두 직각삼각형은 합동이야!

다음 그림과 같은 두 직각삼각형에 대하여 합동인 두 삼각형을 기호로 나타내고, 합동 조건을 말하여라.

0062

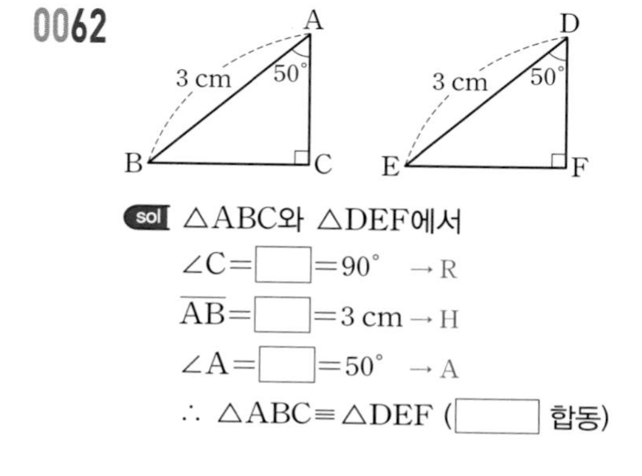

sol $\triangle ABC$와 $\triangle DEF$에서
$\angle C=$□$=90^\circ$ → R
$\overline{AB}=$□$=3$ cm → H
$\angle A=$□$=50^\circ$ → A
$\therefore\ \triangle ABC\equiv\triangle DEF$ (□ 합동)

0063

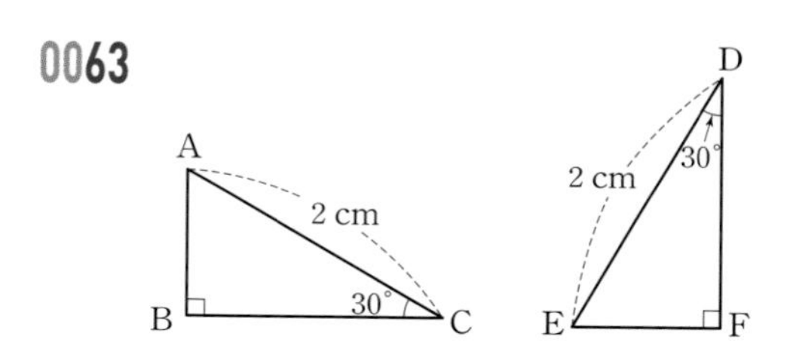

key 두 도형의 합동을 나타낼 때 대응하는 점을 순서대로 써야 해!

0064

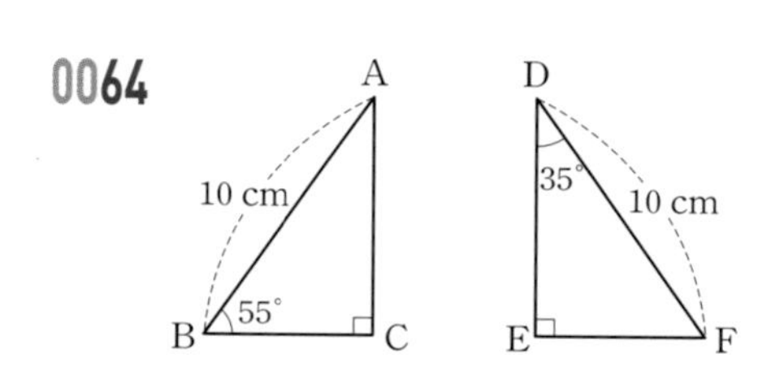

직각삼각형의 합동 조건 (2)-RHS 합동

날짜 : 월 일

Subnote 04쪽

R: 직각(Right angle)
H: 빗변(Hypotenuse)
S: 변(Side)

RHS 합동
두 직각삼각형의 빗변의 길이와 다른 한 변의 길이가 각각 같으면 두 삼각형은 서로 합동이다.
➡ $\angle C = \angle F = 90^\circ$, $\overline{AB} = \overline{DE}$, $\overline{AC} = \overline{DF}$이면
$\triangle ABC \equiv \triangle DEF$ (RHS 합동)

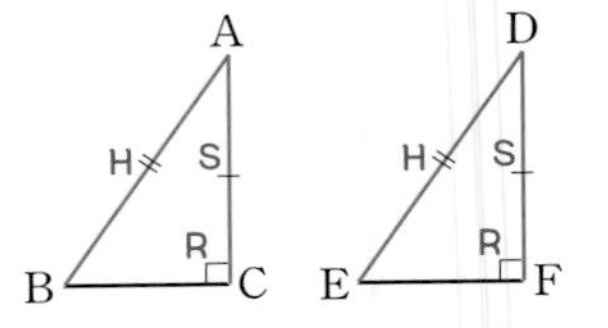

0065 다음은 '빗변의 길이와 한 변의 길이가 각각 같은 두 직각삼각형은 합동이다.'가 성립함을 설명하는 과정이다. □ 안에 알맞은 것을 써넣어라.

다음 그림과 같이 $\angle C = \angle F = 90^\circ$, $\overline{AB} = \overline{DE}$, $\overline{AC} = \overline{DF}$인 △ABC와 △DEF에서 △DEF를 뒤집어 길이가 같은 변 AC와 변 DF를 겹쳐지도록 놓자.

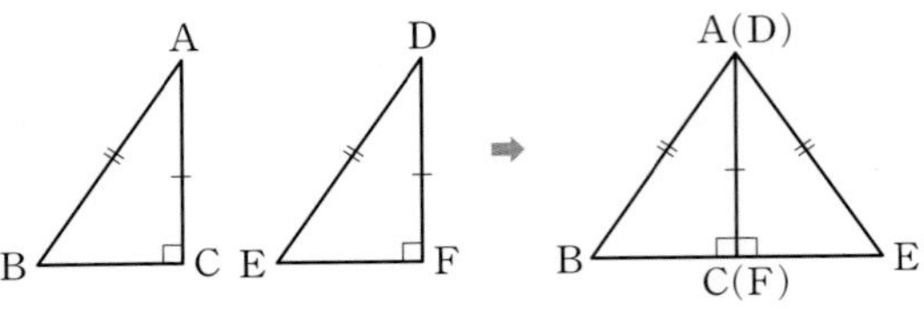

$\angle BCE = \angle ACB + \angle DFE =$ □°
이므로 세 점 B, C(F), E는 한 직선 위에 있다.
또 △ABE는 □$= \overline{DE}$인 이등변삼각형이므로 ∠B= □
따라서 두 직각삼각형의 빗변의 길이와 한 예각의 크기가 각각 같으므로
△ABC≡△DEF (□ 합동)

따라서 빗변의 길이와 한 변의 길이가 각각 같은 두 직각삼각형은 합동이야.

다음 그림과 같은 두 직각삼각형에 대하여 합동인 두 삼각형을 기호로 나타내고, 합동 조건을 말하여라.

0066

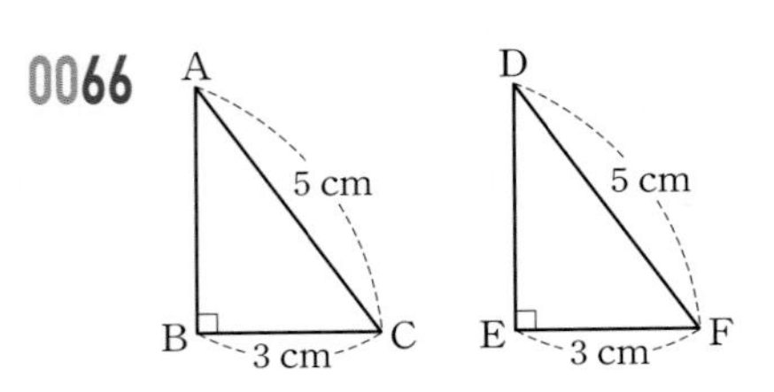

sol △ABC와 △DEF에서
∠B= □ =90° → R
$\overline{AC}$= □ =5 cm → H
$\overline{BC}$= □ =3 cm → S
∴ △ABC≡△DEF (□ 합동)

0067

A, C, B: 6 cm, 10 cm / D, E, F: 8 cm, 10 cm, 6 cm

0068

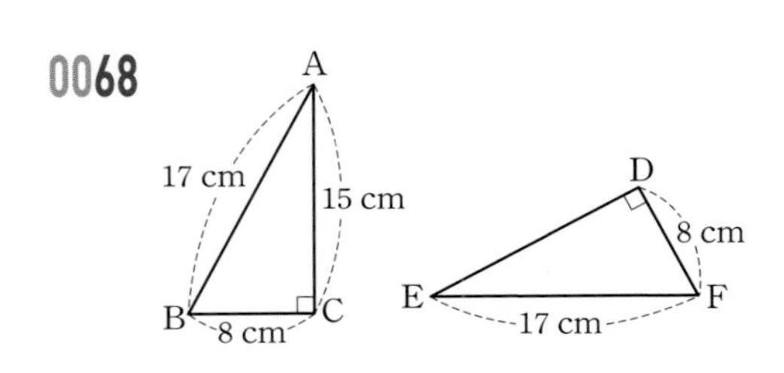

핵심 10 직각삼각형의 합동 조건

날짜 :  월 일

Subnote 05쪽

빗변의 길이가 같은 두 직각삼각형에서 한 예각의 크기 또는 다른 한 변의 길이가 같으면 합동이야.

두 직각삼각형은 다음의 각 경우에 서로 합동이다.

(1) 빗변의 길이와 한 예각의 크기가 각각 같을 때 (RHA 합동)

(2) 빗변의 길이와 다른 한 변의 길이가 각각 같을 때 (RHS 합동)

다음 직각삼각형 중에서 서로 합동인 것을 모두 찾아 기호로 나타내고 각각의 합동 조건을 말하여라.

0069

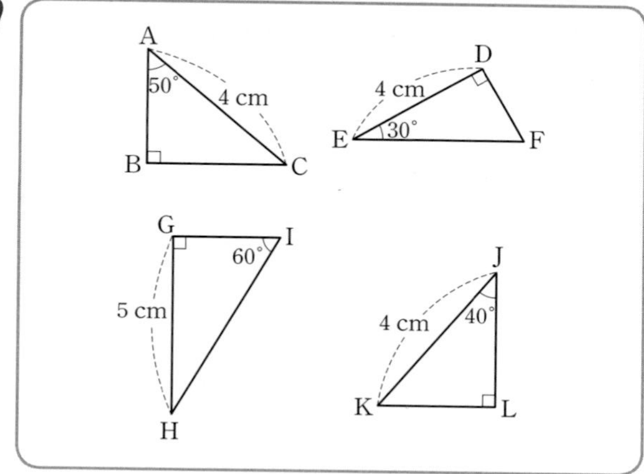

0070

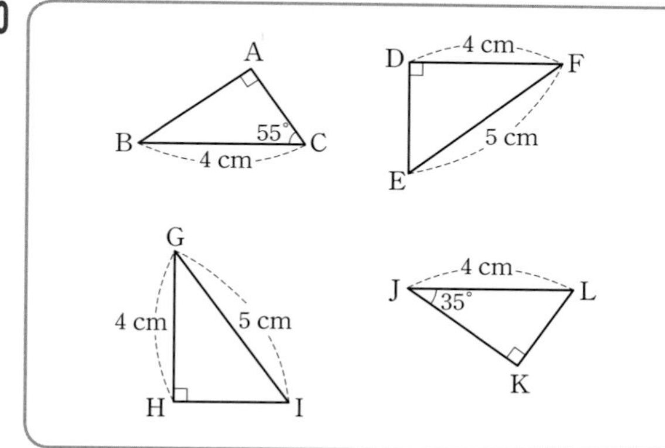

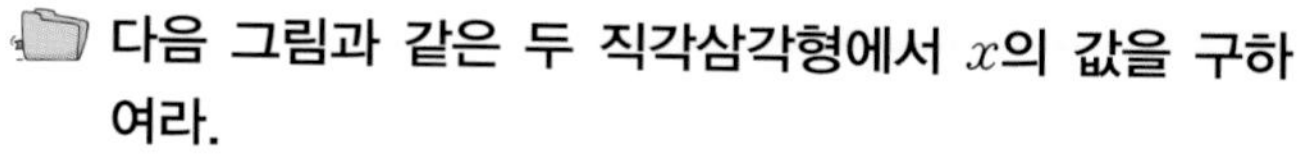

다음 그림과 같은 두 직각삼각형에서 x의 값을 구하여라.

0071

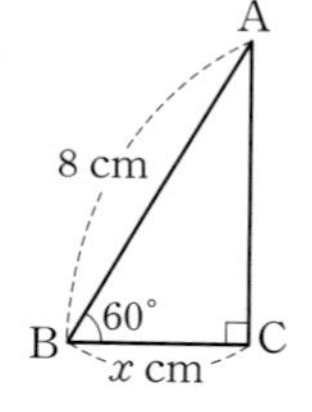

D, 8 cm, 4 cm, E, 30°, F

0072

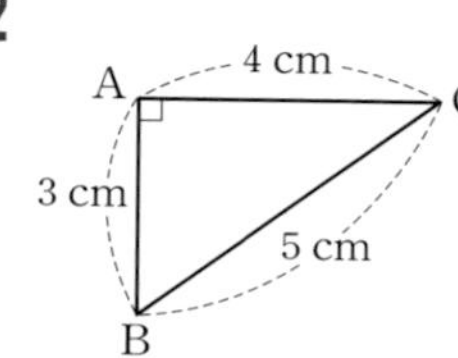

D, 4 cm, 5 cm, E, x cm, F

0073

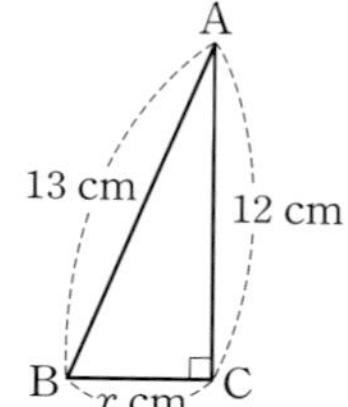

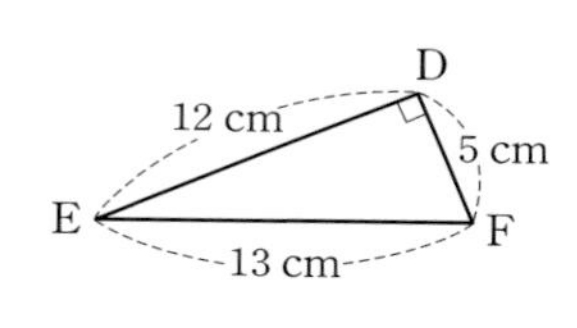

0074 학교 시험 맛보기

오른쪽 그림과 같은 두 직각삼각형 ABC와 DEF에서 $\overline{AC}=\overline{DE}$일 때, $\overline{EF}$의 길이를 구하여라.

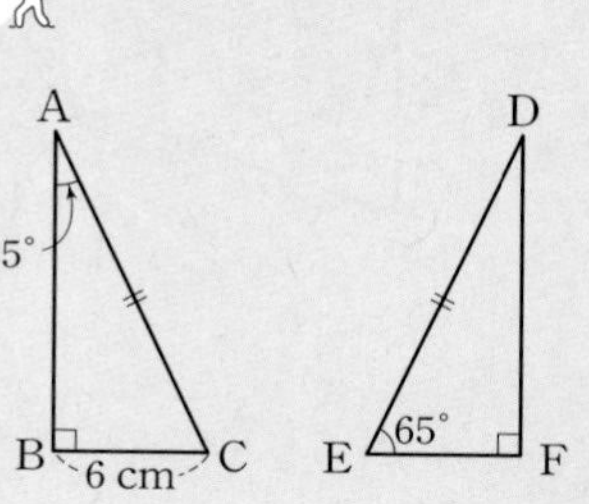
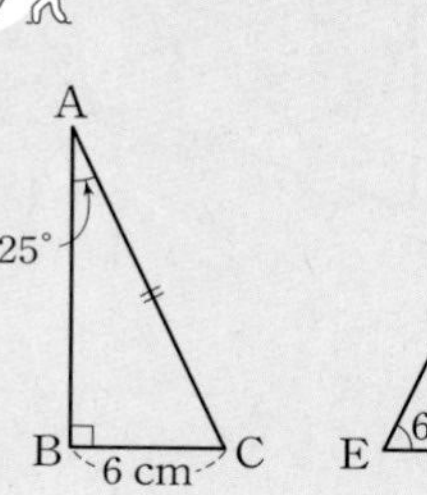

핵심 **11**

직각삼각형의 합동 조건의 활용 (1)

날짜 : 월 일

Subnote ➡ 05쪽

빗변의 길이와 한 예각의 크기가 각각 같은 두 직각삼각형은 합동이야.

오른쪽 그림과 같이 $\angle A=90^\circ$이고, $\overline{AB}=\overline{AC}$인 직각이등변삼각형 ABC의 꼭짓점 A를 지나는 직선 l이 있다. 두 꼭짓점 B, C에서 직선 l에 내린 수선의 발을 각각 D, E라고 할 때,

➡ $\triangle DBA\equiv\triangle EAC$ (RHA 합동)

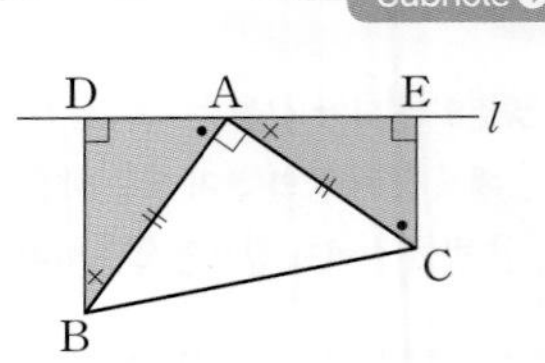

다음 그림에서 $\triangle ABC$가 직각이등변삼각형일 때, x의 값을 구하여라.

0075

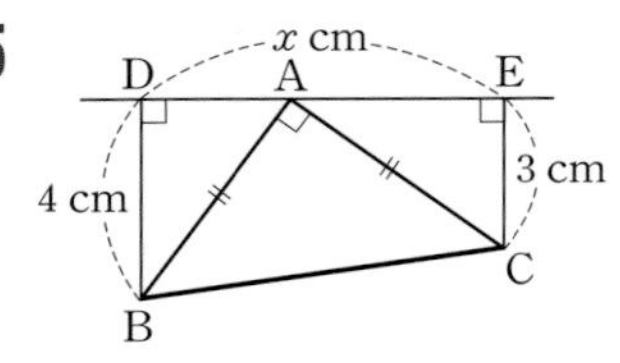

sol $\triangle DBA\equiv$ ☐ (RHA 합동)이므로

$\overline{DA}=\overline{EC}=$ ☐ cm, $\overline{AE}=\overline{BD}=$ ☐ cm

$\therefore \overline{DE}=\overline{DA}+\overline{AE}=$ ☐ $+$ ☐ $=$ ☐ (cm)

$\therefore x=$ ☐

0076

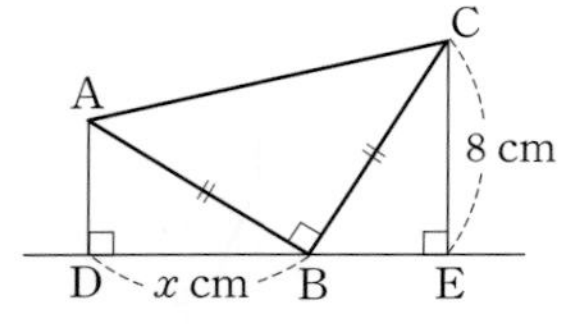

0077

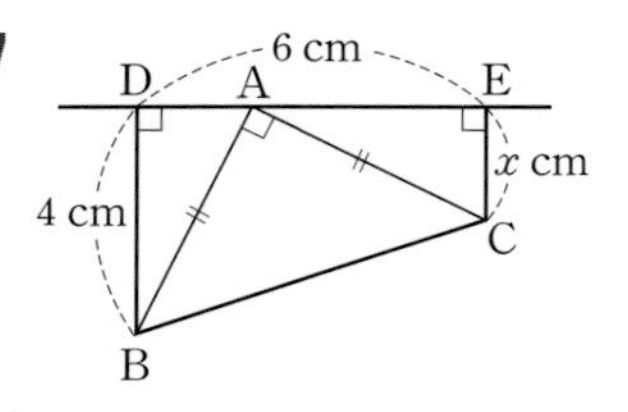

다음 그림에서 $\triangle ABC$가 직각이등변삼각형일 때, 색칠한 부분의 넓이를 구하여라.

0078

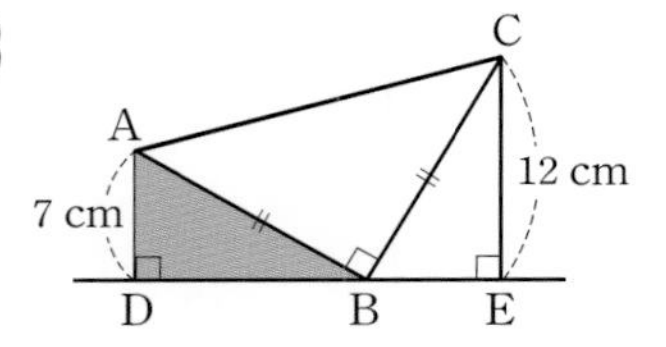

sol $\triangle ADB\equiv$ ☐ (RHA 합동)이므로

$\overline{DB}=\overline{EC}=$ ☐ cm

$\therefore \triangle ADB=\frac{1}{2}\times 7\times$ ☐ $=$ ☐ (cm^2)

0079

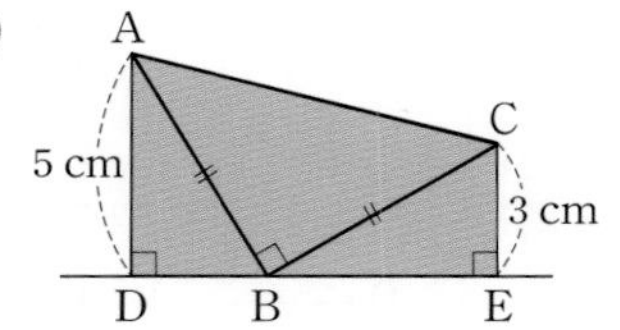

0080 학교 시험 맛보기

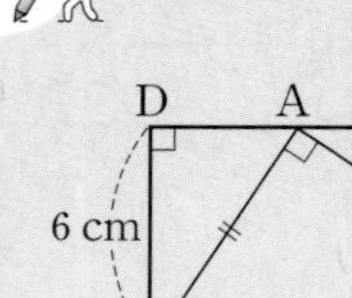

오른쪽 그림에서 $\triangle ABC$가 직각이등변삼각형일 때, 다음 도형의 넓이를 구하여라.

(1) □DBCE

(2) $\triangle ABC$

핵심 12 직각삼각형의 합동 조건의 활용 (2)

날짜 :  월  일 

Subnote 05쪽

빗변의 길이와 한 변의 길이가 각각 같은 두 직각삼각형은 합동이야.

오른쪽 그림과 같이 $\angle B=90°$인 직각삼각형 ABC에 대하여
$\overline{AB}=\overline{AD}$, $\overline{AC}\perp\overline{ED}$일 때,
➡ $\triangle ABE\equiv\triangle ADE$ (RHS 합동)

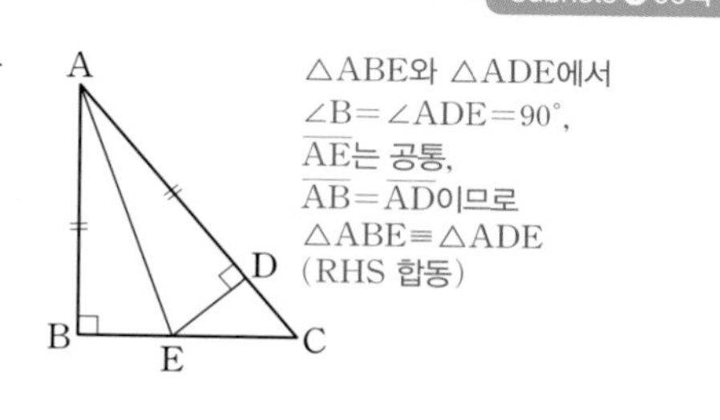

다음 그림과 같이 $\angle B=90°$인 직각삼각형 ABC에서 $\angle x$의 크기를 구하여라.

0081

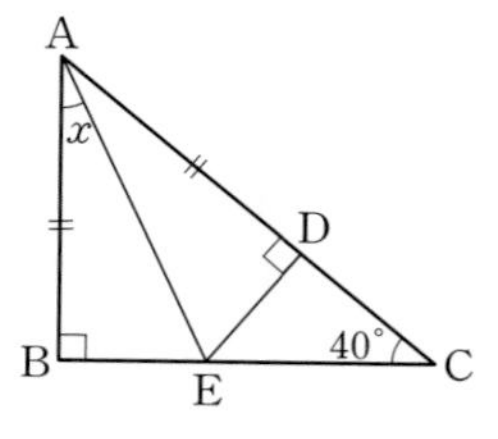

sol $\triangle ABE\equiv$ ☐ (RHS 합동)이므로
$\angle x=$ ☐
$\triangle ABC$에서 $\angle A=90°-40°=$ ☐°
$\therefore \angle x=\frac{1}{2}\angle A=$ ☐°

0082

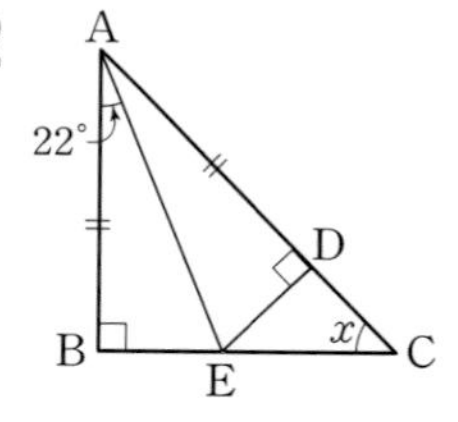

0083

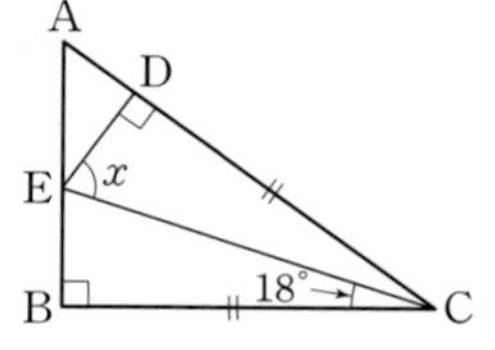

다음 그림과 같은 직각삼각형 ABC에서 색칠한 부분의 넓이를 구하여라.

0084

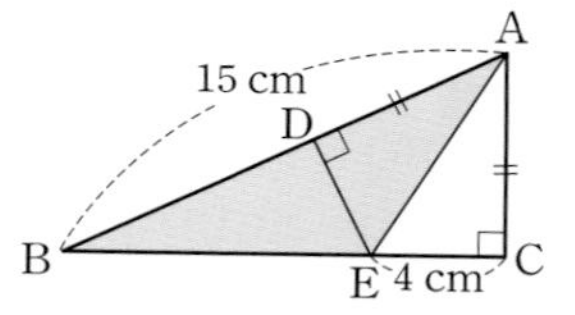

sol $\triangle ADE\equiv\triangle ACE$ (RHS 합동)이므로
$\overline{DE}=\overline{CE}=$ ☐ cm
$\therefore \triangle ABE=\frac{1}{2}\times15\times$ ☐ $=$ ☐ (cm^2)

0085

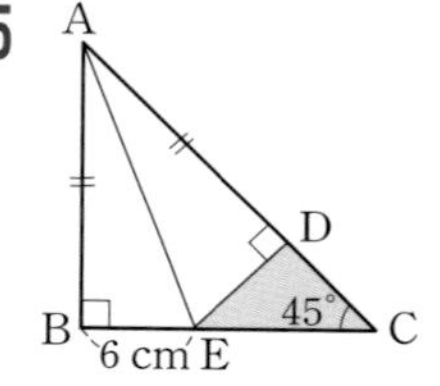

0086 학교 시험 맛보기 

오른쪽 그림과 같이 $\angle C=90°$인 직각삼각형 ABC에서 $\overline{ED}\perp\overline{AB}$이고 $\overline{AC}=\overline{AD}$일 때, $x+y$의 값을 구하여라.

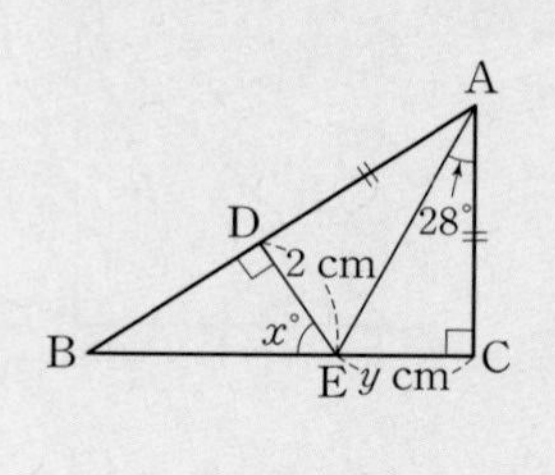

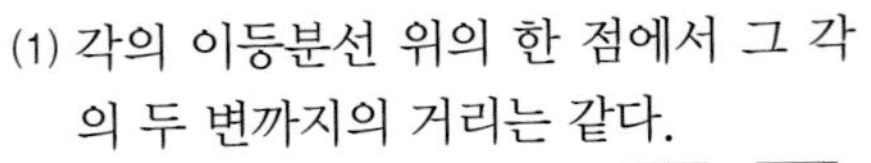

날짜 :  월  일

Subnote ➲ 06쪽

직각삼각형의 합동을 이용하면 각의 이등분선의 성질을 알 수 있어.

(1) 각의 이등분선 위의 한 점에서 그 각의 두 변까지의 거리는 같다.

➡ $\angle AOP = \angle BOP$이면 $\overline{PC} = \overline{PD}$

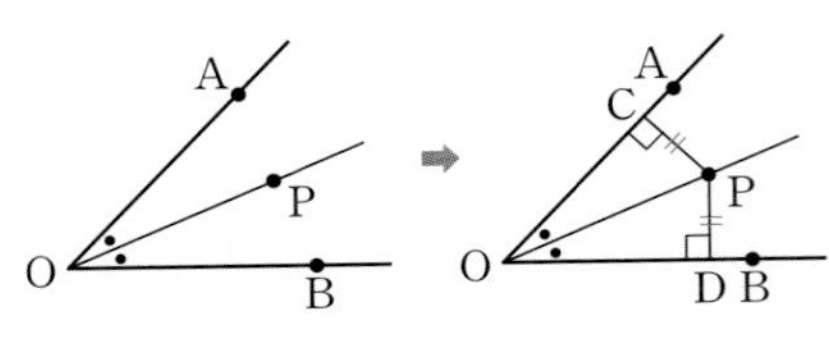

(2) 각의 두 변에서 같은 거리에 있는 한 점은 그 각의 이등분선 위에 있다.

➡ $\overline{PC} = \overline{PD}$이면 $\angle AOP = \angle BOP$

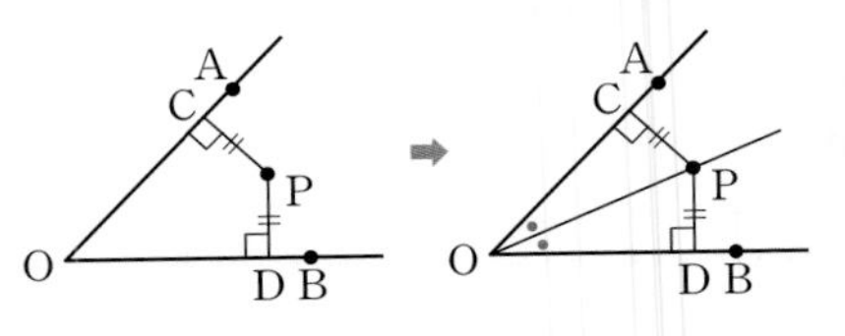

다음 그림에서 x의 값을 구하여라.

0087

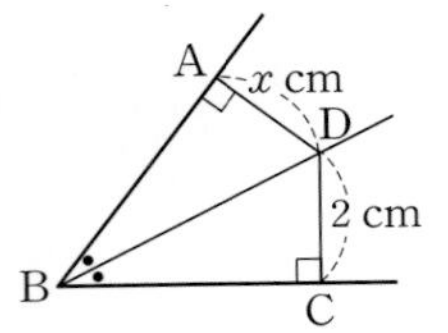

sol

$\angle ABD = \angle CBD$이므로

$\triangle ABD \equiv \triangle CBD$ (☐ 합동)

따라서 $\overline{AD} = \overline{CD}$이므로 $x =$ ☐

0088

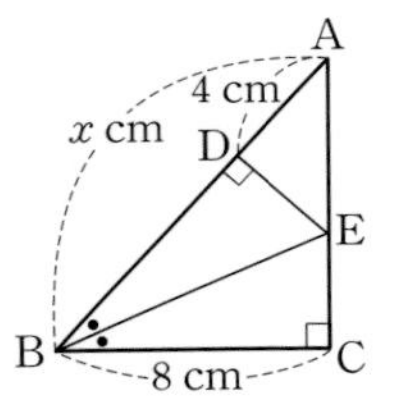

0089

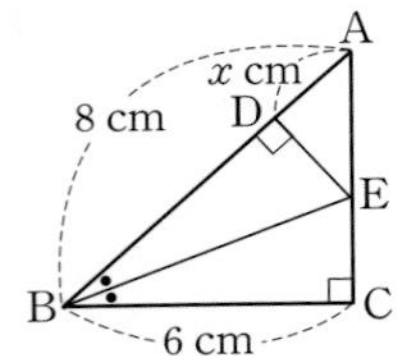

0090

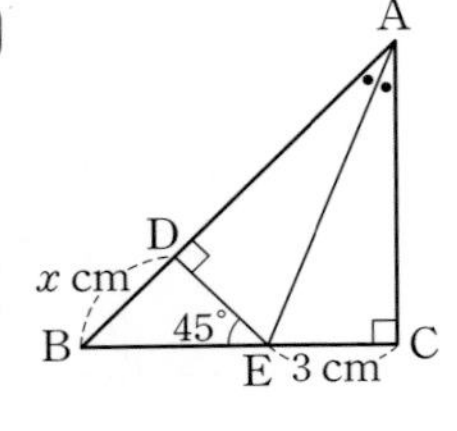

$\angle DAE = \angle CAE$이면 $\overline{DE} = \overline{CE}$이므로 $\overline{DE} = 3$ cm야.

다음 그림에서 $\angle x$의 크기를 구하여라.

0091

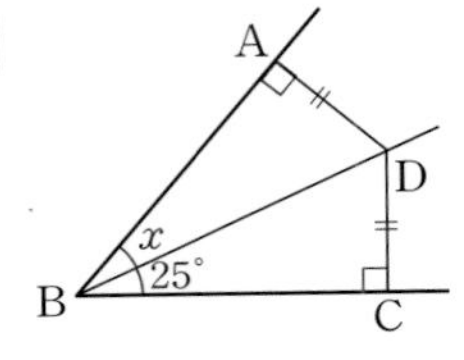

sol

$\overline{AD} = \overline{CD}$이면

$\triangle ABD \equiv \triangle CBD$ (☐ 합동)

따라서 $\angle ABD = \angle CBD$이므로

$\angle x =$ ☐°

0092

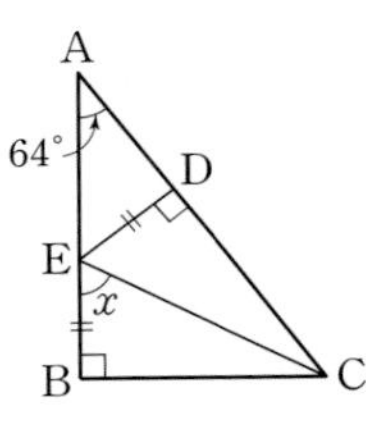

0093

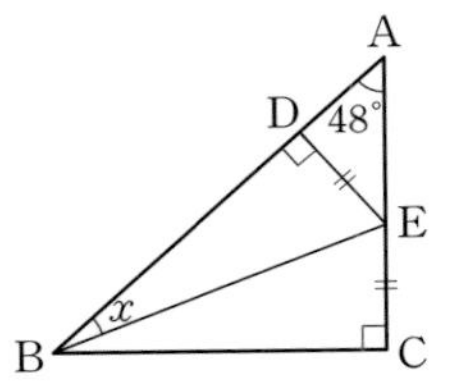

0094

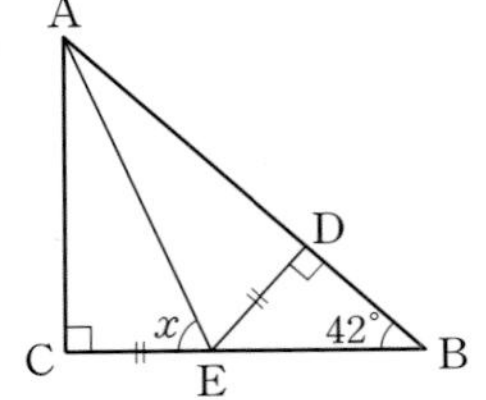

Mini Review Test

날짜 : 월 일

Subnote ➡ 06쪽

핵심 08

0095 오른쪽 그림과 같은 두 직각삼각형 ABC와 DEF에서 $\overline{EF}$의 길이를 구하여라.

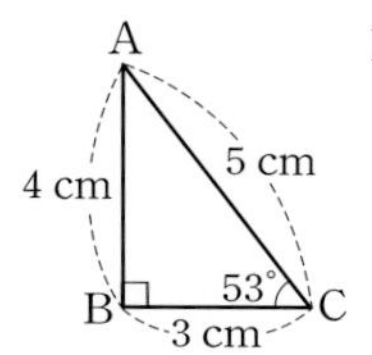

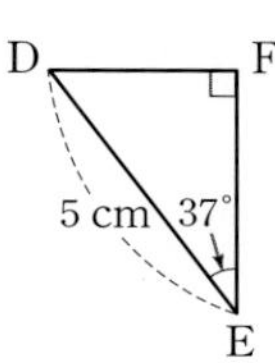

핵심 10

0096 다음 중 오른쪽 그림과 같은 두 직각삼각형 ABC와 DEF가 합동이 될 수 없는 경우는?

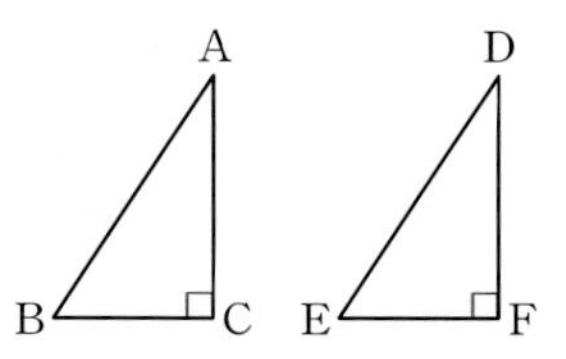

① $\overline{AB}=\overline{DE}$, $\angle B=\angle E$
② $\overline{AB}=\overline{DE}$, $\overline{BC}=\overline{EF}$
③ $\angle B=\angle E$, $\angle A=\angle D$
④ $\overline{BC}=\overline{EF}$, $\overline{AC}=\overline{DF}$
⑤ $\angle A=\angle D$, $\overline{BC}=\overline{EF}$

핵심 10

0097 다음 보기에서 합동인 삼각형끼리 바르게 짝지은 것을 모두 고르면? (정답 2개)

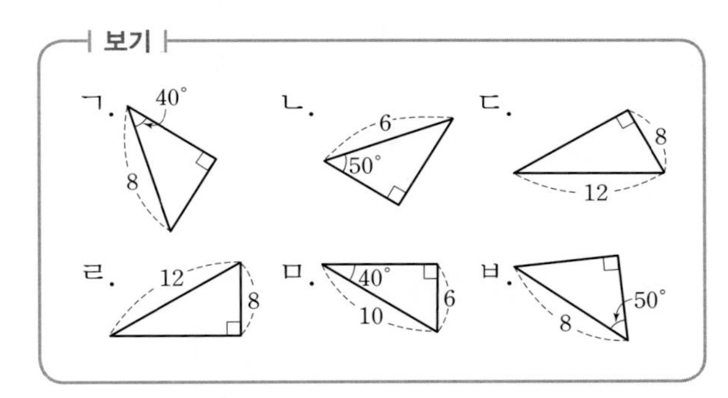

① ㄱ과 ㄷ ② ㄱ과 ㅂ ③ ㄴ과 ㅁ
④ ㄴ과 ㅂ ⑤ ㄷ과 ㄹ

핵심 11 서술형

0098 오른쪽 그림과 같이 $\overline{AB}=\overline{AC}$인 직각이등변 삼각형 ABC의 꼭짓점 B, C에서 점 A를 지나는 직선 l에 내린 수선의 발을 각각 D, E라고 할 때, △ABC의 넓이를 구하여라.

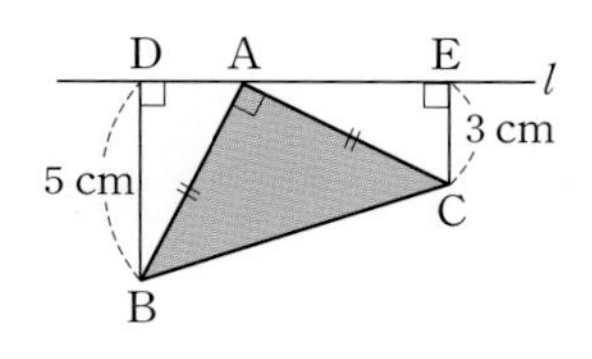

핵심 12

0099 오른쪽 그림과 같이 $\angle B=90°$인 직각삼각형 ABC에서 $\overline{AB}=\overline{AD}$일 때, $x+y$의 값은?

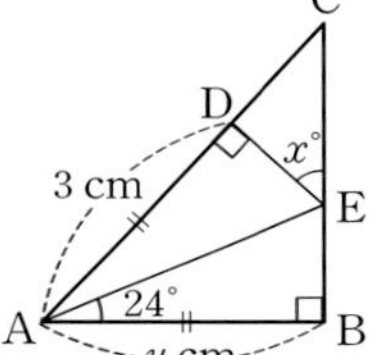
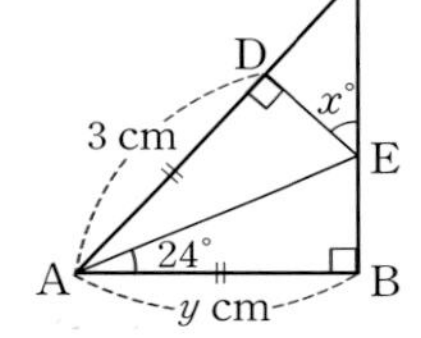

① 48 ② 49
③ 50 ④ 51
⑤ 52

핵심 13

0100 오른쪽 그림과 같은 직각삼각형 ABC에서 $\overline{CE}=\overline{DE}$일 때, $\angle x$의 크기는?

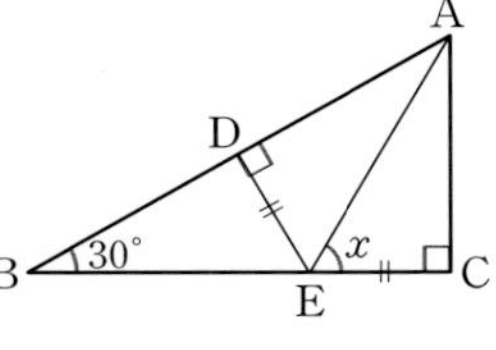

① 30° ② 40° ③ 50°
④ 60° ⑤ 70°

Review

1. 이등변삼각형과 직각삼각형

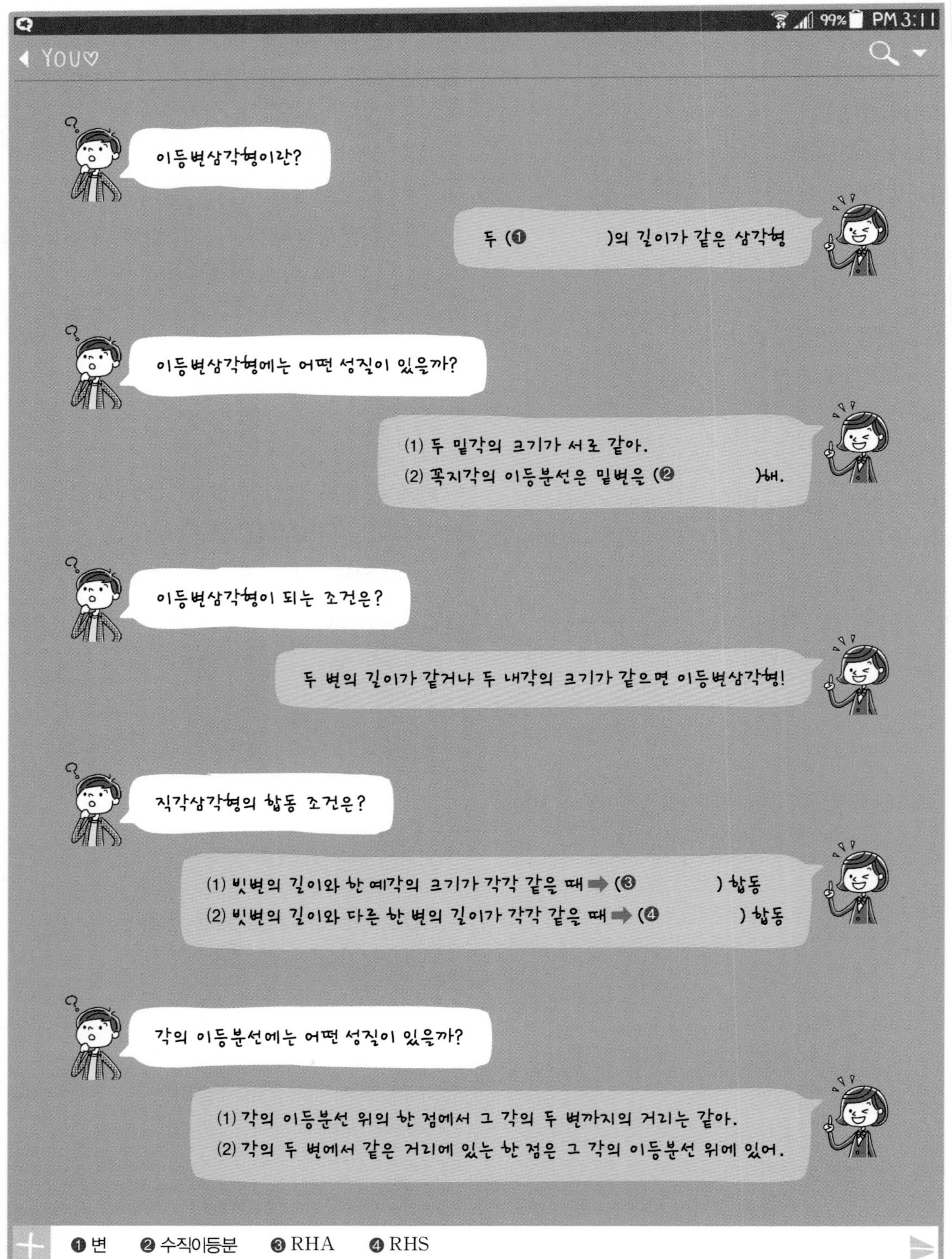

2 삼각형의 외심과 내심

스스로 공부 계획 세우기

	학습 내용	공부한 날짜	반복하기
2. 삼각형의 외심과 내심	**01.** 삼각형의 외심의 뜻과 성질	월 일	□□
	02. 삼각형의 외심의 성질	월 일	□□
	03. 삼각형의 외심의 위치	월 일	□□
	04. 삼각형의 외심을 이용하여 각의 크기 구하기(1)	월 일	□□
	05. 삼각형의 외심을 이용하여 각의 크기 구하기(2)	월 일	□□
	Mini **Review** Test(**01**~**05**)	월 일	□□
	06. 삼각형의 내심의 뜻과 성질	월 일	□□
	07. 삼각형의 내심의 성질	월 일	□□
	08. 삼각형의 내심을 이용하여 각의 크기 구하기(1)	월 일	□□
	09. 삼각형의 내심을 이용하여 각의 크기 구하기(2)	월 일	□□
	10. 삼각형의 내심과 평행선	월 일	□□
	11. 삼각형의 외심과 내심	월 일	□□
	12. 이등변삼각형의 외심과 내심	월 일	□□
	13. 삼각형의 내심과 내접원(1)	월 일	□□
	14. 삼각형의 내심과 내접원(2)	월 일	□□
	Mini **Review** Test(**06**~**14**)	월 일	□□

2 삼각형의 외심과 내심

개념 NOTE

1 삼각형의 외심 핵심 01 ~ 05

(1) **외접원과 외심** : △ABC의 모든 꼭짓점이 원 O 위에 있을 때, 원 O는 △ABC에 **외접**한다고 한다. 이때 원 O를 △ABC의 **외접원**이라 하고, 그 중심 O를 △ABC의 **외심**이라고 한다.

A 외접원 외심 O B C

(2) **삼각형의 외심의 성질**

① 삼각형의 세 변의 수직이등분선은 한 점(외심)에서 만난다.

② 삼각형의 외심에서 삼각형의 세 꼭짓점에 이르는 거리는 모두 같다.

➡ $\overline{OA}=\overline{OB}=\overline{OC}=$(외접원의 반지름의 길이)

(3) **삼각형의 외심의 활용** : 점 O가 △ABC의 외심일 때

① $\angle x+\angle y+\angle z=90^\circ$

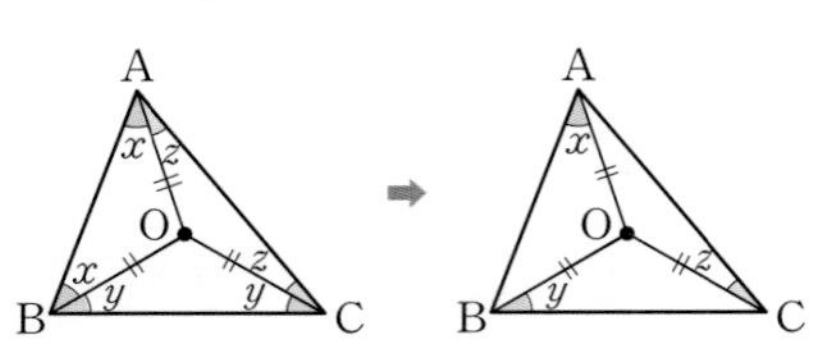

② $\angle \mathrm{BOC}=2\angle \mathrm{A}$

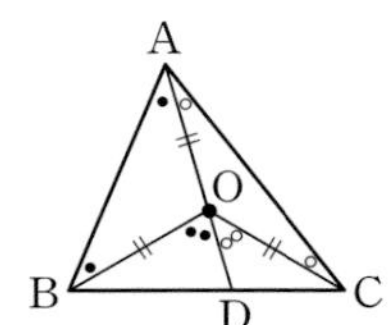

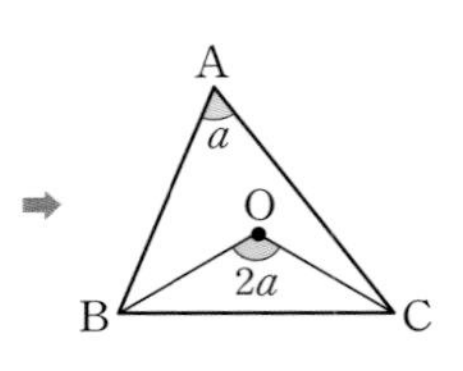

삼각형의 외심의 위치
① 예각삼각형 : 삼각형의 내부
② 직각삼각형 : 빗변의 중점
③ 둔각삼각형 : 삼각형의 외부

2 삼각형의 내심 핵심 06 ~ 14

(1) **접선과 접점** : 원 I와 직선 l이 한 점에서 만날 때, 직선 l은 원 I에 **접한다**고 하고, 직선 l을 원 I의 **접선**, 접선이 원과 만나는 점 T를 **접점**이라고 한다.

I 접선 l 접점 T

(2) **내접원과 내심** : 원 I가 △ABC의 세 변에 접할 때, 원 I는 △ABC에 **내접**한다고 한다. 이때 원 I를 △ABC의 **내접원**이라 하고, 그 중심 I를 △ABC의 **내심**이라고 한다.

A 내접원 D F I B 내심 E C

(3) **삼각형의 내심의 성질**

① 삼각형의 세 내각의 이등분선은 한 점(내심)에서 만난다.

② 삼각형의 내심에서 삼각형의 세 변에 이르는 거리는 모두 같다.

➡ $\overline{ID}=\overline{IE}=\overline{IF}=$(내접원의 반지름의 길이)

(4) **삼각형의 내심의 활용** : 점 I가 △ABC의 내심일 때

① $\angle x+\angle y+\angle z=90^\circ$

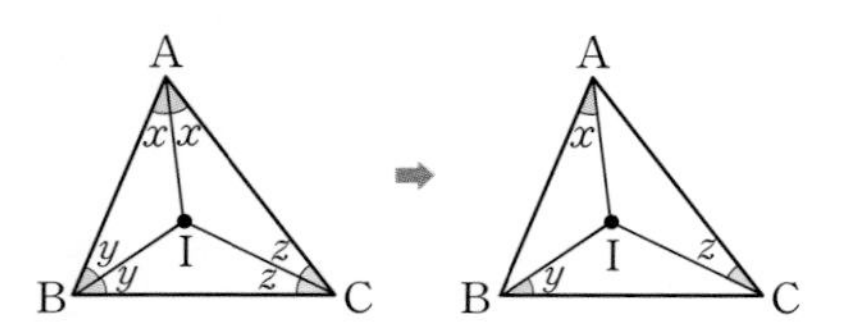

② $\angle \mathrm{BIC}=90^\circ+\frac{1}{2}\angle \mathrm{A}$

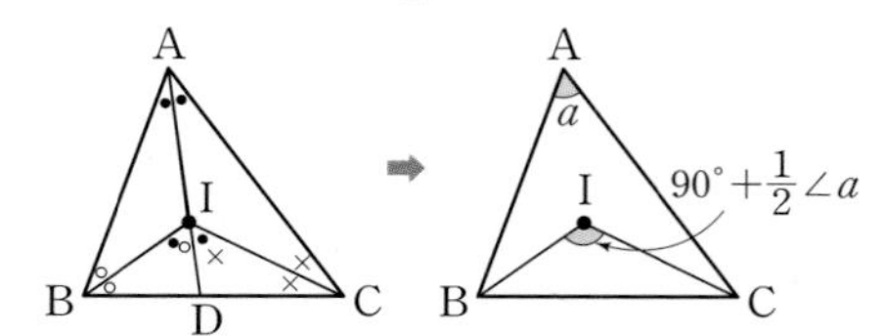

원의 접선은 그 접점을 지나는 반지름과 서로 수직이다.

삼각형의 내심의 위치
모든 삼각형의 내심은 삼각형의 내부에 있다.
① 이등변삼각형의 내심은 꼭지각의 이등분선 위에 있다.
② 정삼각형은 외심과 내심이 일치한다.

삼각형의 내심과 내접원

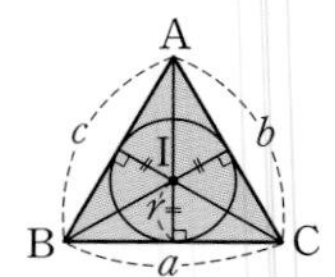

△ABC의 내접원의 반지름의 길이를 r라고 하면
$\triangle ABC=\frac{1}{2}r(a+b+c)$

삼각형의 외심의 뜻과 성질

날짜 :  월  일

Subnote ➡ 07쪽

선분의 수직이등분선 위의 한 점에서 그 선분의 양 끝 점에 이르는 거리는 같아.

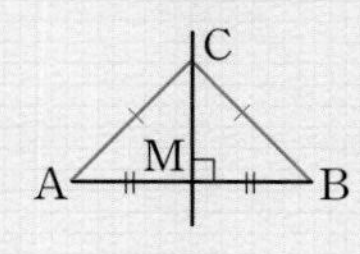

(1) **삼각형의 외접원** : 삼각형의 세 꼭짓점을 모두 지나는 원

(2) **삼각형의 외심** : 삼각형의 외접원의 중심

(3) **삼각형의 외심의 성질**

① 삼각형의 세 변의 수직이등분선은 한 점(외심)에서 만난다.

② 삼각형의 외심에서 삼각형의 세 꼭짓점에 이르는 거리는 모두 같다.

➡ $\overline{OA}=\overline{OB}=\overline{OC}$ =(외접원의 반지름의 길이)

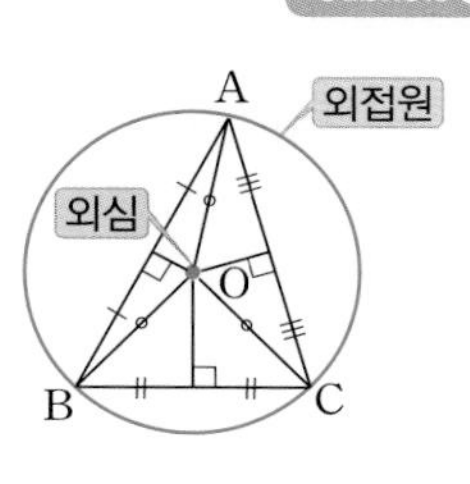

아래 보기 중에서 점 O가 △ABC의 외심인 것을 고르려고 한다. 다음을 만족시키는 것을 보기에서 찾아 써라.

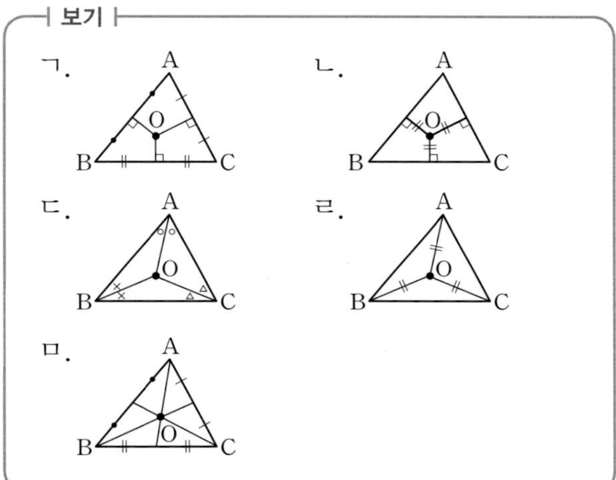

0101 삼각형의 세 변의 수직이등분선은 한 점(외심)에서 만난다. ________

0102 삼각형의 외심에서 삼각형의 세 꼭짓점에 이르는 거리는 모두 같다. ________

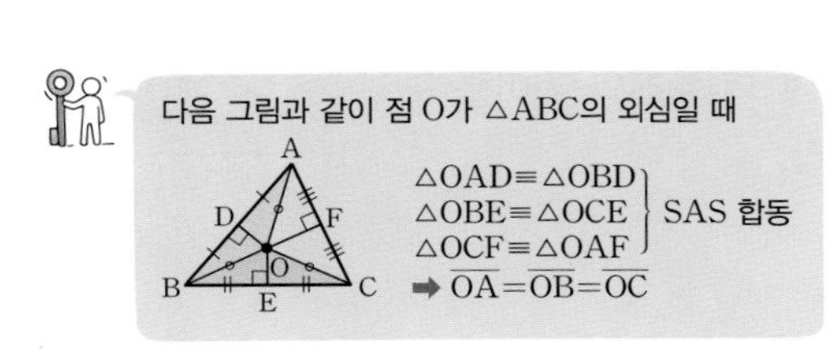

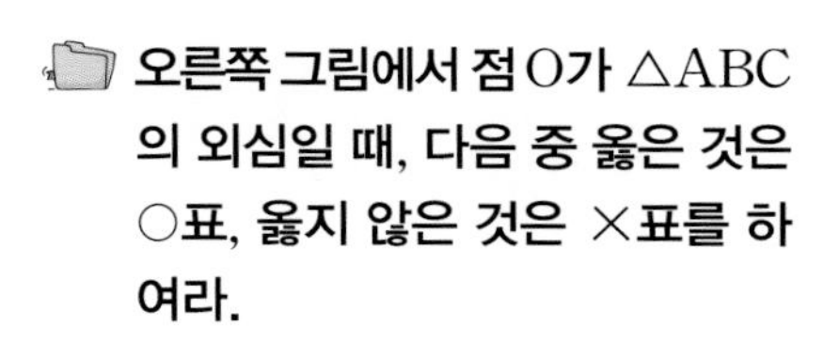

오른쪽 그림에서 점 O가 △ABC의 외심일 때, 다음 중 옳은 것은 ○표, 옳지 않은 것은 ×표를 하여라.

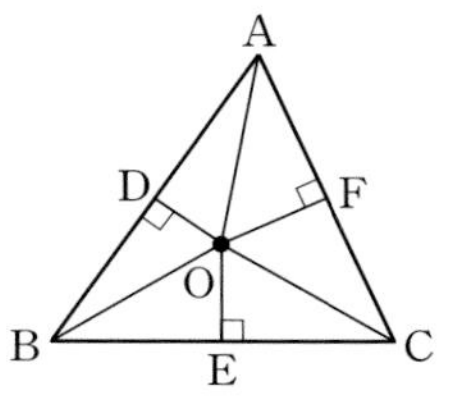

0103 $\overline{OA}=\overline{OB}=\overline{OC}$ ( )

0104 $\overline{OD}=\overline{OE}=\overline{OF}$ ( )

0105 $\overline{AD}=\overline{BD}$ ( )

0106 $\overline{AD}=\overline{AF}$ ( )

0107 $\angle OAD=\angle OBD$ ( )

0108 $\triangle OAD\equiv\triangle OBD$ ( )

날짜 :  월  일

02 삼각형의 외심의 성질

Subnote ➡ 07쪽

핵심

외심은 외접원의 중심이므로 외심과 삼각형의 두 꼭짓점을 이으면 이등변삼각형이 만들어져.

(1) 삼각형의 세 변의 수직이등분선은 한 점(외심)에서 만난다.

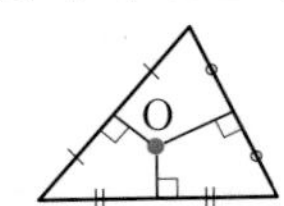

(2) 삼각형의 외심에서 삼각형의 세 꼭짓점에 이르는 거리는 모두 같다.

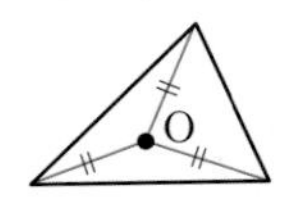

다음 그림에서 점 O가 $\triangle ABC$의 외심일 때, x의 값을 구하여라.

0109

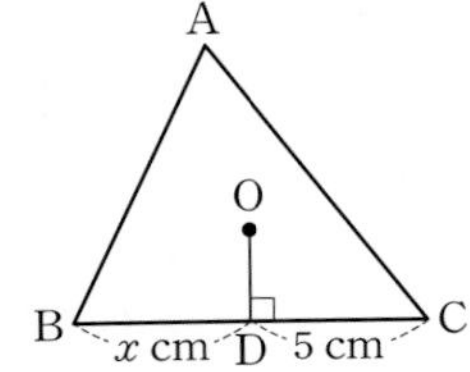

삼각형의 외심은 세 변의 수직이등분선의 교점이야!

______

0110

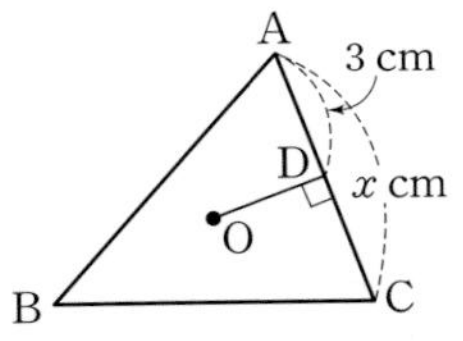

______

0111

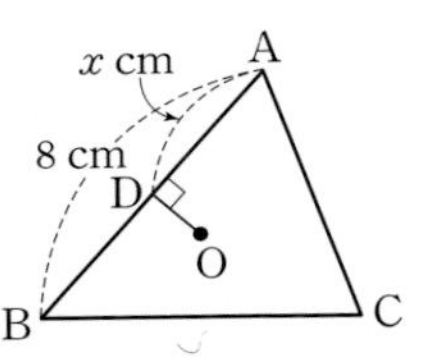

______

0112

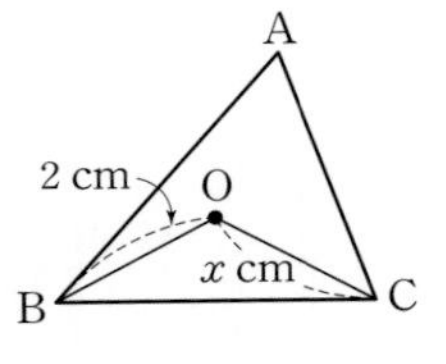

삼각형의 외심에서 세 꼭짓점에 이르는 거리는 모두 같아.

______

다음 그림에서 점 O가 $\triangle ABC$의 외심일 때, $\angle x$의 크기를 구하여라.

0113

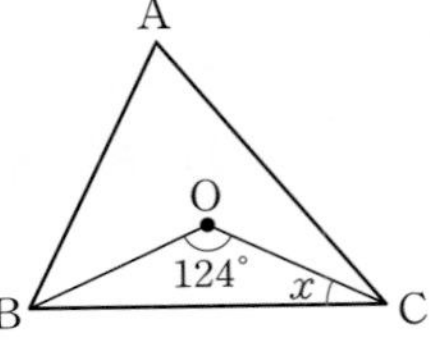

sol $\triangle OBC$는 $\overline{OB}=\overline{OC}$인 이등변삼각형이므로

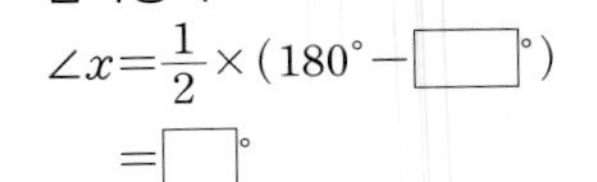

$\angle x=\frac{1}{2}\times(180°-\square°)$

$=\square°$

0114

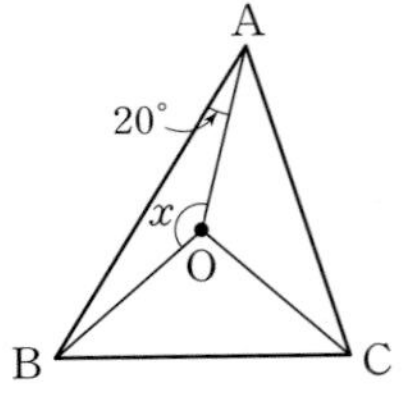

______

0115

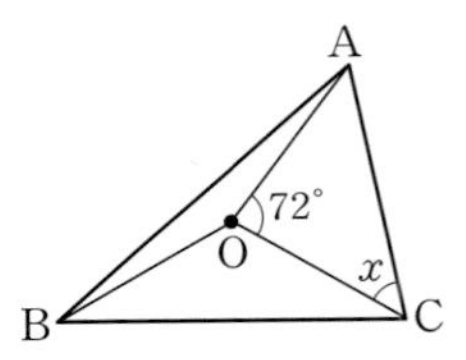

______

0116 학교 시험 맛보기 

오른쪽 그림에서 점 O가 $\triangle ABC$의 외심일 때, $\triangle ABC$의 둘레의 길이를 구하여라.

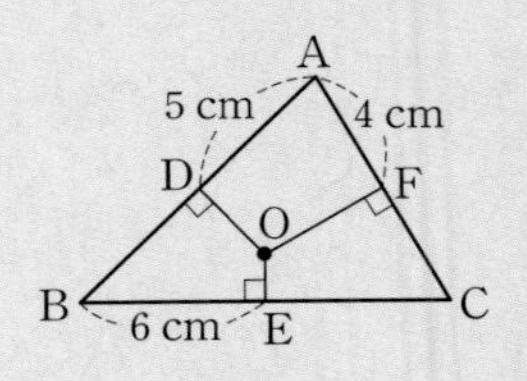

______

핵심 03 삼각형의 외심의 위치

날짜 : 월 일 

Subnote ➡ 07쪽

삼각형의 모양에 따라 외심의 위치가 바뀌어! 직각삼각형의 외심의 위치는 잘 기억해야 해!

	예각삼각형	직각삼각형	둔각삼각형
삼각형의 모양	A, B, C, O	A, B, C, O	A, B, C, O
외심의 위치	삼각형의 내부	빗변의 중점	삼각형의 외부

참고 직각삼각형의 외접원의 반지름의 길이는 $\overline{OA}=\overline{OB}=\overline{OC}=\frac{1}{2}\times$(빗변의 길이)

다음 그림에서 점 O가 직각삼각형 ABC의 외심일 때, x의 값을 구하여라.

0117

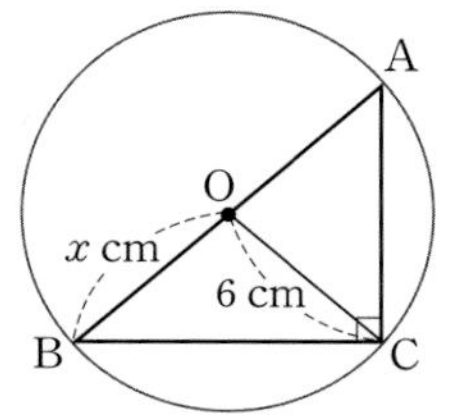

직각삼각형의 외심은 빗변의 중점과 일치해!

sol 점 O가 △ABC의 외심이므로

$\overline{OA}=\overline{OB}=\overline{OC}$ $\therefore x=$☐

0118

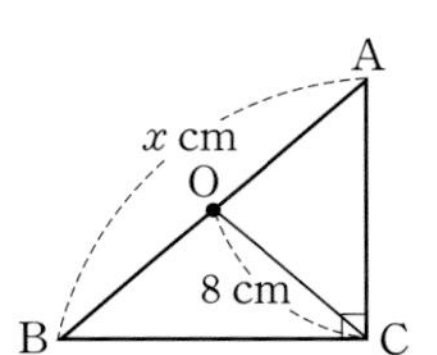

0119

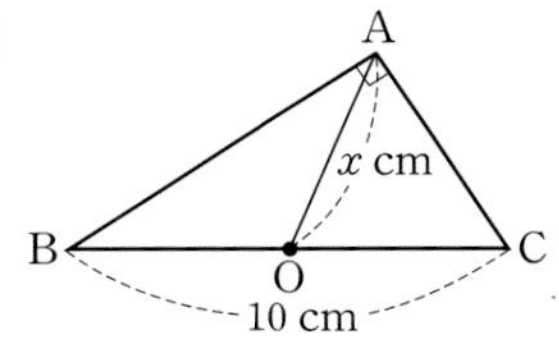

0120

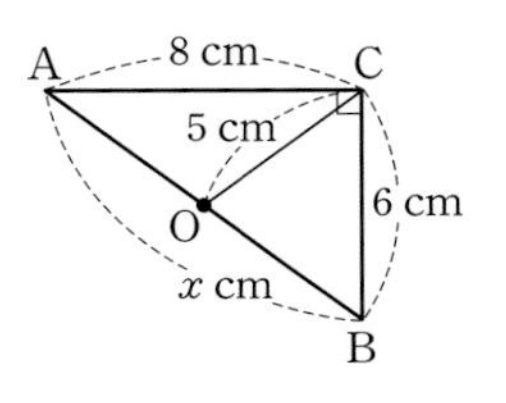

다음 그림에서 점 O가 직각삼각형 ABC의 외심일 때, $\angle x$의 크기를 구하여라.

0121

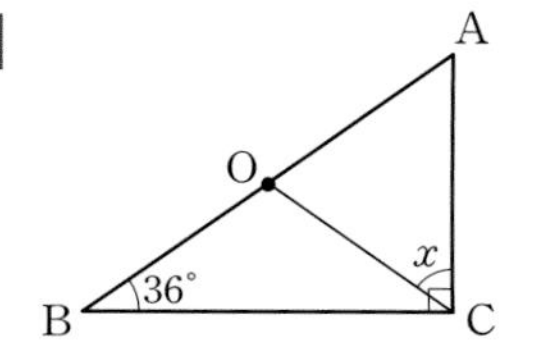

sol △OBC에서 $\overline{OB}=\overline{OC}$이므로

$\angle OCB=\angle OBC=$☐°

$\therefore \angle x=90°-$☐°$=$☐°

0122

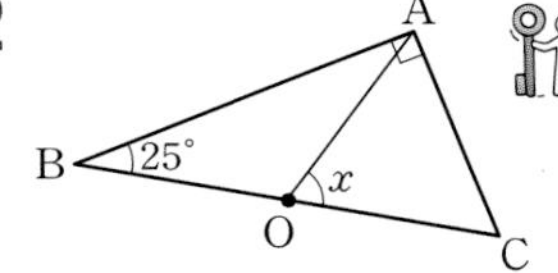

삼각형의 외각의 성질을 이용해.
➡ $\angle x=\angle OAB+\angle OBA$

0123

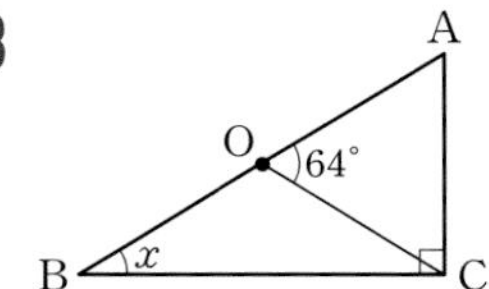

0124 학교 시험 맛보기 

오른쪽 그림과 같은 직각삼각형 ABC의 외접원의 넓이를 구하여라.

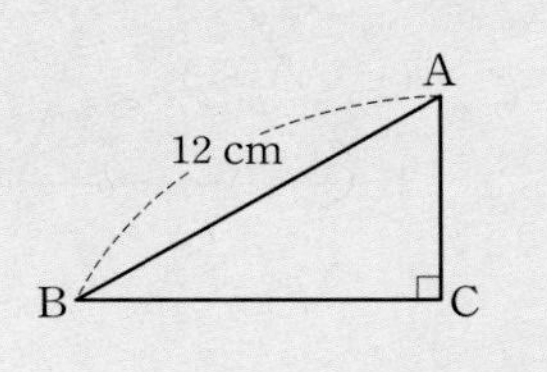

04 삼각형의 외심을 이용하여 각의 크기 구하기 (1)

날짜 : 월 일

Subnote ➜ 07쪽

핵심

삼각형의 외심이 주어지면 각 꼭짓점과 연결시켜 외심의 성질을 이용해.

점 O가 △ABC의 외심일 때,

$\angle x+\angle y+\angle z=90^\circ$

참고 $\angle A+\angle B+\angle C$
$=2\angle x+2\angle y+2\angle z=180^\circ$
$\therefore\ \angle x+\angle y+\angle z=90^\circ$

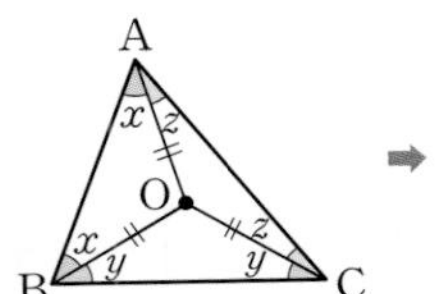

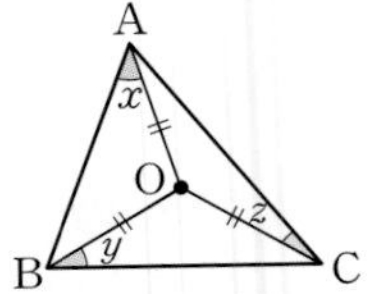

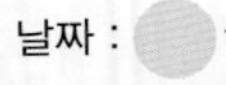

다음 그림에서 점 O가 △ABC의 외심일 때, $\angle x$의 크기를 구하여라.

0125

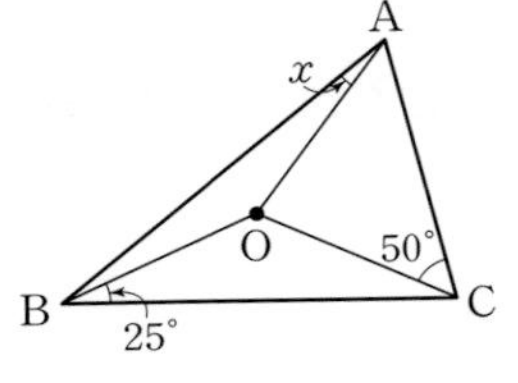

sol $\angle x+25^\circ+50^\circ=\square^\circ$ $\quad\therefore\ \angle x=\square^\circ$

0126

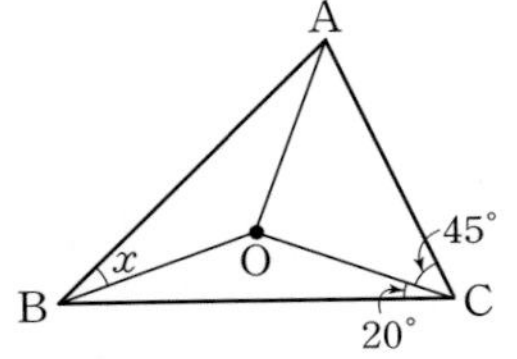

0127

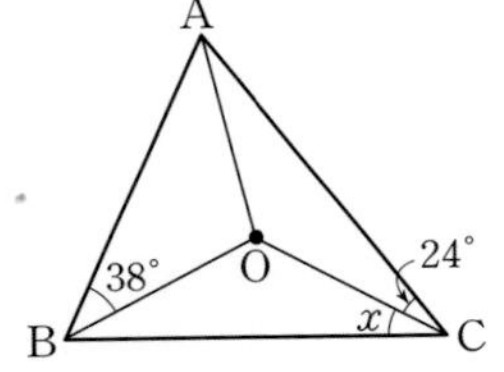

0128

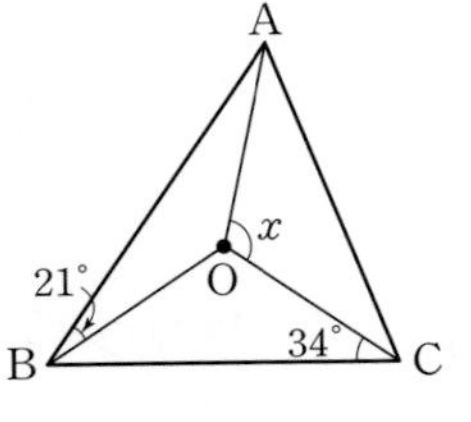

0129

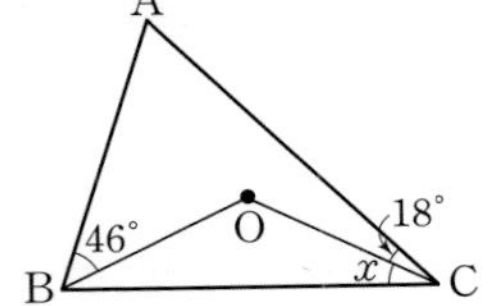

$\overline{OA}$를 그어 봐.

0130

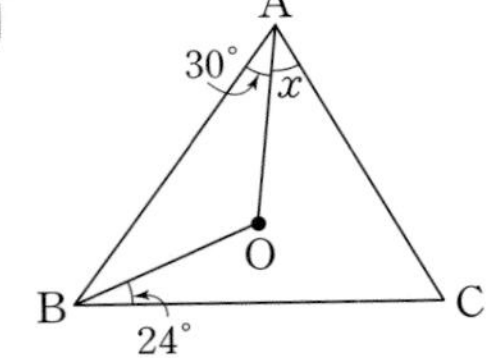

0131

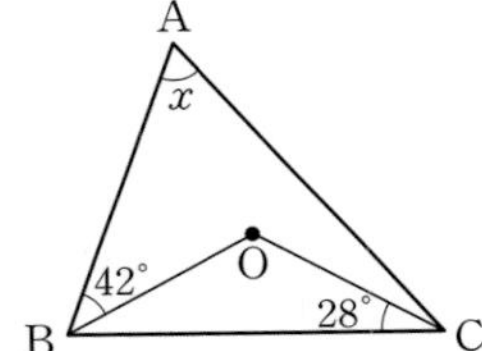

0132 학교 시험 맛보기

오른쪽 그림에서 점 O가 △ABC의 외심일 때, $\angle x$의 크기를 구하여라.

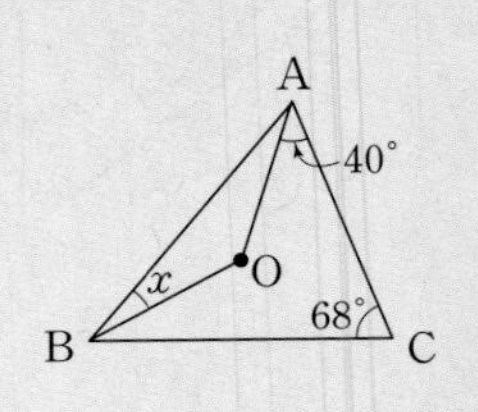

삼각형의 외심을 이용하여 각의 크기 구하기 (2)

날짜 : 월 일

Subnote ➡ 08쪽

무조건 외우지 말고,
이등변삼각형의 성질을 이용해서
원리를 이해하자.

점 O가 △ABC의 외심일 때,
$\angle BOC = 2\angle A$

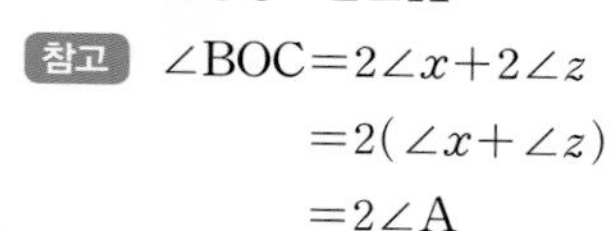

참고 $\angle BOC = 2\angle x + 2\angle z$
$= 2(\angle x + \angle z)$
$= 2\angle A$

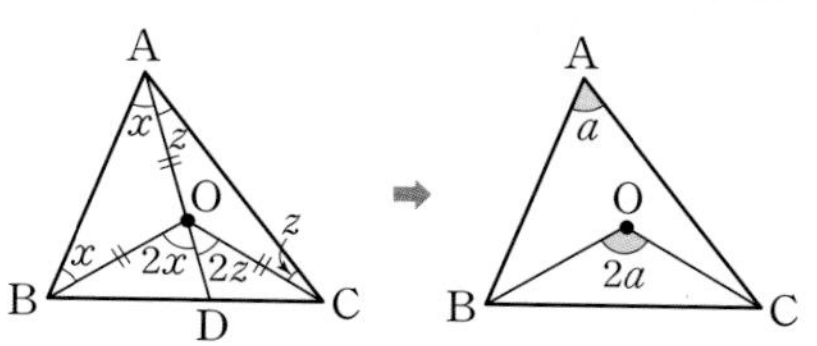

다음 그림에서 점 O가 △ABC의 외심일 때, $\angle x$의 크기를 구하여라.

0133

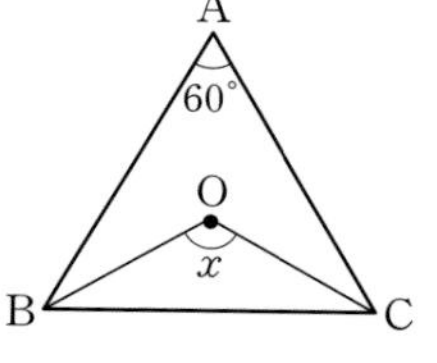

sol $\angle x = 2\angle A = 2 \times$ ☐° $=$ ☐°

0134

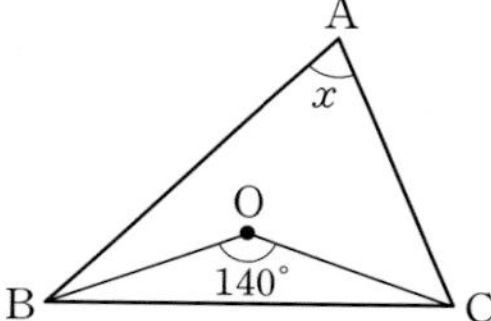

0135

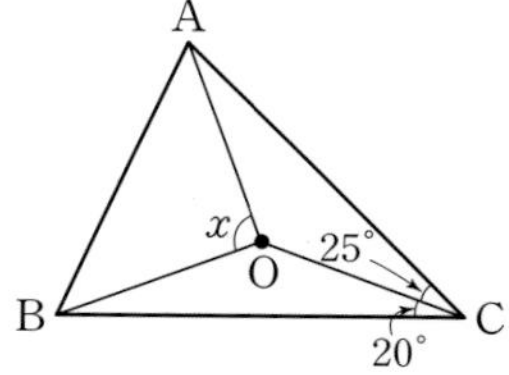

0136

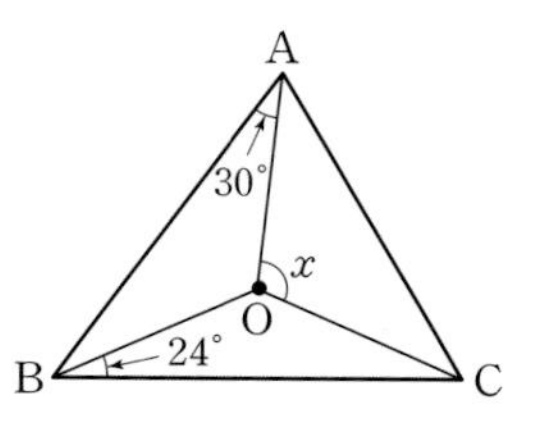

0137

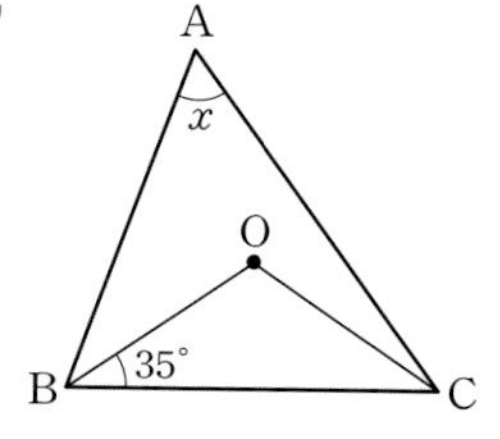

△OBC가 이등변삼각형인 것을 이용해!

0138

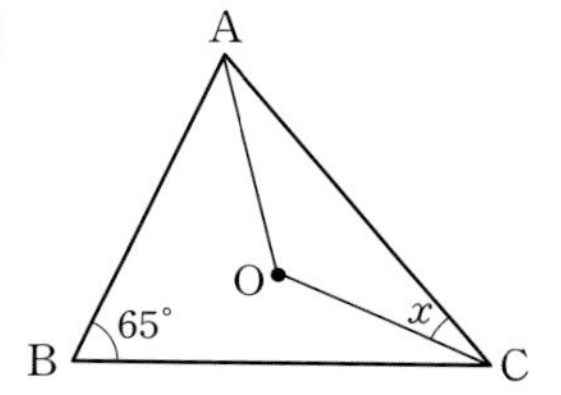

0139

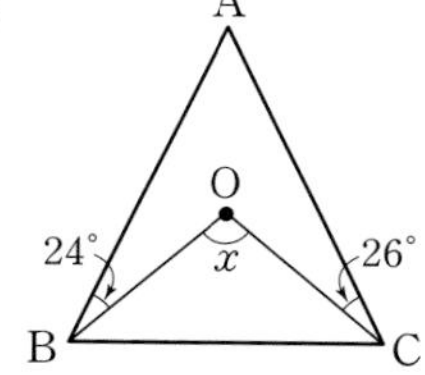

$\overline{OA}$를 그은 후 $\angle A$의 크기를 구해봐.

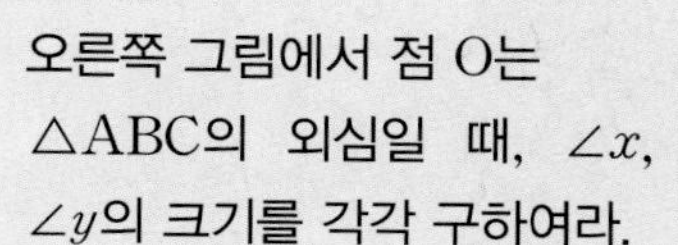

0140 학교 시험 맛보기

오른쪽 그림에서 점 O는 △ABC의 외심일 때, $\angle x$, $\angle y$의 크기를 각각 구하여라.

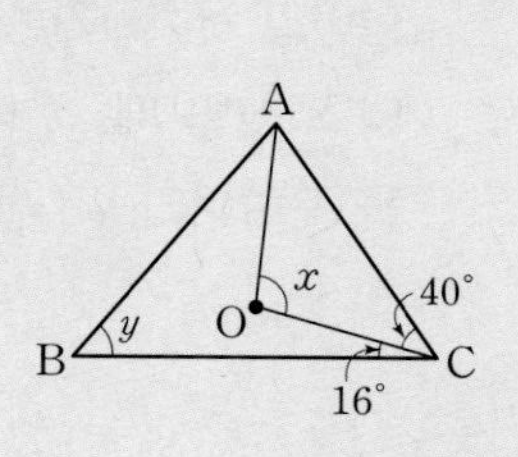

핵심 01~05

Mini Review Test

날짜 : 월 일

Subnote ➲ 08쪽

핵심 01

0141 오른쪽 그림에서 점 O는 $\triangle ABC$의 외심이다. 다음 중 옳지 않은 것은?

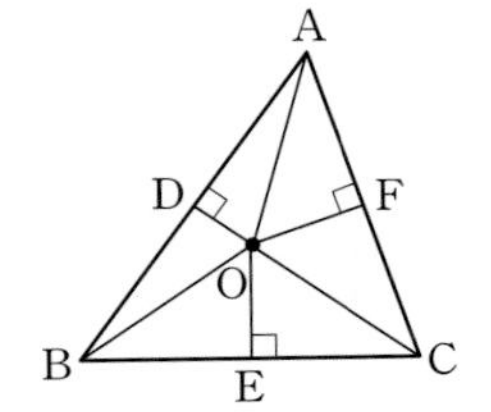

① $\overline{AF}=\overline{CF}$
② $\overline{OA}=\overline{OB}=\overline{OC}$
③ $\angle OBC=\angle OCB$
④ $\angle OBD=\angle OBE$
⑤ $\triangle OBE\equiv\triangle OCE$

핵심 02

0142 오른쪽 그림에서 점 O가 $\triangle ABC$의 외심일 때, x, y의 값을 각각 구하여라.

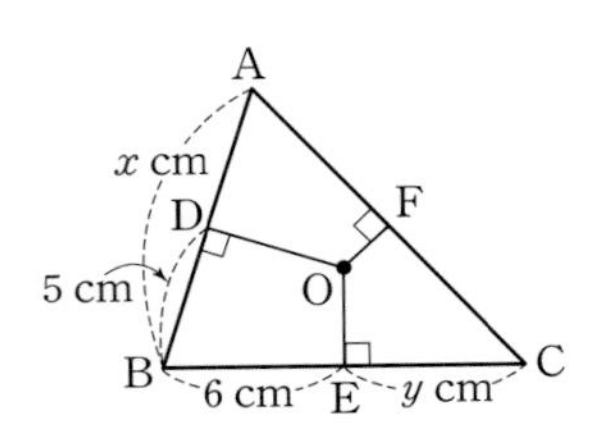

핵심 02

0143 오른쪽 그림에서 점 O가 $\triangle ABC$의 외심일 때, $\angle x$의 크기를 구하여라.

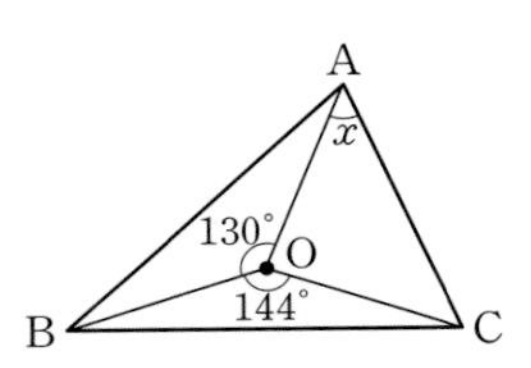

핵심 03 서술형

0144 오른쪽 그림에서 $\triangle ABC$는 $\angle B=90°$인 직각삼각형이고, 점 O가 $\triangle ABC$의 외심일 때, $x+y$의 값을 구하여라.

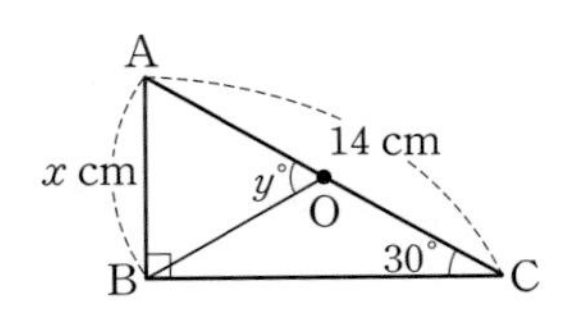

핵심 03

0145 오른쪽 그림에서 $\triangle ABC$는 $\angle C=90°$인 직각삼각형이고, 점 O가 $\triangle ABC$의 외심일 때, 외접원 O의 넓이를 구하여라.

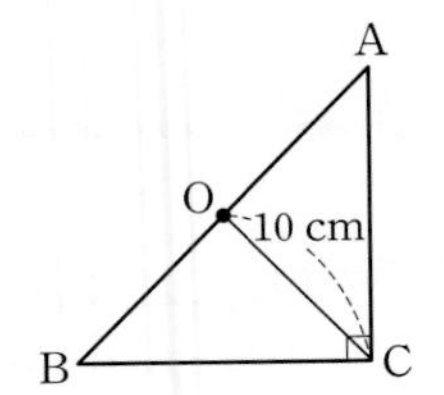

핵심 04

0146 오른쪽 그림에서 점 O가 $\triangle ABC$의 외심일 때, $\angle x+\angle y$의 크기를 구하여라.

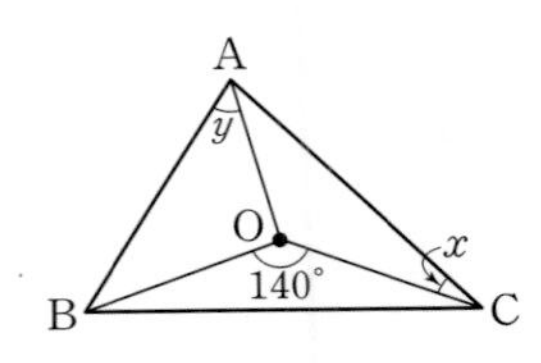

핵심 05

0147 오른쪽 그림에서 점 O가 $\triangle ABC$의 외심일 때, $\angle x$, $\angle y$의 크기를 각각 구하여라.

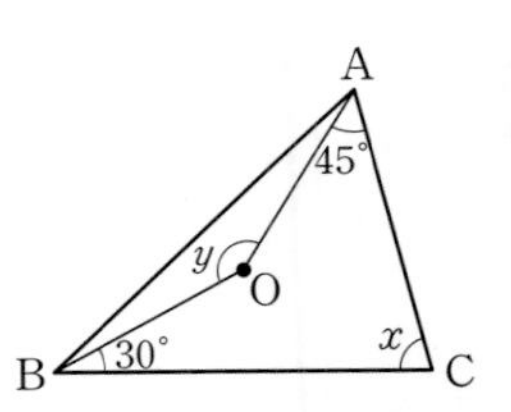

핵심

06 삼각형의 내심의 뜻과 성질

날짜 : 월 일

Subnote ➲ 09쪽

원의 접선은 그 접점을 지나는 반지름과 수직으로 만나.

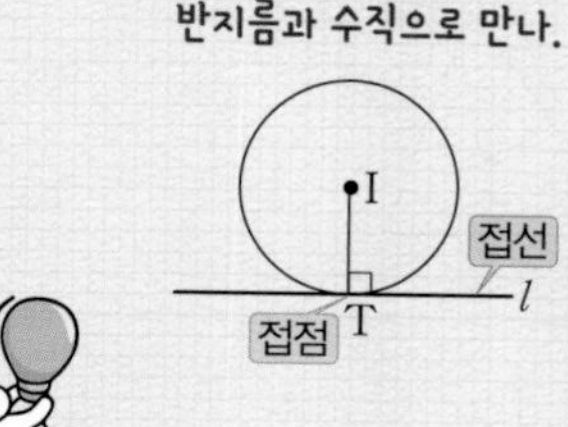

(1) 삼각형의 내접원 : 삼각형의 세 변에 모두 접하는 원
(2) 삼각형의 내심 : 삼각형의 내접원의 중심
(3) 삼각형의 내심의 성질
① 삼각형의 세 내각의 이등분선은 한 점(내심)에서 만난다.
② 삼각형의 내심에서 삼각형의 세 변에 이르는 거리는 모두 같다.
➡ $\overline{ID}=\overline{IE}=\overline{IF}=$(내접원의 반지름의 길이)

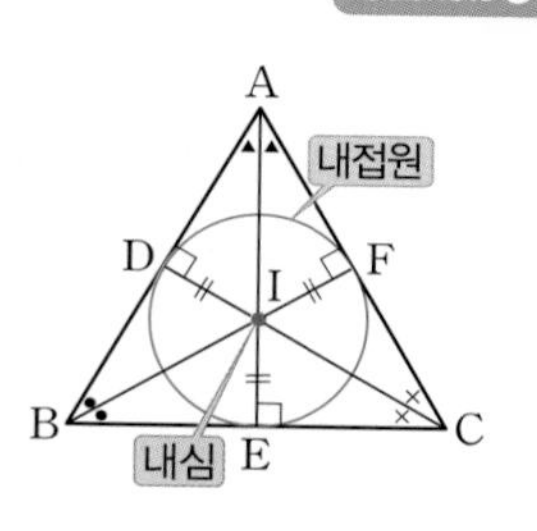

아래 보기 중에서 점 I가 △ABC의 내심인 것을 고르려고 한다. 다음을 만족시키는 것을 보기에서 찾아 써라.

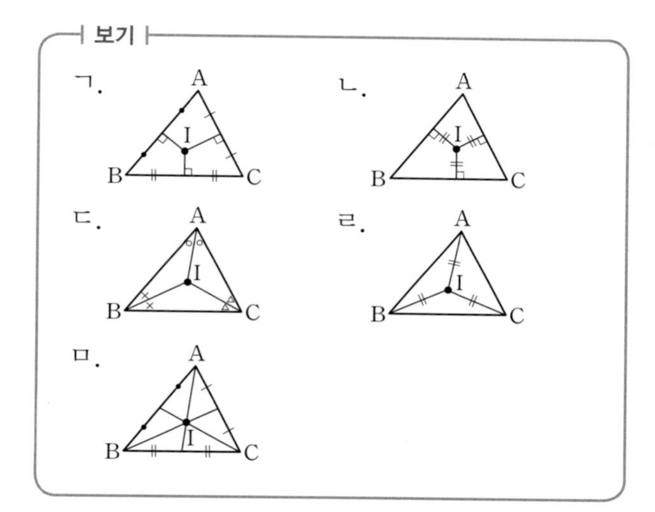

0148 삼각형의 세 내각의 이등분선은 한 점(내심)에서 만난다. ______

0149 삼각형의 내심에서 삼각형의 세 변에 이르는 거리는 모두 같다. ______

다음 그림과 같이 점 I가 △ABC의 내심일 때

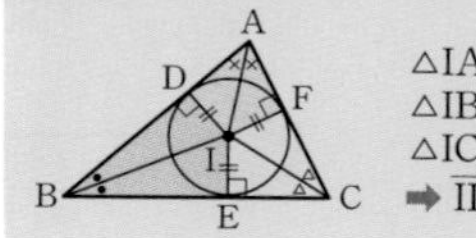

△IAD≡△IAF
△IBD≡△IBE
△ICE≡△ICF
} RHA 합동
➡ $\overline{ID}=\overline{IE}=\overline{IF}$

오른쪽 그림에서 점 I가 △ABC의 내심일 때, 다음 중 옳은 것은 ○표, 옳지 않은 것은 ×표를 하여라.

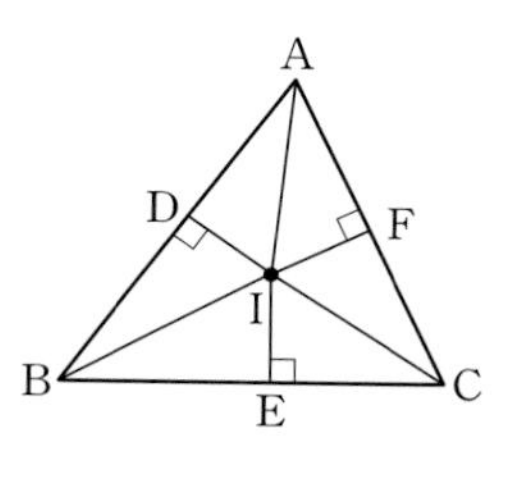

0150 $\overline{ID}=\overline{IE}=\overline{IF}$ ( )

0151 $\overline{IA}=\overline{IB}=\overline{IC}$ ( )

0152 $\overline{AD}=\overline{AF}$ ( )

0153 $\angle IAD=\angle IAF$ ( )

0154 $\angle IAD=\angle IBD$ ( )

0155 $\triangle IEC\equiv\triangle IFC$ ( )

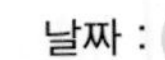  
날짜 : 월 일

Subnote ➡ 09쪽

핵심 07 삼각형의 내심의 성질

내심이 나오면 각의 이등분선의 성질을 떠올려.

(1) 삼각형의 세 내각의 이등분선은 한 점(내심)에서 만난다.

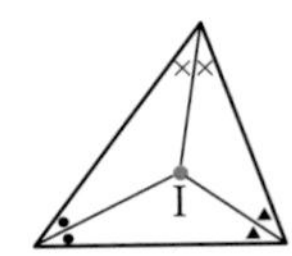

(2) 삼각형의 내심에서 삼각형의 세 변에 이르는 거리는 모두 같다.

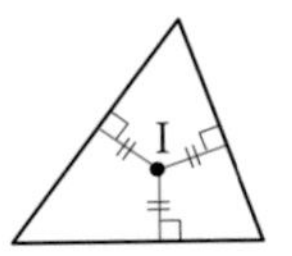

다음 그림에서 점 I가 $\triangle ABC$의 내심일 때, x의 값을 구하여라.

삼각형의 내심에서 세 변에 이르는 거리는 모두 같아!

0156

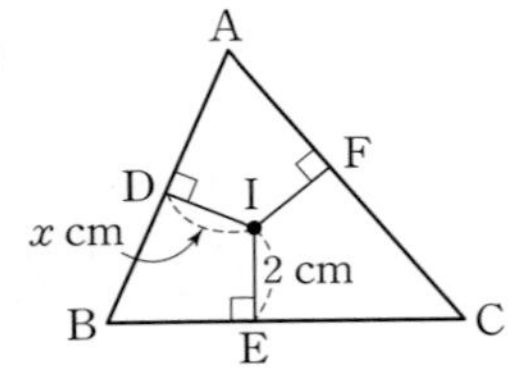

0157

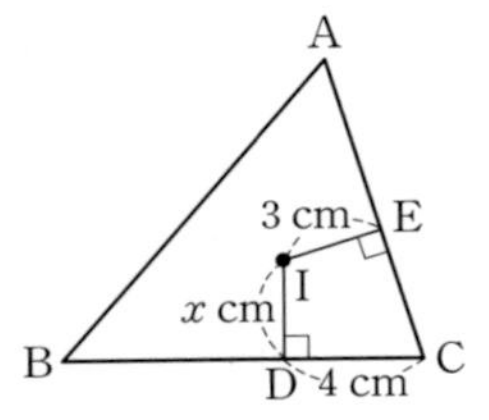

0158

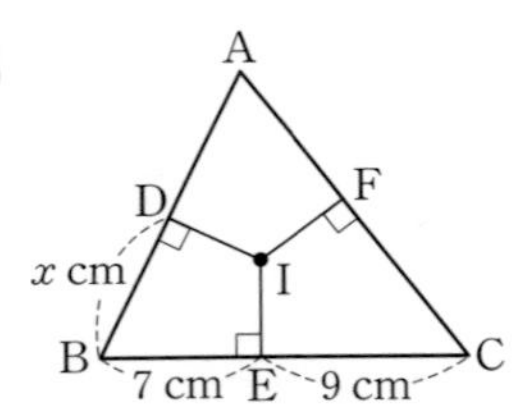

0159

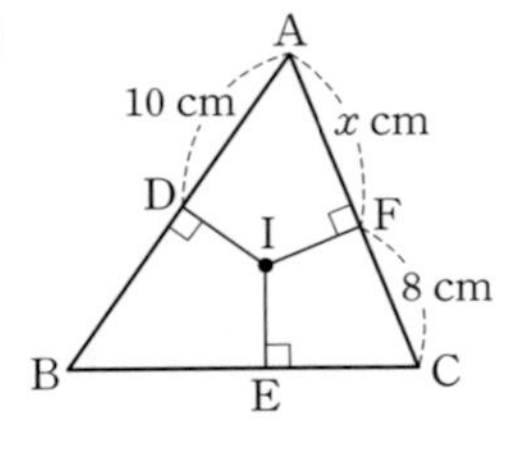

다음 그림에서 점 I가 $\triangle ABC$의 내심일 때, $\angle x$의 크기를 구하여라.

삼각형의 내심은 세 내각의 이등분선의 교점이야!

0160

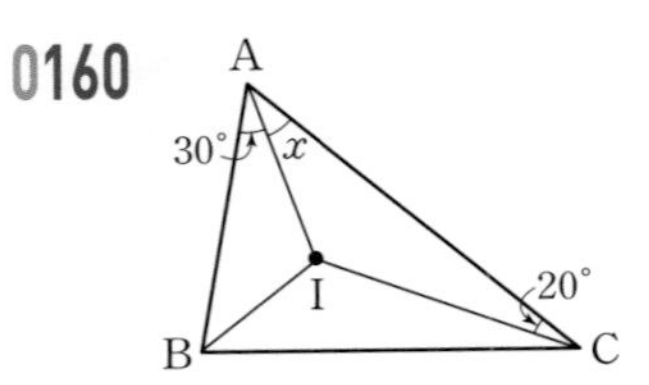

0161

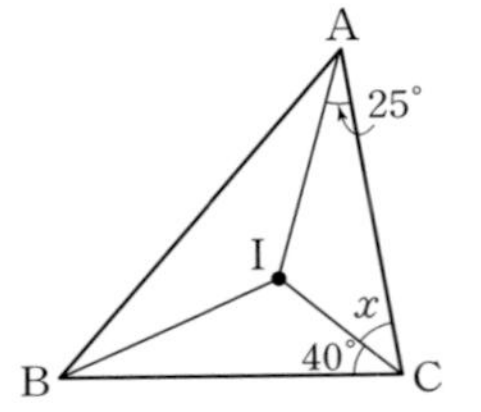

0162

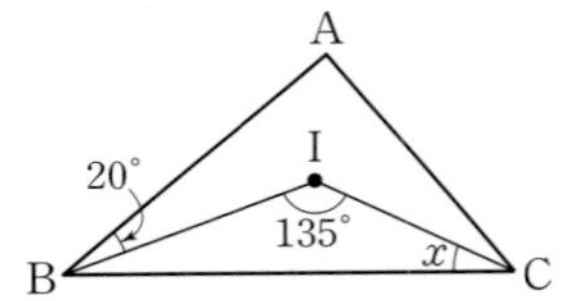

0163 학교 시험 맛보기

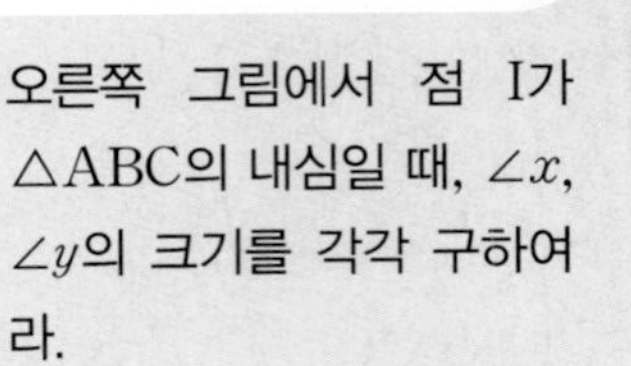

오른쪽 그림에서 점 I가 $\triangle ABC$의 내심일 때, $\angle x$, $\angle y$의 크기를 각각 구하여라.

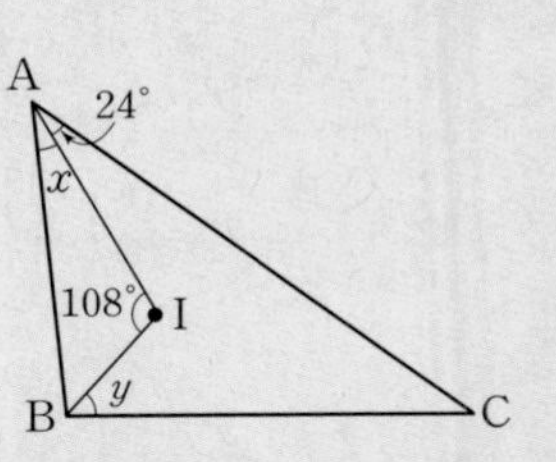

삼각형의 내심을 이용하여 각의 크기 구하기 (1)

날짜 : 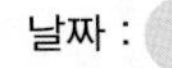 월  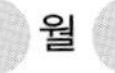 일 

Subnote 09쪽

삼각형의 내심이 주어지면 각 꼭짓점과 연결시켜 내심의 성질을 이용해.

점 I가 $\triangle ABC$의 내심일 때,

$\angle x+\angle y+\angle z=90^\circ$

참고 $\angle A+\angle B+\angle C$
$=2\angle x+2\angle y+2\angle z=180^\circ$
$\therefore\ \angle x+\angle y+\angle z=90^\circ$

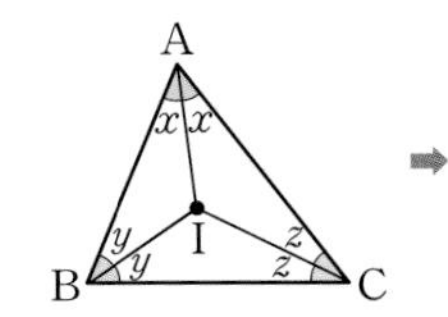

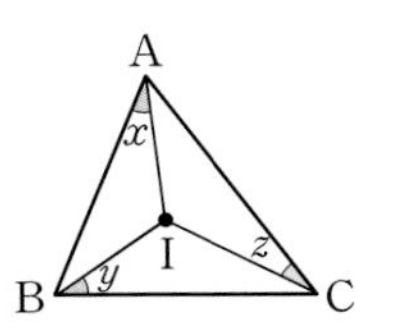

다음 그림에서 점 I가 $\triangle ABC$의 내심일 때, $\angle x$의 크기를 구하여라.

0164

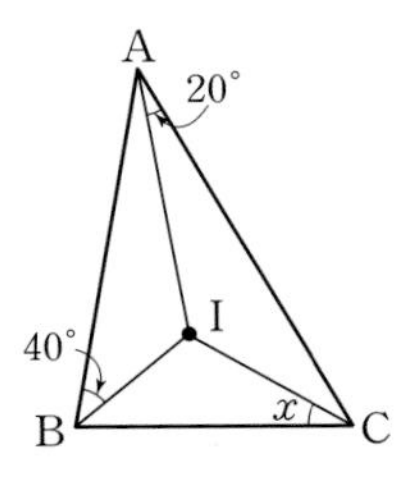

sol $20^\circ+40^\circ+\angle x=$ □° $\therefore\ \angle x=$ □°

0165

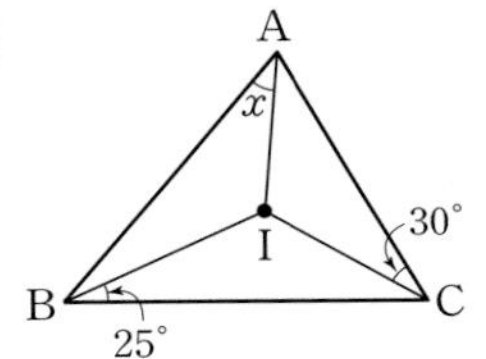

0166

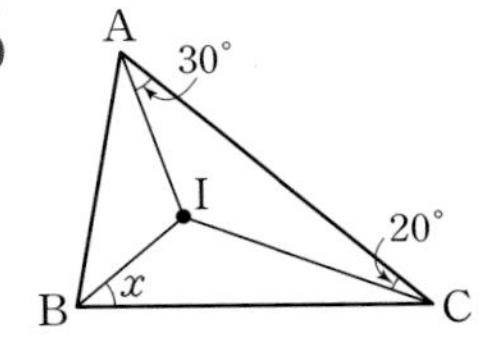

0167

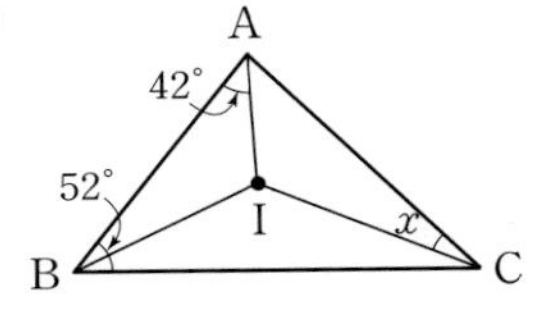

0168

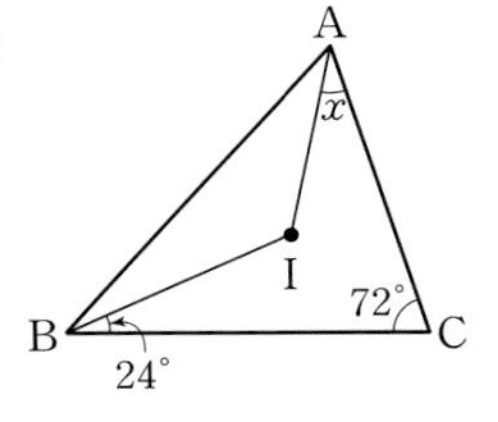

$\overline{IC}$를 그어 봐.

0169

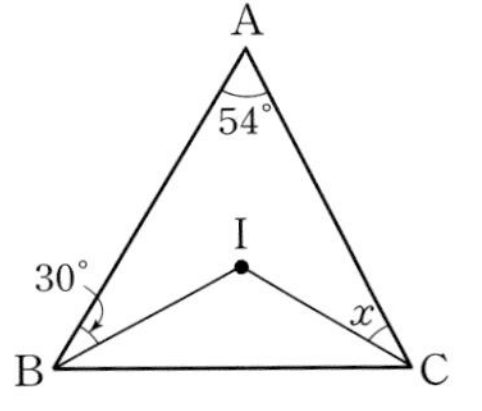

0170

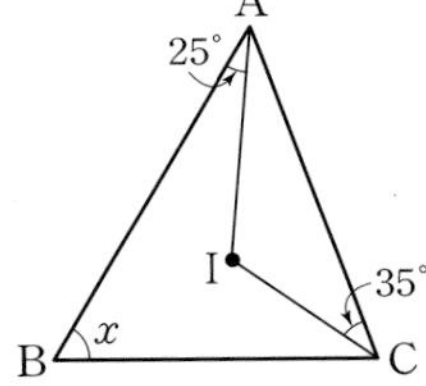

$\overline{IB}$를 긋고
$\angle IBC$의 크기를 먼저 구해.

0171 학교 시험 맛보기 

오른쪽 그림에서 점 I는 $\triangle ABC$의 내심이다. $\angle A=40^\circ$, $\angle ICB=45^\circ$일 때, $\angle x$, $\angle y$의 크기를 각각 구하여라.

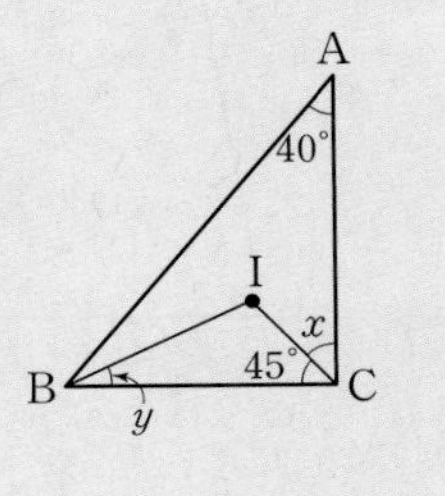

09 삼각형의 내심을 이용하여 각의 크기 구하기 (2)

날짜 :  월  일

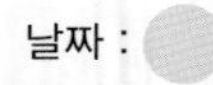

Subnote ◐ 09쪽

핵심

삼각형의 외심과 비교해서 기억해!

점 I가 △ABC의 내심일 때,

$$\angle BIC = 90^\circ + \frac{1}{2}\angle A$$

참고 $\angle BIC$
$= (\angle x + \angle y) + (\angle x + \angle z)$
$= (\angle x + \angle y + \angle z) + \angle x$
$= 90^\circ + \frac{1}{2}\angle A$

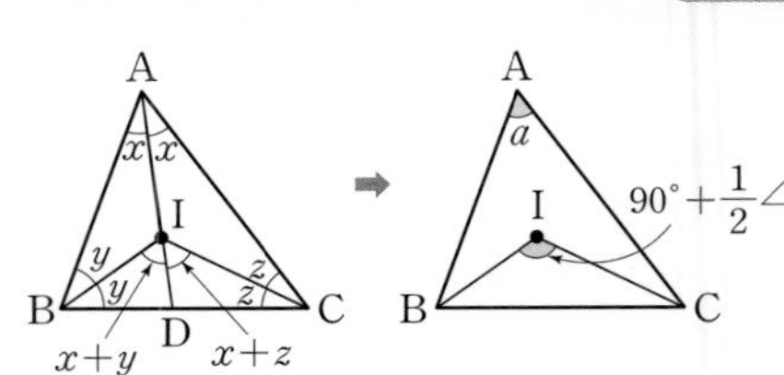

다음 그림에서 점 I는 △ABC의 내심일 때, $\angle x$의 크기를 구하여라.

0172

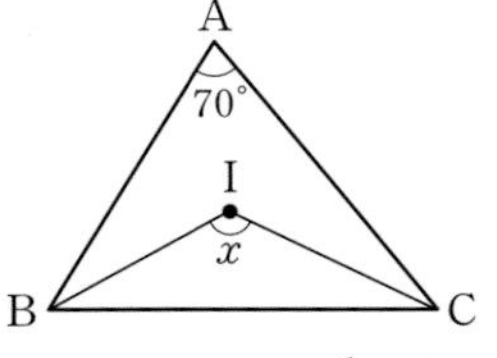

sol $\angle x = 90^\circ + \frac{1}{2} \times \square^\circ = \square^\circ$

0173

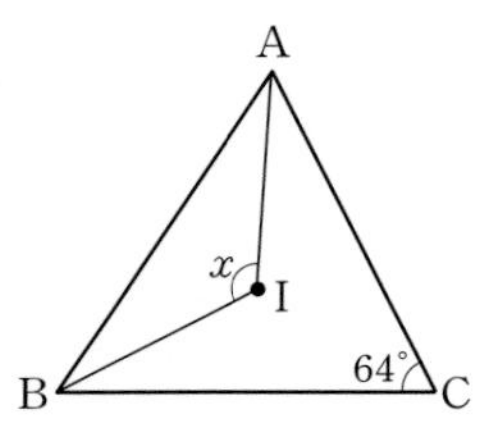

0174

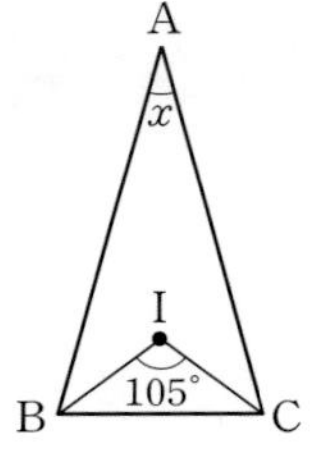

0175

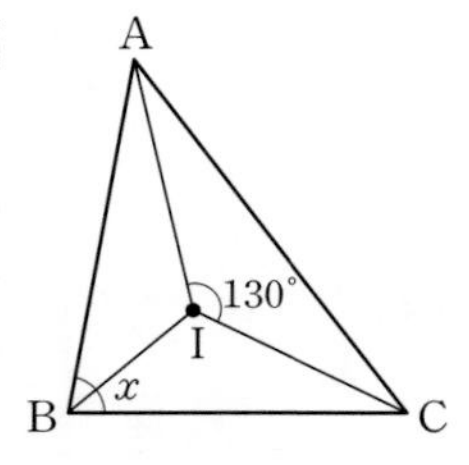

다음 그림에서 점 I는 △ABC의 내심일 때, $\angle x$, $\angle y$의 크기를 각각 구하여라.

0176

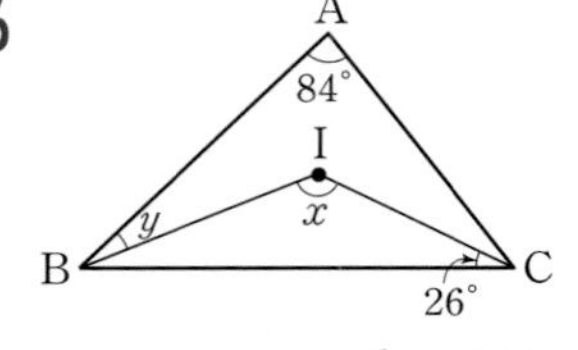

sol $\angle x = 90^\circ + \frac{1}{2} \times \square^\circ = \square^\circ$

$\angle y = \angle IBC = 180^\circ - (\square^\circ + 26^\circ) = \square^\circ$

0177

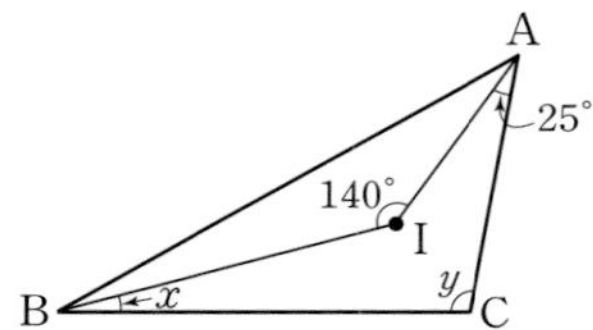

0178 학교 시험 맛보기

오른쪽 그림에서 점 I가 △ABC의 내심일 때, $\angle x$, $\angle y$의 크기를 각각 구하여라.

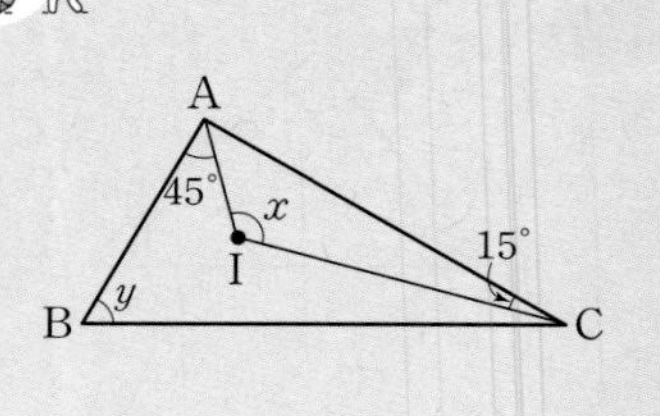

삼각형의 내심과 평행선

날짜 :  월  일

Subnote ➔ 10쪽

평행선 ⟶ 엇각 ⟶ 이등변삼각형

점 I가 △ABC의 내심이고, $\overline{DE} /\!/ \overline{BC}$일 때,

(1) $\overline{DE}=\overline{DI}+\overline{EI}=\overline{DB}+\overline{EC}$

(2) (△ADE의 둘레의 길이)$=\mathbf{\overline{AB}+\overline{AC}}$

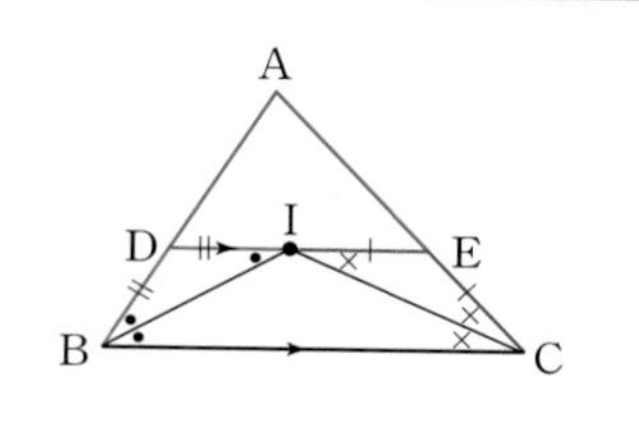

다음 그림에서 점 I가 △ABC의 내심이고, $\overline{DE} /\!/ \overline{BC}$ 일 때, x의 값을 구하여라.

0179

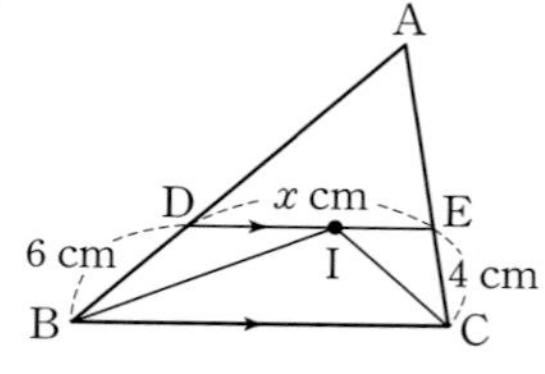

sol 점 I가 △ABC의 내심이고, $\overline{DE} /\!/ \overline{BC}$이므로
△DBI와 △ECI는 이등변삼각형이다.
즉, $\overline{DI}=\overline{DB}=\square$ cm, $\overline{EI}=\overline{EC}=\square$ cm이므로
$\overline{DE}=\overline{DI}+\overline{EI}=\square+\square=\square$ (cm)
$\therefore x=\square$

0180

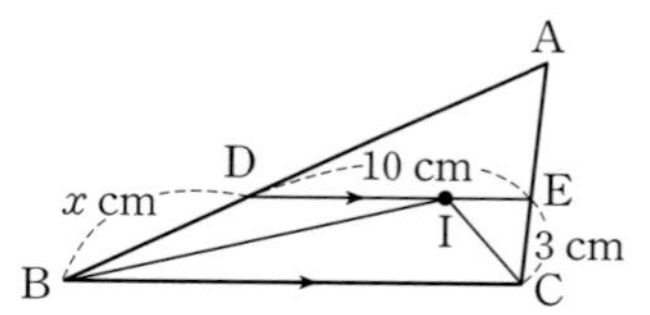

0181

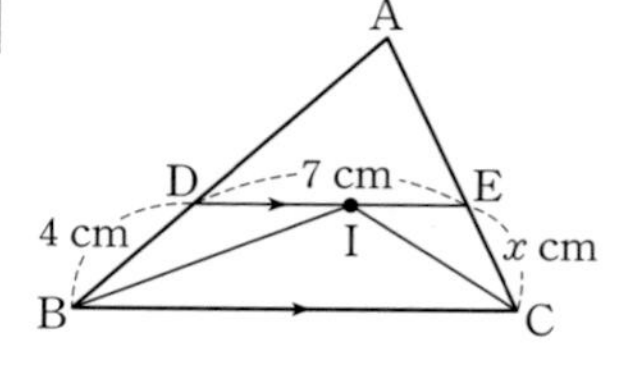

다음 그림에서 점 I가 △ABC의 내심이고, $\overline{DE} /\!/ \overline{BC}$ 일 때, △ADE의 둘레의 길이를 구하여라.

0182

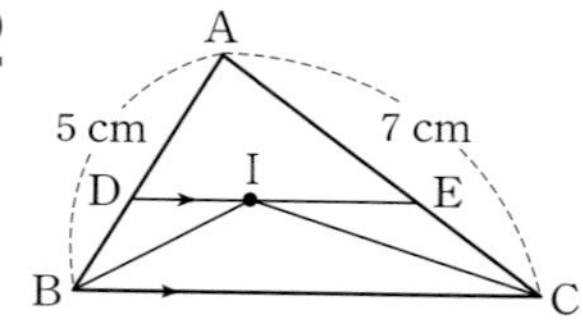

sol (△ADE의 둘레의 길이)
$=\overline{AD}+\overline{DE}+\overline{EA}$
$=\overline{AD}+\overline{DI}+\overline{IE}+\overline{EA}$
$=\overline{AD}+\overline{DB}+\overline{EC}+\overline{EA}$
$=\overline{AB}+\overline{AC}$
$=5+\square=\square$ (cm)

0183

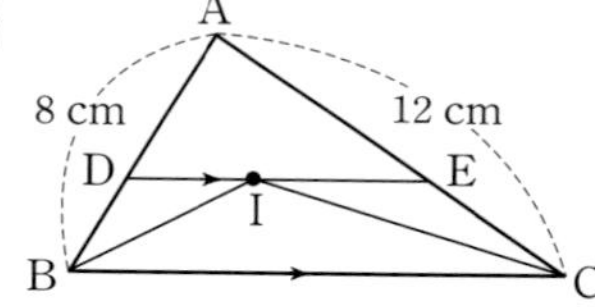

0184 학교 시험 맛보기 

오른쪽 그림에서 점 I가 △ABC의 내심이고 $\overline{DE} /\!/ \overline{BC}$일 때, △ABC의 둘레의 길이를 구하여라.

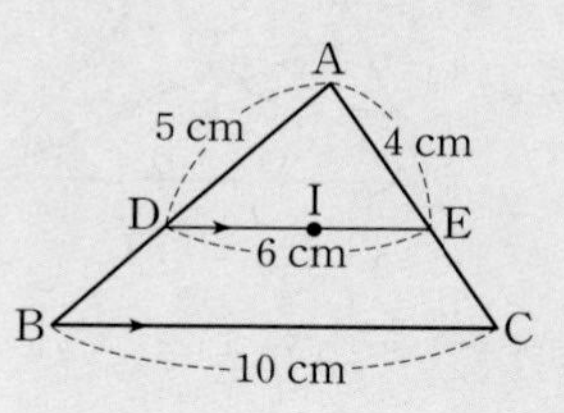

11 삼각형의 외심과 내심

날짜 : 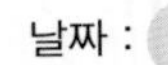 월   일

Subnote ➡ 10쪽

핵심

삼각형의 외심의 성질과
내심의 성질을 잘 떠올려 봐.

오른쪽 그림과 같은 △ABC에서 점 O는 외심이고, 점 I는 내심일 때,

(1) $\angle BOC=2\angle A$

(2) $\angle BIC=90^{\circ}+\frac{1}{2}\angle A$

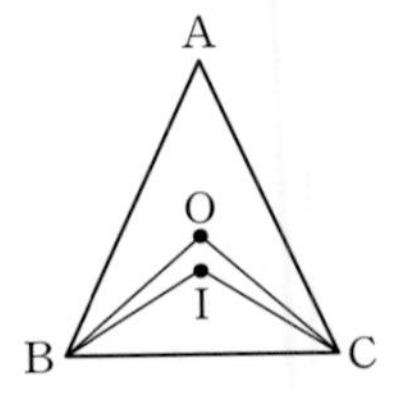

다음 그림에서 두 점 O, I는 각각 △ABC의 외심, 내심일 때, $\angle x$, $\angle y$의 크기를 각각 구하여라.

0185

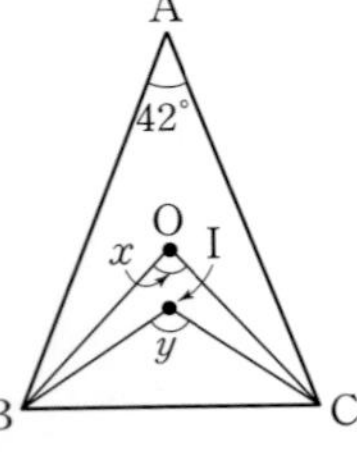

sol $\angle x=2\angle A=2\times\square^{\circ}=\square^{\circ}$

$\angle y=90^{\circ}+\frac{1}{2}\angle A$

$=90^{\circ}+\frac{1}{2}\times\square^{\circ}=\square^{\circ}$

0186

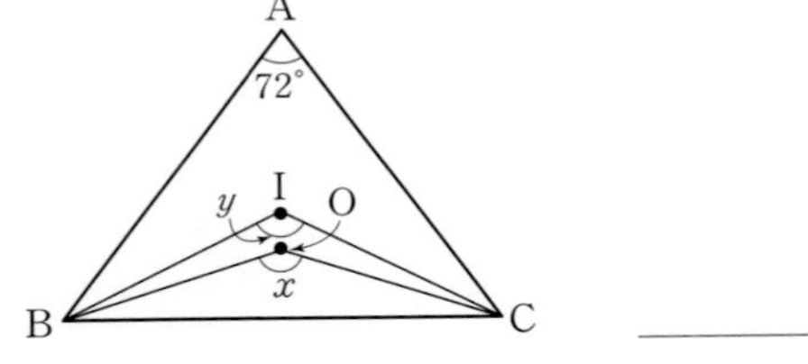

______

0187

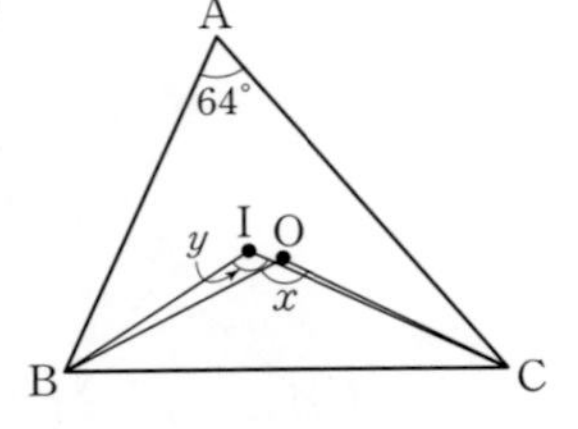

______

0188

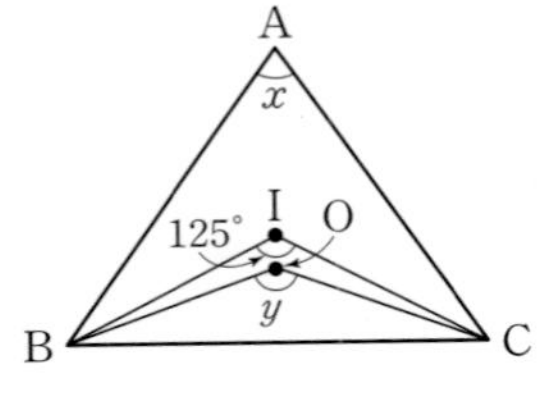

sol 점 I는 △ABC의 내심이므로

$125^{\circ}=\square^{\circ}+\frac{1}{2}\angle x$　　$\therefore\ \angle x=\square^{\circ}$

점 O는 △ABC의 외심이므로

$\angle y=2\angle x=2\times\square^{\circ}=\square^{\circ}$

0189

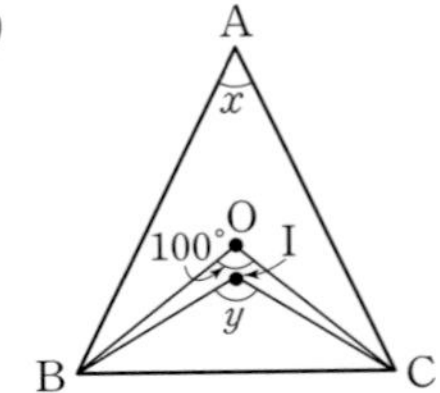

______

0190 학교 시험 맛보기 

오른쪽 그림에서 점 O와 점 I는 각각 △ABC의 외심과 내심이다. $\angle B=48^{\circ}$, $\angle C=72^{\circ}$일 때, $\angle BIC+\angle BOC$의 크기를 구하여라.

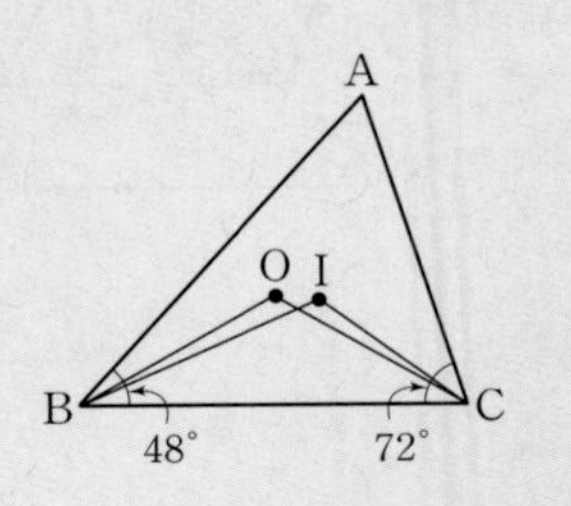

______

12 이등변삼각형의 외심과 내심

Subnote ➲ 10쪽

외심, 내심의 성질,
이등변삼각형의 성질이
모두 이용되는 문제야!

$\overline{AB}=\overline{AC}$인 이등변삼각형 ABC에서 점 O는 외심이고, 점 I는 내심일 때,

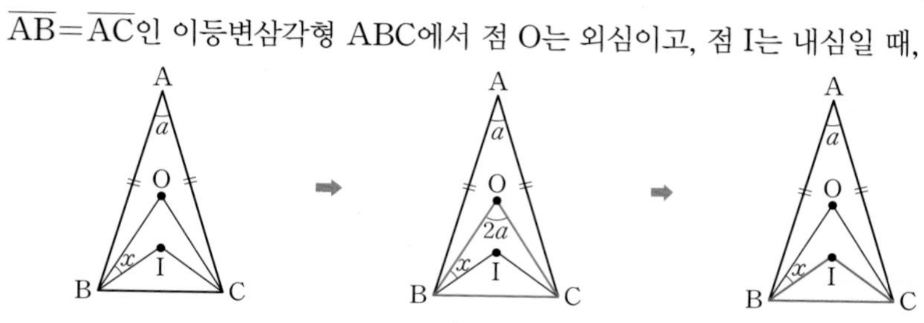
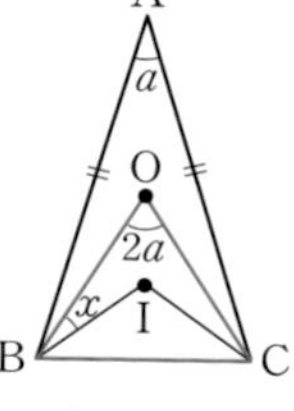

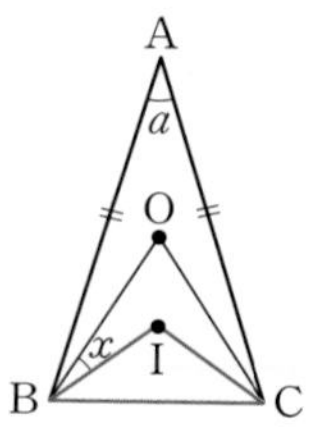

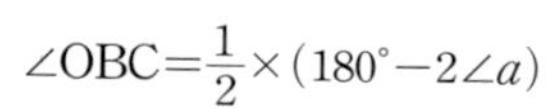

$\angle OBC=\frac{1}{2}\times(180°-2\angle a)$ $\quad\angle IBC=\frac{1}{2}\angle ABC$

➡ $\angle x=\angle OBC-\angle IBC$

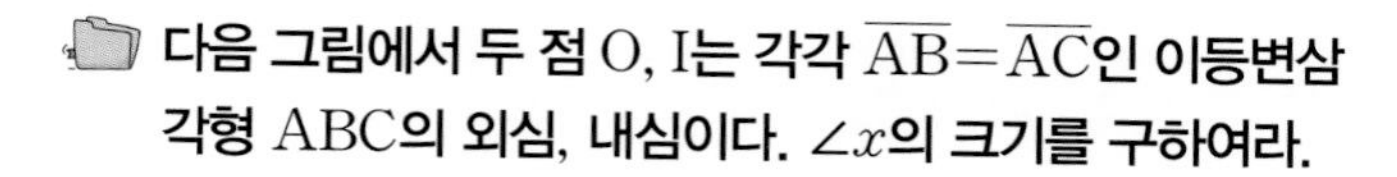

다음 그림에서 두 점 O, I는 각각 $\overline{AB}=\overline{AC}$인 이등변삼각형 ABC의 외심, 내심이다. $\angle x$의 크기를 구하여라.

0191

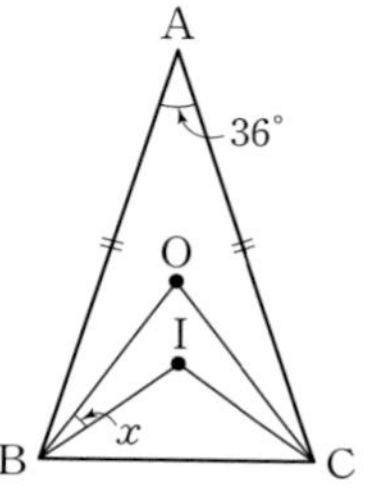

sol $\angle BOC=2\times36°=\square°$

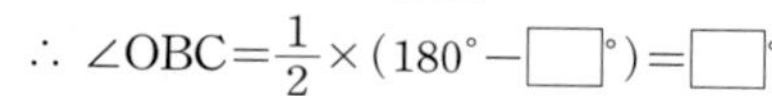

$\therefore\ \angle OBC=\frac{1}{2}\times(180°-\square°)=\square°$

△ABC는 이등변삼각형이므로

$\angle B=\frac{1}{2}\times(180°-\square°)=\square°$

$\therefore\ \angle IBC=\frac{1}{2}\times\square°=\square°$

$\therefore\ \angle x=\angle OBC-\angle IBC$

$=\square°-\square°=\square°$

0192

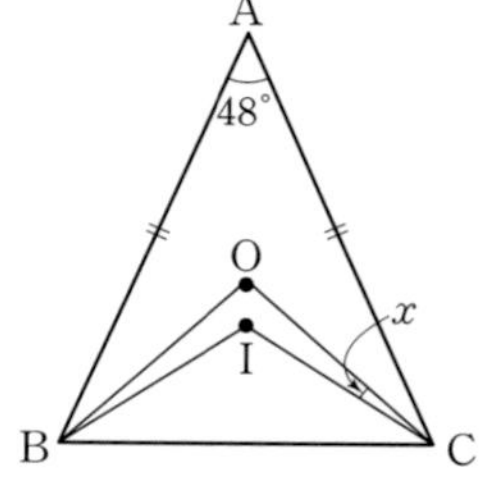

0193

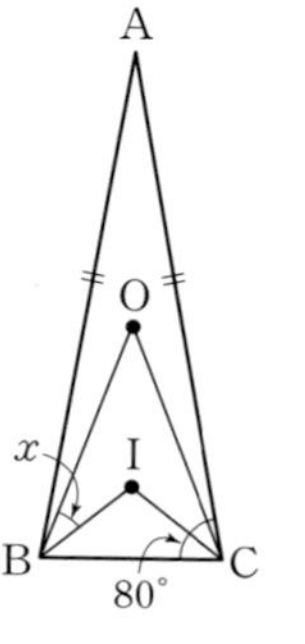

0194

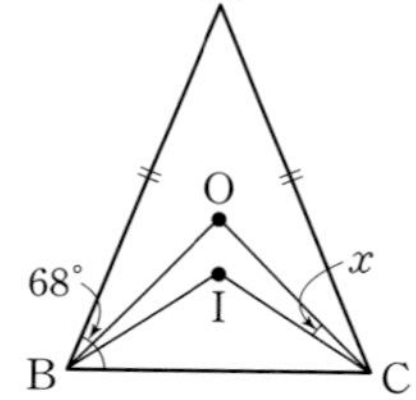

0195 학교 시험 맛보기 

오른쪽 그림과 같이 $\overline{AB}=\overline{AC}$인 이등변삼각형 ABC에서 두 점 O, I는 각각 △ABC의 외심과 내심이다. $\angle BAO=20°$일 때, $\angle x$의 크기를 구하여라.

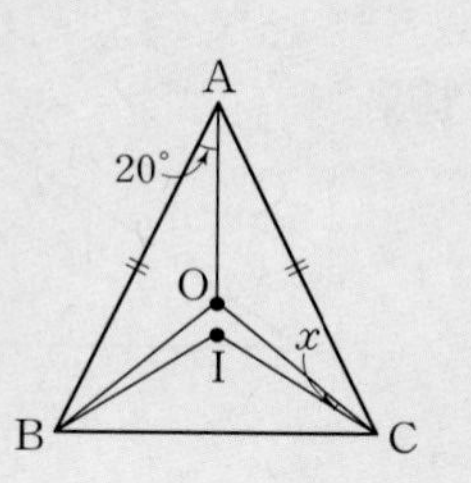

핵심 13 삼각형의 내심과 내접원 (1)

날짜 : 월 일

Subnote ➔ 11쪽

원 밖의 한 점에서 원에 그은 두 접선의 길이는 같아.

점 I가 $\triangle ABC$의 내심이고, 내접원이 $\overline{AB}$, $\overline{BC}$, $\overline{CA}$와 만나는 점을 각각 D, E, F라고 할 때,

$\overline{AD}=\overline{AF}$, $\overline{BD}=\overline{BE}$, $\overline{CE}=\overline{CF}$

$\triangle IAD \equiv \triangle IAF$ $\triangle IBD \equiv \triangle IBE$ $\triangle ICE \equiv \triangle ICF$

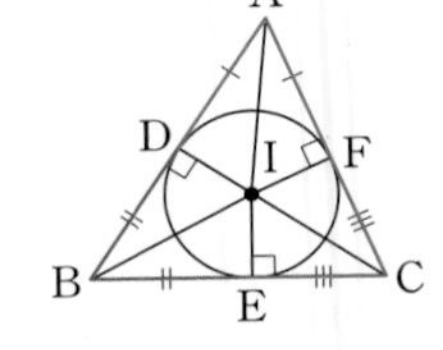

다음 그림에서 점 I는 $\triangle ABC$의 내심이고, 세 점 D, E, F는 각각 내접원과 세 변 AB, BC, CA의 접점일 때, x의 값을 구하여라.

0196

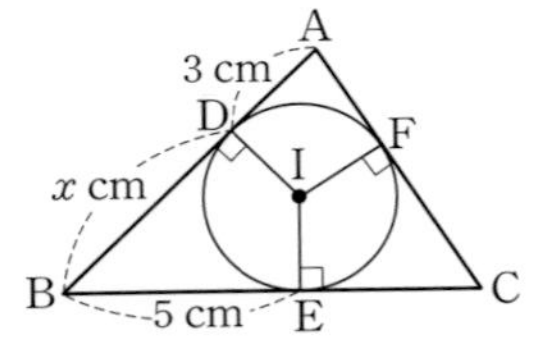

0197

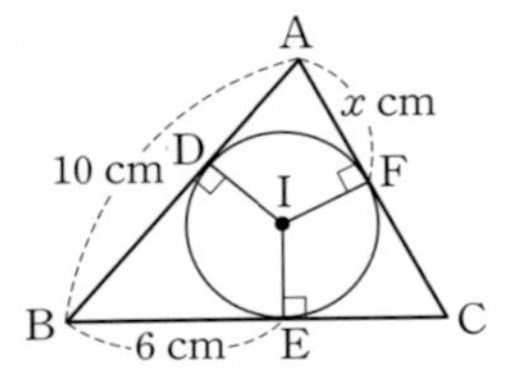

sol $\overline{BD}=\overline{BE}=\square$ cm이므로

$\overline{AF}=\overline{AD}=10-\square=\square$ (cm)

$\therefore x=\square$

0198

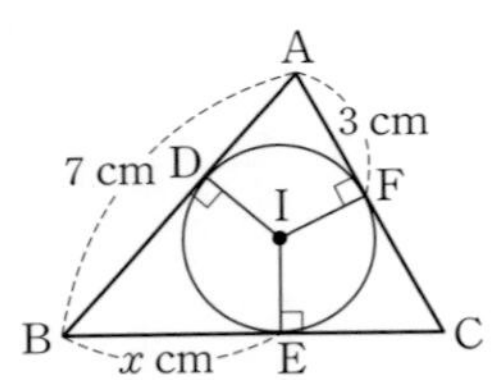

0199

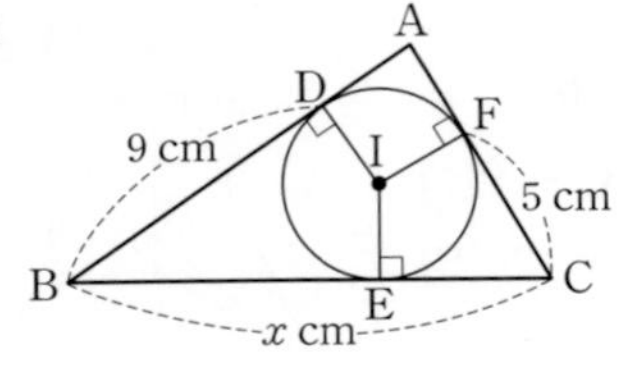

0200

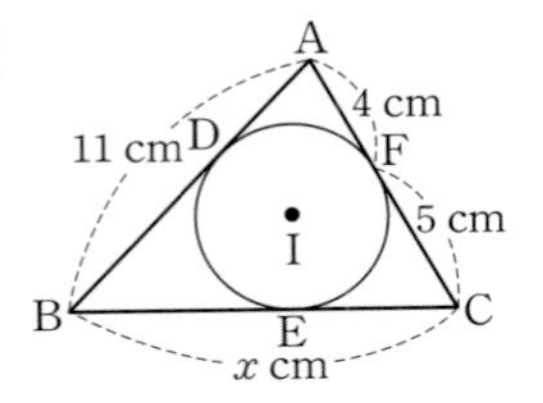

0201

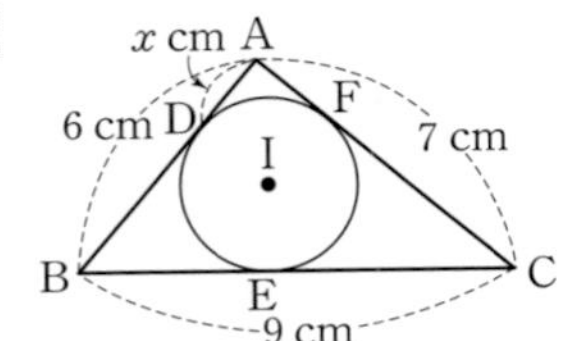

$\overline{BC}=\overline{BE}+\overline{CE}$이므로 $\overline{BE}$와 $\overline{CE}$를 x에 대한 식으로 나타내 봐.

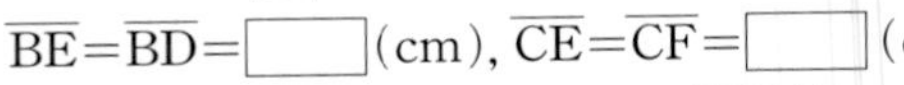

sol $\overline{AF}=\overline{AD}=\square$ cm이므로

$\overline{BE}=\overline{BD}=\square$ (cm), $\overline{CE}=\overline{CF}=\square$ (cm)

이때 $\overline{BC}=\overline{BE}+\overline{CE}=(\square)+(\square)=9$ (cm)

이므로 $x=\square$

0202

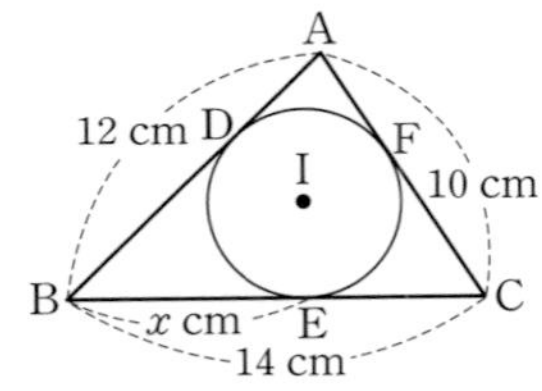

0203

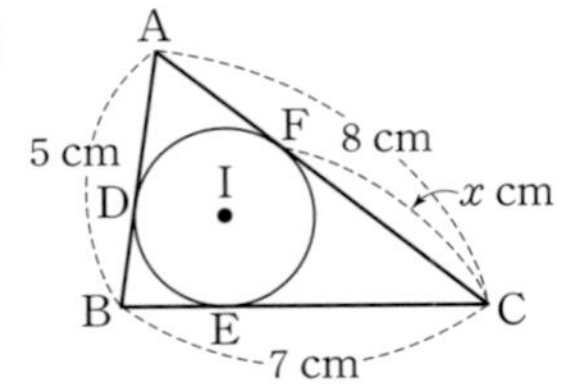

14 삼각형의 내심과 내접원 (2)

날짜 : 월 일

Subnote ⊕ 11쪽

내접원의 반지름의 길이, 삼각형의 넓이, 삼각형의 둘레의 길이 중에서 2가지 값을 알면 나머지 한 가지 값을 알 수 있어.

(1) 점 I가 $\triangle ABC$의 내심이고, 내접원의 반지름의 길이가 r일 때,

$\triangle ABC = \triangle IBC + \triangle ICA + \triangle IAB$

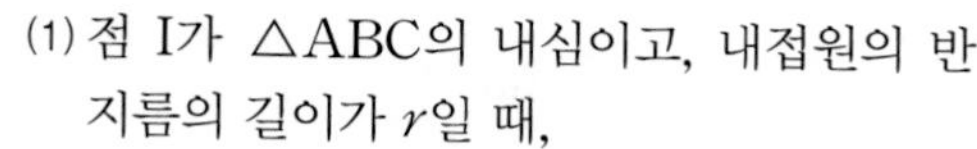

$= \frac{1}{2}ar + \frac{1}{2}br + \frac{1}{2}cr$

$= \frac{1}{2}r(a+b+c)$ ($a+b+c$: $\triangle ABC$의 둘레의 길이)

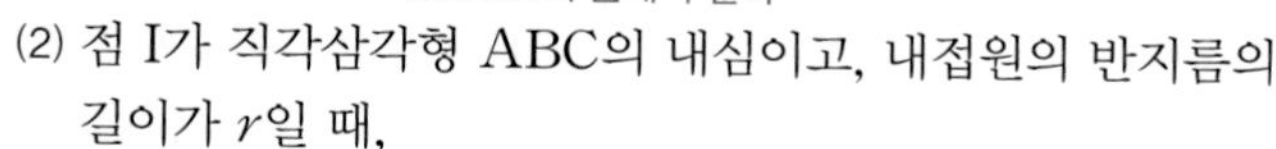

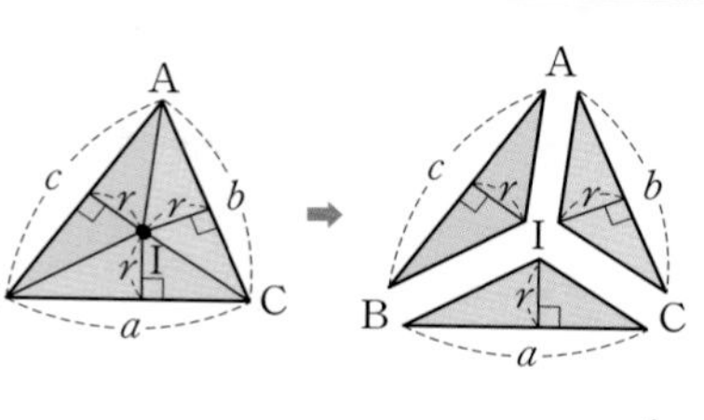

(2) 점 I가 직각삼각형 ABC의 내심이고, 내접원의 반지름의 길이가 r일 때,

$\triangle ABC = \frac{1}{2}ab = \frac{1}{2}r(a+b+c)$

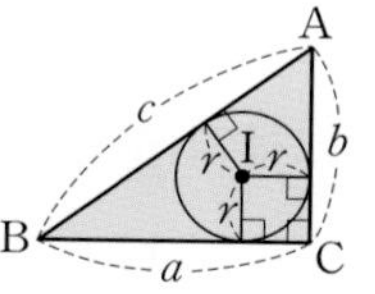

다음 그림에서 점 I가 $\triangle ABC$의 내심일 때, $\triangle ABC$의 넓이를 구하여라.

0204

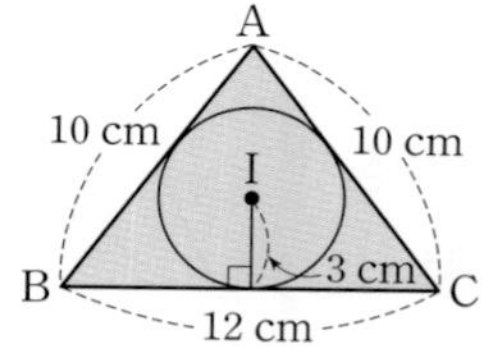

sol $\triangle ABC = \frac{1}{2} \times \square \times (10+10+\square)$

$= \square (cm^2)$

0205

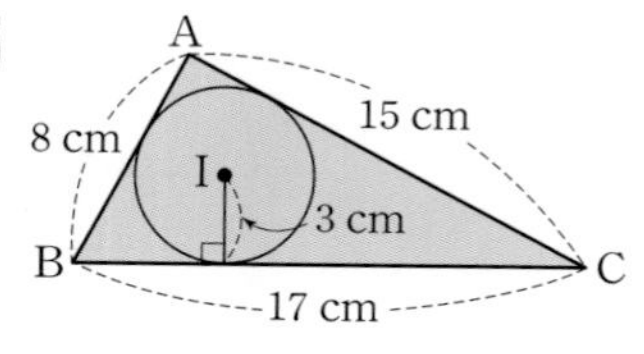

0206

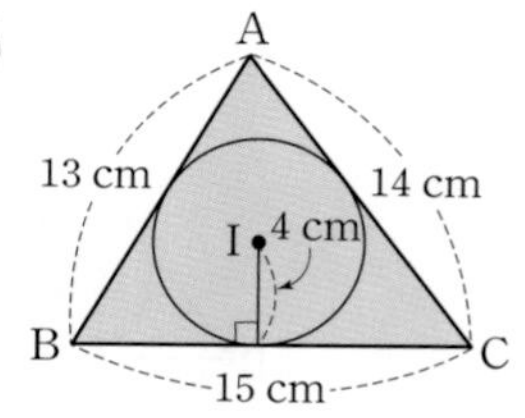

다음 그림에서 점 I가 $\triangle ABC$의 내심일 때, 내접원의 반지름의 길이를 구하여라.

0207 $\triangle ABC = 36.4\ cm^2$일 때

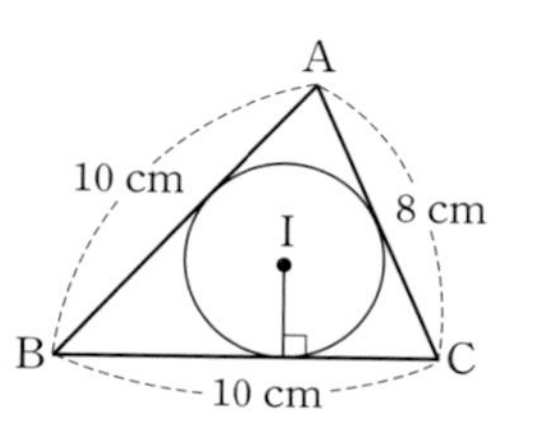

0208

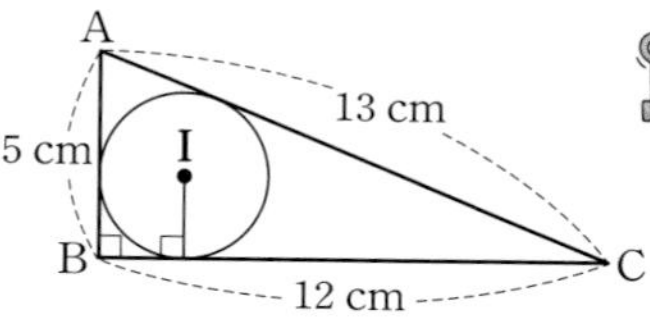

직각삼각형의 넓이는 구할 수 있지?

0209 학교 시험 맛보기

오른쪽 그림에서 점 I가 $\triangle ABC$의 내심일 때, 내접원의 넓이를 구하여라.

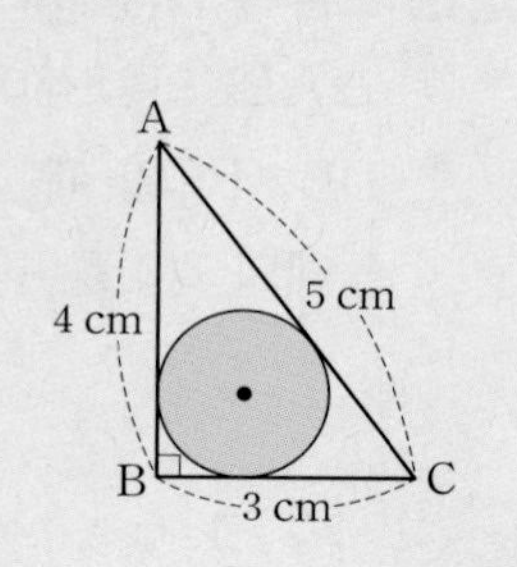

2 삼각형의 외심과 내심

Mini Review Test

날짜 : 월 일

Subnote 12쪽

핵심 06

0210 오른쪽 그림에서 점 I는 $\triangle ABC$의 내심일 때, 다음 중 옳지 않은 것은?

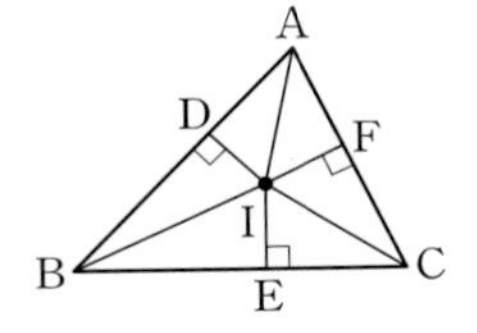

① $\angle IBD = \angle IBE$
② $\triangle IAD \equiv \triangle IAF$
③ $\overline{AD} = \overline{AF}$
④ $\overline{ID} = \overline{IE} = \overline{IF}$
⑤ $\overline{IA} = \overline{IB} = \overline{IC}$

핵심 08

0211 오른쪽 그림에서 점 I는 $\triangle ABC$의 내심이고 $\angle ABI = 30°$, $\angle ACI = 40°$일 때, $\angle A$의 크기를 구하여라.

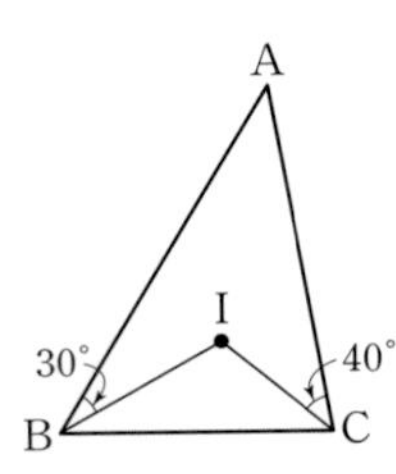

핵심 09

0212 오른쪽 그림에서 점 I는 $\triangle ABC$의 내심이고 $\angle A = 74°$, $\angle ICA = 30°$일 때, $\angle x$, $\angle y$의 크기를 각각 구하여라.

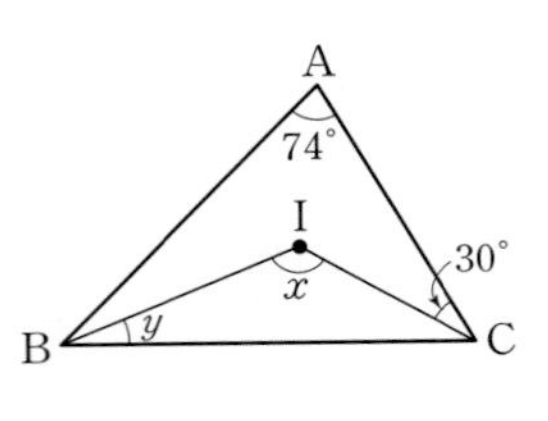

핵심 10

0213 오른쪽 그림에서 점 I는 $\triangle ABC$의 내심이고 $\overline{DE} /\!/ \overline{BC}$일 때, $\triangle ABC$의 둘레의 길이를 구하여라.

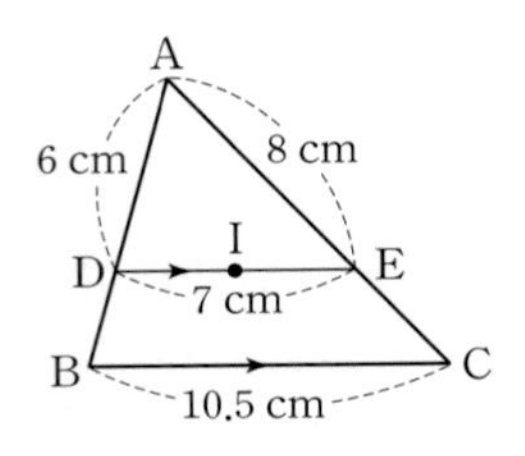

핵심 11

0214 오른쪽 그림과 같이 $\triangle ABC$의 외심 O와 내심 I가 일치할 때, $\angle x$의 크기를 구하여라.

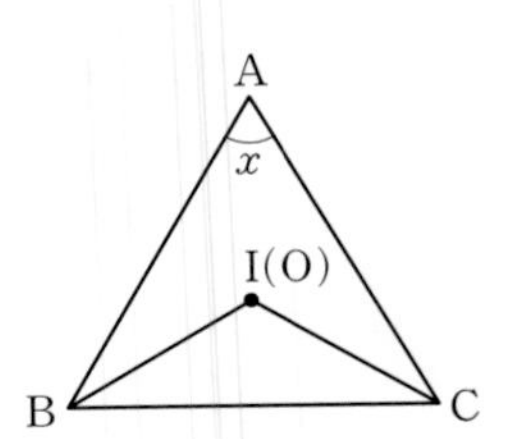

핵심 12 서술형

0215 오른쪽 그림에서 점 O와 점 I는 각각 $\overline{AB} = \overline{AC}$인 이등변 삼각형 ABC의 외심과 내심이다. $\angle BOC = 104°$일 때, $\angle OBI$의 크기를 구하여라.

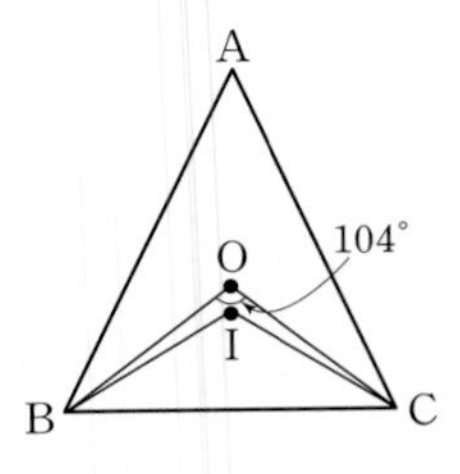

핵심 13

0216 오른쪽 그림에서 점 I는 $\triangle ABC$의 내심이고 세 점 D, E, F는 내접원과 각 변의 접점일 때, xyz의 값을 구하여라.

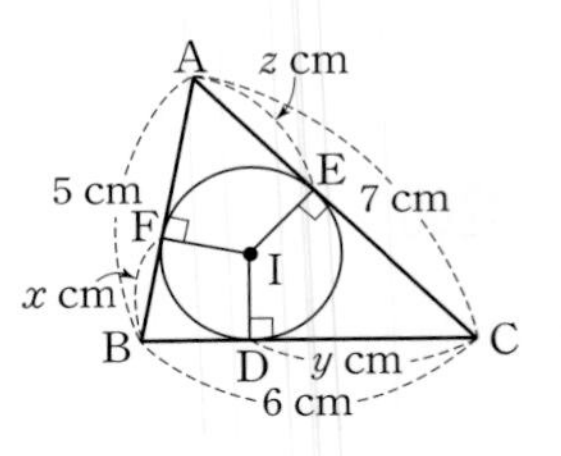

핵심 14

0217 오른쪽 직각삼각형 ABC에서 $\overline{AB} = 10$ cm, $\overline{BC} = 6$ cm, $\overline{AC} = 8$ cm일 때, 내접원의 넓이를 구하여라.

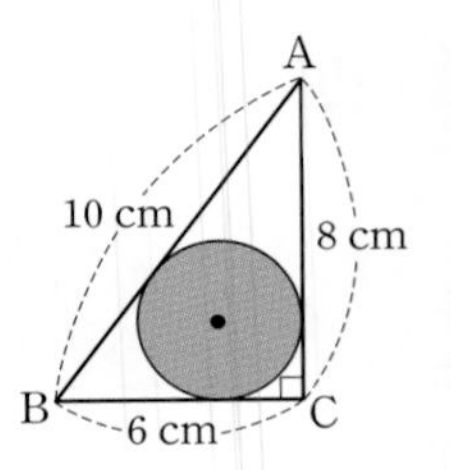

Review

2. 삼각형의 외심과 내심

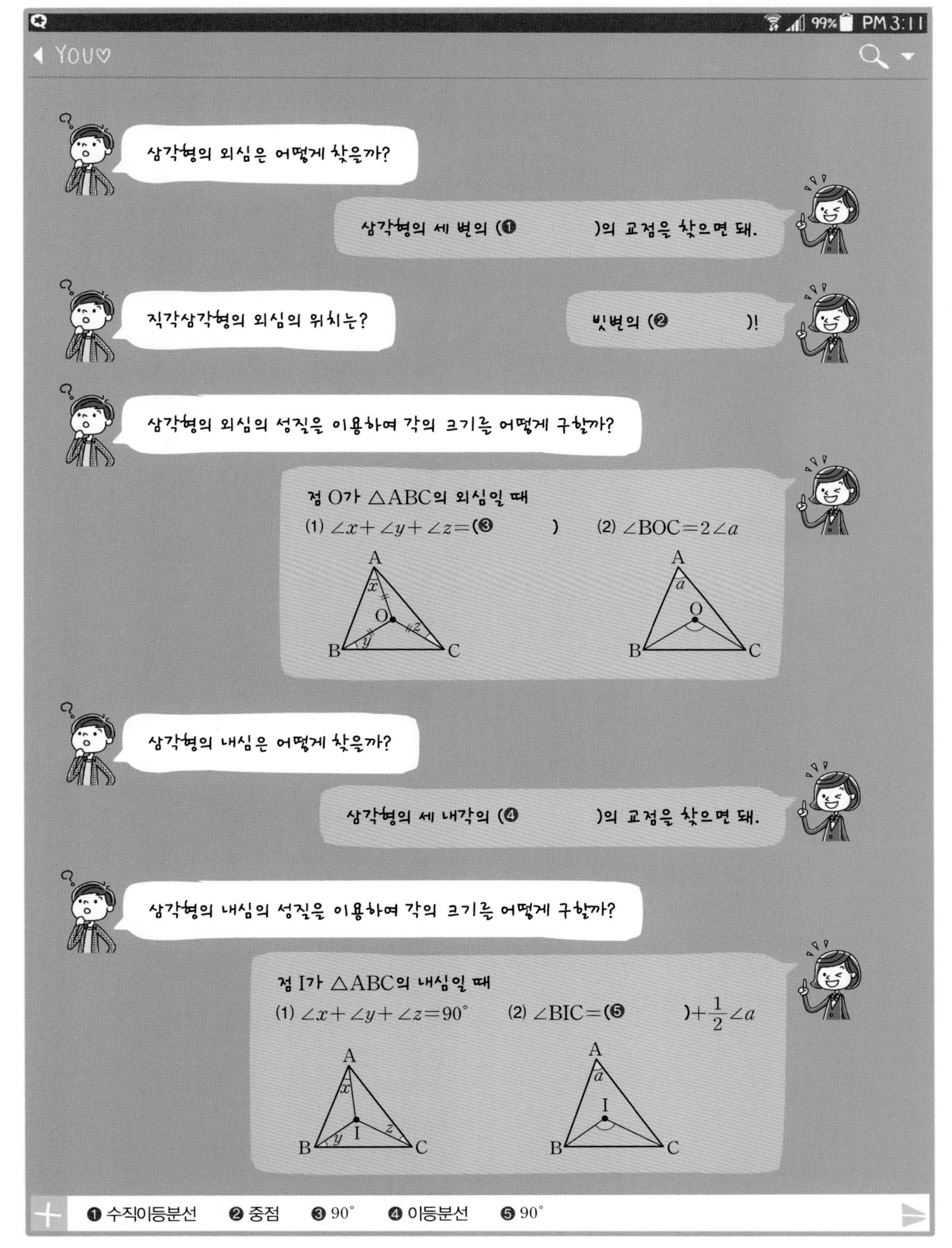

2 사각형의 성질

이미 배운 내용

[초등학교 3~4학년군]
- 여러 가지 사각형

[중학교 1학년]
- 기본 도형
- 평면도형의 성질

이번에 배울 내용

3. 평행사변형의 성질
- 평행사변형의 성질
- 평행사변형이 되는 조건
- 평행사변형과 넓이

4. 여러 가지 사각형의 성질
- 직사각형
- 마름모
- 정사각형
- 여러 가지 사각형 사이의 관계

3 평행사변형의 성질

스스로 공부 계획 세우기

	학습 내용	공부한 날짜	반복하기
3. 평행사변형의 성질	01. 평행사변형의 뜻	월 일	□□
	02. 평행사변형의 뜻의 활용	월 일	□□
	03. 평행사변형의 성질(1)	월 일	□□
	04. 평행사변형의 성질(2)	월 일	□□
	05. 평행사변형의 성질의 활용(1)	월 일	□□
	06. 평행사변형의 성질의 활용(2)	월 일	□□
	Mini Review Test(01~06)	월 일	□□
	07. 평행사변형이 되는 조건(1)	월 일	□□
	08. 평행사변형이 되는 조건(2)	월 일	□□
	09. 평행사변형이 되는 조건(3)	월 일	□□
	10. 평행사변형과 넓이(1)	월 일	□□
	11. 평행사변형과 넓이(2)	월 일	□□
	Mini Review Test(07~11)	월 일	□□

3 평행사변형의 성질

1 평행사변형의 뜻과 성질 핵심 01 ~ 06

(1) 평행사변형: 두 쌍의 대변이 각각 평행한 사각형

➡ □ABCD에서 $\overline{AB} /\!/ \overline{DC}$, $\overline{AD} /\!/ \overline{BC}$

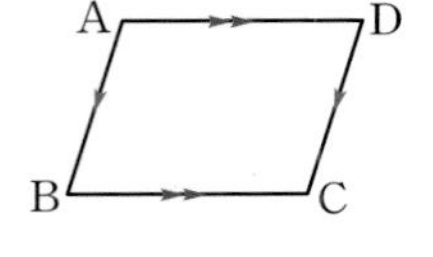

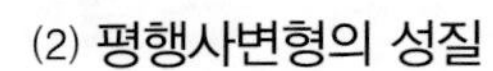

(2) 평행사변형의 성질

(1) 두 쌍의 대변의 길이는 각각 같다.	(2) 두 쌍의 대각의 크기는 각각 같다.	(3) 두 대각선은 서로 다른 것을 이등분한다.
$\overline{AB}=\overline{DC}$, $\overline{AD}=\overline{BC}$	$\angle A=\angle C$, $\angle B=\angle D$	$\overline{OA}=\overline{OC}$, $\overline{OB}=\overline{OD}$

2 평행사변형이 되는 조건 핵심 07 08 09

다음 중 어느 하나를 만족시키는 사각형은 평행사변형이다.

(1) 두 쌍의 대변이 각각 평행하다.	(2) 두 쌍의 대변의 길이가 각각 같다.	(3) 두 쌍의 대각의 크기가 각각 같다.
(4) 두 대각선이 서로 다른 것을 이등분한다.	(5) 한 쌍의 대변이 평행하고, 그 길이가 같다.	

3 평행사변형의 넓이 핵심 10 11

(1) 평행사변형 ABCD에서

① $\triangle ABC=\triangle BCD=\triangle CDA=\triangle DAB=\frac{1}{2}\square ABCD$

② $\triangle ABO=\triangle BCO=\triangle CDO=\triangle DAO=\frac{1}{4}\square ABCD$

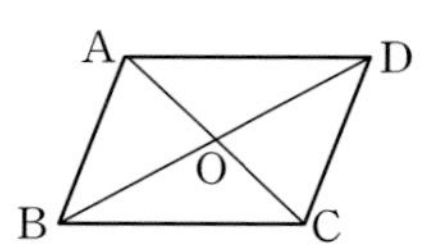

(2) 평행사변형 ABCD의 내부에 한 점 P를 잡을 때

➡ $\triangle PAB+\triangle PCD=\triangle PDA+\triangle PBC=\frac{1}{2}\square ABCD$

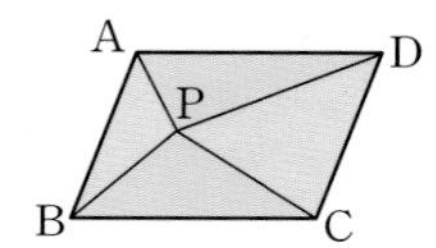

개념 NOTE

- 사각형 ABCD를 기호로 □ABCD와 같이 나타낸다.
- 사각형에서 서로 마주 보는 두 변을 대변, 서로 마주 보는 두 각을 대각이라고 한다.
- 평행사변형 ABCD에서 이웃하는 두 내각의 크기의 합은 180°이다.
  ➡ $\angle A+\angle B=180°$
  $\angle B+\angle C=180°$
- '한 쌍의 대변이 평행하고 그 길이가 같다.'에서 반드시 평행한 두 변의 길이가 같아야 한다.

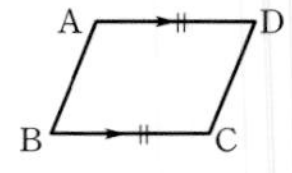

$\overline{AD} /\!/ \overline{BC}$, $\overline{AD}=\overline{BC}$ (○)
$\overline{AD} /\!/ \overline{BC}$, $\overline{AB}=\overline{DC}$ (×)

- ① 평행사변형의 넓이는 한 대각선에 의해 이등분된다.
  ② 평행사변형의 넓이는 두 대각선에 의해 사등분된다.

01 평행사변형의 뜻

날짜 :  월  일

핵심

Subnote ➔ 13쪽

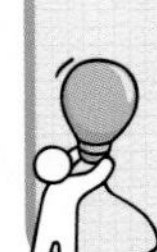

평행선이 한 직선과 만날 때, 엇각의 크기가 같아.

평행사변형 : 두 쌍의 대변이 각각 평행한 사각형

➡ □ABCD에서 $\overline{AB}/\!/\overline{DC}$, $\overline{AD}/\!/\overline{BC}$

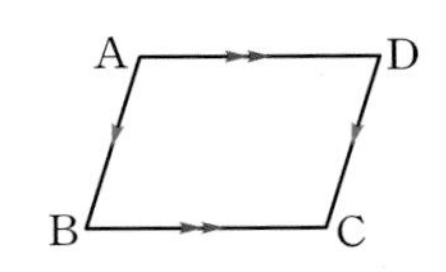

다음 그림과 같은 평행사변형 ABCD에서 $\angle x$, $\angle y$의 크기를 각각 구하여라.

0218

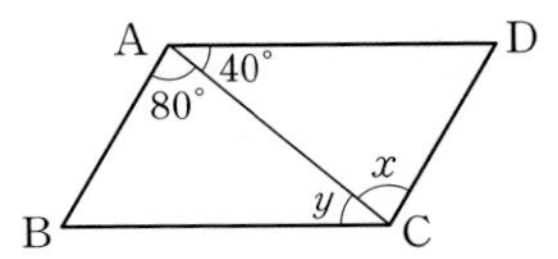

평행한 두 직선이 한 직선과 만날 때, 엇각의 크기는 같아.

sol $\overline{AB}/\!/\overline{DC}$이므로 $\angle x=$ □° (엇각)

$\overline{AD}/\!/\overline{BC}$이므로 $\angle y=$ □° (엇각)

0219

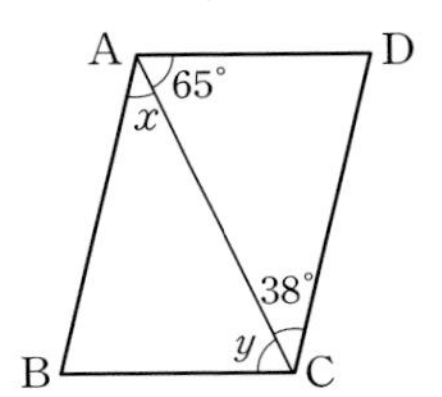

0220

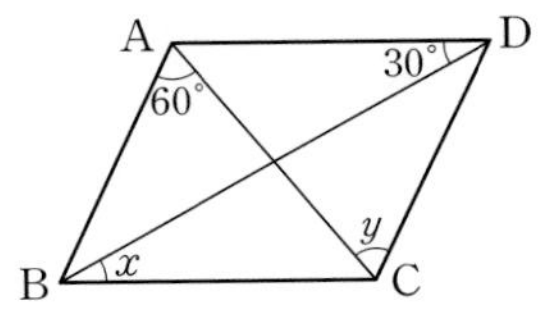

0221

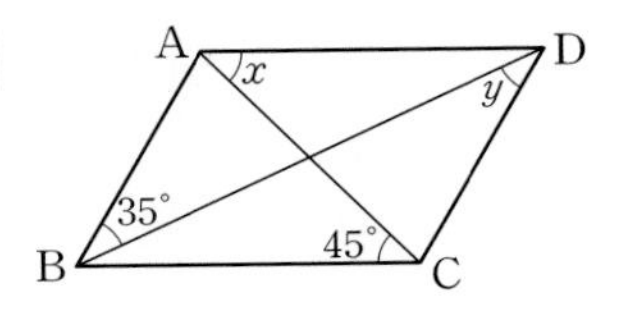

다음 그림과 같은 평행사변형 ABCD에서 $\angle x$의 크기를 구하여라. (단, 점 O는 두 대각선의 교점이다.)

0222

A, D, B, C, 60°, x, 70°

0223

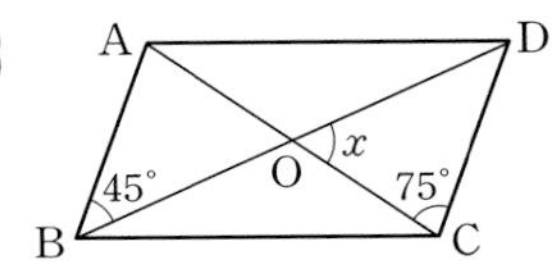

0224

A, D, B, C, O, 30°, 80°, x

0225 학교 시험 맛보기

오른쪽 그림과 같은 평행사변형 ABCD에서 두 대각선의 교점을 O라고 할 때, $\angle x$의 크기를 구하여라.

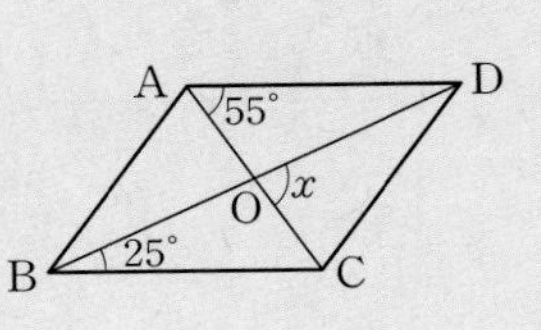

3 평행사변형의 성질

핵심 02 평행사변형의 뜻의 활용

날짜 :  월  일

Subnote ◯ 13쪽

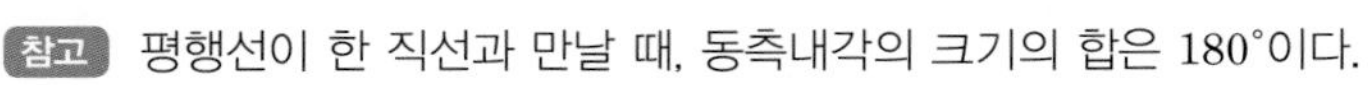

평행사변형에서 한 내각의 크기가 주어지면 네 각의 크기를 모두 알 수 있어.

평행사변형에서 이웃하는 두 내각의 크기의 합은 180°이다.

➡ $\angle A+\angle B=\angle B+\angle C$
$=\angle C+\angle D=\angle D+\angle A=180°$

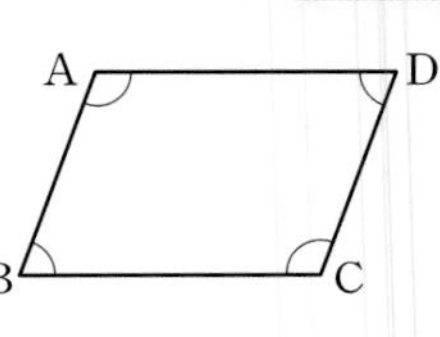

참고 평행선이 한 직선과 만날 때, 동측내각의 크기의 합은 180°이다.
➡ $\angle a+\angle b=180°$

다음 그림과 같은 평행사변형 ABCD에서 $\angle x$의 크기를 구하여라.

0226

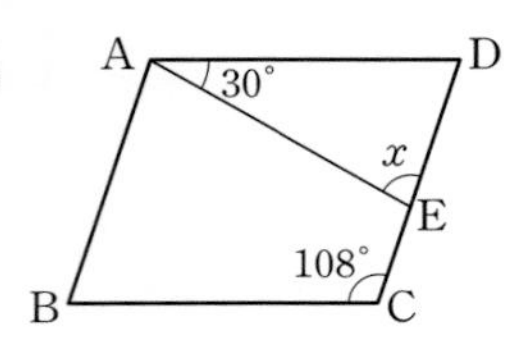

sol $\angle C+\angle D=$ □°이므로
$\angle D=180°-108°=$ □°
△AED에서
$\angle x=180°-(30°+$ □°$)=$ □°

0227

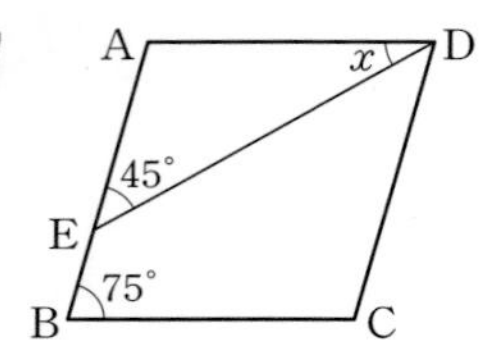

0228

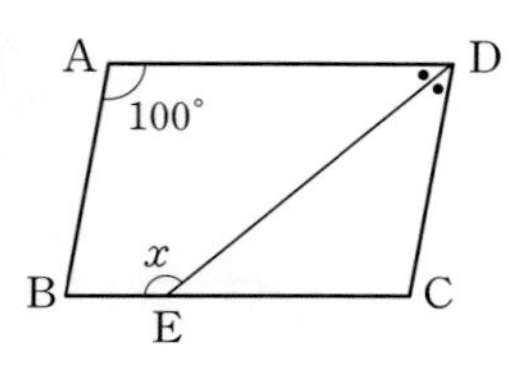

다음 그림과 같은 평행사변형 ABCD에서 $\angle A:\angle B$가 다음과 같을 때, $\angle x$의 크기를 구하여라.

0229 $\angle A:\angle B=2:1$일 때

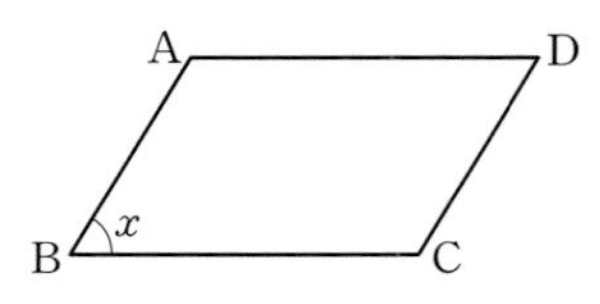

sol $\angle A+\angle B=$ □°이고 $\angle A:\angle B=2:1$이므로
$\angle B=\frac{1}{3}\times180°=$ □°
$\therefore\ \angle x=\angle B=$ □°

0230 $\angle A:\angle B=3:2$일 때

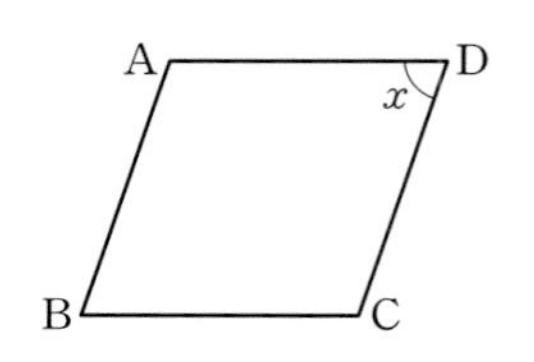

0231 학교 시험 맛보기 

오른쪽 그림과 같은 평행사변형 ABCD에서 $\angle DAE=25°$이고 $\angle A:\angle B=5:4$일 때, $\angle x$의 크기를 구하여라.

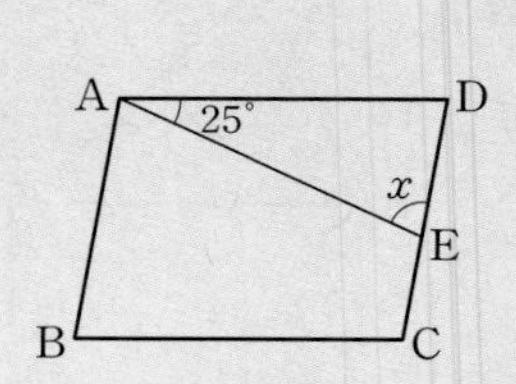

핵심 03 평행사변형의 성질 (1)

날짜 : 월 일 

Subnote ➜ 13쪽

평행사변형은 두 쌍의 대변이 각각 평행한 사각형이라는 것을 이용하여 평행사변형의 성질을 찾아낼 수 있어.

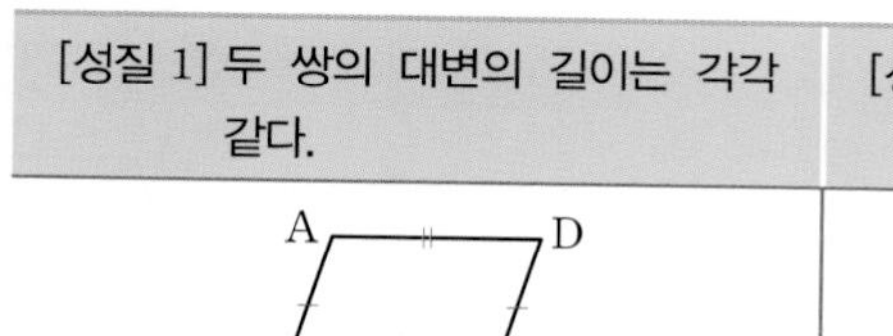

[성질 1] 두 쌍의 대변의 길이는 각각 같다.	[성질 2] 두 쌍의 대각의 크기는 각각 같다.
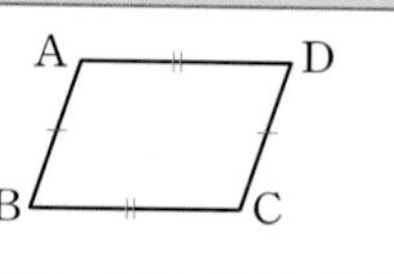 ➡ $\overline{AB}=\overline{DC}$, $\overline{AD}=\overline{BC}$	➡ $\angle A=\angle C$, $\angle B=\angle D$

다음 그림과 같은 평행사변형 ABCD에서 x, y의 값을 각각 구하여라.

0232

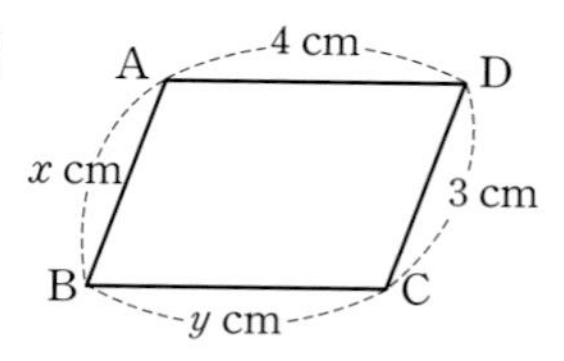

sol $\overline{AB}=\overline{DC}$이므로 $x=\square$

$\overline{AD}=\overline{BC}$이므로 $y=\square$

0233

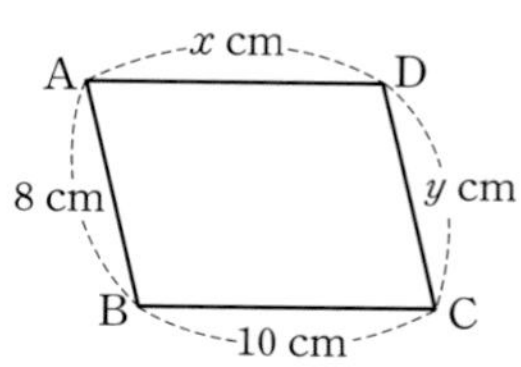

0234

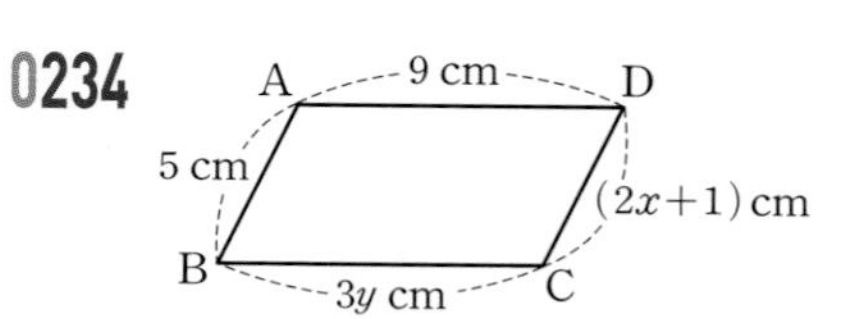

0235

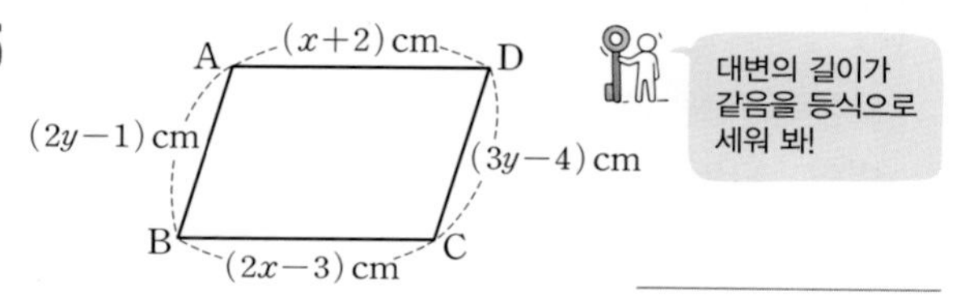

다음 그림과 같은 평행사변형 ABCD에서 $\angle x$, $\angle y$의 크기를 각각 구하여라.

0236

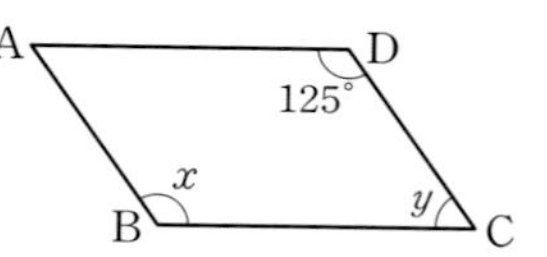

평행사변형에서 이웃하는 두 내각의 크기의 합은 180°야.

sol $\angle B=\angle D$이므로 $\angle x=\square°$

$\angle B+\angle C=180°$이므로

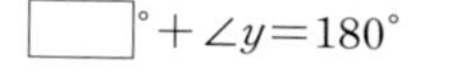

$\square°+\angle y=180°$ $\quad\therefore \angle y=\square°$

0237

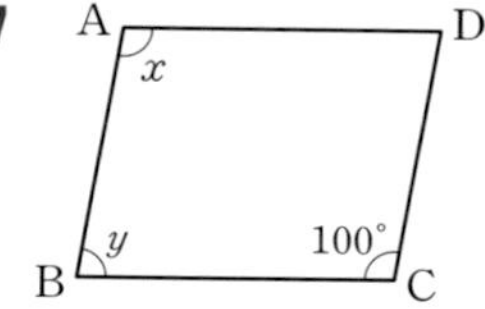

0238

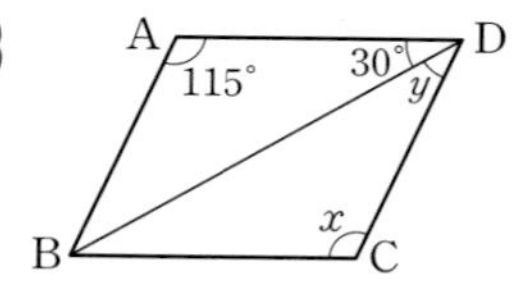

0239 학교 시험 맛보기

오른쪽 그림과 같은 평행사변형 ABCD에 대하여 $\angle x$, $\angle y$의 크기를 각각 구하여라.

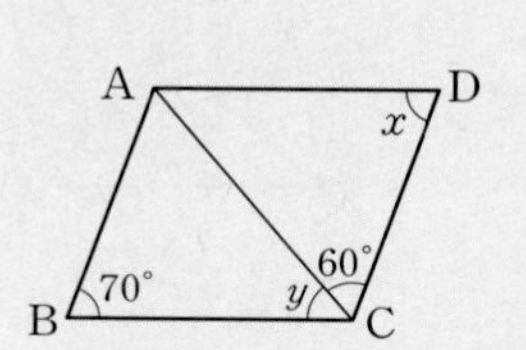

핵심 04 평행사변형의 성질 (2)

평행사변형의 대각선에 대한 성질을 잘 알아두자.

[성질 3] 두 대각선은 서로 다른 것을 이등분한다.

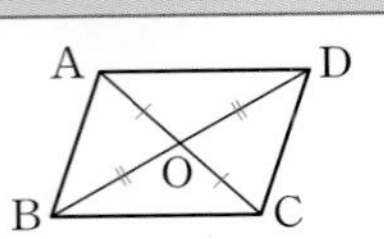

➡ $\overline{OA}=\overline{OC}$, $\overline{OB}=\overline{OD}$

다음 그림과 같은 평행사변형 ABCD에서 x, y의 값을 각각 구하여라. (단, 점 O는 두 대각선의 교점이다.)

0240

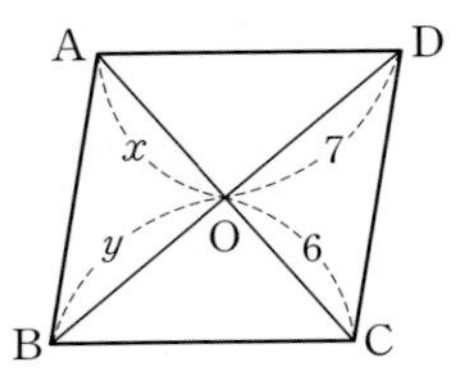

sol $\overline{OA}=\overline{OC}$이므로 $x=$☐
$\overline{OB}=\overline{OD}$이므로 $y=$☐

0241

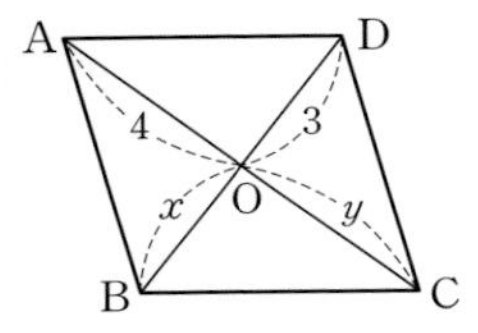

______

0242

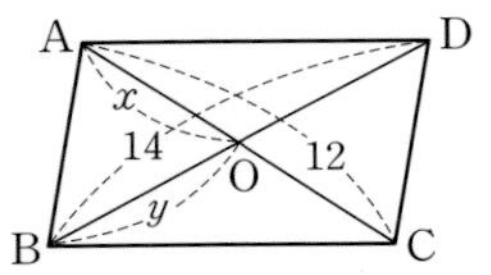

______

0243

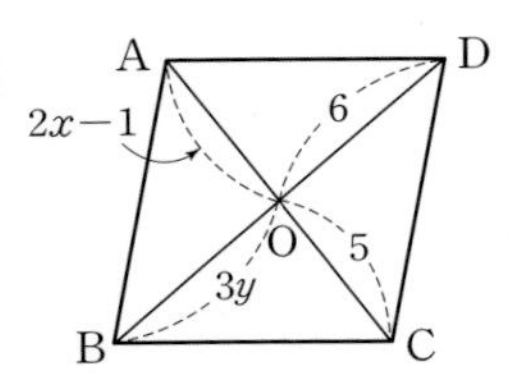

______

오른쪽 그림과 같은 평행사변형 ABCD에서 다음을 구하여라. (단, 점 O는 두 대각선의 교점이다.)

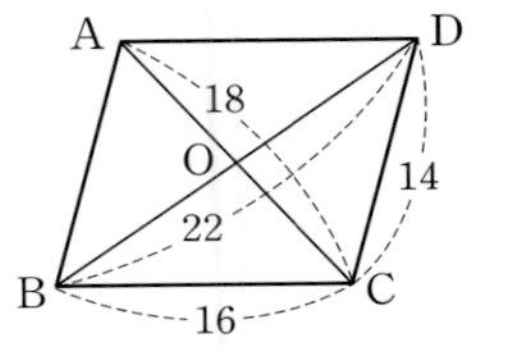

0244 $\overline{AD}$의 길이 ______

0245 $\overline{OA}$의 길이 ______

0246 $\overline{OD}$의 길이 ______

0247 $\triangle OAD$의 둘레의 길이 ______

0248 학교 시험 맛보기 

오른쪽 그림과 같은 평행사변형 ABCD에서 $\triangle OCD$의 둘레의 길이를 구하여라. (단, 점 O는 두 대각선의 교점이다.)

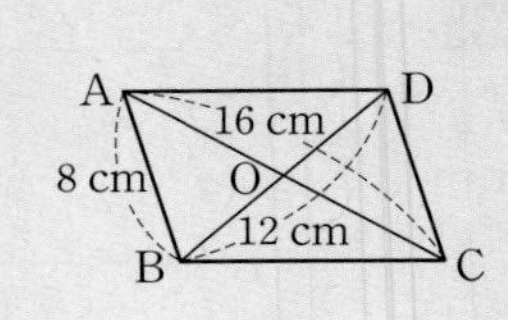

______

핵심 05 평행사변형의 성질의 활용 (1)

날짜 : 월 일

Subnote ➲ 14쪽

엇각의 크기가 같은 것을 이용하여 이등변삼각형을 찾아봐.

평행사변형 ABCD에서 $\overline{AE}$가 ∠A의 이등분선일 때,

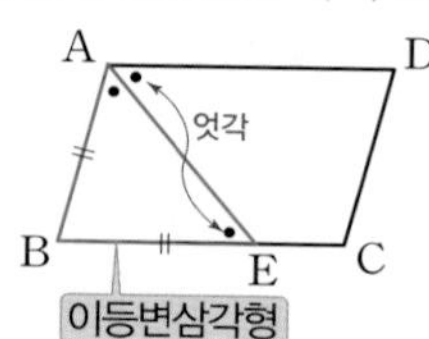

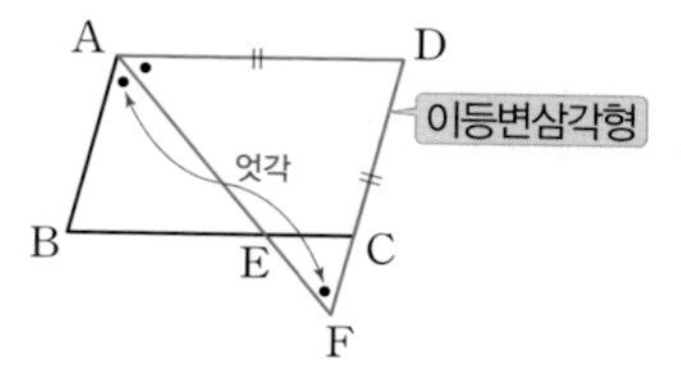

📁 다음 그림과 같은 평행사변형 ABCD에서 x의 값을 구하여라.

0249

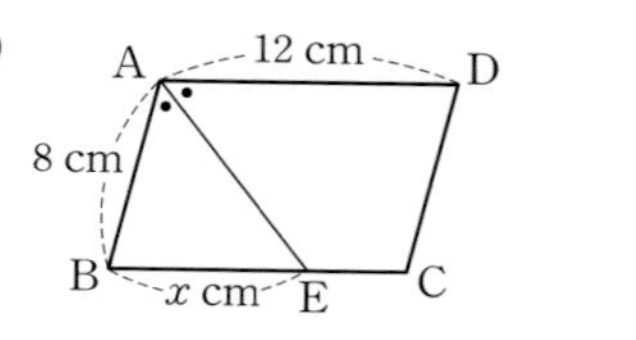

0250

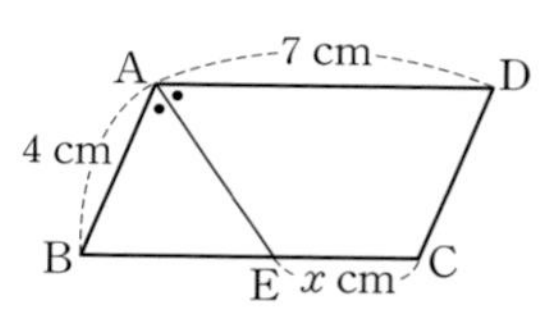

sol ∠BEA=∠DAE=∠BAE이므로
△ABE는 이등변삼각형 ➡ $\overline{BE}=\overline{BA}=$ □ cm
이때 $\overline{BC}=\overline{AD}=$ □ cm이므로
$\overline{EC}=\overline{BC}-\overline{BE}=$ □ $-4=$ □ (cm) $\therefore x=$ □

0251

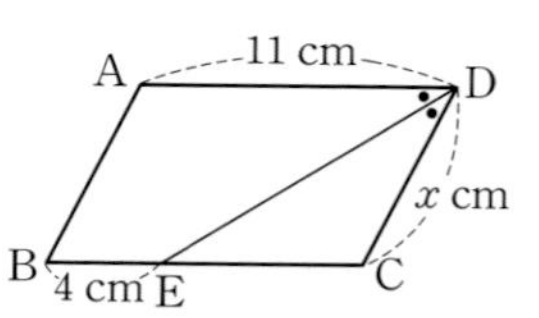

0252

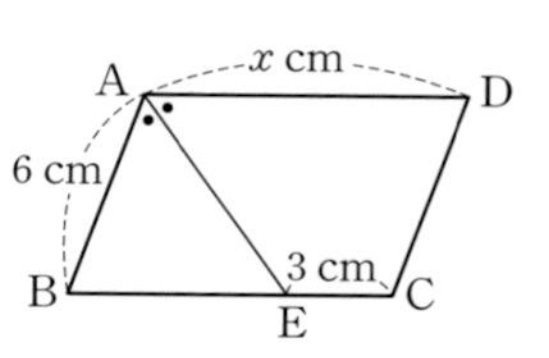

📁 다음 그림과 같은 평행사변형 ABCD에서 x의 값을 구하여라.

0253

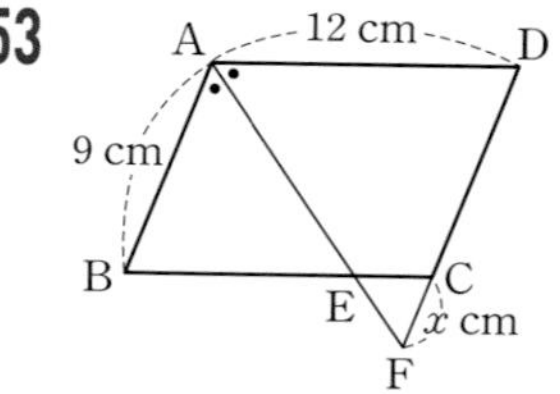

sol ∠AFD=∠BAF=∠FAD이므로
△AFD는 이등변삼각형 ➡ $\overline{DF}=\overline{AD}=$ □ cm
이때 $\overline{DC}=\overline{AB}=$ □ cm이므로
$\overline{CF}=\overline{DF}-\overline{DC}=$ □ $-9=$ □ (cm) $\therefore x=$ □

0254

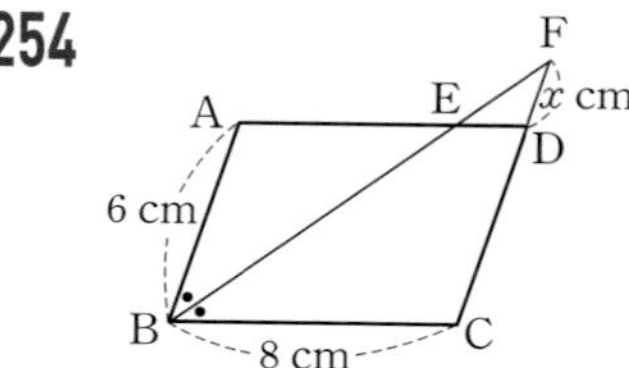

0255 학교 시험 맛보기 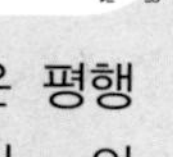

오른쪽 그림과 같은 평행사변형 ABCD에서 x의 값을 구하여라.

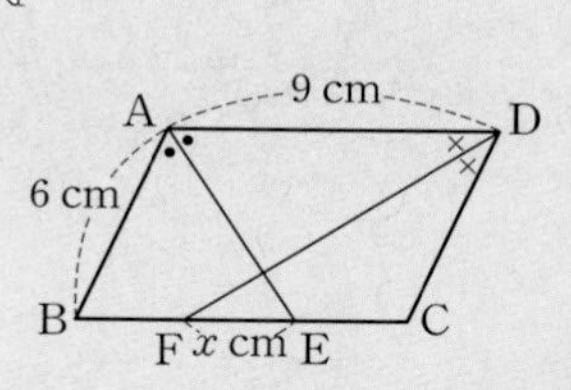

평행사변형의 성질의 활용 (2)

날짜 :  월  일

Subnote ➔ 14쪽

엇각과 맞꼭지각의 크기가 같은 것을 이용하여 합동인 삼각형을 찾아봐.

평행사변형 ABCD에서 $\overline{AF}$가 $\overline{BC}$의 중점을 지날 때,

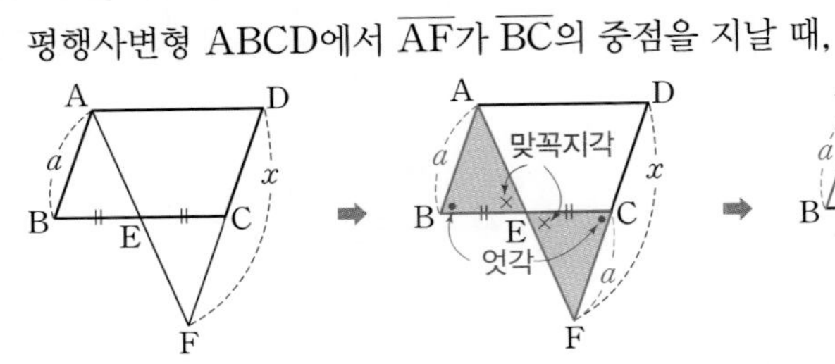

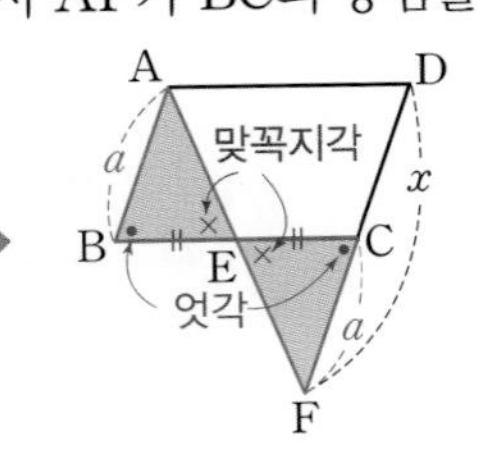

$\triangle ABE \equiv \triangle FCE$

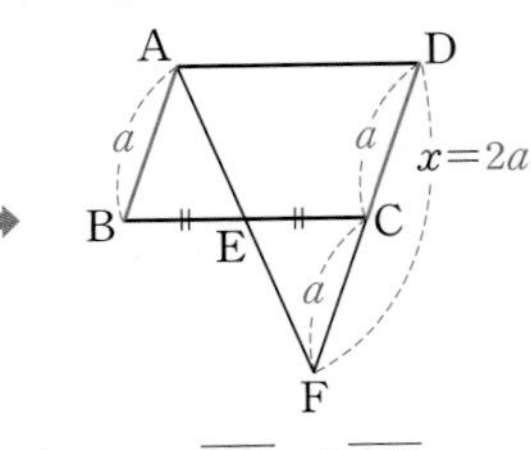

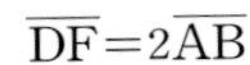

$\overline{DF}=2\overline{AB}$

다음 그림과 같은 평행사변형 ABCD에서 x의 값을 구하여라.

0256

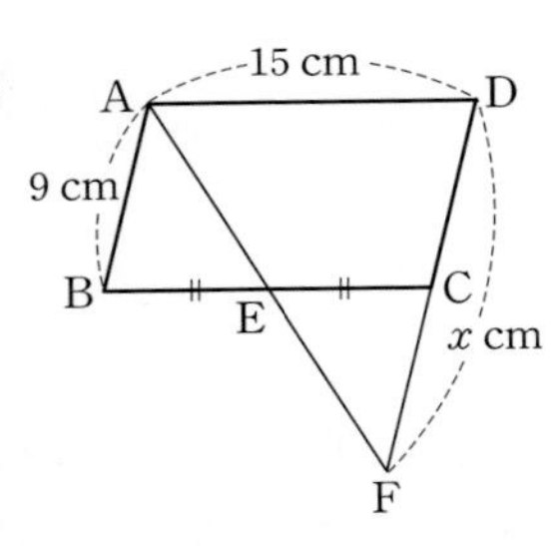

sol $\triangle ABE \equiv$ ☐ (ASA 합동)이므로

$\overline{CF}=\overline{AB}=$ ☐ cm

$\therefore \overline{DF}=\overline{DC}+\overline{CF}=$ ☐ $+$ ☐ $=$ ☐ (cm)

$\therefore x=$ ☐

0257

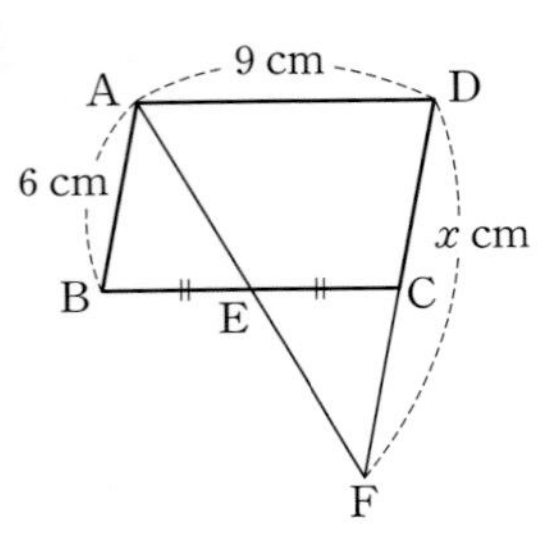

0258

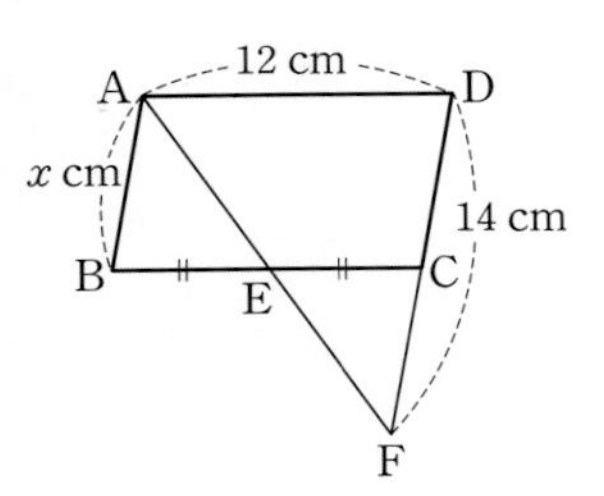

0259

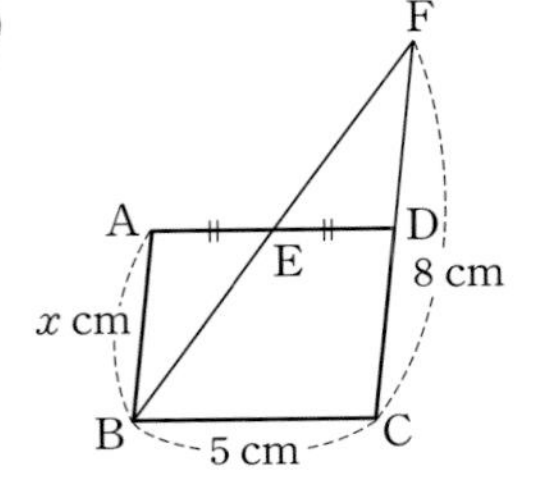

0260

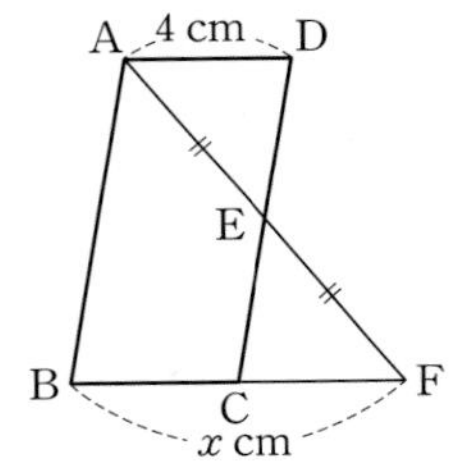

0261

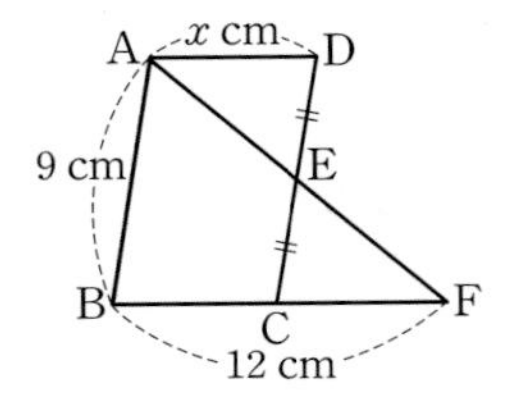

핵심 01~06

Mini Review Test

날짜 : 월 일

Subnote 15쪽

핵심 01 ~ 04

0262 오른쪽 그림의 평행사변형 ABCD에서 두 대각선의 교점을 O라고 할 때, 다음 중 옳지 않은 것은?

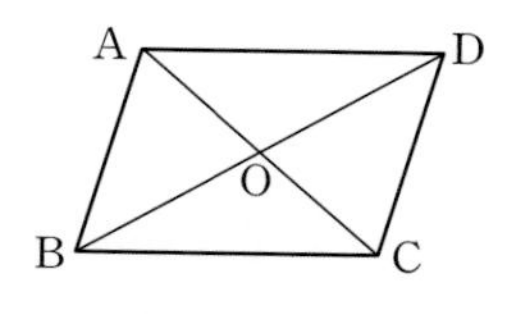

① $\overline{AD}=\overline{BC}$ ② $\overline{AO}=\overline{CO}$
③ $\overline{AO}=\overline{BO}$ ④ $\angle A=\angle C$
⑤ $\angle C+\angle D=180^\circ$

핵심 01

0263 오른쪽 그림과 같은 평행사변형 ABCD에서 $\angle x$, $\angle y$의 크기를 각각 구하여라. (단, 점 O는 두 대각선의 교점이다.)

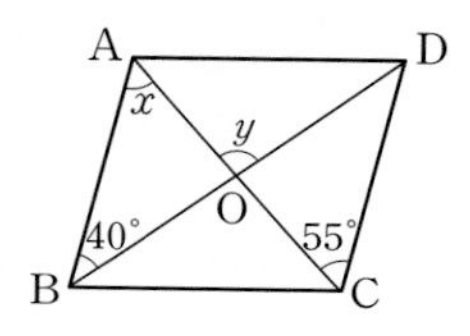

핵심 02

0264 오른쪽 그림과 같은 평행사변형 ABCD에서 $\angle A:\angle B=3:1$일 때, $\angle C$의 크기를 구하여라.

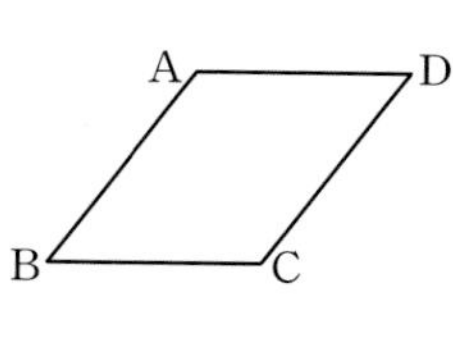

핵심 03

0265 오른쪽 그림과 같은 평행사변형 ABCD에서 $x+y$의 값을 구하여라.

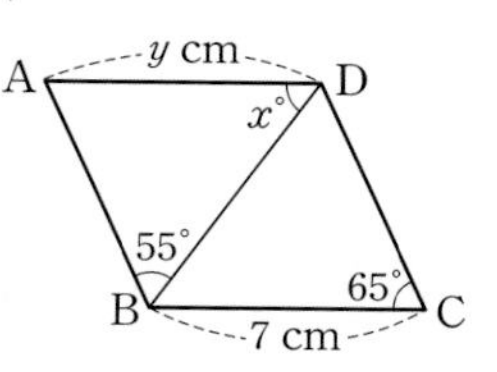

핵심 04

0266 오른쪽 그림과 같은 평행사변형 ABCD에 대하여 $\triangle OAB$의 둘레의 길이를 구하여라. (단, 점 O는 두 대각선의 교점이다.)

핵심 05

0267 오른쪽 그림과 같은 평행사변형 ABCD에서 x의 값을 구하여라.

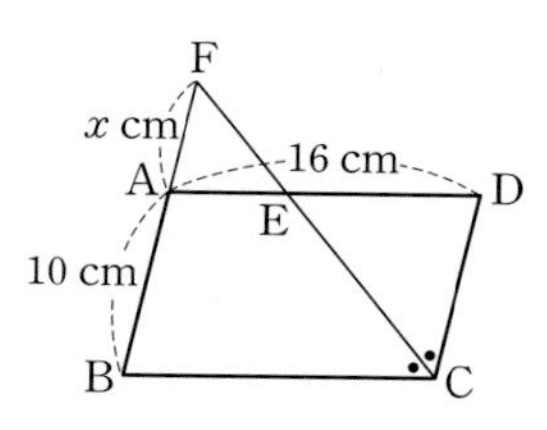

핵심 05

0268 오른쪽 그림과 같은 평행사변형 ABCD에서 x의 값을 구하여라.

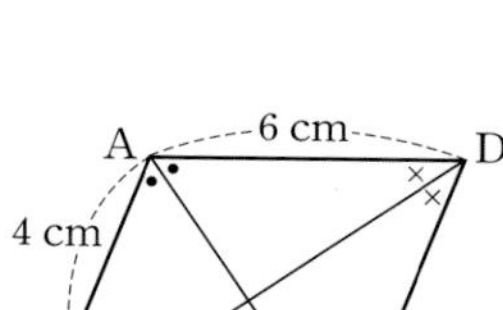
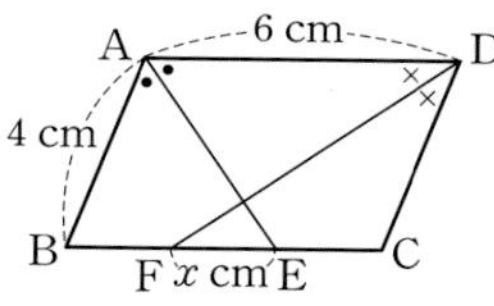

핵심 06

0269 오른쪽 그림과 같은 평행사변형 ABCD에서 x의 값을 구하여라.

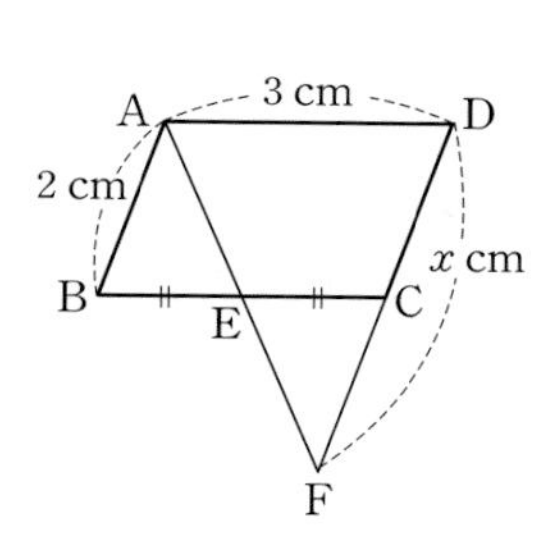

핵심 07 평행사변형이 되는 조건 (1)

Subnote ➡ 15쪽

사각형이 평행사변형이 되려면 어떤 조건을 만족시켜야 할까?

다음 중 어느 하나를 만족시키는 사각형은 평행사변형이다.

(1) 두 쌍의 대변이 각각 평행하다.	(2) 두 쌍의 대변의 길이가 각각 같다.	(3) 두 쌍의 대각의 크기가 각각 같다.
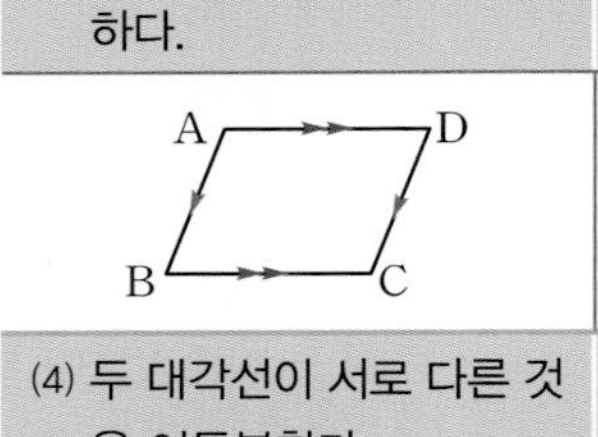	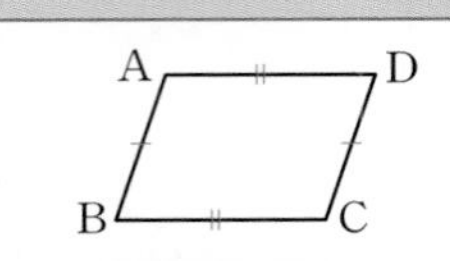	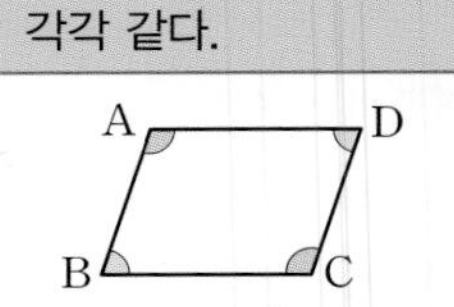
(4) 두 대각선이 서로 다른 것을 이등분한다.	(5) 한 쌍의 대변이 평행하고, 그 길이가 같다.	
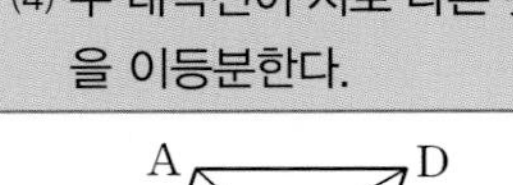	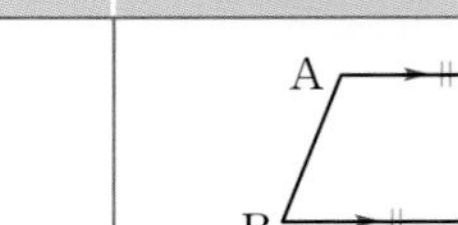	

다음은 □ABCD가 평행사변형이 되는 조건이다. □ 안에 알맞은 것을 써넣어라. (단, 점 O는 두 대각선의 교점이다.)

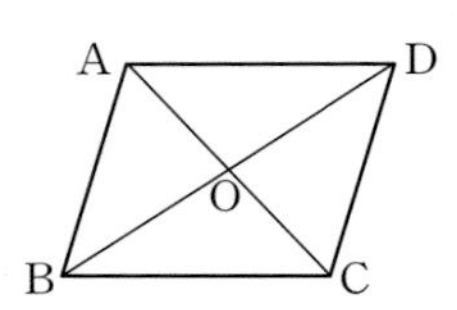

0270 $\overline{AB} /\!/ \square$, $\overline{AD} /\!/ \square$

0271 $\overline{AB} = \square$, $\overline{AD} = \square$

0272 $\angle A = \square$, $\angle B = \square$

0273 $\overline{OA} = \square$, $\overline{OB} = \square$

0274 $\overline{AD} /\!/ \square$, $\overline{AD} = \square$

다음 중 □ABCD가 평행사변형이 되는 조건인 것은 ○표, 아닌 것은 ×표를 하여라. (단, 점 O는 두 대각선의 교점이다.)

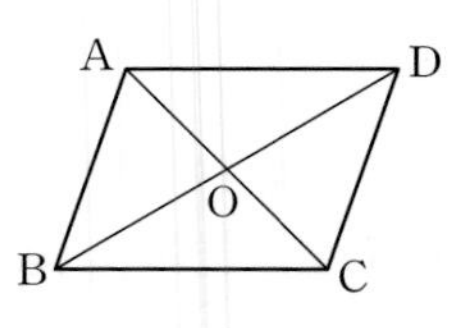

0275 $\overline{AB} /\!/ \overline{DC}$, $\overline{AB} = \overline{DC}$ (　　)

0276 $\overline{AD} /\!/ \overline{BC}$, $\overline{AB} = \overline{DC}$ (　　)

0277 $\overline{OA} = \overline{OC}$, $\overline{OB} = \overline{OD}$ (　　)

0278 $\overline{OB} = \overline{OD}$, $\angle ABC = \angle CDA$ (　　)

0279 $\angle ADB = \angle DBC = 25°$, $\angle BAC = \angle ACD = 80°$ (　　)

핵심 **08**

평행사변형이 되는 조건 (2)

날짜 : 월 일

Subnote ➊ 15쪽

다음 중 □ABCD가 평행사변형인 것은 ○표, 아닌 것은 ×표를 하여라. (단, 점 O는 두 대각선의 교점이다.)

0280

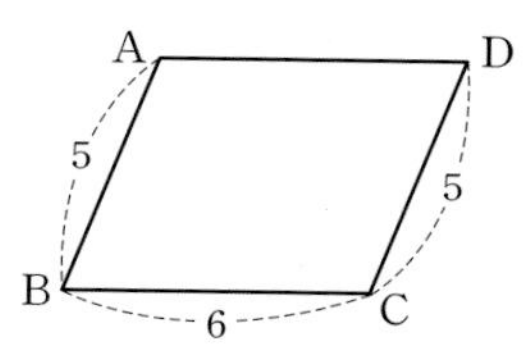

( )

0281

A 8 cm D, 25°, 6 cm, 25°, B 8 cm C

( )

0282

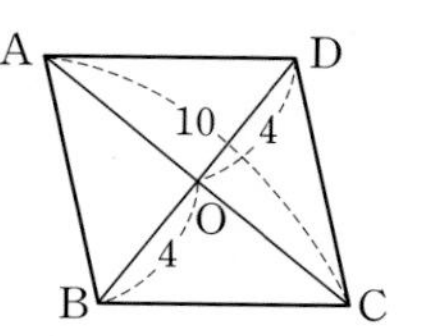

( )

0283

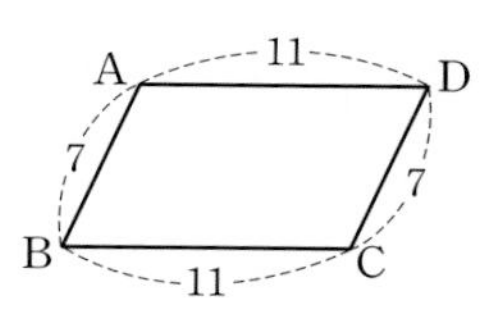

( )

0284

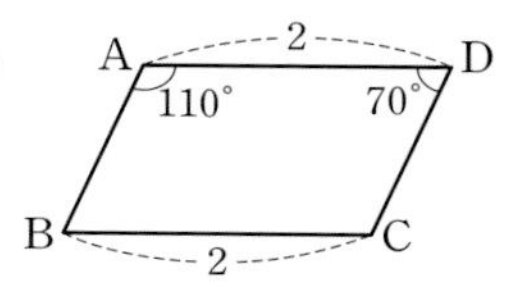

( )

다음 중 □ABCD가 평행사변형인 것은 ○표, 아닌 것은 ×표를 하여라. (단, 점 O는 두 대각선의 교점이다.)

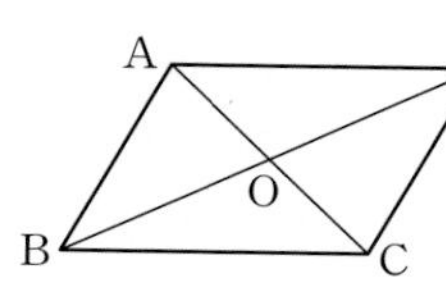

0285 $\angle C=100^\circ$, $\angle D=80^\circ$, $\overline{AB}/\!/\overline{DC}$ ( )

0286 $\angle B=50^\circ$, $\angle C=130^\circ$ ( )

0287 $\angle A=135^\circ$, $\angle B=45^\circ$, $\angle C=135^\circ$ ( )

0288 $\overline{AO}=\overline{BO}=3$, $\overline{CO}=\overline{DO}=5$ ( )

0289 $\overline{AB}=4$, $\overline{BC}=9$, $\overline{DC}=4$, $\overline{AB}/\!/\overline{DC}$ ( )

0290 $\angle A+\angle B=180^\circ$, $\angle C+\angle D=180^\circ$ ( )

0291 $\angle A+\angle B=180^\circ$, $\angle B+\angle C=180^\circ$ ( )

평행사변형이 되는 조건 (3)

날짜 : 월 일

Subnote ➲ 16쪽

아래 그림과 같은 평행사변형 ABCD에서 색칠한 사각형이 평행사변형임을 보이고, 평행사변형이 되는 조건을 말하여라. (단, 점 O는 두 대각선의 교점이다.)

0292

□ABCD가 평행사변형이므로
$\overline{AB}/\!/\overline{DC}$, $\overline{AB}=\overline{DC}$
□AMCN에서 $\overline{AM}/\!/$ □
$\overline{AM}=\frac{1}{2}\overline{AB}=\frac{1}{2}\overline{DC}=$ □
따라서 □AMCN은 평행사변형이다.

➡ 조건 : ____________________

0293

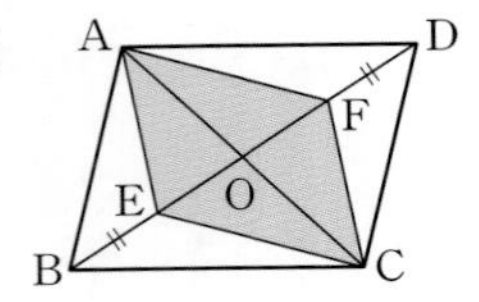

□ABCD가 평행사변형이므로
$\overline{OA}=$ □, $\overline{OB}=\overline{OD}$
이때 $\overline{BE}=\overline{DF}$이므로
$\overline{OE}=\overline{OB}-\overline{BE}=\overline{OD}-\overline{DF}=$ □
따라서 □AECF는 평행사변형이다.

➡ 조건 : ____________________

0294

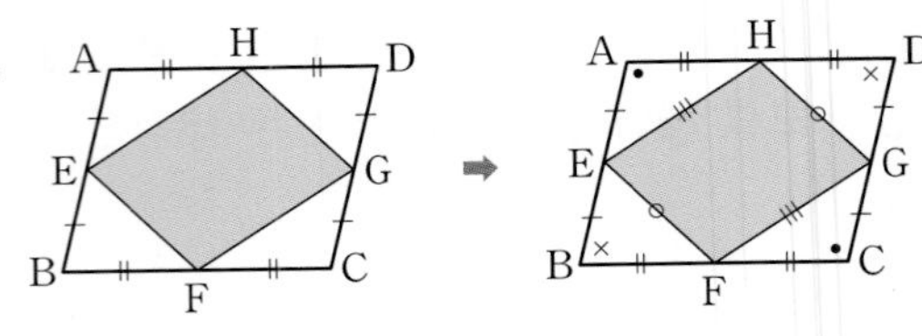

□ABCD가 평행사변형이므로
$\angle A=$ □, $\angle B=$ □
$\therefore$ $\triangle AEH\equiv$ □ (SAS 합동)
$\triangle BFE\equiv$ □ (SAS 합동)
$\therefore$ $\overline{EH}=$ □, $\overline{EF}=$ □
따라서 □EFGH는 평행사변형이다.

➡ 조건 : ____________________

0295

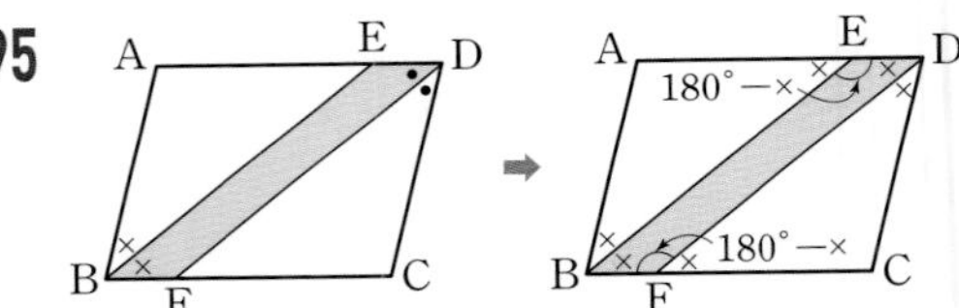

□ABCD는 평행사변형이므로 $\angle B=\angle D$
$\therefore$ $\angle EBF=\frac{1}{2}\angle B=\frac{1}{2}\angle D=$ □ (● = ×)
또 $\angle AEB=\angle EBF$ (엇각),
$\angle DFC=\angle EDF$ (엇각)이므로
$\angle AEB=\angle DFC$
$\therefore$ $\angle DEB=$ □
따라서 □EBFD는 평행사변형이다.

➡ 조건 : ____________________

평행사변형과 넓이 (1)

날짜 : 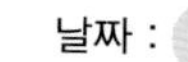 월  일 

Subnote ➡ 16쪽

△OAB, △OBC, △OCD, △ODA의 넓이는 모두 같아.

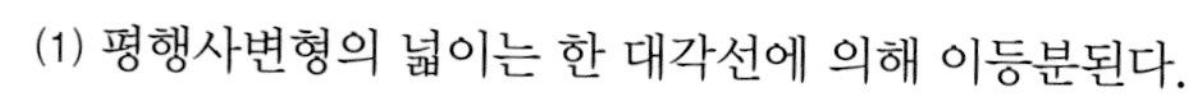
(1) 평행사변형의 넓이는 한 대각선에 의해 이등분된다.

➡ $\triangle ABC = \triangle BCD = \triangle CDA = \triangle DAB = \frac{1}{2}\square ABCD$

(2) 평행사변형의 넓이는 두 대각선에 의해 사등분된다.

➡ $\triangle ABO = \triangle BCO = \triangle CDO = \triangle DAO = \frac{1}{4}\square ABCD$

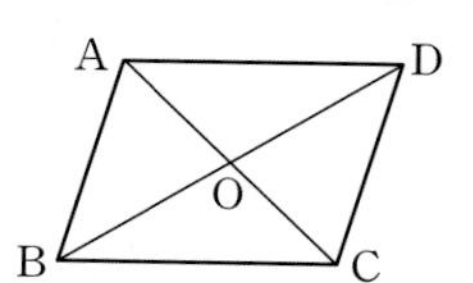

다음 그림과 같은 평행사변형 ABCD의 넓이가 $16\ \text{cm}^2$일 때, 색칠한 부분의 넓이를 구하여라. (단, 점 O는 두 대각선의 교점이다.)

0296

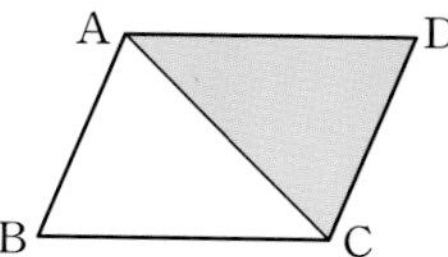

0297

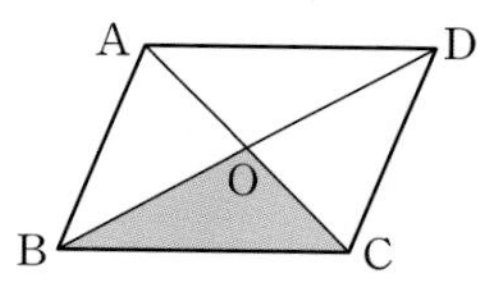

0298

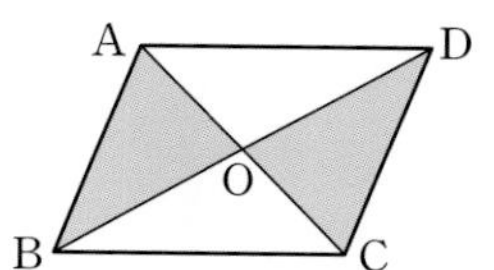

0299

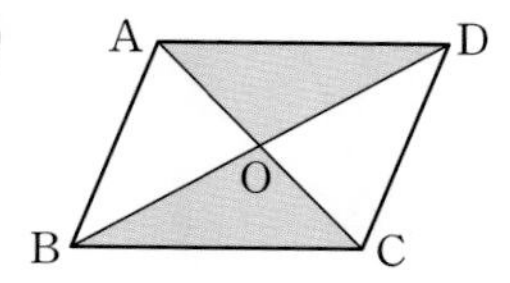

다음 그림과 같은 평행사변형 ABCD에서 색칠한 부분의 넓이를 구하여라. (단, 점 O는 두 대각선의 교점이다.)

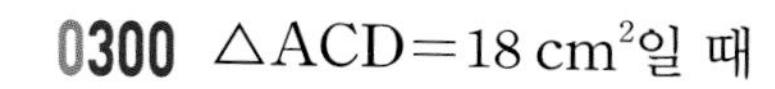
0300 $\triangle ACD = 18\ \text{cm}^2$일 때

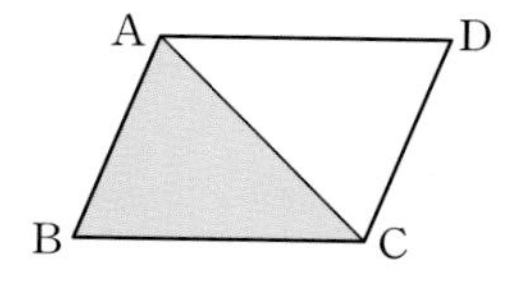

0301 $\triangle ABD = 5\ \text{cm}^2$일 때

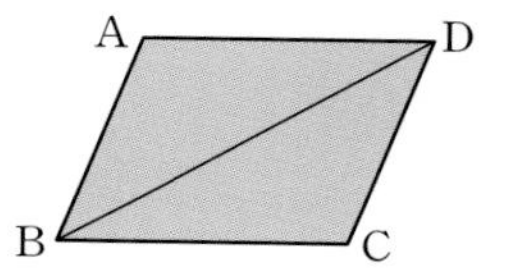

0302 $\triangle OBC = 3\ \text{cm}^2$일 때

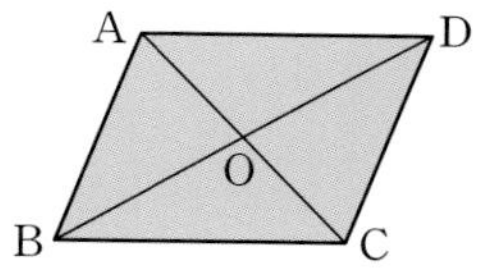

0303 $\square ABCD = 24\ \text{cm}^2$일 때

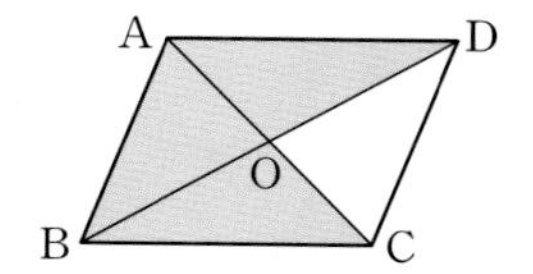

11 평행사변형과 넓이 (2)

핵심

날짜 : 월 일

Subnote ➔ 16쪽

평행사변형의 내부의 한 점 P에 대하여

➡ $\triangle PAB+\triangle PCD=\triangle PDA+\triangle PBC$

$=\frac{1}{2}\square ABCD$

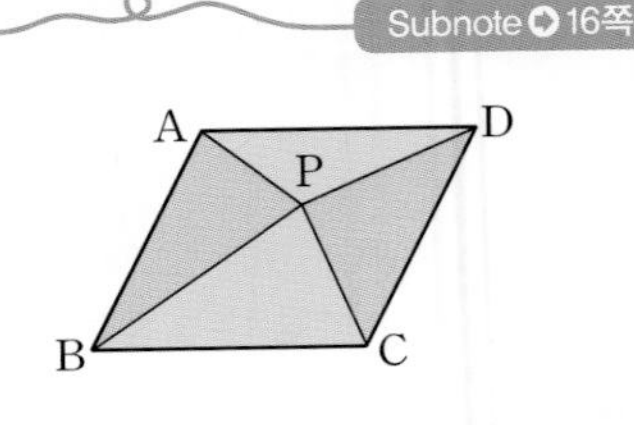

다음 그림과 같은 평행사변형 ABCD의 내부의 한 점을 P라고 하자. □ABCD의 넓이가 $28\ cm^2$일 때, 색칠한 부분의 넓이를 구하여라.

0304

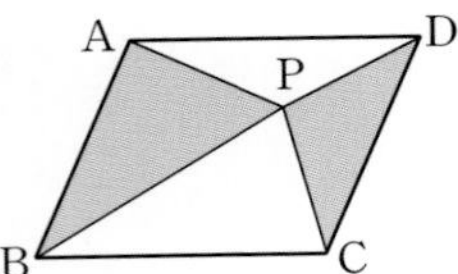

0305

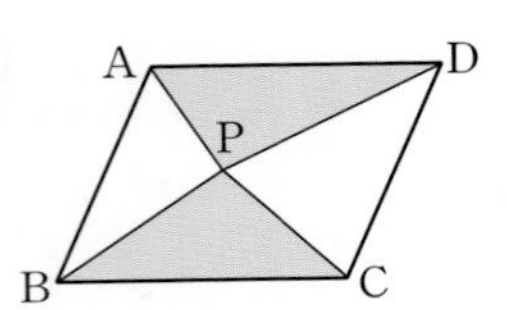

0306 $\triangle PAB=9\ cm^2$일 때

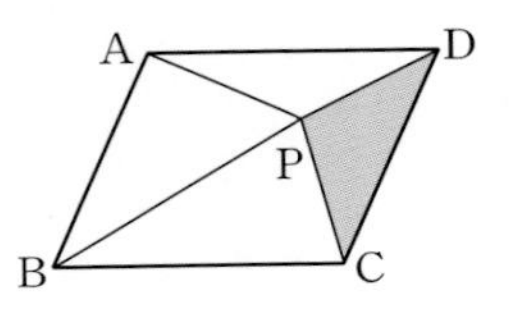

0307 $\triangle PBC=8\ cm^2$일 때

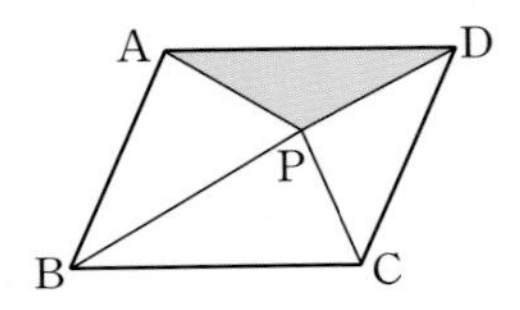

다음 그림과 같은 평행사변형 ABCD의 내부의 한 점 P에 대하여 색칠한 부분의 넓이를 구하여라.

0308 $\triangle PAB=3\ cm^2$, $\triangle PCD=5\ cm^2$일 때

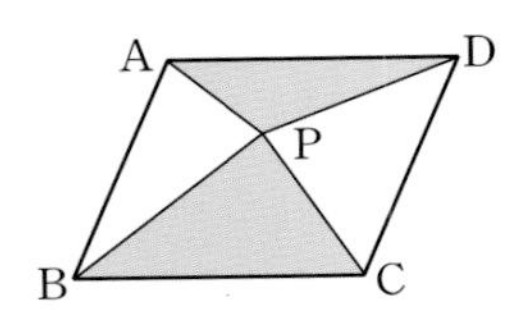

0309 $\triangle PAB=16\ cm^2$, $\triangle PBC=10\ cm^2$, $\triangle PDA=18\ cm^2$일 때

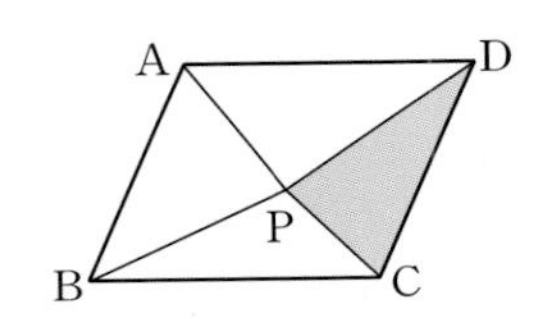

0310 학교 시험 맛보기 

오른쪽 그림과 같은 평행사변형 ABCD의 내부의 한 점을 P라고 하자.
$\triangle PAB=11\ cm^2$,
$\triangle PCD=7\ cm^2$일 때,
□ABCD의 넓이를 구하여라.

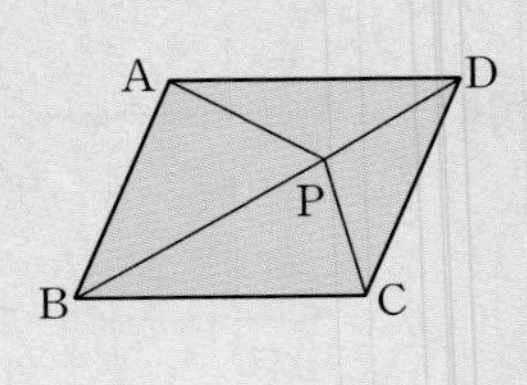

핵심 07~11

Mini Review Test

날짜 : 월 일

Subnote 17쪽

핵심 07 08

0311 다음 중 □ABCD가 평행사변형이 되기 위한 조건이 아닌 것은? (단, 점 O는 두 대각선의 교점이다.)

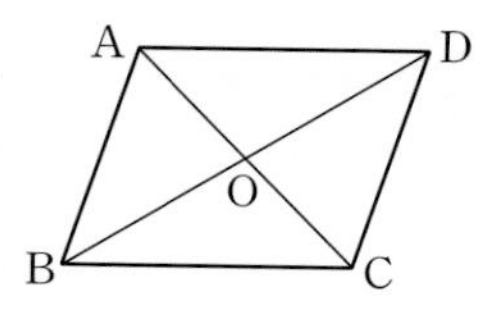

① $\overline{AB}=\overline{DC}$, $\overline{AD}=\overline{BC}$
② $\overline{OA}=\overline{OC}$, $\overline{OB}=\overline{OD}$
③ $\overline{AD}=\overline{BC}$, $\angle A+\angle B=180°$
④ $\overline{AD}/\!/\overline{BC}$, $\overline{AB}=\overline{DC}$
⑤ $\angle OAB=\angle OCD$, $\angle OAD=\angle OCB$

핵심 08

0312 다음 중 평행사변형이 되지 않는 것은? (단, 점 O는 두 대각선의 교점이다.)

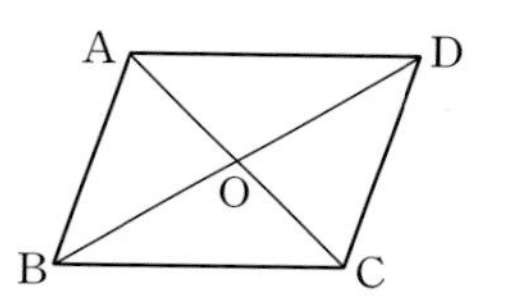

① $\angle A=115°$, $\angle B=65°$, $\overline{AD}=8$, $\overline{BC}=8$
② $\angle A=110°$, $\angle B=70°$, $\angle C=110°$
③ $\overline{AB}=6$, $\overline{BC}=6$, $\overline{CD}=4$, $\overline{DA}=4$
④ $\overline{AO}=5$, $\overline{BO}=6$, $\overline{CO}=5$, $\overline{DO}=6$
⑤ $\overline{AB}/\!/\overline{CD}$, $\overline{AB}=4$, $\overline{CD}=4$

핵심 09

0313 오른쪽 그림과 같이 평행사변형 ABCD의 두 꼭짓점 B, D에서 대각선 AC에 내린 수선의 발을 각각 P, Q라고 할 때, 다음 중 옳지 않은 것은?

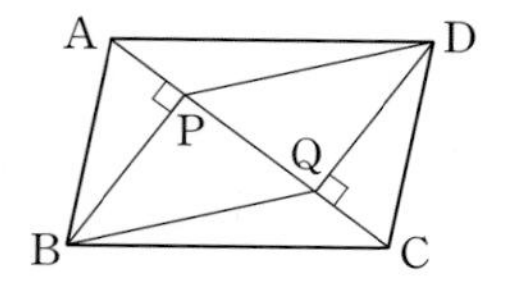

① $\overline{BP}/\!/\overline{DQ}$
② $\triangle ABP\equiv\triangle CDQ$
③ $\overline{BQ}=\overline{PQ}$
④ $\overline{BP}=\overline{DQ}$
⑤ $\overline{BQ}=\overline{PD}$

핵심 10

0314 오른쪽 그림과 같은 평행사변형 ABCD에서 △ABO의 넓이가 $7\ cm^2$일 때, 평행사변형 ABCD의 넓이는?
(단, 점 O는 두 대각선의 교점이다.)

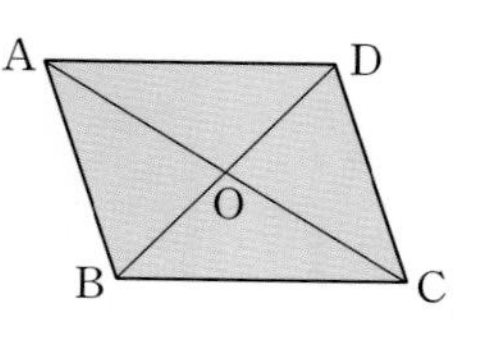

① $14\ cm^2$ ② $18\ cm^2$ ③ $21\ cm^2$
④ $25\ cm^2$ ⑤ $28\ cm^2$

핵심 11 서술형

0315 오른쪽 그림과 같은 평행사변형 ABCD의 내부의 한 점을 P라고 하자. □ABCD의 넓이가 $56\ cm^2$이고, △APD의 넓이가 $12\ cm^2$일 때, △BCP의 넓이를 구하여라.

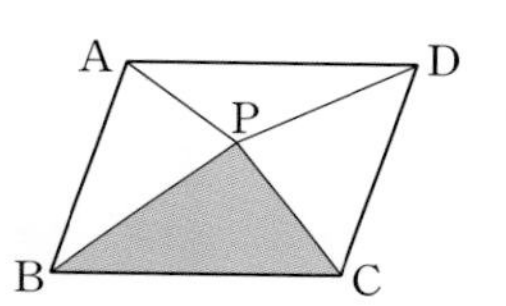

핵심 11

0316 오른쪽 그림과 같은 평행사변형 ABCD의 내부의 한 점 P에 대하여
$\triangle PAB=24\ cm^2$,
$\triangle PBC=18\ cm^2$, $\triangle PCD=20\ cm^2$일 때,
△PDA의 넓이는?

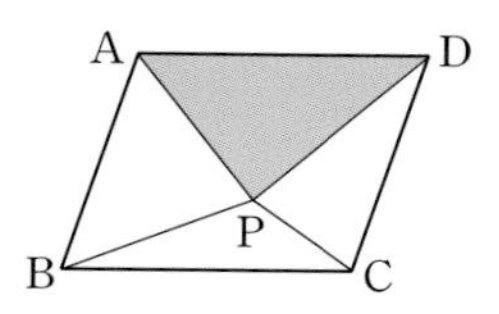

① $20\ cm^2$ ② $22\ cm^2$ ③ $24\ cm^2$
④ $26\ cm^2$ ⑤ $28\ cm^2$

Review

3. 평행사변형의 성질

4 여러 가지 사각형의 성질

스스로 공부 계획 세우기

	학습 내용	공부한 날짜	반복하기
4. 여러 가지 사각형의 성질	**01.** 직사각형의 뜻과 성질	월 일	☐☐
	02. 평행사변형이 직사각형이 되는 조건	월 일	☐☐
	03. 마름모의 뜻과 성질	월 일	☐☐
	04. 평행사변형이 마름모가 되는 조건	월 일	☐☐
	05. 정사각형의 뜻과 성질(1)	월 일	☐☐
	06. 정사각형의 뜻과 성질(2)	월 일	☐☐
	07. 정사각형이 되는 조건	월 일	☐☐
	08. 평행사변형이 정사각형이 되는 조건	월 일	☐☐
	Mini **Review** Test(**01~08**)	월 일	☐☐
	09. 등변사다리꼴의 뜻과 성질	월 일	☐☐
	10. 등변사다리꼴에서 보조선 사용하기	월 일	☐☐
	11. 여러 가지 사각형 사이의 관계(1)	월 일	☐☐
	12. 여러 가지 사각형 사이의 관계(2)	월 일	☐☐
	13. 사각형의 각 변의 중점을 연결하여 만든 사각형	월 일	☐☐
	14. 평행선과 삼각형의 넓이(1)	월 일	☐☐
	15. 평행선과 삼각형의 넓이(2)	월 일	☐☐
	16. 높이가 같은 삼각형의 넓이	월 일	☐☐
	17. 사각형에서 삼각형의 넓이의 비	월 일	☐☐
	Mini **Review** Test(**09~17**)	월 일	☐☐

4 여러 가지 사각형의 성질

개념 NOTE

1 직사각형 핵심 01 02

(1) **직사각형**: 네 내각의 크기가 모두 같은 사각형
➡ $\angle A = \angle B = \angle C = \angle D$

(2) **직사각형의 성질**
두 대각선의 길이가 같고, 서로 다른 것을 이등분한다.
➡ $\overline{AC} = \overline{BD}$, $\overline{OA} = \overline{OB} = \overline{OC} = \overline{OD}$

(3) **평행사변형이 직사각형이 되는 조건**
평행사변형이 다음 중 어느 한 조건을 만족시키면 직사각형이 된다.
① 한 내각이 직각이다. ← 직사각형의 뜻
② 두 대각선의 길이가 같다. ← 직사각형의 성질

직사각형은 두 쌍의 대각의 크기가 각각 같으므로 평행사변형이다.

2 마름모 핵심 03 04

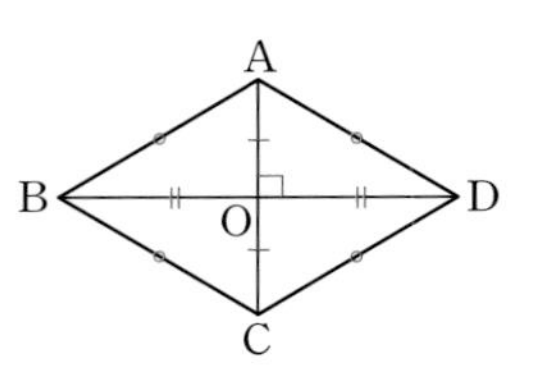

(1) **마름모**: 네 변의 길이가 모두 같은 사각형
➡ $\overline{AB} = \overline{BC} = \overline{CD} = \overline{DA}$

(2) **마름모의 성질**: 두 대각선이 서로 다른 것을 수직이등분한다.
➡ $\overline{OA} = \overline{OC}$, $\overline{OB} = \overline{OD}$, $\overline{AC} \perp \overline{BD}$

(3) **평행사변형이 마름모가 되는 조건**
평행사변형이 다음 중 어느 한 조건을 만족시키면 마름모가 된다.
① 이웃하는 두 변의 길이가 같다. ← 마름모의 뜻
② 두 대각선이 수직으로 만난다. ← 마름모의 성질

마름모는 두 쌍의 대변의 길이가 각각 같으므로 평행사변형이다.

3 정사각형 핵심 05 ~ 08

(1) **정사각형**: 네 내각의 크기가 모두 같고, 네 변의 길이가 모두 같은 사각형
➡ $\angle A = \angle B = \angle C = \angle D$, $\overline{AB} = \overline{BC} = \overline{CD} = \overline{DA}$

(2) **정사각형의 성질**
두 대각선의 길이가 같고, 서로 다른 것을 수직이등분한다.
➡ $\overline{OA} = \overline{OB} = \overline{OC} = \overline{OD}$, $\overline{AC} \perp \overline{BD}$

(3) **직사각형이 정사각형이 되는 조건**
직사각형이 다음 중 어느 한 조건을 만족시키면 정사각형이 된다.
① 이웃하는 두 변의 길이가 같다. ← 정사각형의 뜻
② 두 대각선이 수직으로 만난다. ← 정사각형의 성질

(4) **마름모가 정사각형이 되는 조건**
마름모가 다음 중 어느 한 조건을 만족시키면 정사각형이 된다.
① 한 내각이 직각이다. ← 정사각형의 뜻
② 두 대각선의 길이가 같다. ← 정사각형의 성질

정사각형은 직사각형과 마름모의 성질을 모두 만족시킨다.

4 사다리꼴 핵심 09 10

(1) **사다리꼴**: 한 쌍의 대변이 평행한 사각형

(2) **등변사다리꼴**: 아랫변의 양 끝 각의 크기가 같은 사다리꼴 ➡ $\angle B = \angle C$

(3) **등변사다리꼴의 성질**

① 평행하지 않은 두 대변의 길이가 같다. ➡ $\overline{AB} = \overline{DC}$

② 두 대각선의 길이가 같다. ➡ $\overline{AC} = \overline{BD}$

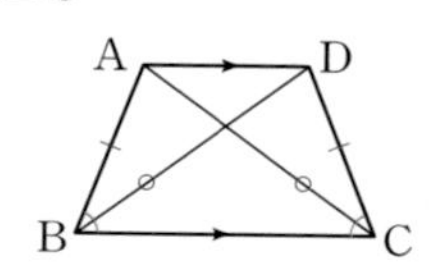

5 여러 가지 사각형 사이의 관계 핵심 11 12 13

(1) 여러 가지 사각형 사이의 관계

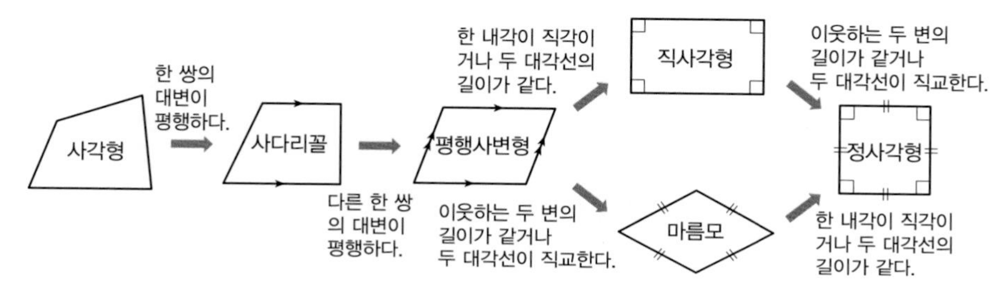

(2) 주어진 사각형의 각 변의 중점을 연결하면 다음과 같은 사각형이 만들어진다.

① 사각형, 사다리꼴 ➡ 평행사변형
② 평행사변형 ➡ 평행사변형
③ 직사각형 ➡ 마름모
④ 마름모 ➡ 직사각형
⑤ 정사각형 ➡ 정사각형
⑥ 등변사다리꼴 ➡ 마름모

6 평행선과 삼각형의 넓이 핵심 14 ~ 17

(1) **평행선과 삼각형의 넓이**: 오른쪽 그림과 같이 두 직선 l과 m이 평행할 때, $\triangle ABC$와 $\triangle DBC$는 밑변 BC가 공통이고 높이는 h로 같으므로 두 삼각형의 넓이가 서로 같다.

➡ $l /\!/ m$이면 $\triangle ABC = \triangle DBC = \frac{1}{2}ah$

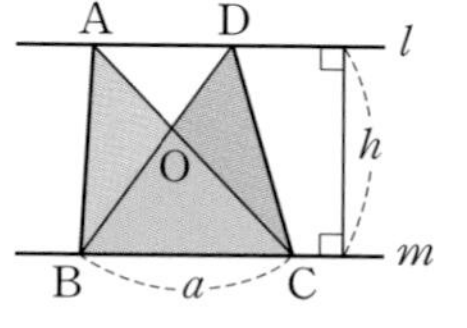

(2) **높이가 같은 삼각형의 넓이의 비**: 높이가 같은 두 삼각형의 넓이의 비는 밑변의 길이의 비와 같다.

➡ 오른쪽 그림에서 $\overline{BD} : \overline{DC} = m : n$이면

$\triangle ABD : \triangle ADC = m : n$

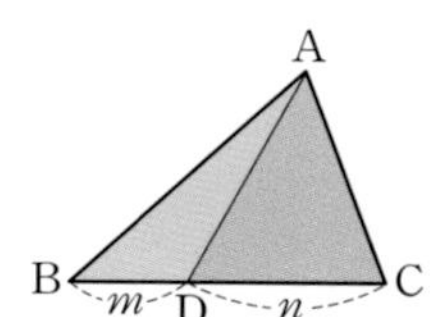

개념 NOTE

여러 가지 사각형의 대각선의 성질

사각형	이등분한다.	길이가 같다.	직교한다.
평행사변형	○	×	×
직사각형	○	○	×
마름모	○	×	○
정사각형	○	○	○

$l /\!/ m$일 때, 두 직선 l, m 사이의 거리는 h이다.

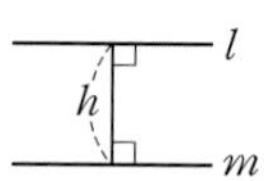

핵심 01 직사각형의 뜻과 성질

날짜 : 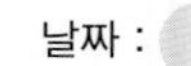  월  일

Subnote ➡ 17쪽

직사각형은 두 쌍의 대각의 크기가 각각 같으므로 평행사변형이야.

(1) 직사각형: 네 내각의 크기가 모두 같은 사각형
➡ $\angle A=\angle B=\angle C=\angle D$

(2) 직사각형의 성질
두 대각선의 길이가 같고, 서로 다른 것을 이등분한다.
➡ $\overline{AC}=\overline{BD}$, $\overline{OA}=\overline{OB}=\overline{OC}=\overline{OD}$

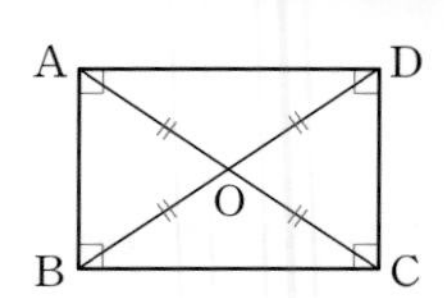

다음 그림과 같은 직사각형 ABCD에서 x, y의 값을 각각 구하여라. (단, 점 O는 두 대각선의 교점이다.)

0317

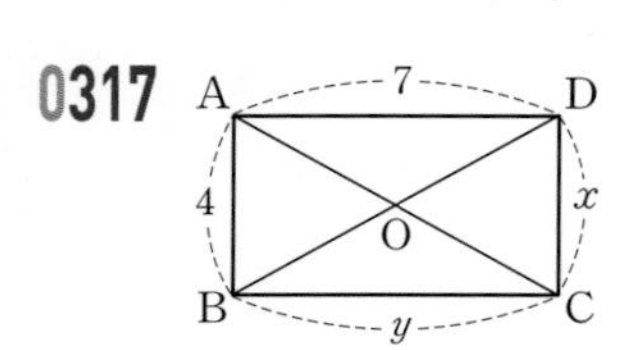

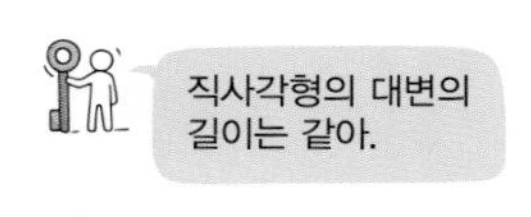

0318

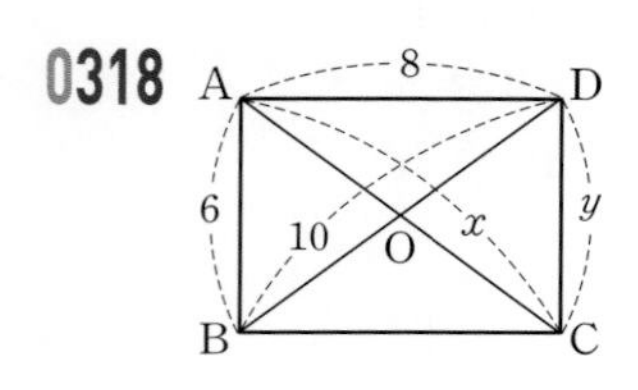

0319

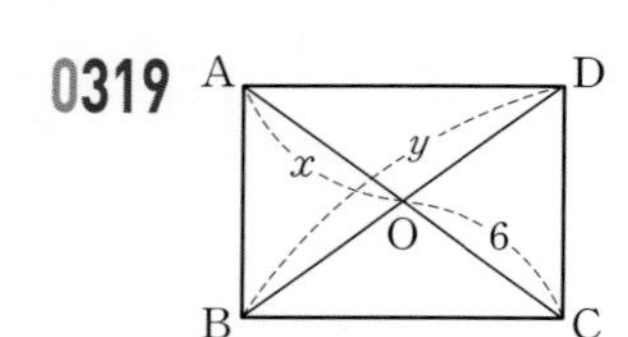

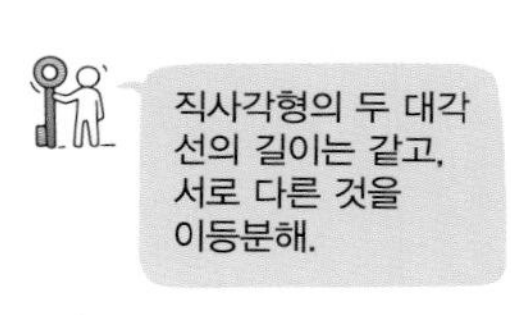

0320

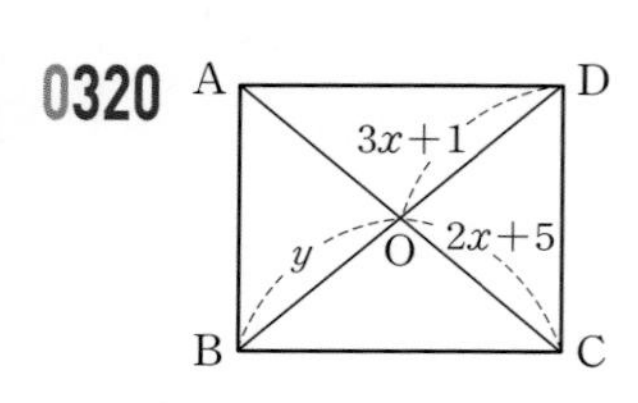

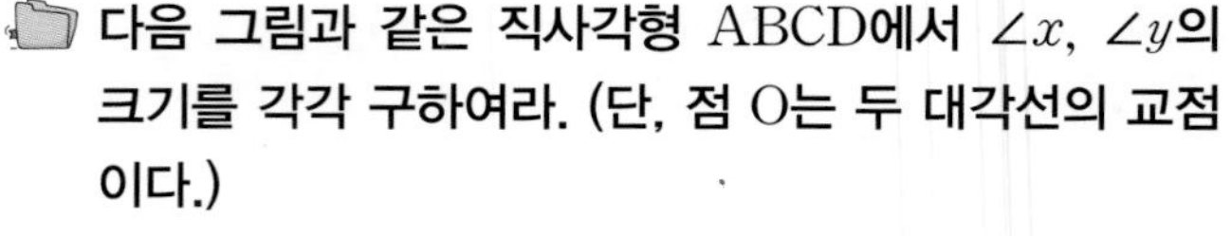

다음 그림과 같은 직사각형 ABCD에서 $\angle x$, $\angle y$의 크기를 각각 구하여라. (단, 점 O는 두 대각선의 교점이다.)

0321

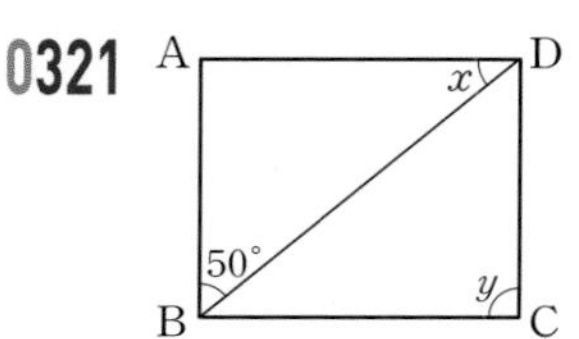

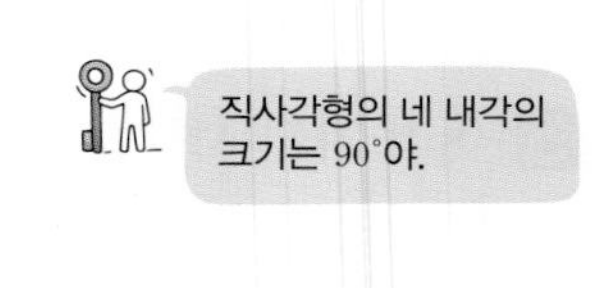

0322

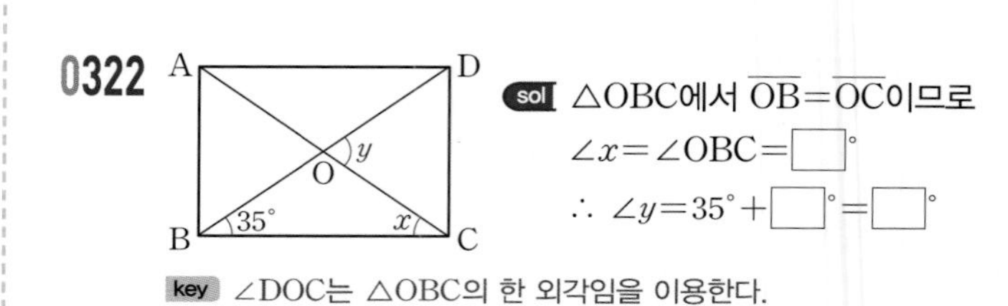

sol $\triangle OBC$에서 $\overline{OB}=\overline{OC}$이므로
$\angle x=\angle OBC=\square°$
$\therefore \angle y=35°+\square°=\square°$

key $\angle DOC$는 $\triangle OBC$의 한 외각임을 이용한다.

0323

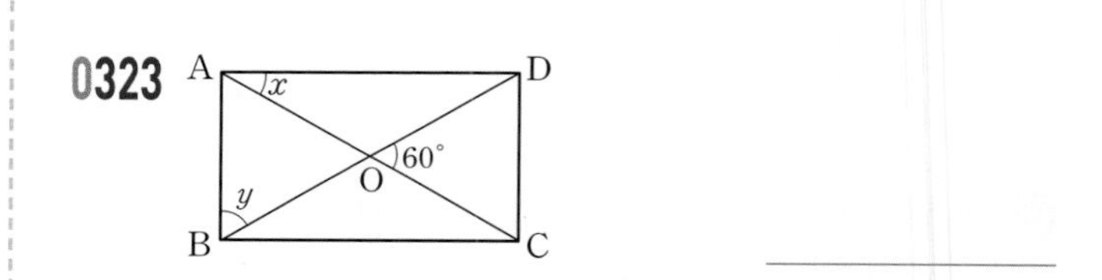

0324 학교 시험 맛보기

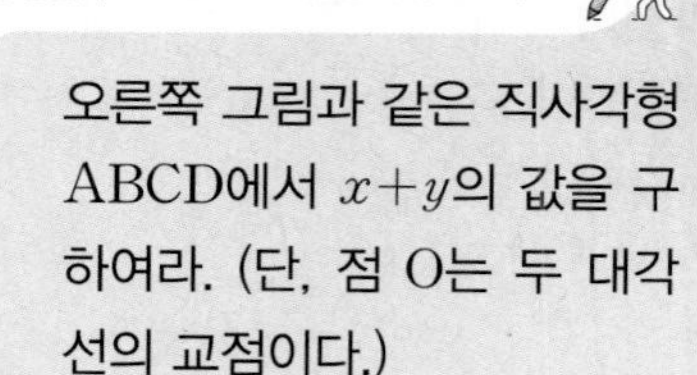

오른쪽 그림과 같은 직사각형 ABCD에서 $x+y$의 값을 구하여라. (단, 점 O는 두 대각선의 교점이다.)

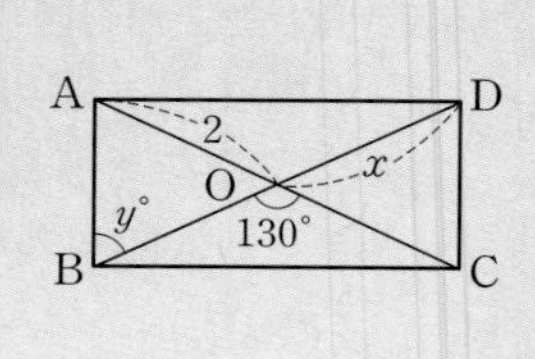

핵심

02 평행사변형이 직사각형이 되는 조건

날짜 : 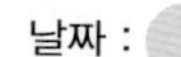 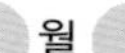 월  일

Subnote ➡ 17쪽

평행사변형이 오른쪽 두 조건 중 하나를 만족하면 직사각형이 돼.

(1) 한 내각이 직각이다. ← 직사각형의 뜻

(2) 두 대각선의 길이가 같다. ← 직사각형의 성질

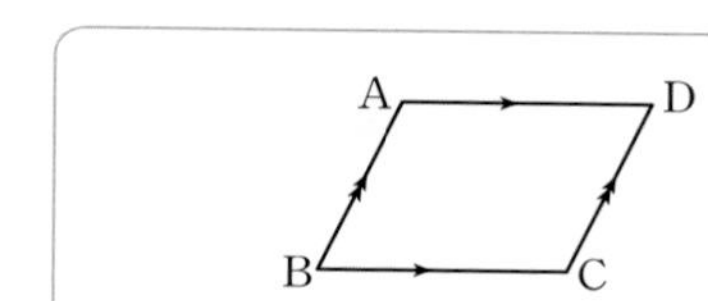

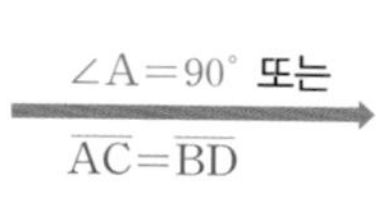

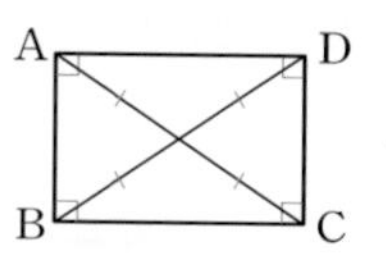

다음 중 오른쪽 그림의 평행사변형 ABCD가 직사각형이 되기 위한 조건인 것은 ○표, 아닌 것은 ×표를 하여라. (단, 점 O는 두 대각선의 교점이다.)

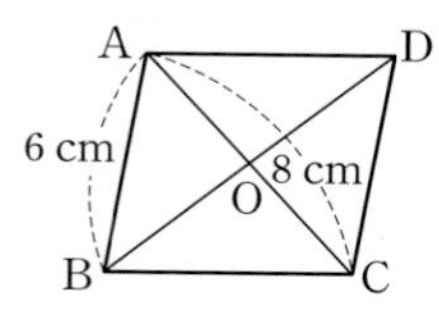

0325 $\angle A=90°$ ( )

0326 $\overline{AD}=6\text{ cm}$ ( )

0327 $\overline{BD}=8\text{ cm}$ ( )

0328 $\overline{AO}=4\text{ cm}$ ( )

0329 $\overline{BO}=4\text{ cm}$ ( )

다음 중 오른쪽 그림의 평행사변형 ABCD가 직사각형이 되기 위한 조건인 것은 ○표, 아닌 것은 ×표를 하여라. (단, 점 O는 두 대각선의 교점이다.)

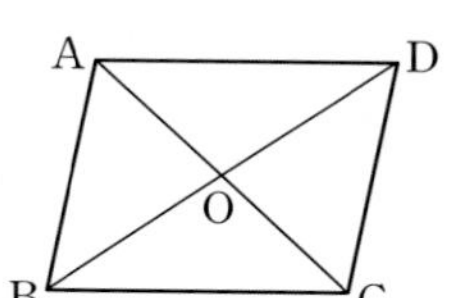

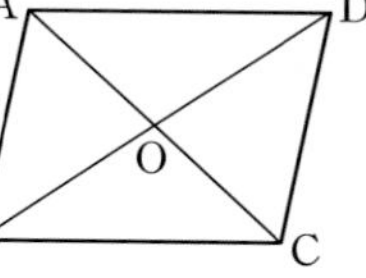

0330 $\angle B=90°$ ( )

0331 $\angle A=\angle B$ ( )

0332 $\angle B=\angle D$ ( )

0333 $\overline{AB}=\overline{AD}$ ( )

0334 $\overline{AC}=\overline{BD}$ ( )

0335 $\overline{OA}=\overline{OD}$ ( )

0336 $\overline{OB}=\overline{OD}$ ( )

핵심 03 마름모의 뜻과 성질

날짜 :  월  일

Subnote ➲ 18쪽

마름모는 두 쌍의 대변의 길이가 각각 같으므로 평행사변형이야.

(1) 마름모: 네 변의 길이가 모두 같은 사각형

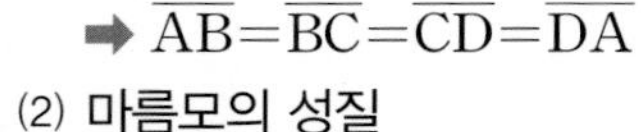

➡ $\overline{AB}=\overline{BC}=\overline{CD}=\overline{DA}$

(2) 마름모의 성질

두 대각선이 서로 다른 것을 수직이등분한다.

➡ $\overline{OA}=\overline{OC}$, $\overline{OB}=\overline{OD}$, $\overline{AC}\perp\overline{BD}$

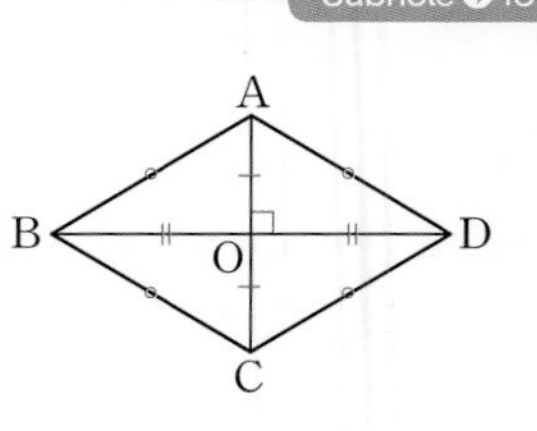

다음 그림과 같은 마름모 ABCD에서 x, y의 값을 각각 구하여라. (단, 점 O는 두 대각선의 교점이다.)

0337

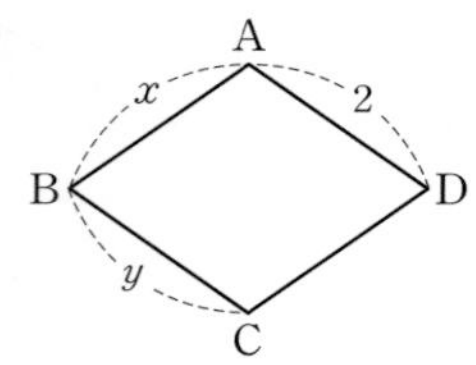

0338

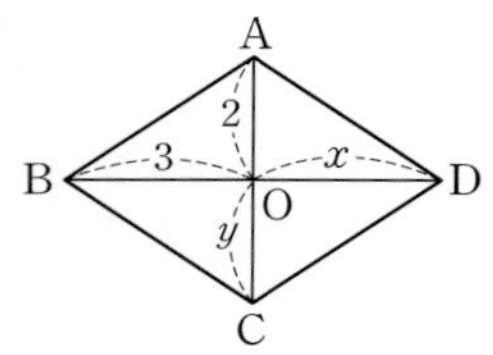

마름모의 두 대각선은 서로 다른 것을 수직이등분해.

0339

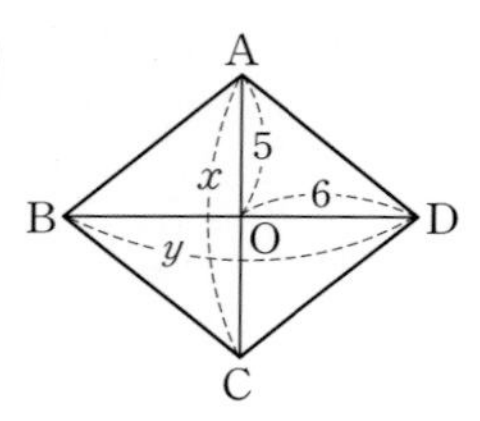

0340

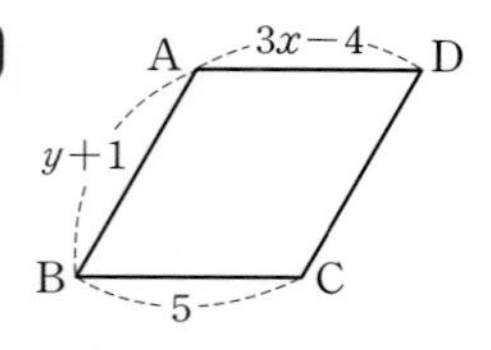

다음 그림과 같은 마름모 ABCD에서 $\angle x$, $\angle y$의 크기를 각각 구하여라. (단, 점 O는 두 대각선의 교점이다.)

0341

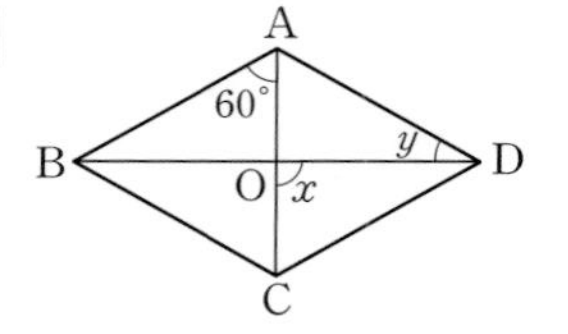

sol $\overline{AC}\perp\overline{BD}$이므로 $\angle x=\square°$

$\triangle$ABO에서 $\angle ABO=180°-(60°+90°)=\square°$

$\triangle$ABD에서 $\overline{AB}=\overline{AD}$이므로 $\angle y=\angle ABO=\square°$

0342

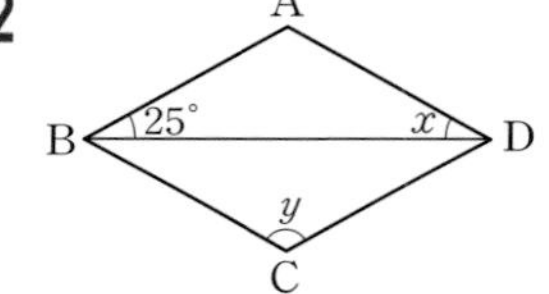

0343

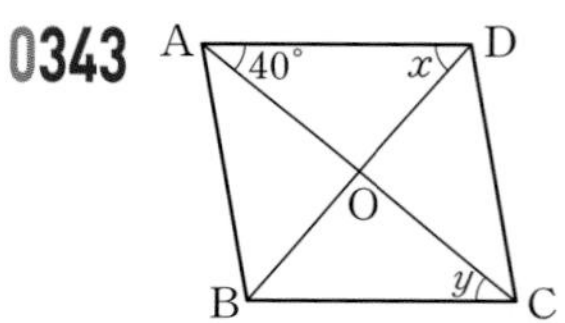

0344 학교 시험 맛보기

오른쪽 그림과 같은 마름모 ABCD에서 $x+y$의 값을 구하여라. (단, 점 O는 두 대각선의 교점이다.)

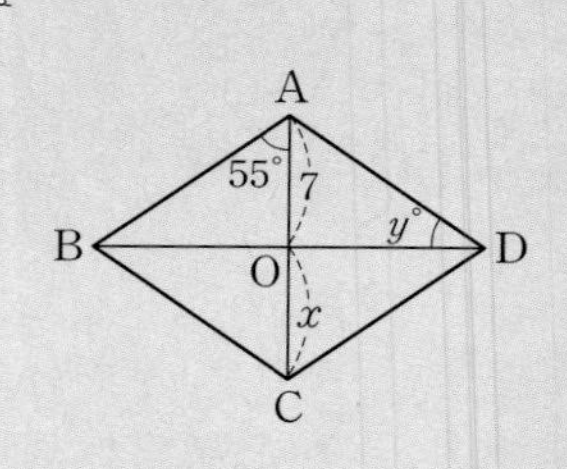

핵심 **04**

평행사변형이 마름모가 되는 조건

날짜 : 월 일

Subnote ➜ 18쪽

평행사변형이 오른쪽 두 조건 중 하나를 만족하면 마름모가 돼.

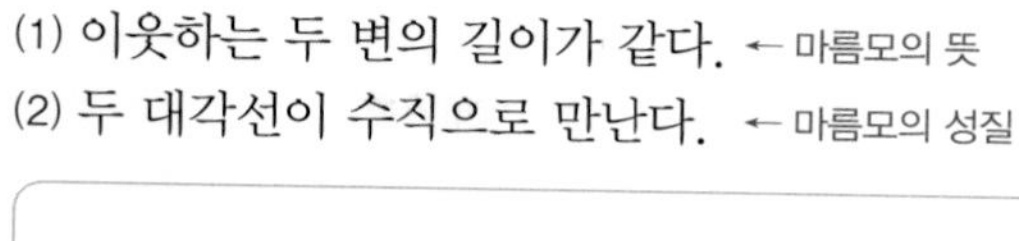

(1) 이웃하는 두 변의 길이가 같다. ← 마름모의 뜻

(2) 두 대각선이 수직으로 만난다. ← 마름모의 성질

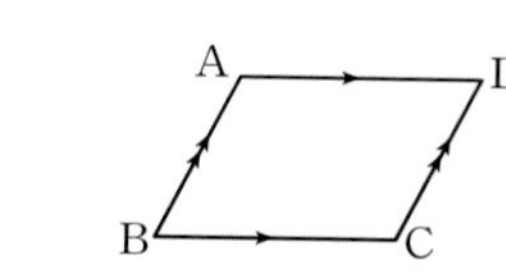

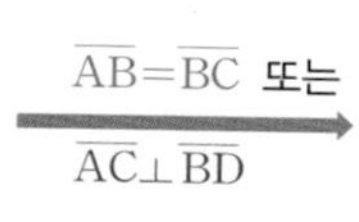

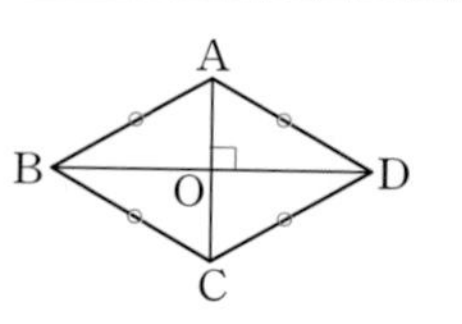

다음 중 오른쪽 그림의 평행사변형 ABCD가 마름모가 되기 위한 조건인 것은 ○표, 아닌 것은 ×표를 하여라. (단, 점 O는 두 대각선의 교점이다.)

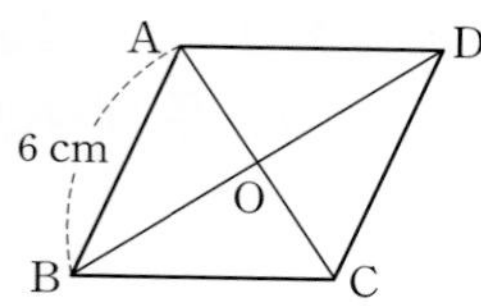

0345 $\overline{BC}=6\text{ cm}$ ( )

0346 $\overline{CD}=6\text{ cm}$ ( )

0347 $\angle ABC=90^\circ$ ( )

0348 $\angle BOC=90^\circ$ ( )

0349 $\angle A=\angle B$ ( )

다음 중 오른쪽 그림의 평행사변형 ABCD가 마름모가 되기 위한 조건인 것은 ○표, 아닌 것은 ×표를 하여라. (단, 점 O는 두 대각선의 교점이다.)

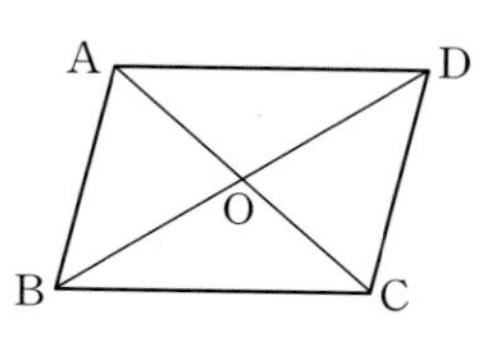

0350 $\angle AOB=90^\circ$ ( )

0351 $\angle B=\angle D$ ( )

0352 $\overline{AB}=\overline{BC}$ ( )

0353 $\overline{AC}\perp\overline{BD}$ ( )

0354 $\overline{OB}=\overline{OD}$ ( )

0355 $\angle OBC=\angle OCB$ ( )

0356 $\angle ACB=\angle ACD$ ( )

핵심 **05**

정사각형의 뜻과 성질 (1)

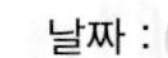 날짜 :  월  일

Subnote ➔ 18쪽

정사각형은 직사각형이면서 동시에 마름모이므로 정사각형은 직사각형과 마름모의 성질을 모두 갖는다.

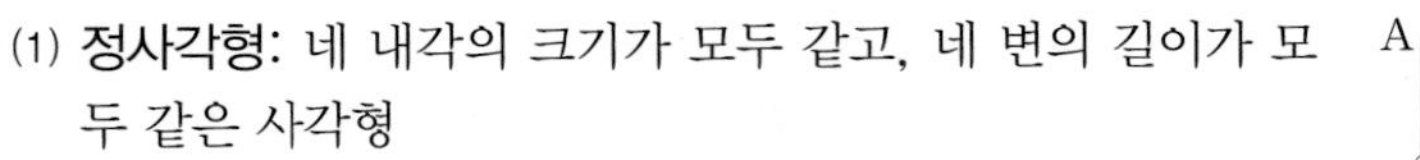

(1) **정사각형**: 네 내각의 크기가 모두 같고, 네 변의 길이가 모두 같은 사각형

➡ $\angle A=\angle B=\angle C=\angle D$, $\overline{AB}=\overline{BC}=\overline{CD}=\overline{DA}$

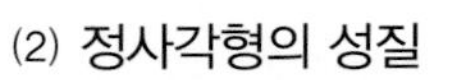

(2) **정사각형의 성질**

두 대각선의 길이가 같고, 서로 다른 것을 수직이등분한다.

➡ $\overline{OA}=\overline{OB}=\overline{OC}=\overline{OD}$, $\overline{AC}\perp\overline{BD}$

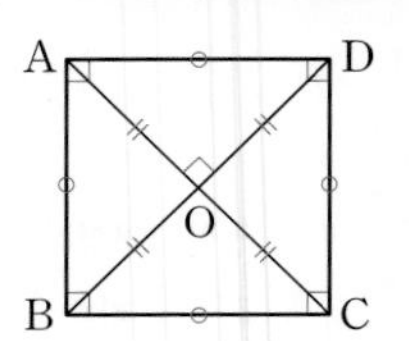

다음 그림과 같은 정사각형 ABCD에서 x, y의 값을 각각 구하여라. (단, 점 O는 두 대각선의 교점이다.)

0357

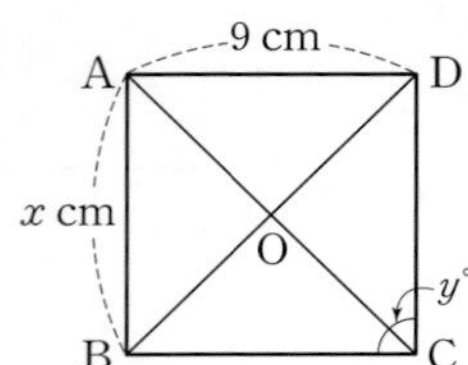

0358

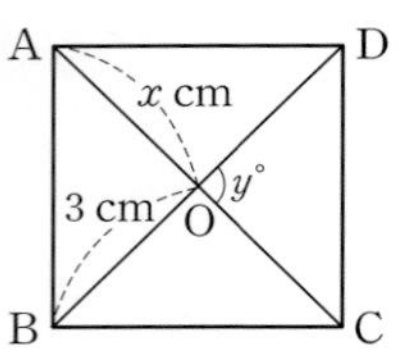

0359

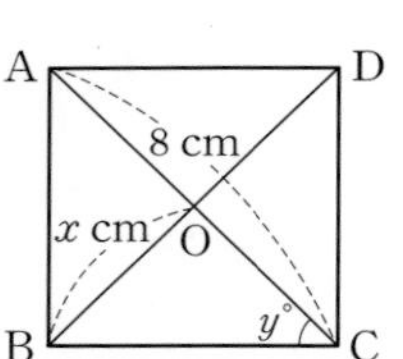

0360

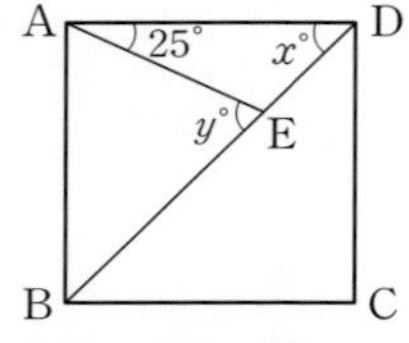

key △DAE에서 외각의 성질을 이용하면 $y°=x°+25°$

오른쪽 그림의 □ABCD가 정사각형일 때, 다음을 구하여라. (단, 점 O는 두 대각선의 교점이다.)

0361 $\overline{OB}$의 길이

0362 $\angle AOB$의 크기

0363 △ABC의 넓이

0364 □ABCD의 넓이

0365 학교 시험 맛보기 

오른쪽 그림과 같은 정사각형 ABCD에서 $\overline{OC}=6$ cm일 때, □ABCD의 넓이를 구하여라. (단, 점 O는 두 대각선의 교점이다.)

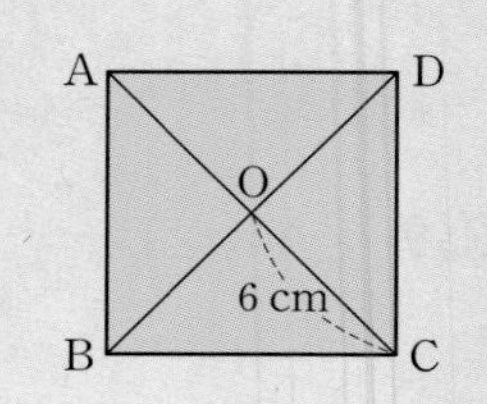

핵심

06 정사각형의 뜻과 성질 (2)

날짜 : 월 일

Subnote ➔ 19쪽

합동인 삼각형을 찾아서 대응각의 크기가 같은 것을 이용해!

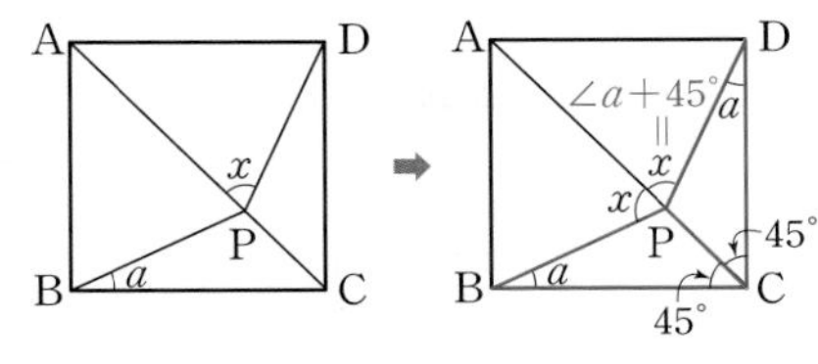

$\triangle PBC \equiv \triangle PDC$

$\triangle PAB \equiv \triangle PAD$

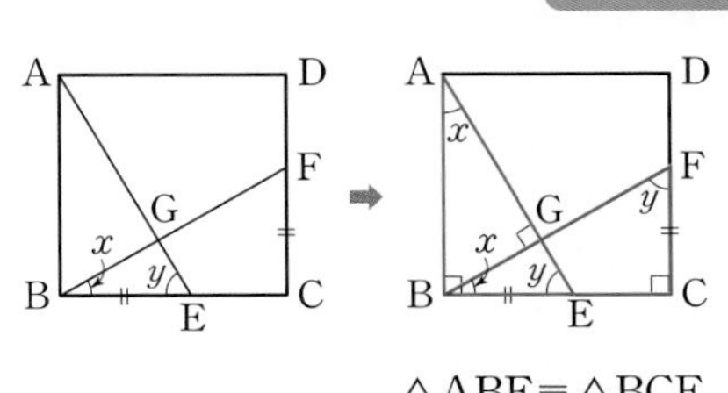

$\triangle ABE \equiv \triangle BCF$

$\angle x+\angle y=90°$

다음 그림과 같이 정사각형 ABCD의 대각선 AC 위에 한 점 P가 있을 때, $\angle x$의 크기를 구하여라.

0366

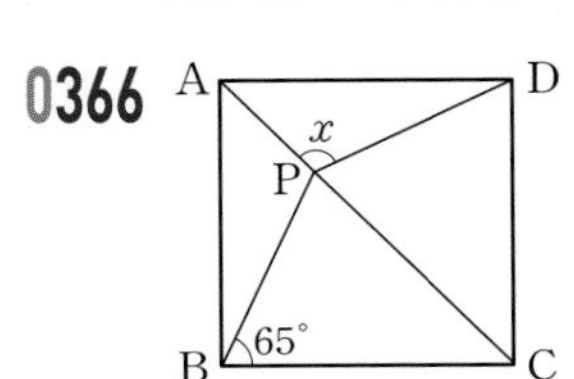

sol $\triangle PBC$와 $\triangle PDC$에서

$\overline{BC}=\overline{DC}$, $\overline{PC}$는 공통, $\angle PCB=\angle PCD=\square°$

$\therefore \triangle PBC \equiv \triangle PDC$ (합동)

$\therefore \angle PDC=\angle PBC=\square°$

$\triangle DCP$에서 $\angle APD=\angle PCD+\angle PDC$이므로

$\angle x=\square°+\square°=\square°$

0367

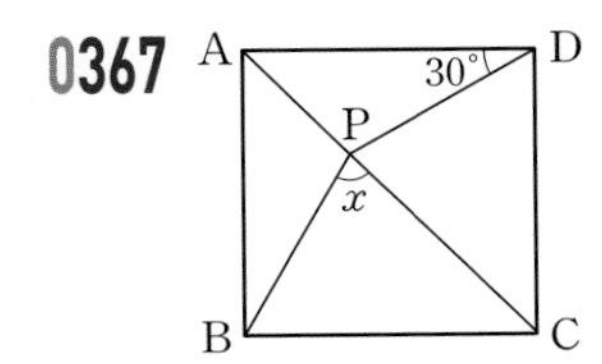

0368

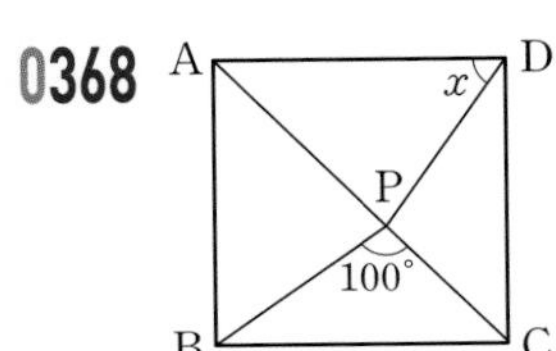
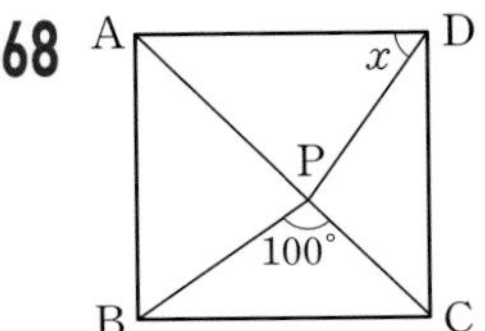

다음 그림과 같은 정사각형 ABCD에서 $\overline{BE}=\overline{CF}$일 때, $\angle x$의 크기를 구하여라.

0369

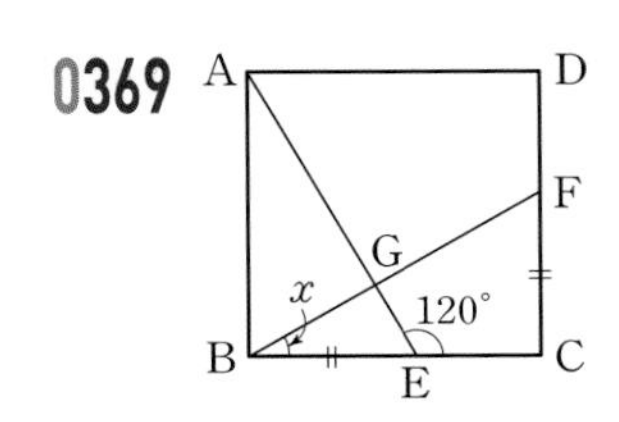

sol $\triangle ABE$와 $\triangle BCF$에서

$\overline{AB}=\overline{BC}$, $\overline{BE}=\overline{CF}$, $\angle ABE=\angle BCF$

$\therefore \triangle ABE \equiv \triangle BCF$ (합동)

$\therefore \angle BAE=\angle CBF=\angle x$

$\triangle ABE$에서 $\angle AEC=\angle BAE+\angle ABE$이므로

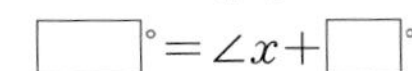

$\square°=\angle x+\square°$

$\therefore \angle x=120°-\square°=\square°$

0370

A D F G 130° B x E C

0371 학교 시험 맛보기

오른쪽 그림과 같은 정사각형 ABCD에서 $\overline{BE}=\overline{CF}$일 때, $\angle x$의 크기를 구하여라.

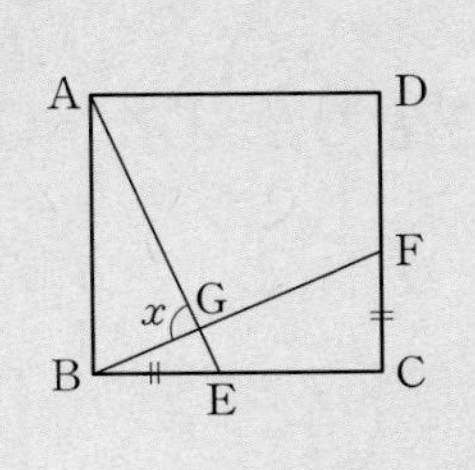

07 정사각형이 되는 조건

날짜 : 월 일

Subnote ➔ 19쪽

핵심

(1) 직사각형이 정사각형이 되는 조건
① 이웃하는 두 변의 길이가 같다.
② 두 대각선이 수직으로 만난다.
(2) 마름모가 정사각형이 되는 조건
① 한 내각이 직각이다.
② 두 대각선의 길이가 같다.

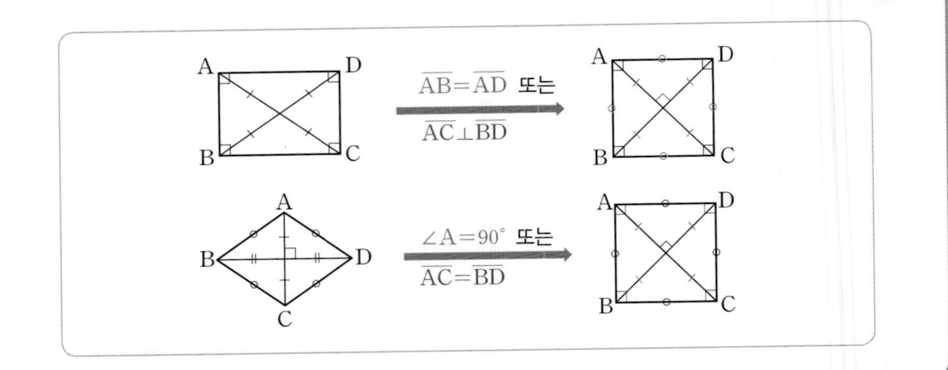

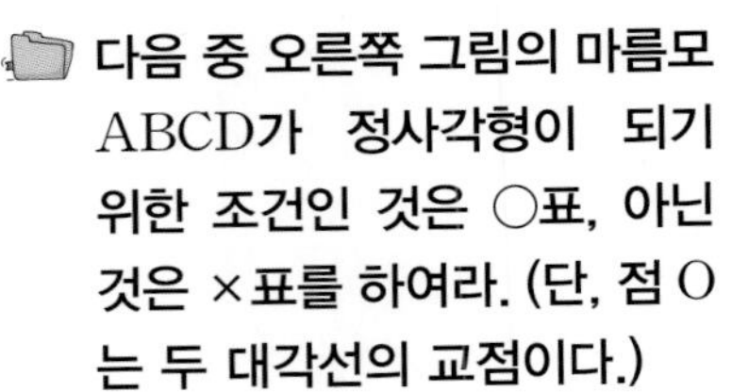
다음 중 오른쪽 그림의 직사각형 ABCD가 정사각형이 되기 위한 조건인 것은 ○표, 아닌 것은 ×표를 하여라. (단, 점 O는 두 대각선의 교점이다.)

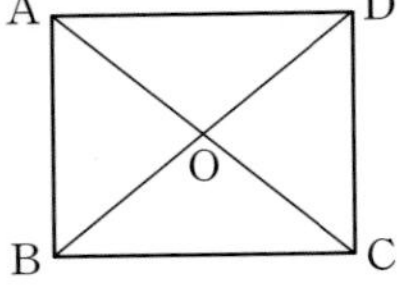

0372 $\overline{AB}=\overline{BC}$ ( )

0373 $\overline{AC}=\overline{BD}$ ( )

0374 $\overline{AC}\perp\overline{BD}$ ( )

0375 $\angle AOB=\angle BOC$ ( )

0376 $\overline{OA}=\overline{OB}$ ( )

다음 중 오른쪽 그림의 마름모 ABCD가 정사각형이 되기 위한 조건인 것은 ○표, 아닌 것은 ×표를 하여라. (단, 점 O는 두 대각선의 교점이다.)

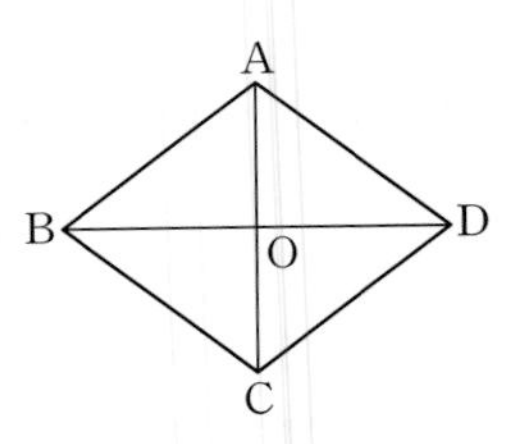

0377 $\angle A=\angle B$ ( )

0378 $\angle ABD=\angle CBD$ ( )

0379 $\overline{OA}=\overline{OB}$ ( )

0380 $\overline{OA}=\overline{OC}$ ( )

0381 $\overline{AC}\perp\overline{BD}$ ( )

08 평행사변형이 정사각형이 되는 조건

날짜 : 월 일

Subnote ➔ 19쪽

평행사변형이 직사각형이 되는 조건과 마름모가 되는 조건을 모두 만족하면 정사각형이 돼.

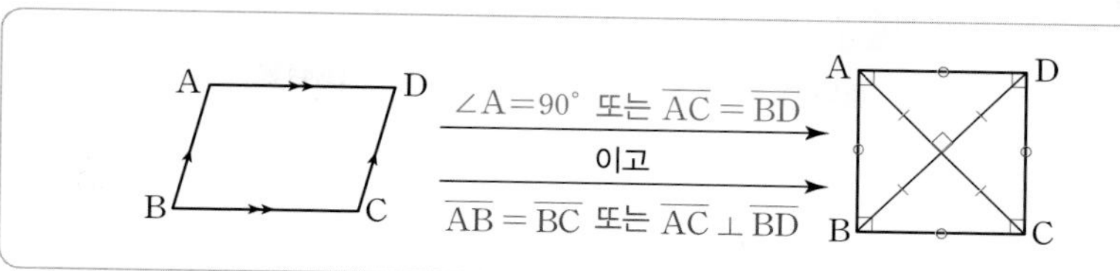

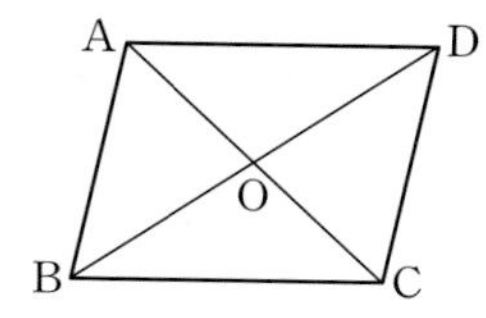

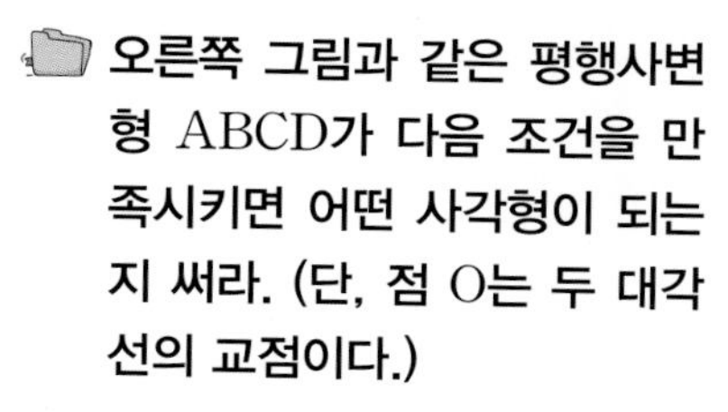

다음 중 오른쪽 그림의 평행사변형 ABCD가 정사각형이 되기 위한 조건인 것은 ○표, 아닌 것은 ×표를 하여라. (단, 점 O는 두 대각선의 교점이다.)

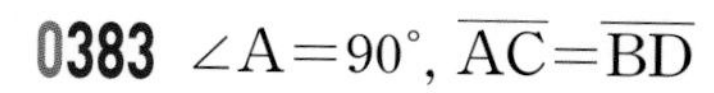

0382 $\overline{AB}=\overline{BC}$, $\overline{AC}=\overline{BD}$ ( )

0383 $\angle A=90^\circ$, $\overline{AC}=\overline{BD}$ ( )

0384 $\overline{AC}=\overline{BD}$, $\overline{AC}\perp\overline{BD}$ ( )

0385 $\overline{AB}=\overline{BC}$, $\overline{AC}\perp\overline{BD}$ ( )

0386 $\angle A=90^\circ$, $\overline{AC}\perp\overline{BD}$ ( )

0387 $\overline{OA}=\overline{OB}=\overline{OC}=\overline{OD}$ ( )

오른쪽 그림과 같은 평행사변형 ABCD가 다음 조건을 만족시키면 어떤 사각형이 되는지 써라. (단, 점 O는 두 대각선의 교점이다.)

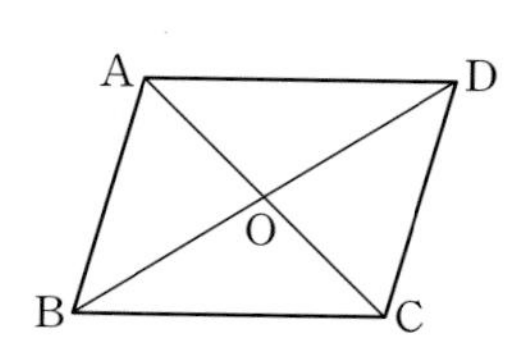

0388 $\overline{BC}=\overline{CD}$ ______

0389 $\angle A=90^\circ$ ______

0390 $\angle A=\angle B$ ______

0391 $\overline{AC}=\overline{BD}$ ______

0392 $\overline{AC}\perp\overline{BD}$ ______

0393 $\angle A=90^\circ$, $\overline{AB}=\overline{BC}$ ______

핵심 01~08

Mini Review Test

날짜 : 월 일

Subnote ➔ 20쪽

핵심 01

0394 오른쪽 그림과 같은 직사각형 ABCD에서 $x+y$의 값을 구하여라. (단, 점 O는 두 대각선의 교점이다.)

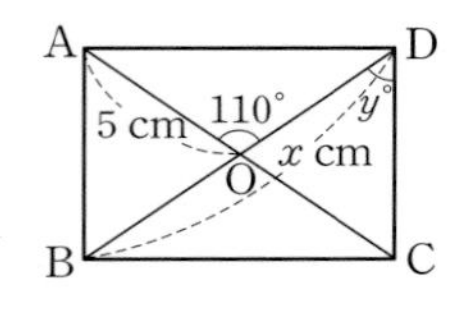

핵심 02

0395 다음 중 오른쪽 그림의 평행사변형 ABCD가 직사각형이 되기 위한 조건이 아닌 것을 모두 고르면? (단, 점 O는 두 대각선의 교점이다.) (정답 2개)

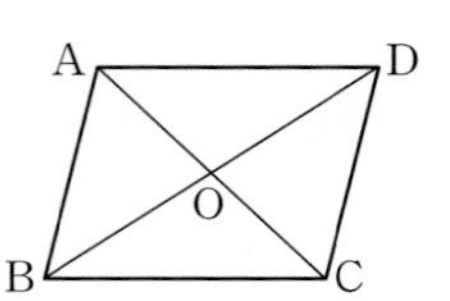

① $\overline{AB}=\overline{BC}$
② $\angle A=\angle B$
③ $\overline{AC}=\overline{BD}$
④ $\overline{AO}=\overline{CO}$
⑤ $\angle A+\angle C=180°$

핵심 03

0396 오른쪽 그림과 같은 마름모 ABCD에서 $\angle x+\angle y$의 크기를 구하여라. (단, 점 O는 두 대각선의 교점이다.)

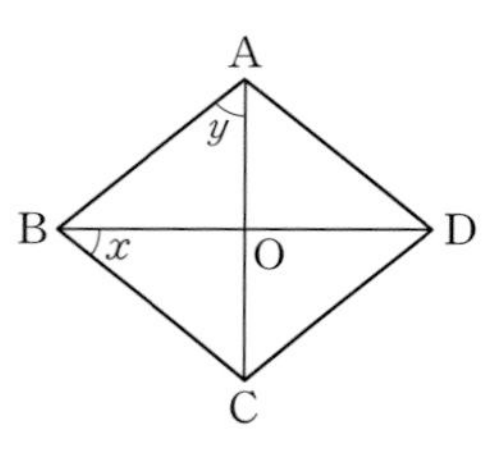

핵심 05

0397 오른쪽 그림과 같은 정사각형 ABCD에서 $\angle x$의 크기를 구하여라.

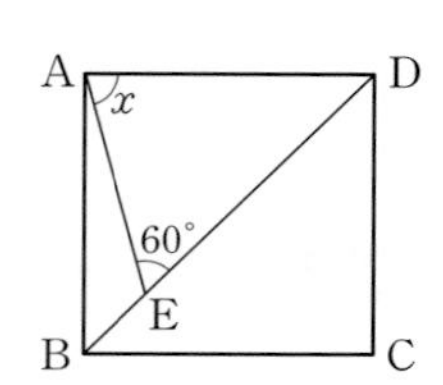

핵심 06

0398 오른쪽 그림과 같은 정사각형 ABCD에서 대각선 AC 위에 한 점 E를 잡고 $\overline{BE}$, $\overline{DE}$를 그을 때, $\angle x$의 크기를 구하여라.

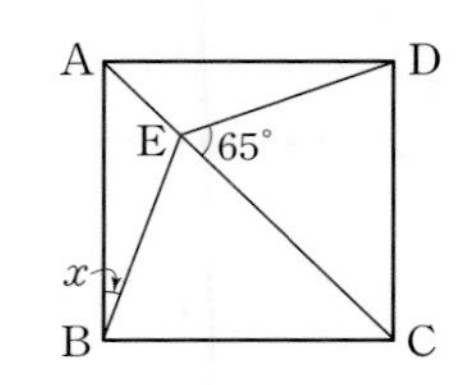

핵심 07

0399 다음 중 오른쪽 그림의 마름모 ABCD가 정사각형이 되기 위한 조건인 것을 모두 고르면? (단, 점 O는 두 대각선의 교점이다.) (정답 2개)

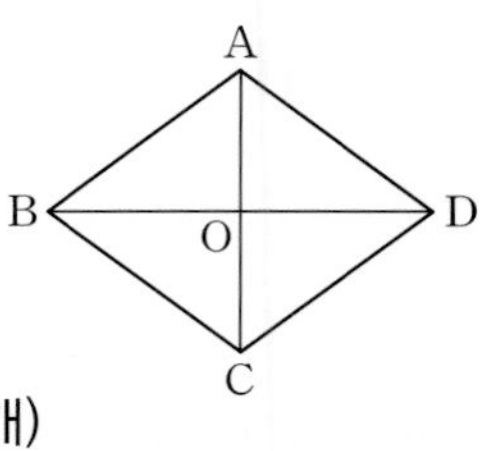

① $\angle B=\angle C$
② $\angle BAC=\angle DAC$
③ $\overline{AC}\perp\overline{BD}$
④ $\overline{AO}=\overline{BO}$
⑤ $\overline{AB}=\overline{BC}$

핵심 08

0400 다음 중 오른쪽 그림의 평행사변형 ABCD가 정사각형이 되기 위한 조건인 것을 모두 고르면? (단, 점 O는 두 대각선의 교점이다.) (정답 2개)

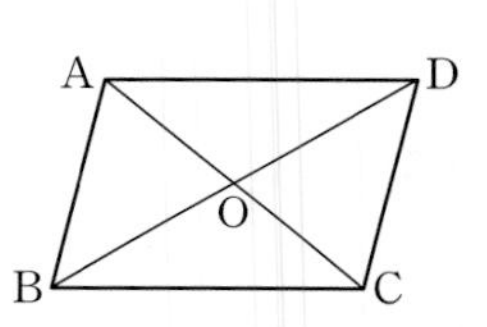

① $\overline{AC}\perp\overline{BD}$
② $\angle B=90°$, $\overline{AC}\perp\overline{BD}$
③ $\overline{AC}=\overline{BD}$, $\overline{AB}=\overline{AD}$
④ $\overline{AO}=\overline{BO}=\overline{CO}=\overline{DO}$
⑤ $\overline{AC}=\overline{BD}$, $\angle A=90°$

핵심 09 등변사다리꼴의 뜻과 성질

날짜 : 월 일

Subnote ➡ 20쪽

사다리꼴 중에서 선대칭도형인 것을 떠올려.

(1) 등변사다리꼴: 아랫변의 양 끝 각의 크기가 같은 사다리꼴 ➡ $\angle B=\angle C$

(2) 등변사다리꼴의 성질

① 평행하지 않은 두 대변의 길이가 같다. ➡ $\overline{AB}=\overline{DC}$

② 두 대각선의 길이가 같다. ➡ $\overline{AC}=\overline{BD}$

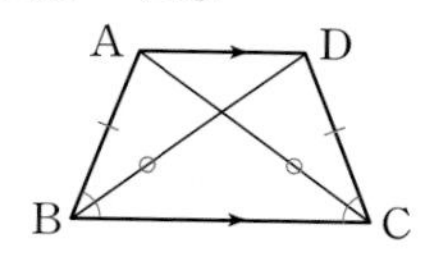

다음 그림과 같이 $\overline{AD}/\!/\overline{BC}$인 등변사다리꼴 ABCD에서 x, y의 값을 각각 구하여라.

0401

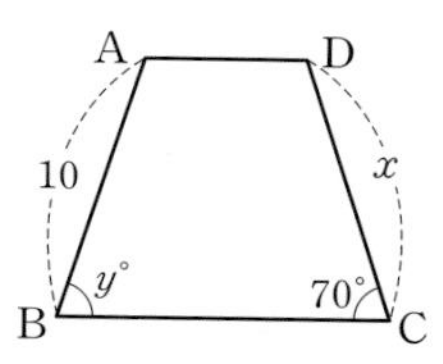

0402

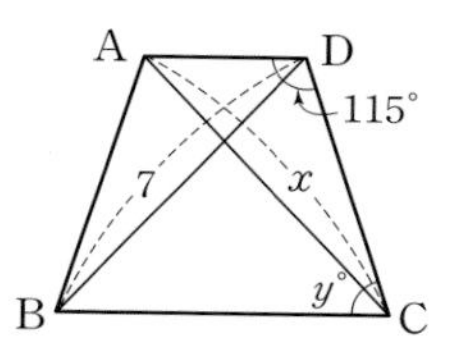

0403

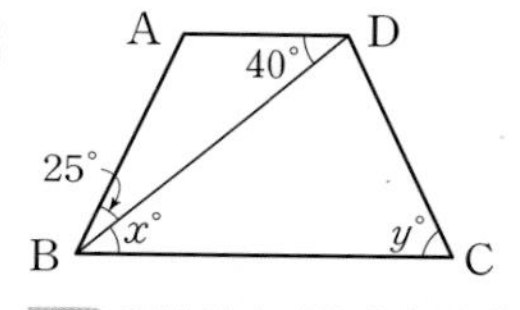

key 등변사다리꼴에서 아랫변의 양 끝 각의 크기는 같다.

0404

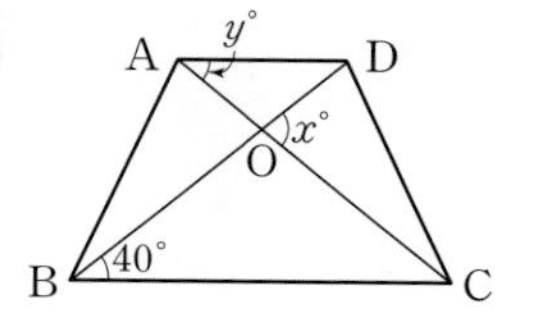

다음 그림과 같이 $\overline{AD}/\!/\overline{BC}$인 등변사다리꼴 ABCD에서 $\angle x$의 크기를 구하여라.

0405

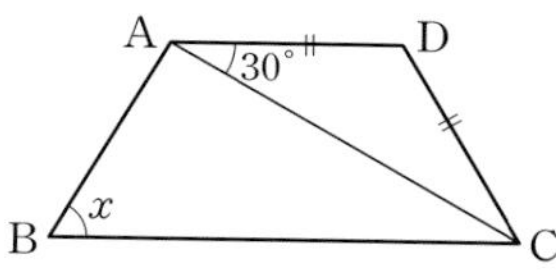

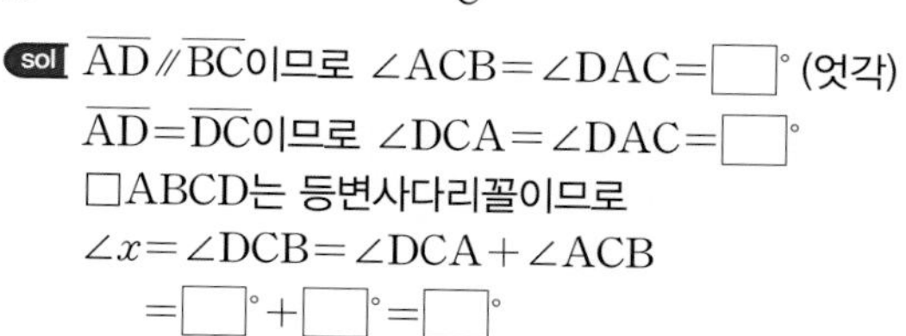

sol $\overline{AD}/\!/\overline{BC}$이므로 $\angle ACB=\angle DAC=\square°$ (엇각)

$\overline{AD}=\overline{DC}$이므로 $\angle DCA=\angle DAC=\square°$

□ABCD는 등변사다리꼴이므로

$\angle x=\angle DCB=\angle DCA+\angle ACB$

$=\square°+\square°=\square°$

0406

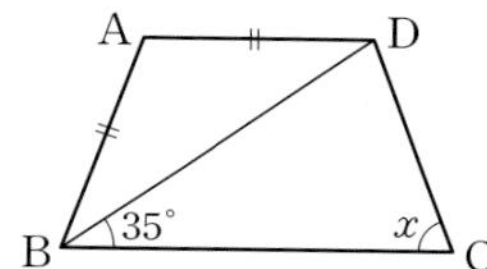

0407

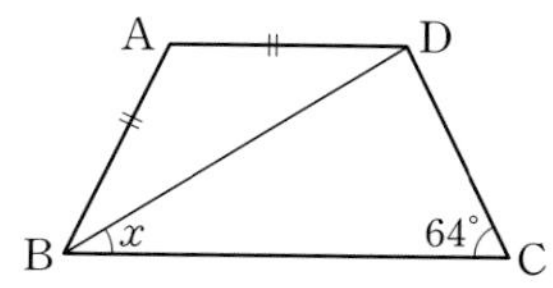

핵심 10 등변사다리꼴에서 보조선 사용하기

Subnote ➲ 20쪽

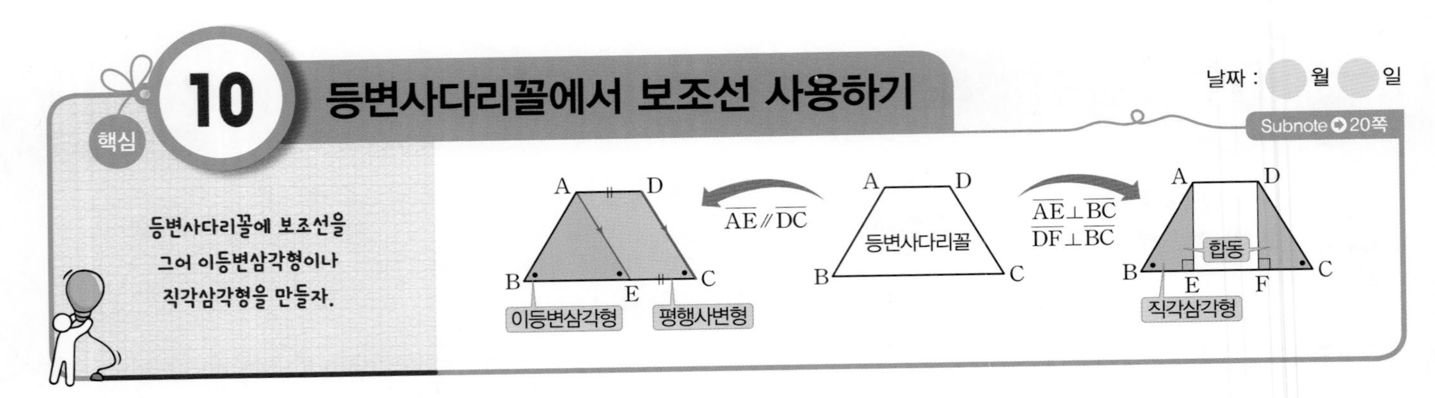

다음 그림과 같이 $\overline{AD} /\!/ \overline{BC}$인 등변사다리꼴 ABCD에서 x의 값을 구하여라.

0408

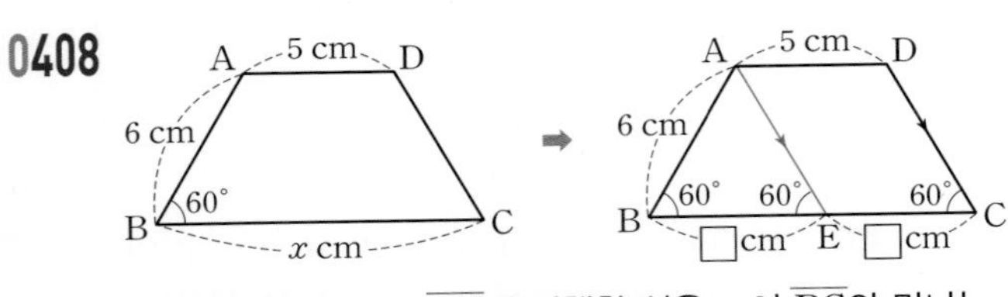

sol 점 A를 지나고 $\overline{DC}$에 평행한 선을 그어 $\overline{BC}$와 만나는 점을 E라고 하면

□AECD는 ☐이므로 $\overline{EC}=\overline{AD}=$☐ cm

△ABE는 ☐이므로 $\overline{BE}=\overline{AB}=$☐ cm

∴ $\overline{BC}=\overline{BE}+\overline{EC}=$☐+☐=☐(cm)

∴ $x=$☐

0409

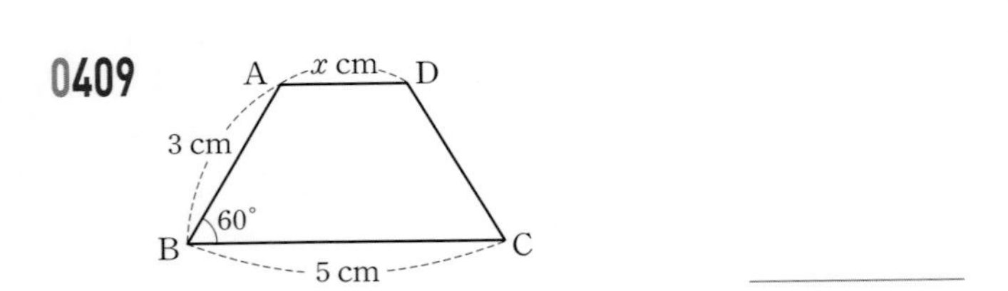

0410

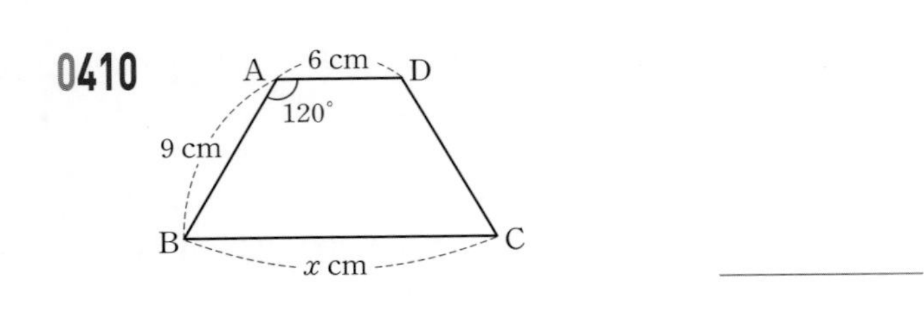

다음 그림과 같이 $\overline{AD} /\!/ \overline{BC}$인 등변사다리꼴 ABCD에서 x의 값을 구하여라.

0411

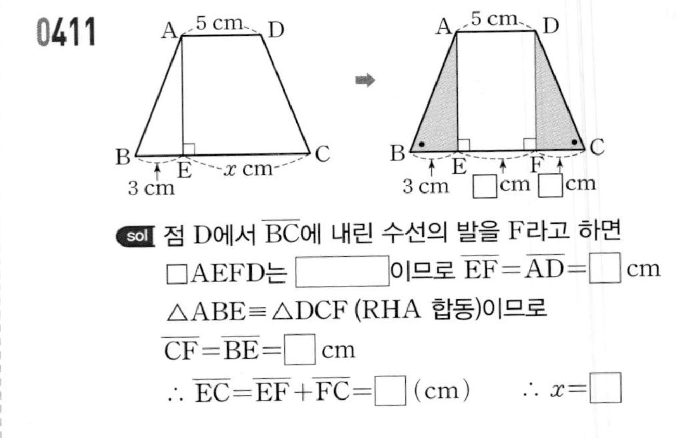

sol 점 D에서 $\overline{BC}$에 내린 수선의 발을 F라고 하면

□AEFD는 ☐이므로 $\overline{EF}=\overline{AD}=$☐ cm

△ABE≡△DCF (RHA 합동)이므로

$\overline{CF}=\overline{BE}=$☐ cm

∴ $\overline{EC}=\overline{EF}+\overline{FC}=$☐(cm) ∴ $x=$☐

0412

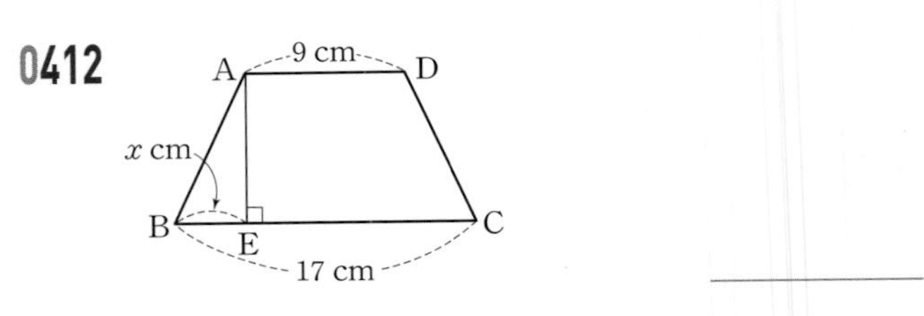

0413

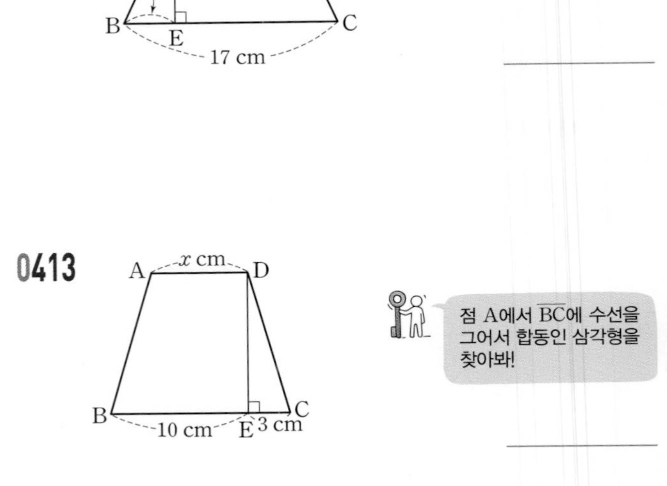

핵심 **11**

여러 가지 사각형 사이의 관계 (1)

날짜 : 월 일

Subnote 21쪽

지금까지 배운 여러 가지 사각형 사이의 관계를 하나의 그림으로 나타내어 보자.

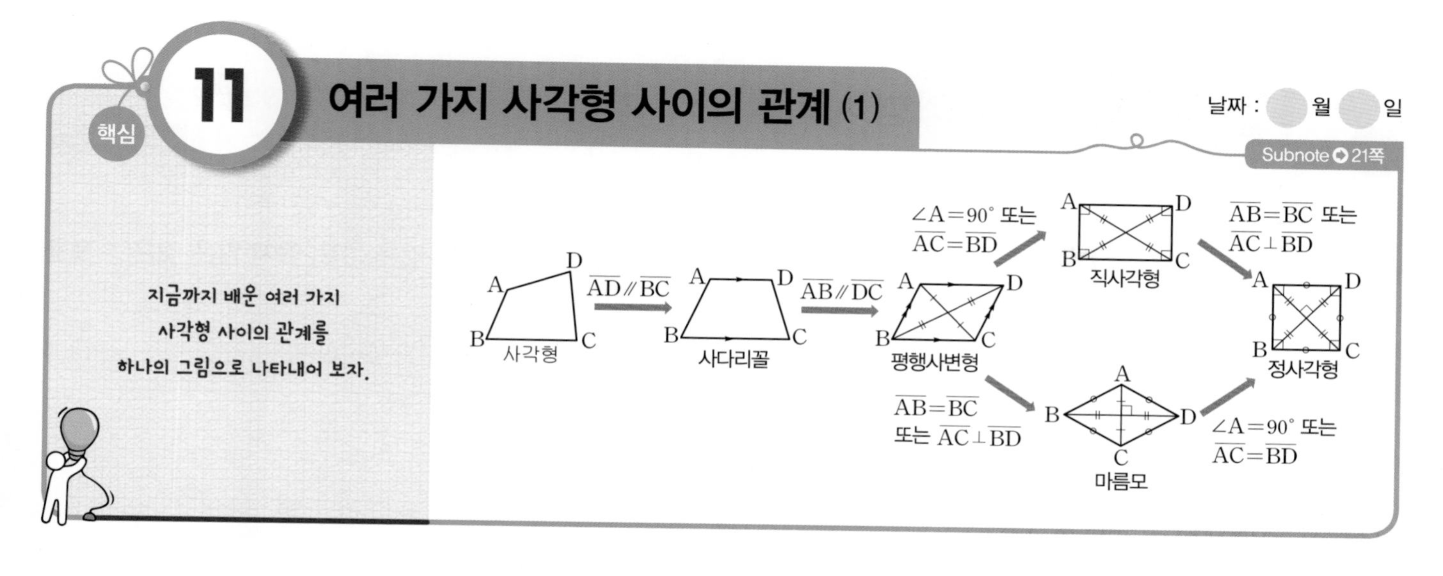

다음 그림과 같이 어떤 사각형에 변 또는 각에 대한 조건을 추가하면 다른 모양의 사각형이 된다. 0414~0419에 알맞은 조건을 보기에서 골라라.

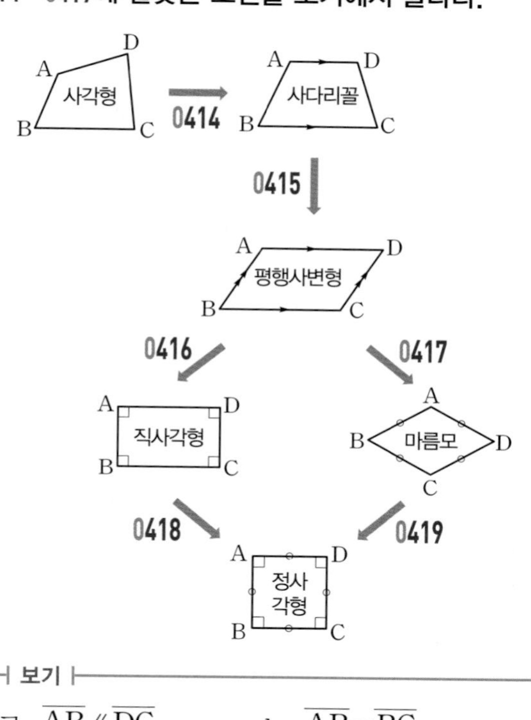

보기

ㄱ. $\overline{AB} /\!/ \overline{DC}$　　ㄴ. $\overline{AB}=\overline{BC}$

ㄷ. $\overline{AD} /\!/ \overline{BC}$　　ㄹ. $\angle A=90°$

0414 ______ 0415 ______ 0416 ______

0417 ______ 0418 ______ 0419 ______

다음 그림과 같이 어떤 사각형에 대각선에 대한 조건을 추가하면 다른 모양의 사각형이 된다. 0420~0424에 알맞은 조건을 보기에서 골라라.

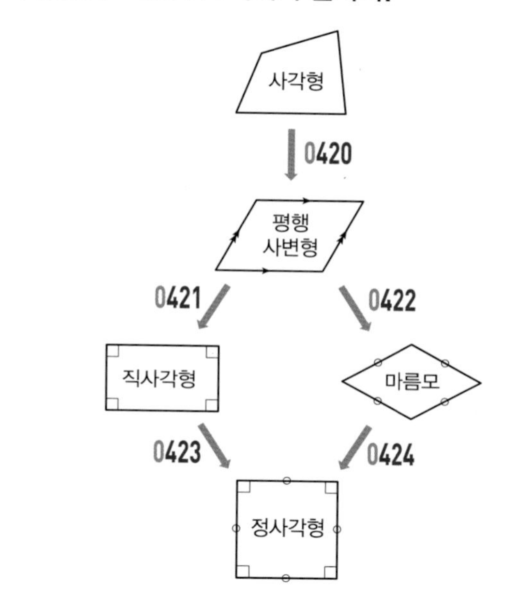

보기

ㄱ. 두 대각선의 길이가 같다.

ㄴ. 두 대각선이 서로 수직이다.

ㄷ. 두 대각선이 서로 다른 것을 이등분한다.

0420 ______ 0421 ______ 0422 ______

0423 ______ 0424 ______

핵심 **12**

여러 가지 사각형 사이의 관계 (2)

날짜 : 월 일

Subnote ➲ 21쪽

다음 성질을 만족시키는 도형을 보기에서 모두 골라라.

보기

ㄱ. 평행사변형　　ㄴ. 직사각형
ㄷ. 마름모　　ㄹ. 정사각형
ㅁ. 등변사다리꼴

0425 두 쌍의 대변이 각각 평행하다. ________

0426 네 변의 길이가 모두 같다. ________

0427 네 내각의 크기가 모두 같다. ________

0428 두 대각선의 길이가 같다. ________

0429 두 대각선이 서로 수직이다. ________

0430 두 대각선이 서로 다른 것을 이등분한다. ________

다음 설명 중 옳은 것은 ○표, 옳지 않은 것은 ×표를 하여라.

0431 정사각형은 직사각형이다. (　　)

0432 마름모는 직사각형이다. (　　)

0433 직사각형은 정사각형이다. (　　)

0434 정사각형은 마름모이다. (　　)

0435 마름모는 정사각형이다. (　　)

0436 평행사변형은 사다리꼴이다. (　　)

0437 직사각형은 평행사변형이다. (　　)

핵심 **13**

사각형의 각 변의 중점을 연결하여 만든 사각형

날짜 : 월 일

Subnote 21쪽

여러 가지 사각형에서 각 변의 중점을 연결하면 새로운 사각형이 만들어져.

(1) 사각형

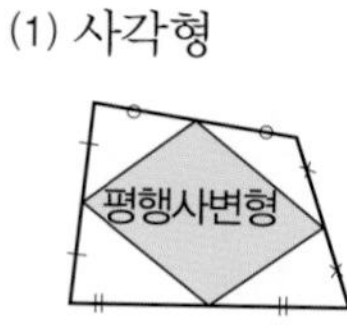

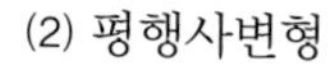

(2) 평행사변형

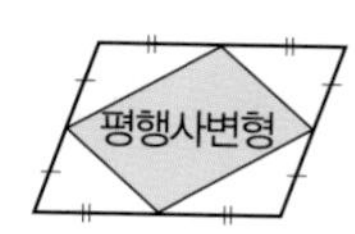

(3) 직사각형

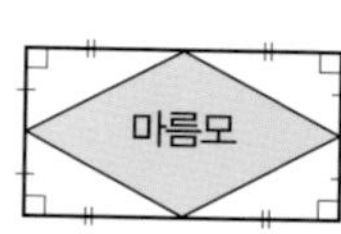

(4) 마름모

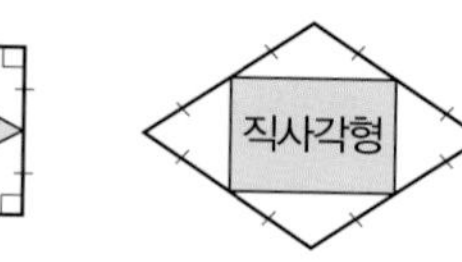

(5) 정사각형

(6) 사다리꼴

(7) 등변사다리꼴

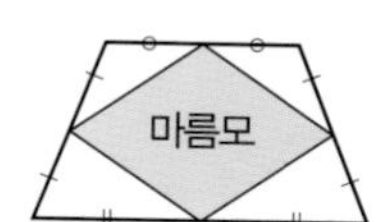

다음 사각형의 각 변의 중점을 연결하여 만든 사각형이 어떤 사각형인지 말하여라.

0438 직사각형 ________

0439 마름모 ________

0440 정사각형 ________

0441 사각형 ________

0442 평행사변형 ________

0443 등변사다리꼴 ________

다음에서 설명하는 사각형의 각 변의 중점을 연결하여 만든 사각형을 말하여라.

0444 한 쌍의 대변이 평행한 사각형 ________

0445 네 변의 길이가 모두 같은 사각형 ________

0446 네 변의 길이가 모두 같고, 네 내각의 크기가 모두 같은 사각형 ________

0447 학교 시험 맛보기

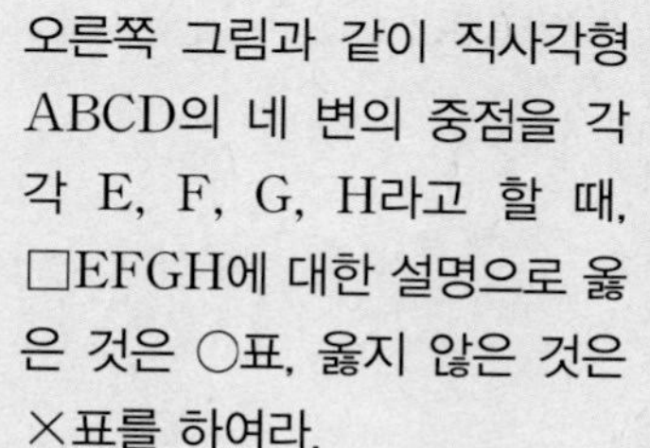

오른쪽 그림과 같이 직사각형 ABCD의 네 변의 중점을 각각 E, F, G, H라고 할 때, □EFGH에 대한 설명으로 옳은 것은 ○표, 옳지 않은 것은 ×표를 하여라.

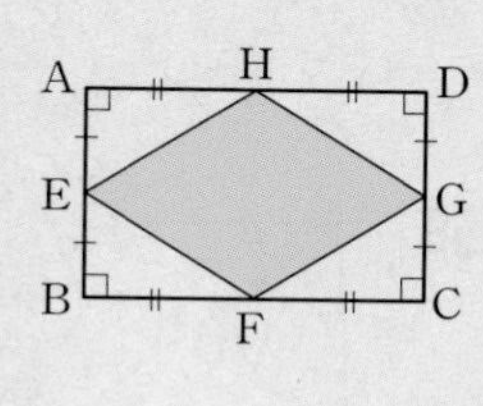

(1) 네 변의 길이가 모두 같다. ( )

(2) 네 내각의 크기가 모두 같다. ( )

(3) 두 대각선이 서로 다른 것을 수직이등분한다. ( )

핵심 **14**

평행선과 삼각형의 넓이 (1)

날짜 : 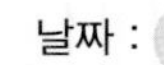 월  일 

Subnote ➔ 21쪽

$l /\!/ m$일 때, 두 직선 l, m 사이의 거리는 h이다.

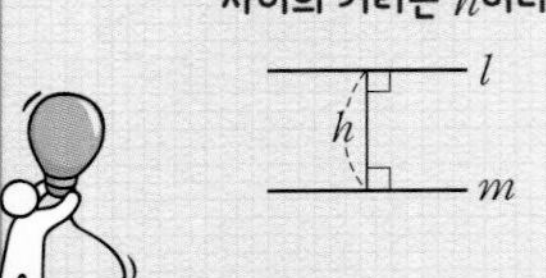

두 직선 l과 m이 평행할 때, △ABC와 △DBC는 밑변 BC가 공통이고 높이는 h로 같으므로 두 삼각형의 넓이는 서로 같다.

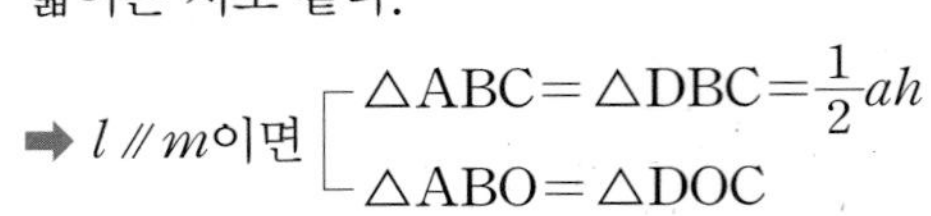

➡ $l /\!/ m$이면 $\begin{cases} \triangle ABC = \triangle DBC = \frac{1}{2}ah \\ \triangle ABO = \triangle DOC \end{cases}$

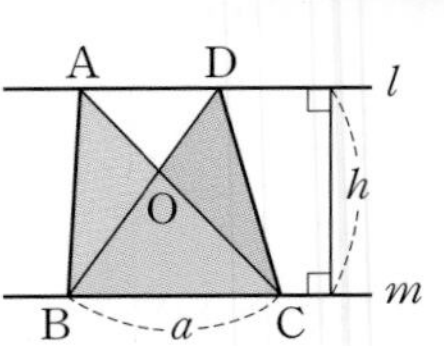

다음 그림과 같이 $\overline{AD} /\!/ \overline{BC}$인 사다리꼴 ABCD에서 색칠한 삼각형과 넓이가 같은 삼각형을 찾아라.
(단, 점 O는 두 대각선의 교점이다.)

0448

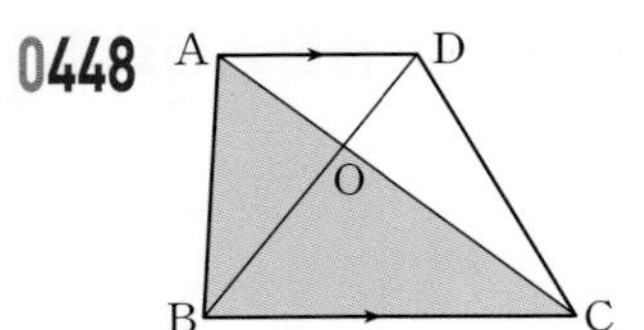

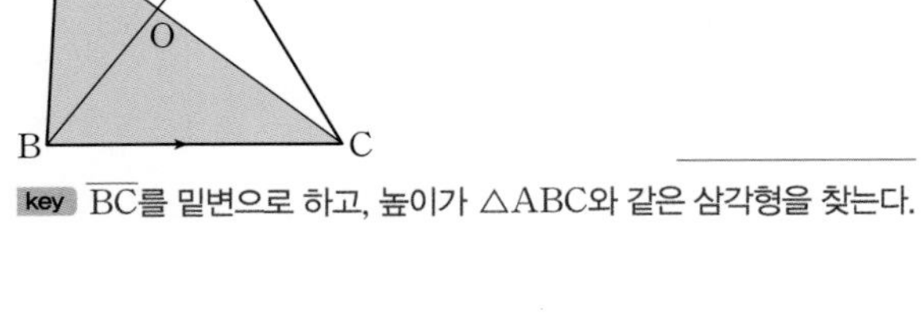

key $\overline{BC}$를 밑변으로 하고, 높이가 △ABC와 같은 삼각형을 찾는다.

0449

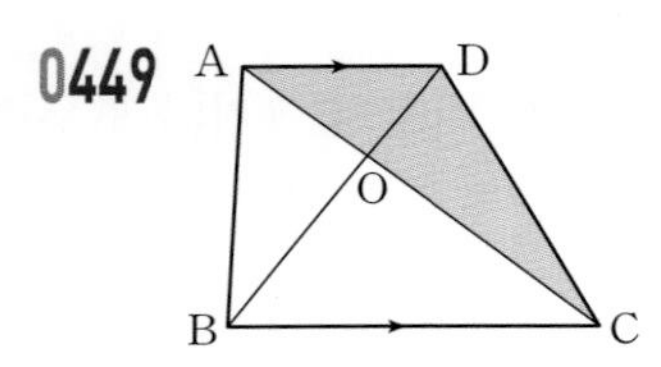

0450

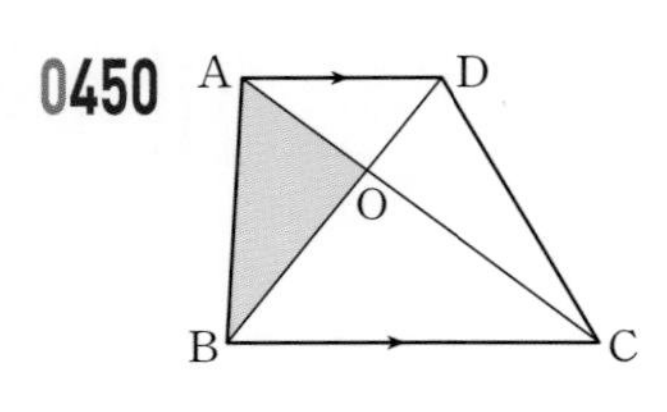

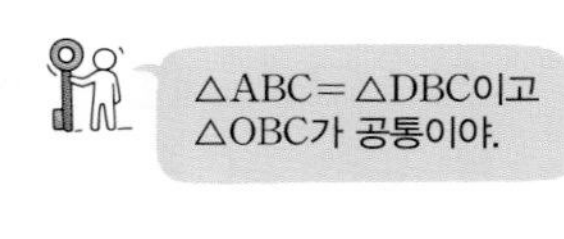

다음 그림과 같이 $\overline{AD} /\!/ \overline{BC}$인 사다리꼴 ABCD에서 색칠한 부분의 넓이를 구하여라.
(단, 점 O는 두 대각선의 교점이다.)

0451 △ABD $=12\text{ cm}^2$, △AOD $=5\text{ cm}^2$일 때

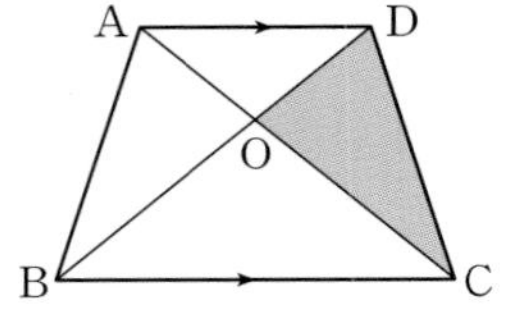

sol △DOC = △ABO = ☐ − △AOD
= ☐ − 5 = ☐ (cm^2)

0452 △AOD $=10\text{ cm}^2$, △ABO $=16\text{ cm}^2$일 때

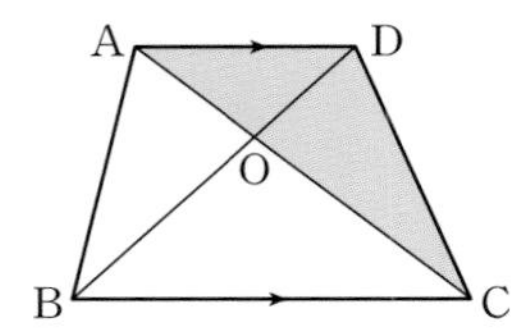

0453 학교 시험 맛보기 

오른쪽 그림과 같이 $\overline{AD} /\!/ \overline{BC}$인 사다리꼴 ABCD에서 두 대각선의 교점을 O라고 하자.

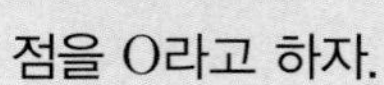

△ABC $=15\text{ cm}^2$,
△OBC $=9\text{ cm}^2$, △AOD $=4\text{ cm}^2$일 때, □ABCD의 넓이를 구하여라.

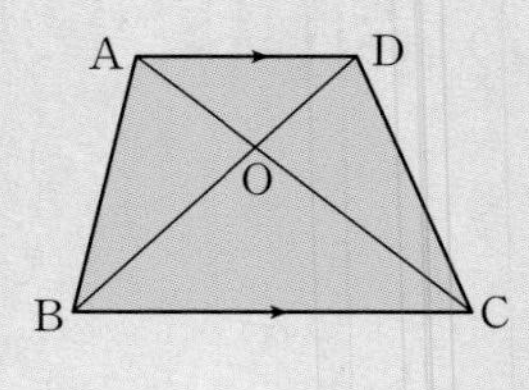

평행선과 삼각형의 넓이 (2)

날짜 : 월 일

Subnote 22쪽

밑변의 길이가 같은 두 삼각형에서 높이가 같으면 그 넓이도 같아.

$\overline{AC} /\!/ \overline{DE}$이면 $\triangle ACD = \triangle ACE$

➡ $\square ABCD = \triangle ABC + \triangle ACD$
$= \triangle ABC + \triangle ACE$
$= \triangle ABE$

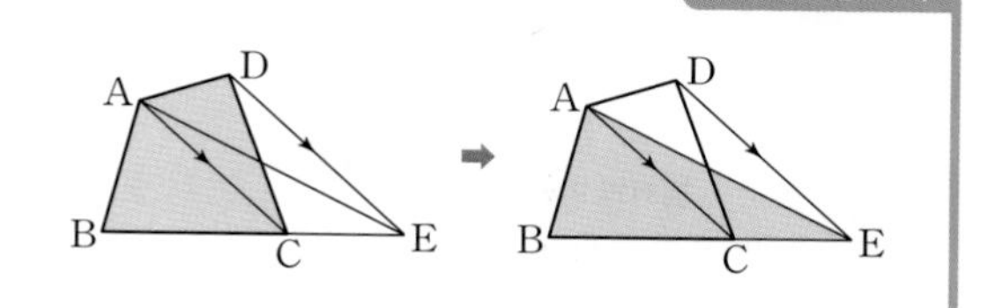

다음 그림에서 $\overline{AC} /\!/ \overline{DE}$일 때, 색칠한 도형과 넓이가 같은 도형을 찾아라.

0454

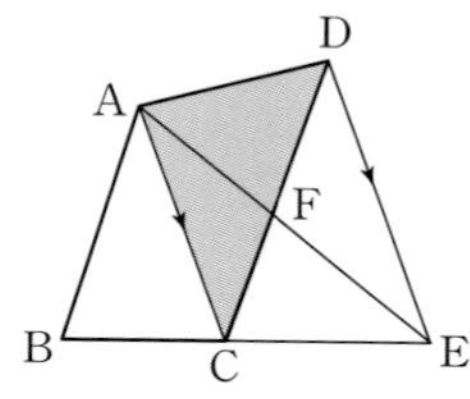

0455

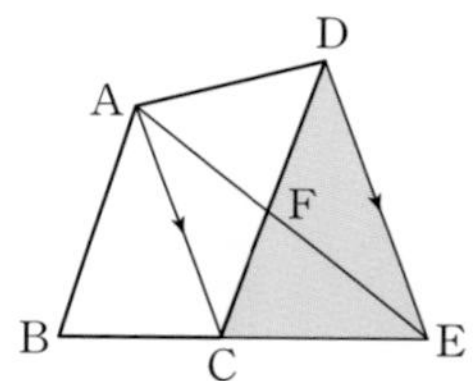

0456

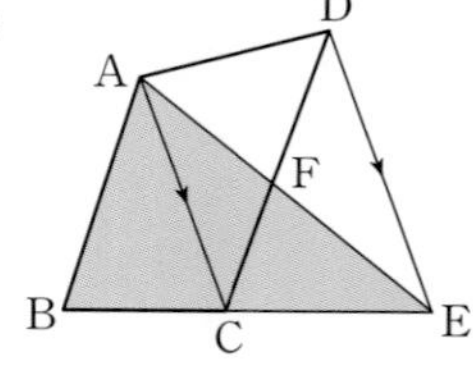

0457

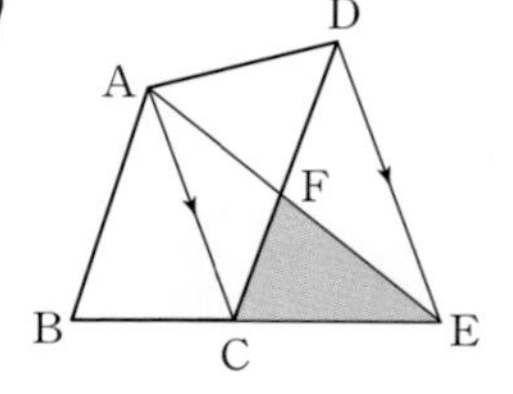

다음 그림에서 $\overline{AC} /\!/ \overline{DE}$일 때, 색칠한 부분의 넓이를 구하여라.

0458 $\triangle ABC = 18\text{ cm}^2$, $\triangle ACE = 12\text{ cm}^2$일 때

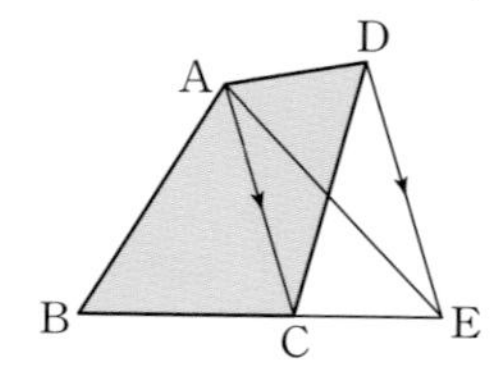

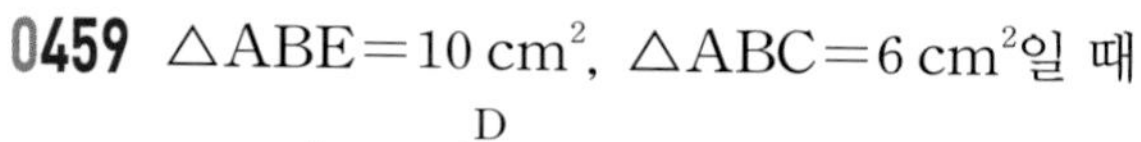

0459 $\triangle ABE = 10\text{ cm}^2$, $\triangle ABC = 6\text{ cm}^2$일 때

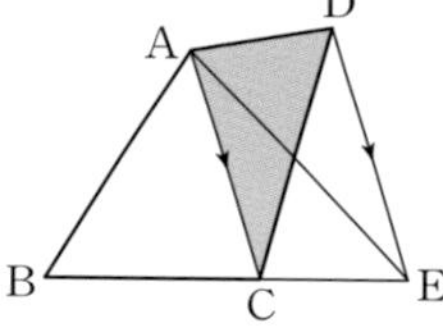

0460 $\square ABCD = 20\text{ cm}^2$, $\triangle ACE = 8\text{ cm}^2$일 때

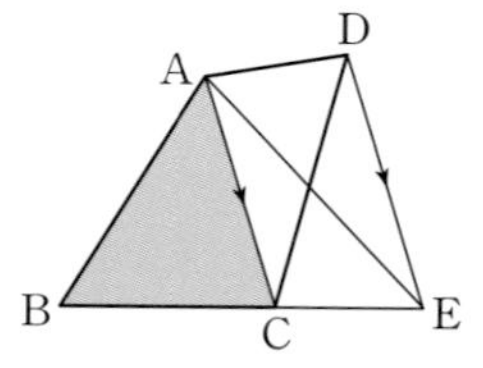

0461 학교 시험 맛보기

오른쪽 그림에서 $\overline{AE} /\!/ \overline{DB}$일 때, $\square ABCD$의 넓이를 구하여라.

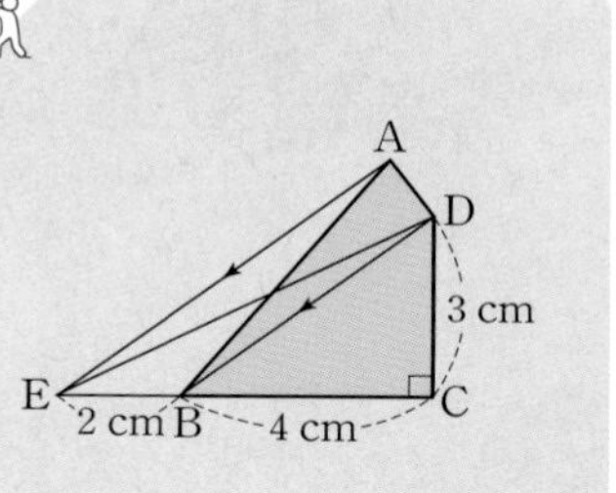

핵심 16 높이가 같은 삼각형의 넓이

Subnote ➡ 22쪽

높이가 같은 두 삼각형의 넓이의 비는 밑변의 길이의 비와 같아.

오른쪽 그림에서 $\overline{BD}:\overline{DC}=m:n$이면
$\triangle ABD:\triangle ADC=m:n$

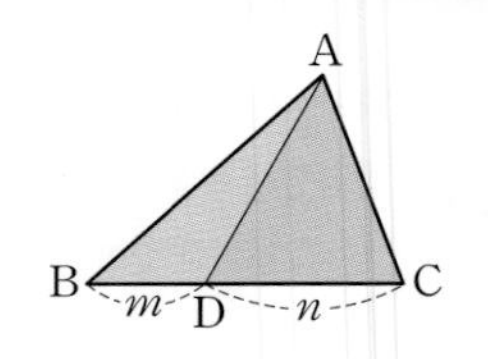

다음 그림과 같은 $\triangle ABC$에서 색칠한 부분의 넓이를 구하여라.

0462 $\triangle ABC=48\text{ cm}^2$, $\overline{BP}:\overline{PC}=2:1$일 때

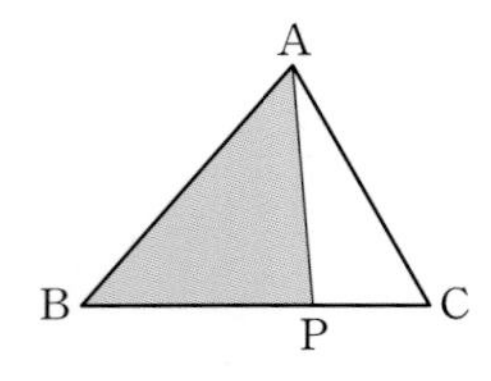

sol $\overline{BP}:\overline{PC}=2:1$이므로
$\triangle ABP:\triangle APC=\square:\square$
$\therefore \triangle ABP=\dfrac{2}{2+\square}\triangle ABC=\square\times 48=\square\,(\text{cm}^2)$

0463 $\triangle ABC=30\text{ cm}^2$, $\overline{AP}:\overline{PB}=2:3$일 때

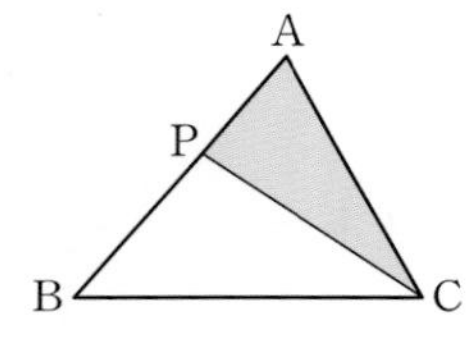

0464 $\triangle APC=12\text{ cm}^2$, $\overline{BP}:\overline{PC}=3:4$일 때

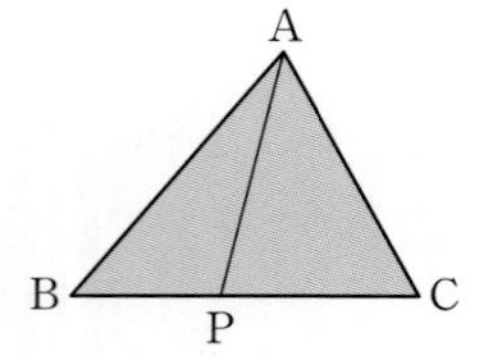

0465 $\triangle ABC=90\text{ cm}^2$, $\overline{BD}:\overline{CD}=1:1$, $\overline{AE}:\overline{ED}=1:2$일 때

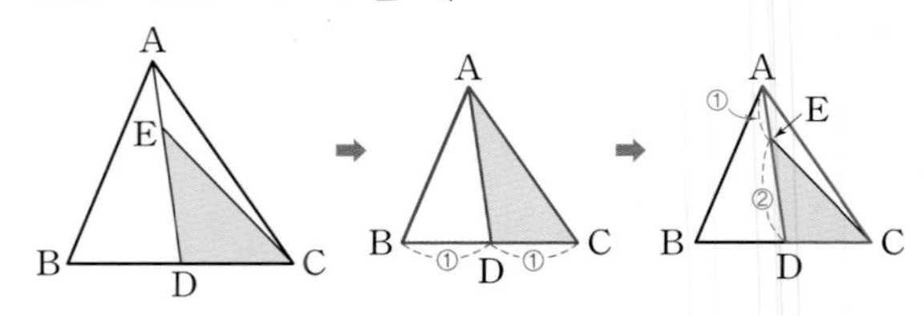

sol $\triangle ABD=\triangle ADC$이므로
$\triangle ADC=\square\triangle ABC=\square\,(\text{cm}^2)$
$\triangle AEC:\triangle EDC=1:2$이므로
$\triangle EDC=\square\triangle ADC=\square\,(\text{cm}^2)$

0466 $\triangle ABC=54\text{ cm}^2$, $\overline{BD}:\overline{CD}=2:1$, $\overline{AE}:\overline{ED}=1:1$일 때

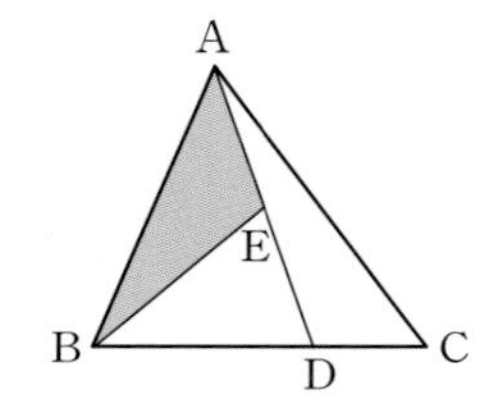

0467 학교 시험 맛보기 

오른쪽 그림과 같은 $\triangle ABC$에서 $\triangle BDE=6\text{ cm}^2$, $\overline{BD}:\overline{DC}=3:2$, $\overline{AE}:\overline{ED}=1:2$일 때, $\triangle ABC$의 넓이를 구하여라.

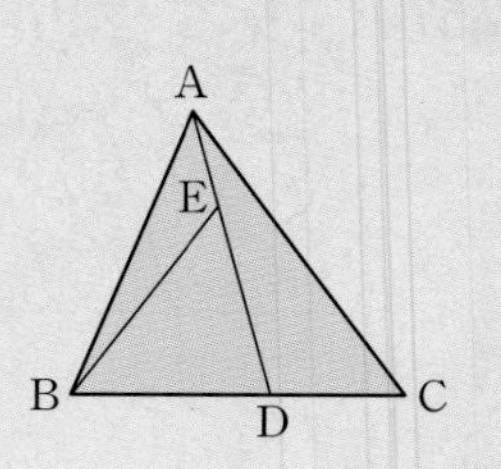

핵심 **17**

사각형에서 삼각형의 넓이의 비

날짜 :  월  일

Subnote ➜ 22쪽

높이가 같은 두 삼각형의 넓이의 비는 밑변의 길이의 비와 같아.

$\overline{AD} /\!/ \overline{BC}$인 사다리꼴 ABCD의 두 대각선의 교점이 O일 때,

(1) $\triangle OAB = \triangle OCD$

(2) $\triangle OAB : \triangle OBC = \triangle OAD : \triangle OCD = \overline{OA} : \overline{OC}$

(3) $\triangle OAD : \triangle OAB = \triangle OCD : \triangle OBC = \overline{OD} : \overline{OB}$

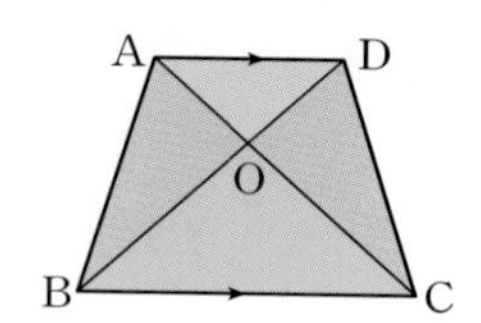

다음 그림과 같이 $\overline{AD} /\!/ \overline{BC}$인 사다리꼴 ABCD에서 색칠한 부분의 넓이를 구하여라. (단, 점 O는 두 대각선의 교점이다.)

0468 $\triangle ABO = 15\text{ cm}^2$, $\overline{AO} : \overline{OC} = 1 : 3$일 때

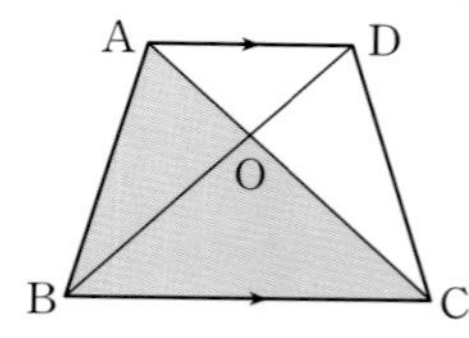

0469 $\triangle ACD = 35\text{ cm}^2$, $\overline{BO} : \overline{OD} = 3 : 2$일 때

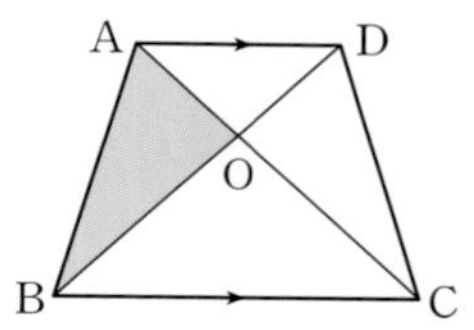

sol $\triangle ABD = \triangle ACD = 35\text{ cm}^2$

$\triangle ABO : \triangle AOD = \square : \square$이므로

$\triangle ABO = \square \triangle ABD = \square\ (\text{cm}^2)$

0470 $\triangle ABO = 12\text{ cm}^2$, $\overline{BO} : \overline{OD} = 4 : 3$일 때

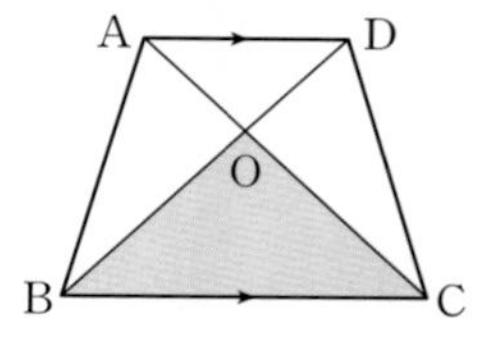

다음 그림과 같은 평행사변형 ABCD의 넓이가 60 cm^2일 때, 색칠한 부분의 넓이를 구하여라.

0471 $\overline{BP} : \overline{PD} = 1 : 2$일 때

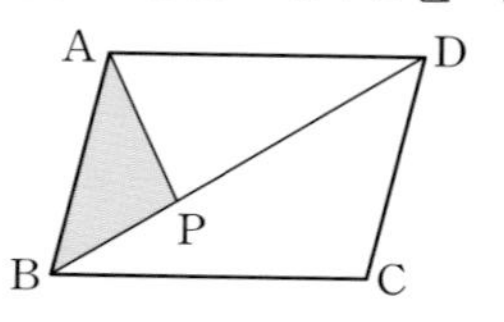

sol $\triangle ABD = \frac{1}{2}\square ABCD = \frac{1}{2} \times \square = \square\ (\text{cm}^2)$

$\triangle ABP : \triangle APD = \square : \square$이므로

$\triangle ABP = \square \triangle ABD = \square\ (\text{cm}^2)$

0472 $\overline{BQ} : \overline{QC} = 3 : 2$일 때

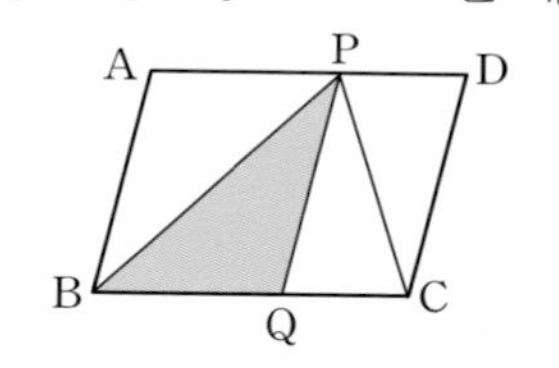

key $\triangle PBC = \frac{1}{2}\square ABCD$

0473 학교 시험 맛보기 

오른쪽 그림과 같이 $\overline{AD} /\!/ \overline{BC}$인 사다리꼴 ABCD의 두 대각선의 교점을 O라고 하자. $\triangle OCD = 20\text{ cm}^2$, $\overline{AO} : \overline{OC} = 2 : 5$일 때, $\square ABCD$의 넓이를 구하여라.

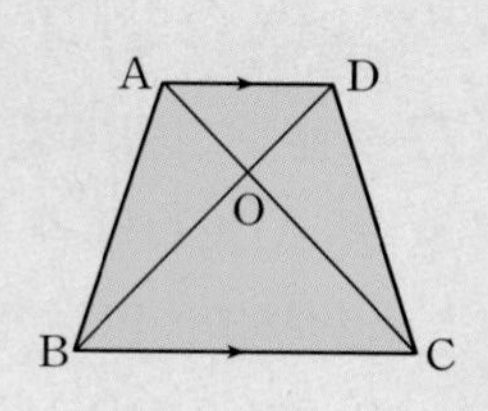

핵심 09~17

Mini Review Test

날짜 : 월 일

Subnote 23쪽

핵심 09

0474 오른쪽 그림과 같은 $\overline{AD} /\!/ \overline{BC}$인 등변사다리꼴 ABCD에 대한 설명으로 옳은 것을 보기에서 모두 골라라.

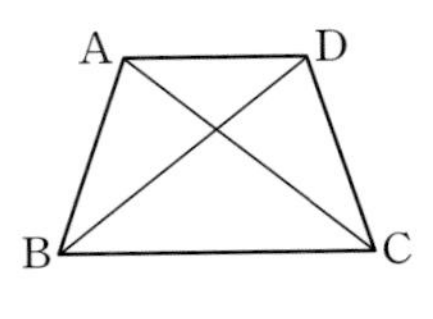

보기

ㄱ. $\angle B = \angle C$　　ㄴ. $\overline{AC} = \overline{DB}$

ㄷ. $\overline{AB} = \overline{AD}$　　ㄹ. $\angle DBC = \angle ACB$

핵심 10

0475 오른쪽 그림과 같은 $\overline{AD} /\!/ \overline{BC}$인 등변사다리꼴 ABCD에서 $\overline{BC}$의 길이를 구하여라.

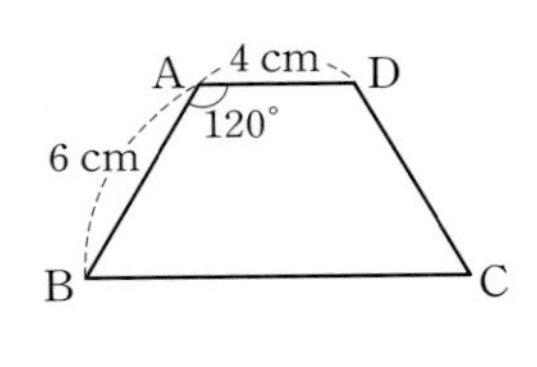

핵심 12

0476 다음 중 옳지 <u>않은</u> 것을 모두 고르면? (정답 2개)

① 평행사변형은 사다리꼴이다.

② 마름모는 직사각형이다.

③ 정사각형은 마름모이다.

④ 직사각형은 평행사변형이다.

⑤ 직사각형은 정사각형이다.

핵심 13

0477 오른쪽 그림과 같이 평행사변형 ABCD의 각 변의 중점을 연결하여 만든 □EFGH는 어떤 사각형인지 말하여라.

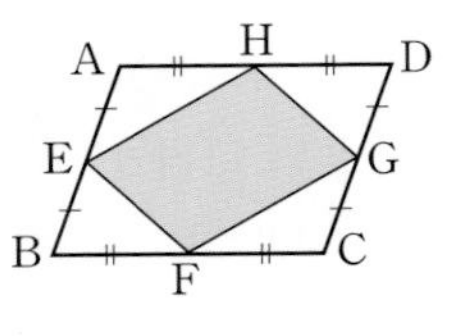

핵심 14

0478 오른쪽 그림과 같이 $\overline{AD} /\!/ \overline{BC}$인 사다리꼴 ABCD에서 두 대각선의 교점을 O라고 하자. $\triangle ABC = 36\text{ cm}^2$, $\triangle OBC = 27\text{ cm}^2$, $\triangle AOD = 3\text{ cm}^2$일 때, □ABCD의 넓이를 구하여라.

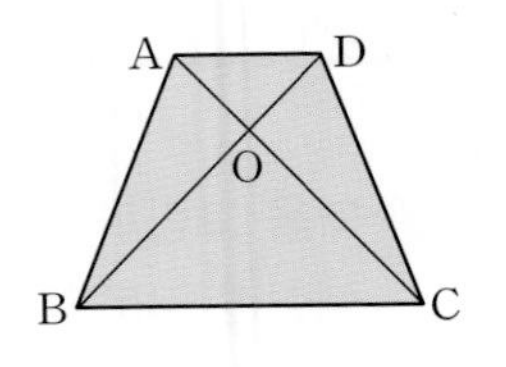

핵심 15

0479 오른쪽 그림에서 $\overline{AC} /\!/ \overline{DE}$일 때, □ABCD의 넓이를 구하여라.

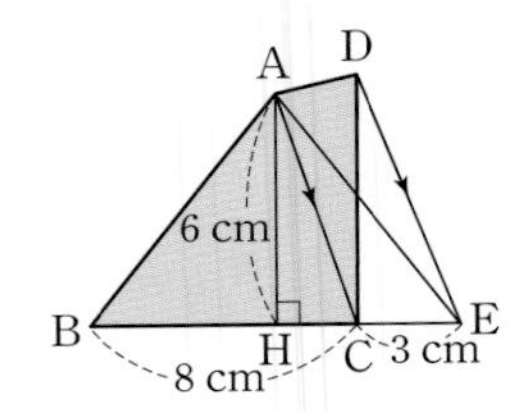

핵심 16

0480 오른쪽 그림과 같은 △ABC에서 점 D는 $\overline{BC}$의 중점이고, $\overline{AE} : \overline{ED} = 3 : 4$이다. $\triangle ABC = 70\text{ cm}^2$일 때, △BDE의 넓이를 구하여라.

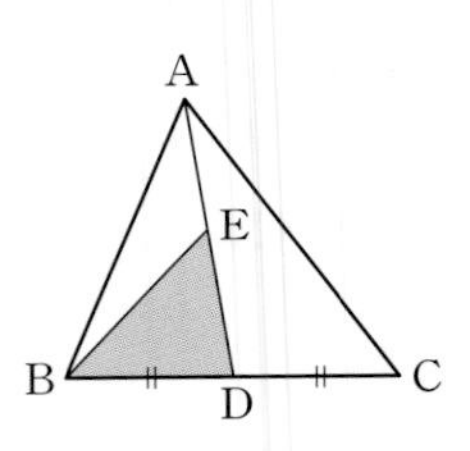

핵심 17 서술형

0481 오른쪽 그림과 같이 $\overline{AD} /\!/ \overline{BC}$인 사다리꼴

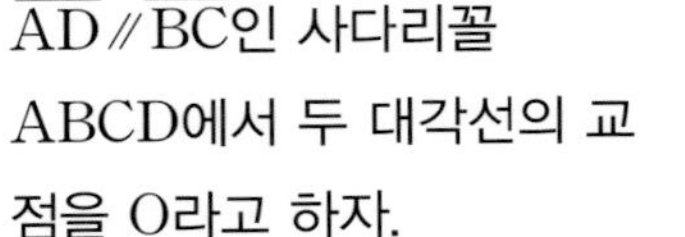
ABCD에서 두 대각선의 교점을 O라고 하자.

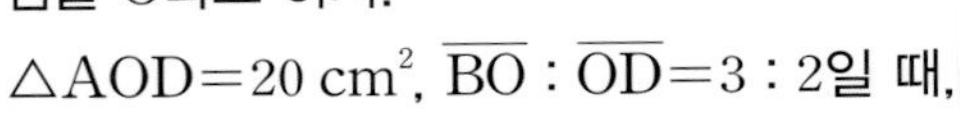
$\triangle AOD = 20\text{ cm}^2$, $\overline{BO} : \overline{OD} = 3 : 2$일 때, □ABCD의 넓이를 구하여라.

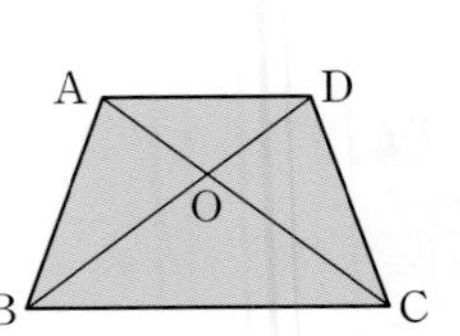

Review

Talk Talk

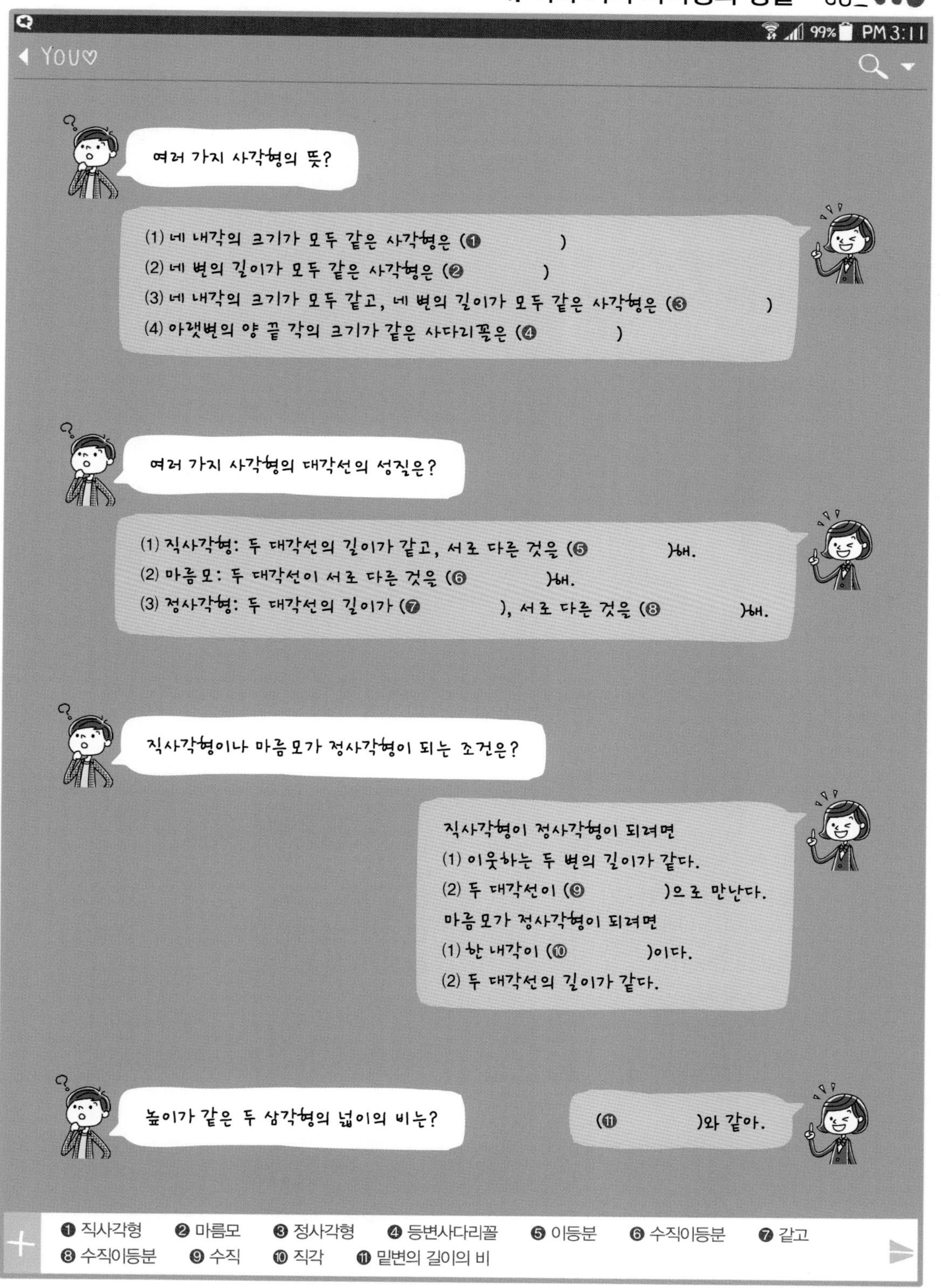
PM 3:11
YOU♡
여러 가지 사각형의 뜻?
(1) 네 내각의 크기가 모두 같은 사각형은 (❶)
(2) 네 변의 길이가 모두 같은 사각형은 (❷)
(3) 네 내각의 크기가 모두 같고, 네 변의 길이가 모두 같은 사각형은 (❸)
(4) 아랫변의 양 끝 각의 크기가 같은 사다리꼴은 (❹)
여러 가지 사각형의 대각선의 성질은?
(1) 직사각형: 두 대각선의 길이가 같고, 서로 다른 것을 (❺)해.
(2) 마름모: 두 대각선이 서로 다른 것을 (❻)해.
(3) 정사각형: 두 대각선의 길이가 (❼), 서로 다른 것을 (❽)해.
직사각형이나 마름모가 정사각형이 되는 조건은?
직사각형이 정사각형이 되려면
(1) 이웃하는 두 변의 길이가 같다.
(2) 두 대각선이 (❾)으로 만난다.
마름모가 정사각형이 되려면
(1) 한 내각이 (❿)이다.
(2) 두 대각선의 길이가 같다.
높이가 같은 두 삼각형의 넓이의 비는?
(⓫)와 같아.
❶ 직사각형 ❷ 마름모 ❸ 정사각형 ❹ 등변사다리꼴 ❺ 이등분 ❻ 수직이등분 ❼ 같고
❽ 수직이등분 ❾ 수직 ❿ 직각 ⓫ 밑변의 길이의 비

3 도형의 닮음

이미 배운 내용	이번에 배울 내용
[초등학교 5~6학년군] • 비례식과 비례배분 [중학교 1학년] • 작도와 합동 • 평면도형의 성질 • 입체도형의 성질	5. 도형의 닮음 ➲ 삼각형의 닮음 ➲ 직각삼각형의 닮음

5 도형의 닮음

스스로 공부 계획 세우기

	학습 내용	공부한 날짜	반복하기
5. 도형의 닮음	**01.** 닮은 도형(1)	월 일	□□
	02. 닮은 도형(2)	월 일	□□
	03. 평면도형에서의 닮음의 성질	월 일	□□
	04. 입체도형에서의 닮음의 성질(1)	월 일	□□
	05. 입체도형에서의 닮음의 성질(2)	월 일	□□
	Mini **Review** Test(**01**~**05**)	월 일	□□
	06. 삼각형의 닮음 조건(1)	월 일	□□
	07. 삼각형의 닮음 조건(2)	월 일	□□
	08. 닮음인 삼각형 찾기-SAS 닮음	월 일	□□
	09. 닮음인 삼각형 찾기-AA 닮음	월 일	□□
	10. 직각삼각형의 닮음	월 일	□□
	11. 직각삼각형의 닮음의 활용(1)	월 일	□□
	12. 직각삼각형의 닮음의 활용(2)	월 일	□□
	Mini **Review** Test(**06**~**12**)	월 일	□□

5 도형의 닮음

1 닮음 핵심 01 02

(1) **닮은 도형**: 한 도형을 일정한 비율로 확대 또는 축소하여 만든 도형이 다른 도형과 합동일 때, 그 두 도형은 서로 **닮음**인 관계에 있다고 한다. 또 닮음인 관계에 있는 두 도형을 닮은 도형이라고 한다.

(2) **닮음 기호**: △ABC와 △DEF가 서로 닮은 도형일 때, 이 두 도형을 기호 ∽를 사용하여 △ABC∽△DEF와 같이 나타낸다.

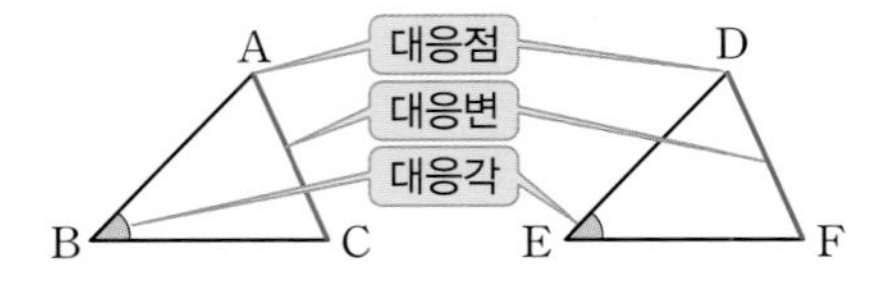

2 닮음의 성질 핵심 03 04 05

(1) **평면도형에서 닮음의 성질**: 닮은 두 평면도형에서
① 대응변의 길이의 비는 일정하다. ② 대응각의 크기는 각각 같다.

(2) **입체도형에서 닮음의 성질**: 닮은 두 입체도형에서
① 대응하는 모서리의 길이의 비는 일정하다. ② 대응하는 면은 닮은 도형이다.

3 삼각형의 닮음 조건 핵심 06 ~ 09

두 삼각형 ABC와 A′B′C′은 다음 세 조건 중 어느 하나를 만족하면 닮은 도형이다.

SSS 닮음	SAS 닮음	AA 닮음
세 쌍의 대응변의 길이의 비가 같다.	두 쌍의 대응변의 길이의 비가 같고, 그 끼인각의 크기가 같다.	두 쌍의 대응각의 크기가 각각 같다.
➡ $a:a'=b:b'=c:c'$	➡ $a:a'=c:c'$, $\angle B=\angle B'$	➡ $\angle B=\angle B'$, $\angle C=\angle C'$

4 직각삼각형의 닮음 핵심 10 11 12

$\angle A=90°$인 직각삼각형 ABC의 꼭짓점 A에서 빗변 BC에 내린 수선의 발을 D라고 하면 **△ABC∽△DBA∽△DAC(AA 닮음)**이므로 다음이 성립한다.

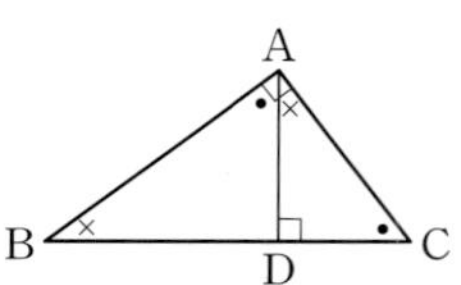

(1)

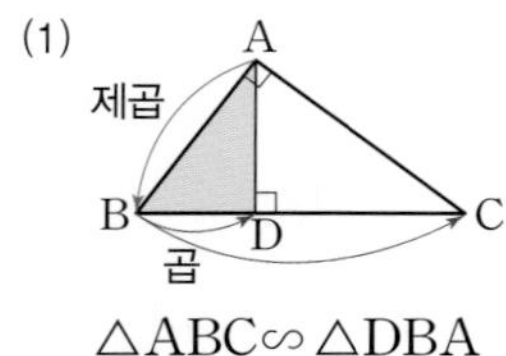

△ABC∽△DBA
➡ $\overline{AB}^2=\overline{BD}\times\overline{BC}$

(2)

△ABC∽△DAC
➡ $\overline{AC}^2=\overline{CD}\times\overline{CB}$

(3)

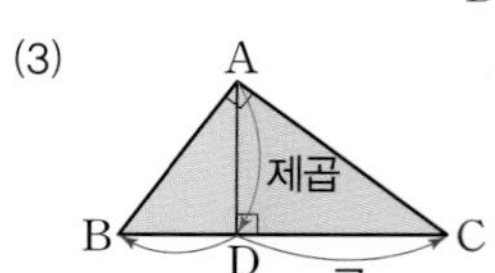

△DBA∽△DAC
➡ $\overline{AD}^2=\overline{DB}\times\overline{DC}$

개념 NOTE

항상 닮음인 도형
① 평면도형: 두 정다각형, 두 직각이등변삼각형, 두 원, 중심각의 크기가 같은 두 부채꼴
② 입체도형: 두 구, 두 정다면체

닮은 도형을 기호로 나타낼 때에는 두 도형의 꼭짓점을 대응하는 순서대로 쓴다.

대응하는 변의 길이의 비를 닮음비라고 한다.

삼각형의 닮음을 이용하여 변의 길이 구하기
① 닮음인 삼각형을 찾는다.
② 닮음비를 구한다.
③ 비례식으로 나타내고, 변의 길이를 구한다.

왼쪽 직각삼각형에서
$\triangle ABC=\frac{1}{2}\overline{BC}\times\overline{AD}$
$=\frac{1}{2}\overline{AB}\times\overline{AC}$
➡ $\overline{AB}\times\overline{AC}=\overline{BC}\times\overline{AD}$

핵심 01 닮은 도형 (1)

날짜 : 월 일

Subnote ➡ 24쪽

합동과 마찬가지로 닮은 도형을 기호로 나타낼 때에는 두 도형의 대응하는 꼭짓점의 순서대로 쓴다.

△ABC와 △DEF가 서로 닮은 도형일 때, 이 두 도형을 기호 ∽를 사용하여 **△ABC∽△DEF**와 같이 나타낸다.

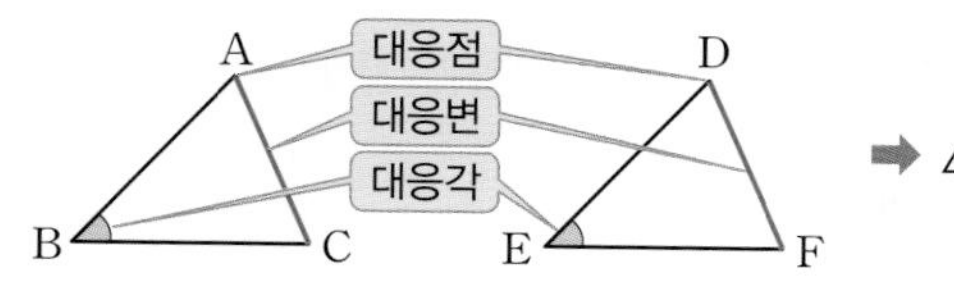

➡ △ABC∽△DEF

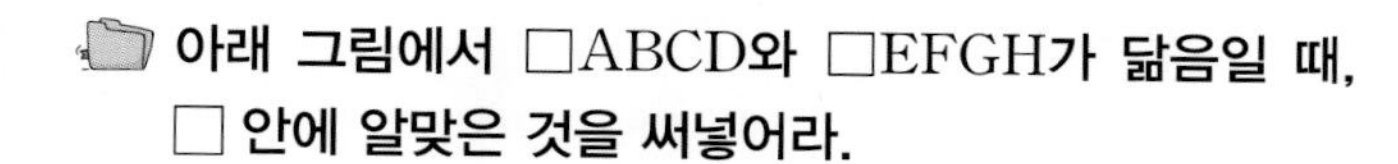

아래 그림에서 □ABCD와 □EFGH가 닮음일 때, □ 안에 알맞은 것을 써넣어라.

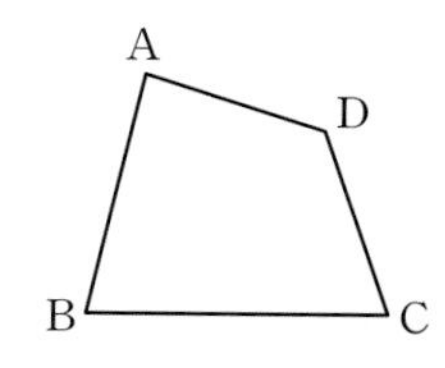

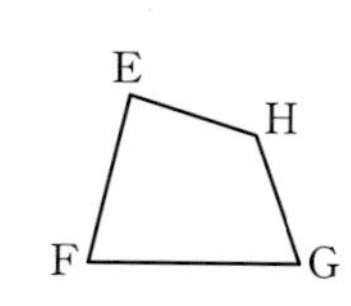

0482 □ABCD∽□

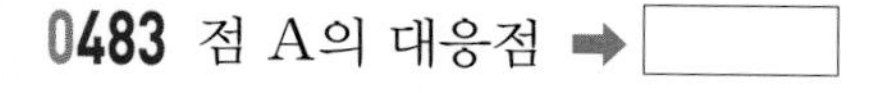

0483 점 A의 대응점 ➡ □

0484 점 C의 대응점 ➡ □

0485 $\overline{BC}$의 대응변 ➡ □

0486 $\overline{DA}$의 대응변 ➡ □

0487 ∠B의 대응각 ➡ □

0488 ∠D의 대응각 ➡ □

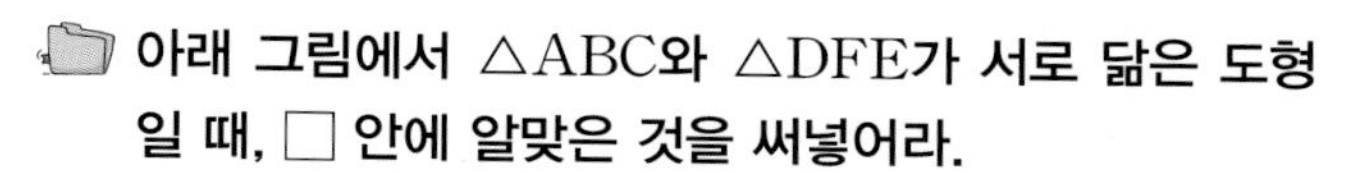

아래 그림에서 △ABC와 △DFE가 서로 닮은 도형일 때, □ 안에 알맞은 것을 써넣어라.

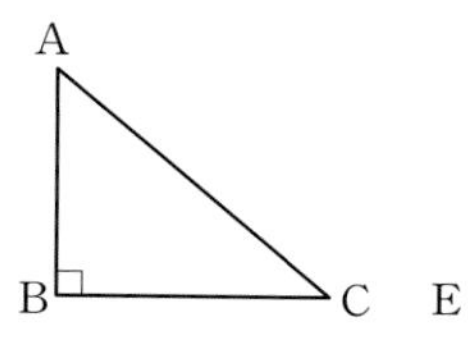

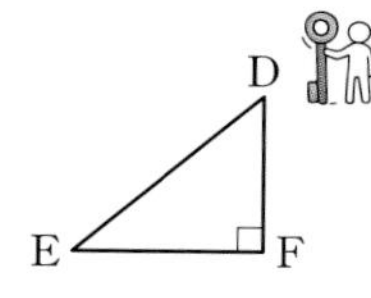

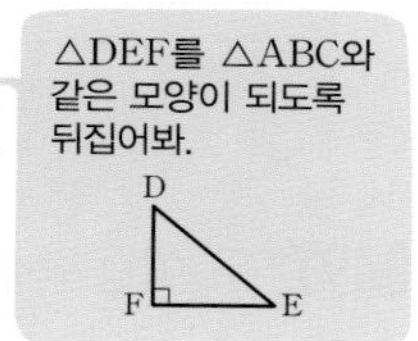

0489 △ABC∽□

0490 점 A의 대응점 ➡ □

0491 점 B의 대응점 ➡ □

0492 $\overline{AB}$의 대응변 ➡ □

0493 $\overline{CA}$의 대응변 ➡ □

0494 ∠B의 대응각 ➡ □

0495 ∠C의 대응각 ➡ □

핵심 02 닮은 도형 (2)

날짜 : 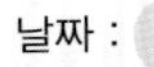 월  일

Subnote ➲ 24쪽

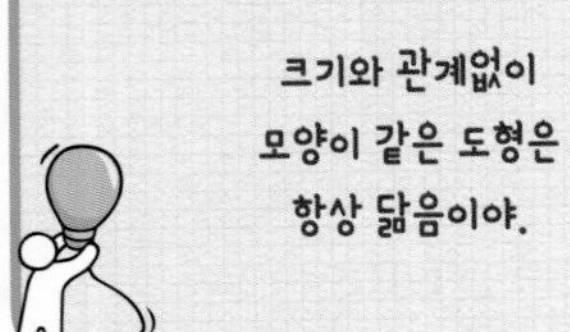

크기와 관계없이 모양이 같은 도형은 항상 닮음이야.

(1) **항상 닮음인 평면도형:** 두 원, 두 직각이등변삼각형, 두 정다각형(정삼각형, 정사각형, 정오각형, 정육각형, …), 중심각의 크기가 같은 두 부채꼴

(2) **항상 닮음인 입체도형:** 두 구, 두 정다면체(정사면체, 정육면체, 정팔면체, 정십이면체, 정이십면체)

다음 도형 중 항상 닮음인 것은 ○표, 아닌 것은 ×표를 하여라.

0496 두 직각삼각형 ( )

0497 두 이등변삼각형 ( )

0498 두 직각이등변삼각형 ( )

0499 두 정사각형 ( )

0500 두 마름모 ( )

0501 두 원 ( )

0502 두 정육면체 ( )

0503 두 구 ( )

다음 중 닮은 도형에 대한 설명으로 옳은 것은 ○표, 옳지 않은 것은 ×표를 하여라.

0504 닮은 두 도형에서 대응각의 크기는 서로 같다. ( )

0505 닮은 두 도형에서 대응변의 길이는 서로 같다. ( )

0506 합동인 두 도형은 닮음이다. ( )

key 합동인 두 도형의 닮음비는 1 : 1이다.

0507 닮은 두 도형의 넓이는 같다. ( )

0508 넓이가 같은 두 삼각형은 닮음이다. ( )

0509 학교 시험 맛보기

다음 보기 중 항상 닮은 도형인 것을 모두 골라라.

보기
ㄱ. 중심각의 크기가 같은 두 부채꼴
ㄴ. 한 내각의 크기가 같은 두 이등변삼각형
ㄷ. 한 내각의 크기가 같은 두 마름모
ㄹ. 밑면이 정삼각형인 삼각기둥

핵심 03 평면도형에서의 닮음의 성질

날짜 : 월 일

Subnote ➡ 24쪽

비례식의 계산은 이렇게 해.

$a : b = c : d$ ➡ $bc = ad$

두 닮은 평면도형에서
(1) 대응변의 길이의 비는 일정하다.
➡ $\overline{AB} : \overline{DE} = \overline{BC} : \overline{EF} = \overline{AC} : \overline{DF}$
(2) 대응각의 크기는 각각 같다.
➡ $\angle A = \angle D$, $\angle B = \angle E$, $\angle C = \angle F$
(3) 닮음비: 대응하는 변의 길이의 비

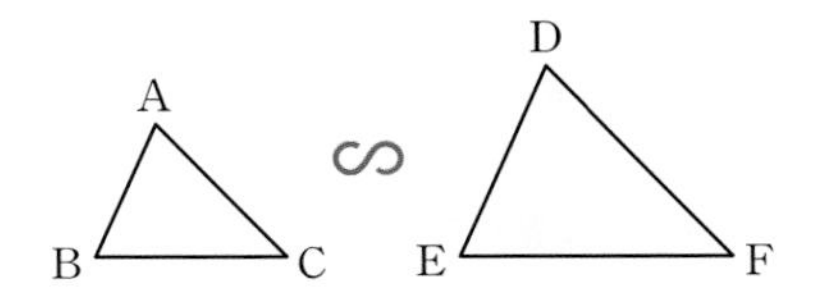

아래 그림에서 $\triangle ABC \backsim \triangle DEF$일 때, 다음을 구하여라.

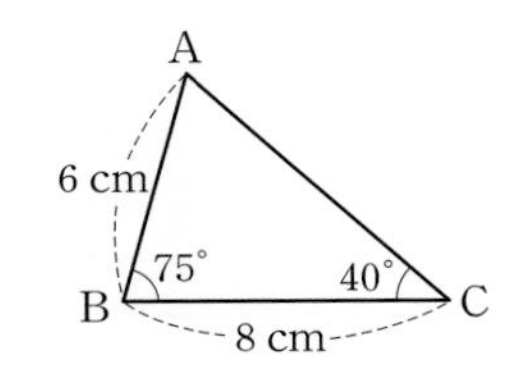

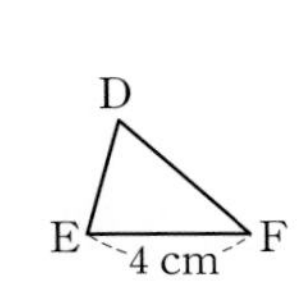

0510 $\triangle ABC$와 $\triangle DEF$의 닮음비

sol $\overline{BC} : \overline{EF} = 8 : \square = \square : \square$

닮음비는 가장 간단한 자연수의 비로!

0511 $\overline{DE}$의 길이

sol $\overline{AB} : \overline{DE} = 2 : \square$이므로
$6 : \overline{DE} = 2 : \square$, $2\overline{DE} = \square$ $\quad \therefore \overline{DE} = \square$ (cm)

0512 $\angle F$의 크기

sol $\angle F$의 대응각은 $\square$이므로 $\angle F = \square^\circ$

0513 $\angle D$의 크기

sol $\angle D = \angle A = \square^\circ - (75^\circ + 40^\circ) = \square^\circ$

삼각형의 내각의 크기의 합은 180°야.

아래 그림에서 $\square ABCD \backsim \square EFGH$일 때, 다음을 구하여라.

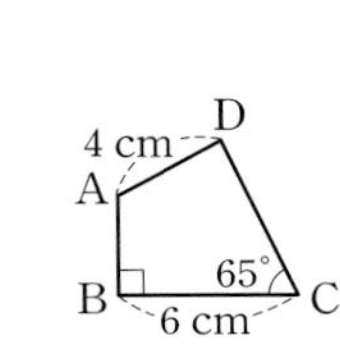

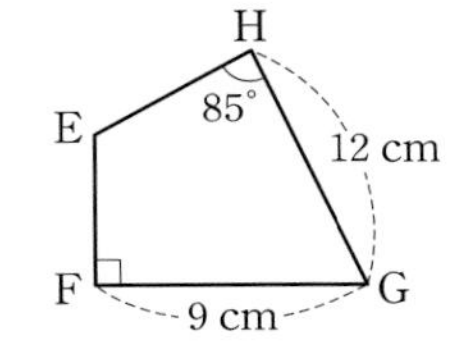

0514 $\square ABCD$와 $\square EFGH$의 닮음비 ______

key $\overline{BC} : \overline{FG}$

0515 $\overline{EH}$의 길이 ______

0516 $\angle E$의 크기 ______

key $\angle G = \angle C$

0517 학교 시험 맛보기

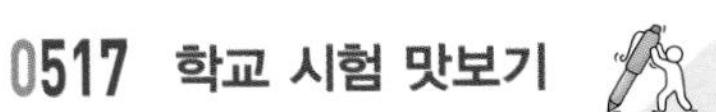

아래 그림에서 $\triangle ABC \backsim \triangle DEF$이고, 닮음비가 $1 : 2$일 때, 다음을 구하여라.

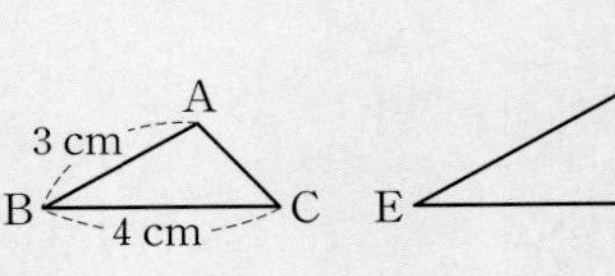

(1) $\overline{CA}$의 길이 ______

(2) $\triangle DEF$의 둘레의 길이 ______

핵심 04 입체도형에서의 닮음의 성질 (1)

날짜 : 월 일

Subnote ➡ 24쪽

한 입체도형을 일정한 비율로 확대하거나 축소한 것이 다른 입체도형과 합동이면 이 두 입체도형은 닮음이야.

두 닮은 입체도형에서
(1) 대응하는 모서리의 길이의 비는 일정하다.
(2) 대응하는 면은 각각 닮은 도형이다.
(3) 닮음비: 대응하는 모서리의 길이의 비

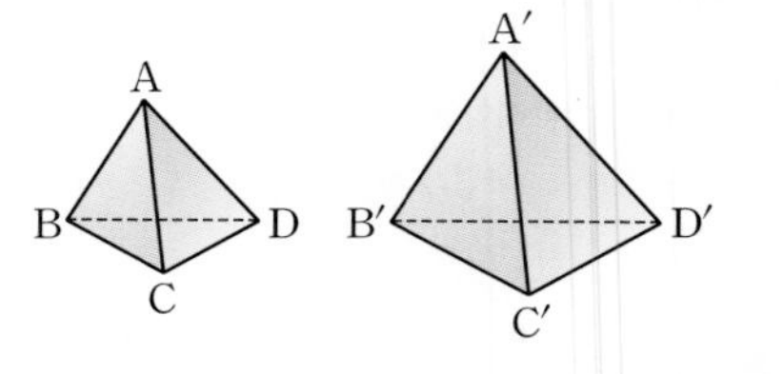

아래 그림에서 두 삼각기둥은 서로 닮은 도형이다. $\triangle ABC \backsim \triangle GHI$일 때, 다음을 구하여라.

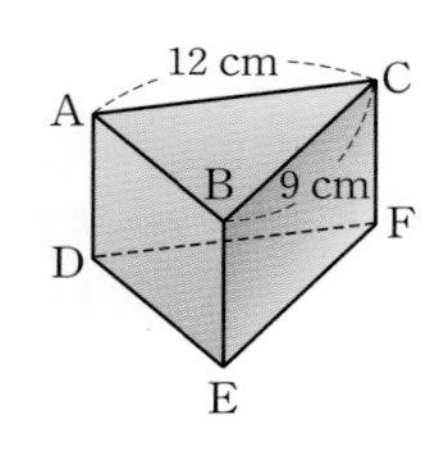

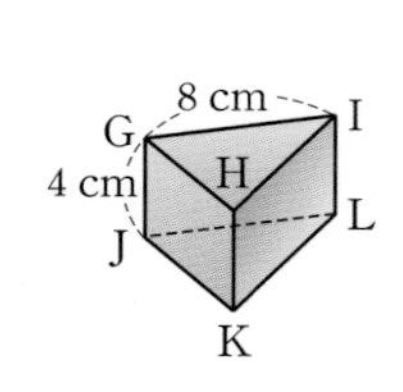

0518 두 삼각기둥의 닮음비

sol $\overline{AC}$: ☐=12 : ☐=☐ : ☐

0519 모서리 AD의 길이

sol $\overline{AD}$: $\overline{GJ}$=3 : ☐이므로
$\overline{AD}$: 4=3 : ☐, ☐$\overline{AD}$=12 ∴ $\overline{AD}$=☐(cm)

0520 모서리 HI의 길이 ________

0521 면 BEFC에 대응하는 면 ________

아래 그림에서 두 직육면체는 서로 닮은 도형이고, 면 ABCD에 대응하는 면이 면 IJKL일 때, 다음을 구하여라.

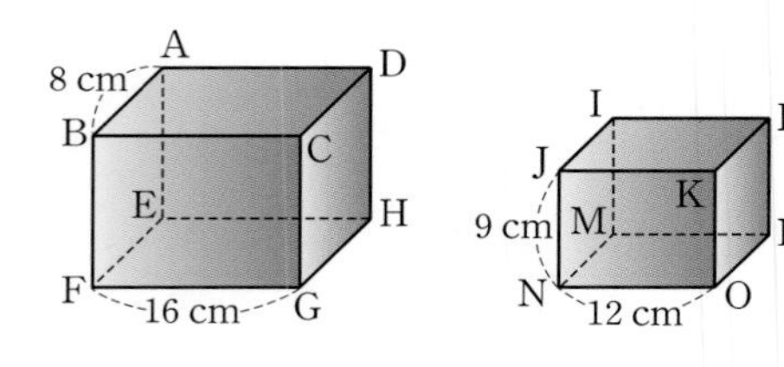

0522 두 직육면체의 닮음비 ________

0523 모서리 IJ의 길이 ________

0524 모서리 BF의 길이 ________

0525 학교 시험 맛보기

아래 그림에서 두 삼각기둥은 서로 닮은 도형이다. $\overline{AB}$와 $\overline{GH}$가 서로 대응하는 모서리일 때, $x+y$의 값을 구하여라.

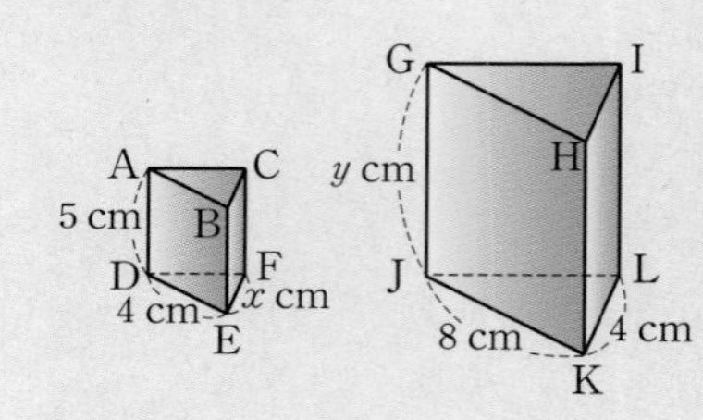

____

입체도형에서의 닮음의 성질 (2)

날짜 :  월  일

Subnote ➔ 25쪽

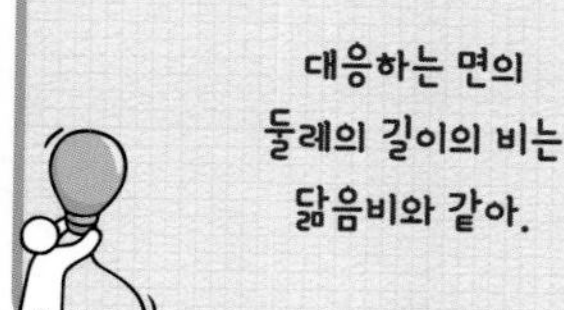

닮은 두 원기둥 또는 두 원뿔의 닮음비는 다음과 같다.

➡ (닮음비)=(모선의 길이의 비)=(높이의 비)
=(밑면의 반지름의 길이의 비)
=(밑면의 둘레의 길이의 비)

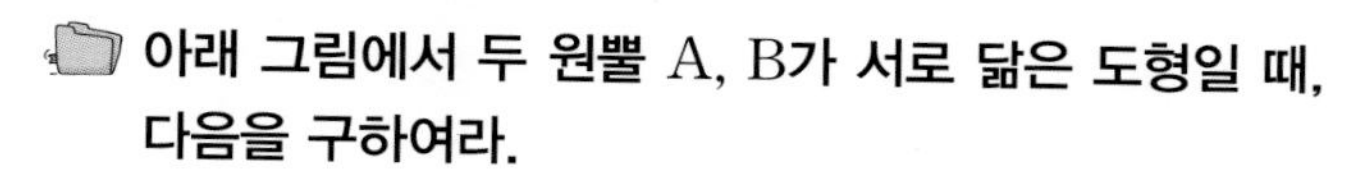

아래 그림에서 두 원뿔 A, B가 서로 닮은 도형일 때, 다음을 구하여라.

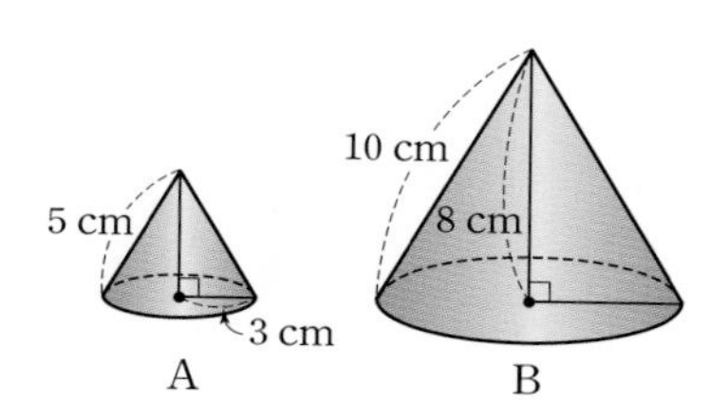

0526 두 원뿔 A, B의 닮음비

sol 두 원뿔 A, B의 닮음비는 모선의 길이의 비와 같으므로
5 : □=□ : □

0527 원뿔 A의 높이 ________

0528 원뿔 B의 밑면의 반지름의 길이 ________

0529 원뿔 A의 밑면의 둘레의 길이 ________

0530 원뿔 B의 밑면의 둘레의 길이 ________

0531 두 원뿔 A, B의 밑면의 둘레의 길이의 비

____

다음 두 도형 A, B가 서로 닮은 도형일 때, x의 값을 구하여라.

0532

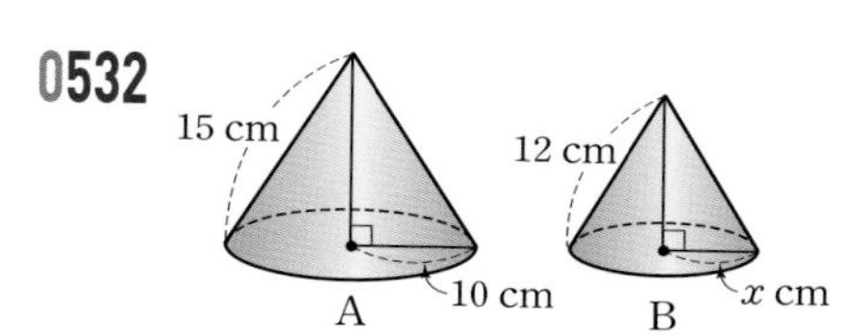

____

0533

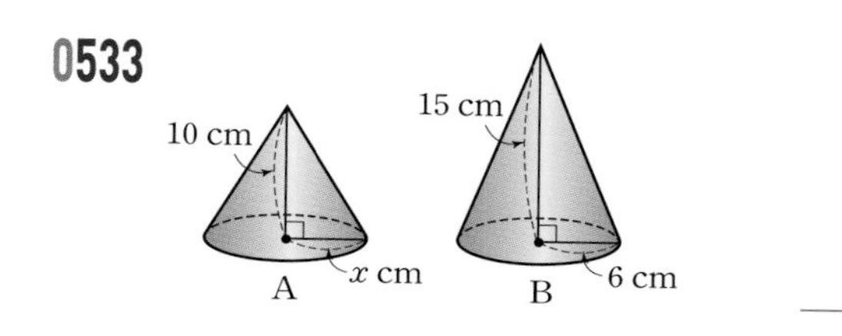

____

0534

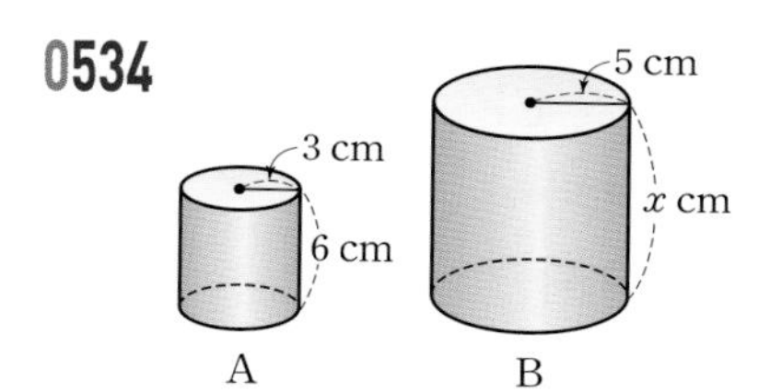

____

0535 학교 시험 맛보기 

다음 그림과 같은 두 원기둥 A, B가 서로 닮은 도형일 때, 두 원기둥 A, B의 밑면의 둘레의 길이의 비를 구하여라.

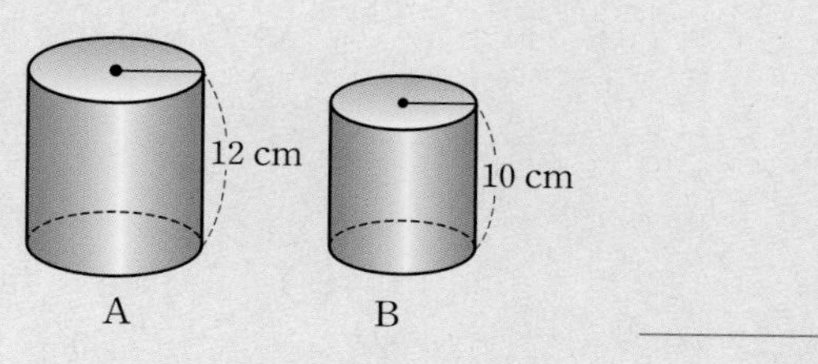

____

5 도형의 닮음

핵심 01~05

Mini Review Test

날짜 : 월 일

Subnote 25쪽

핵심 02

0536 다음 중 항상 닮은 도형이라고 할 수 없는 것을 모두 고르면? (정답 2개)

① 두 직각이등변삼각형
② 두 등변사다리꼴
③ 두 정육면체
④ 두 원기둥
⑤ 두 구

핵심 01 03

0537 아래 그림에서 $\triangle ABC \backsim \triangle EFD$일 때, 다음 중 옳지 않은 것은?

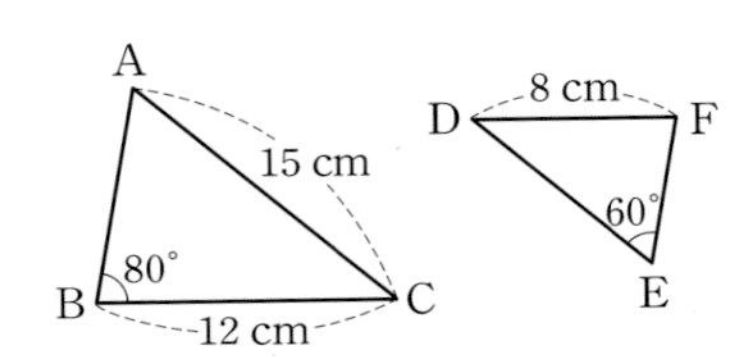

① $\triangle ABC$와 $\triangle EFD$의 닮음비는 $3:2$이다.
② $\overline{AB}$에 대응하는 변은 $\overline{EF}$이다.
③ $\angle F$의 크기는 $80°$이다.
④ $\angle D$의 크기는 $40°$이다.
⑤ $\overline{DE}$의 길이는 12 cm이다.

핵심 03

0538 다음 그림에서 $\square ABCD \backsim \square HGFE$일 때, $x+y$의 값을 구하여라.

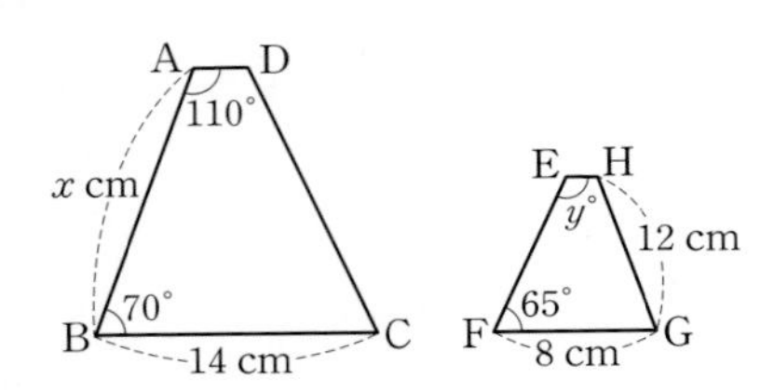

핵심 03

0539 다음 그림에서 $\square ABCD \backsim \square EFGH$이고, 닮음비가 $2:3$일 때, $\square EFGH$의 둘레의 길이를 구하여라.

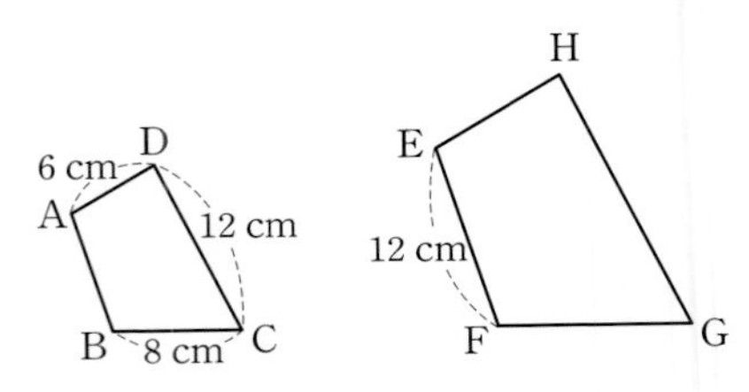

핵심 04 서술형

0540 다음 그림에서 두 직육면체는 서로 닮은 도형이고 $\square ABCD \backsim \square IJKL$일 때, $x+y$의 값을 구하여라.

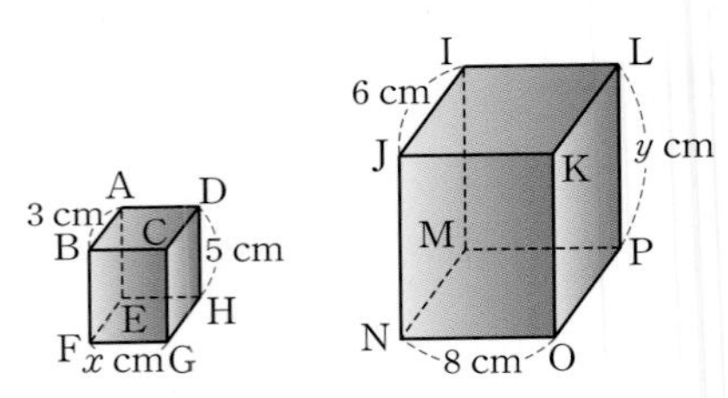

핵심 05

0541 다음 그림에서 두 원뿔 A, B가 서로 닮은 도형일 때, 원뿔 B의 밑면의 넓이를 구하여라.

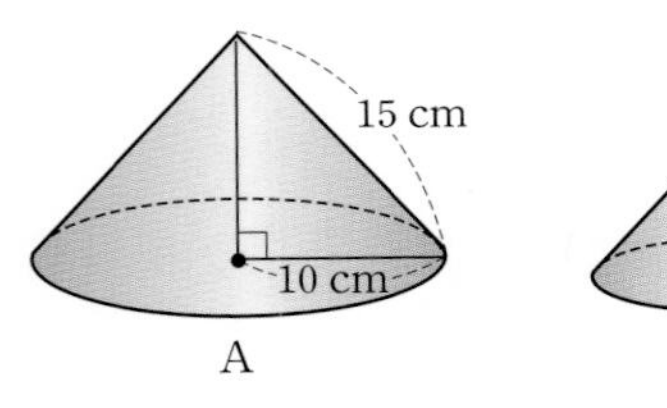

핵심

06 삼각형의 닮음 조건 (1)

날짜 : 월 일

Subnote 26쪽

합동에서는 대응변의 길이가 같아야 하고, 닮음에서는 대응변의 길이의 비가 같아야 해.

두 삼각형 ABC와 A′B′C′은 다음 세 조건 중 어느 하나를 만족시키면 닮은 도형이다.

SSS 닮음	SAS 닮음	AA 닮음
세 쌍의 대응변의 길이의 비가 같다.	두 쌍의 대응변의 길이의 비가 같고, 그 끼인각의 크기가 같다.	두 쌍의 대응각의 크기가 각각 같다.
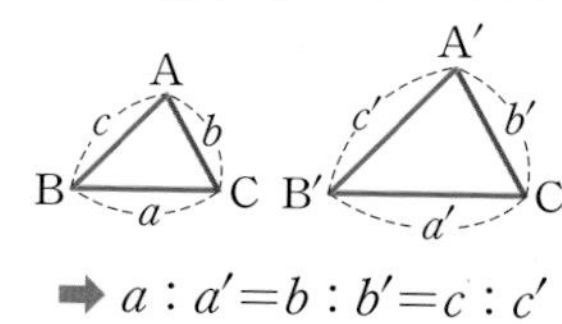	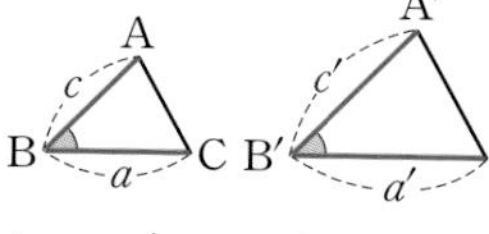	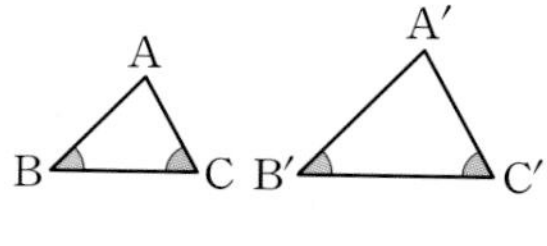
➡ $a:a'=b:b'=c:c'$	➡ $a:a'=c:c'$, $\angle B=\angle B'$	➡ $\angle B=\angle B'$, $\angle C=\angle C'$

다음 그림의 두 삼각형이 닮음일 때, □ 안에 알맞은 것을 써넣어라.

0542

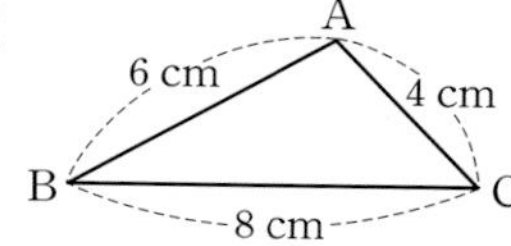

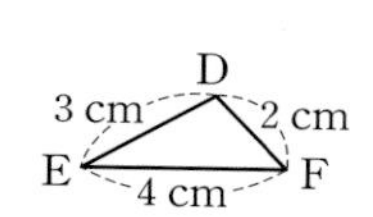

△ABC와 △DEF에서
$\overline{AB}:\overline{DE}=6:3=$□:□
$\overline{BC}:\overline{EF}=8:$□$=$□:□
$\overline{CA}:\overline{FD}=4:$□$=$□:□
∴ △ABC∽△DEF (□ 닮음)

세 쌍의 대응변의 길이의 비가 같으면 SSS 닮음이야!

0543

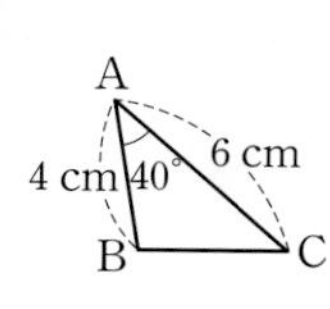

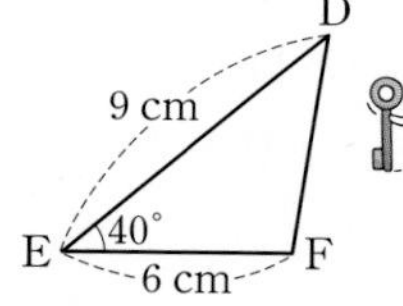

△DEF를 이렇게 회전시켜 보자.
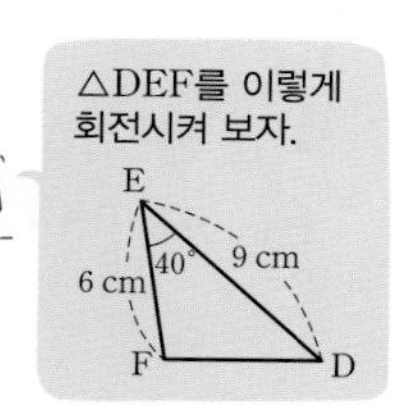

△ABC와 △EFD에서
$\angle A=\angle E=$□°
$\overline{AB}:\overline{EF}=4:$□$=$□:□
$\overline{CA}:\overline{DE}=6:$□$=$□:□
∴ △ABC∽△EFD (□ 닮음)

0544

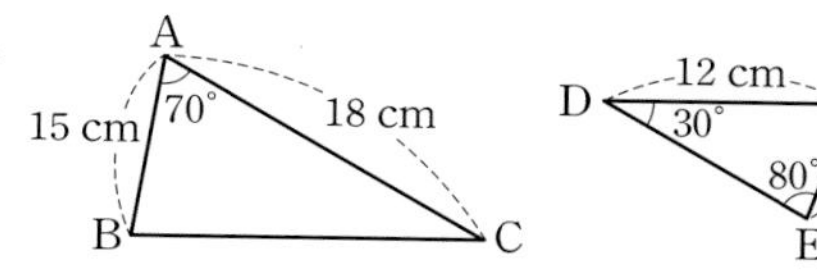

△ABC와 △FED에서
$\angle A=$□$=70°$
$\overline{AB}:\overline{FE}=15:$□$=$□:□
$\overline{AC}:\overline{FD}=18:$□$=$□:□
∴ △ABC∽△FED (□ 닮음)

key 두 각의 크기를 알면 나머지 한 각의 크기를 구할 수 있다.

0545

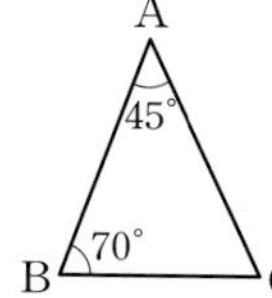

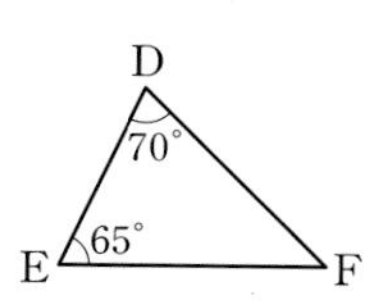

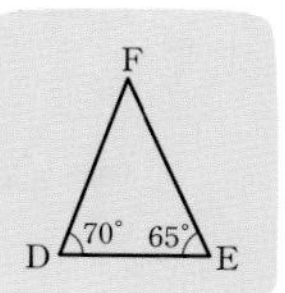

△ABC와 △FDE에서
$\angle A=$□$=45°$, $\angle B=$□$=70°$
∴ △ABC∽□ (□ 닮음)

5 도형의 닮음

다음에 주어진 삼각형과 닮음인 삼각형을 보기에서 찾아 □ 안에 알맞은 것을 써넣고 그때의 닮음 조건을 말하여라.

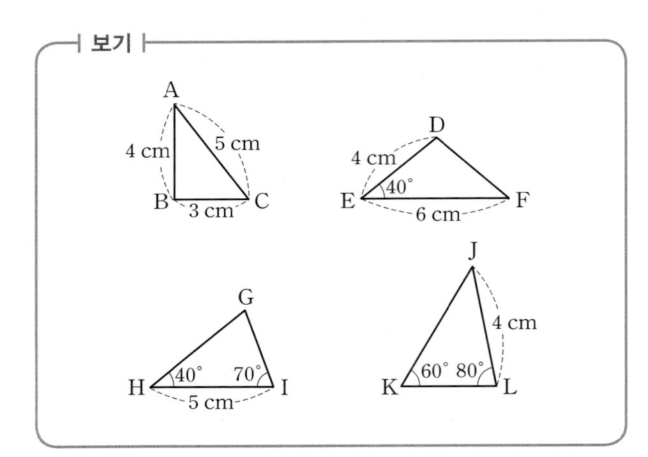

0546

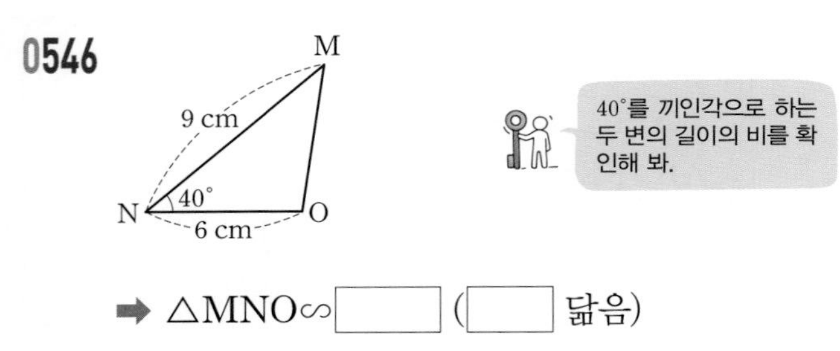

➡ $\triangle$MNO∽□ (□ 닮음)

0547

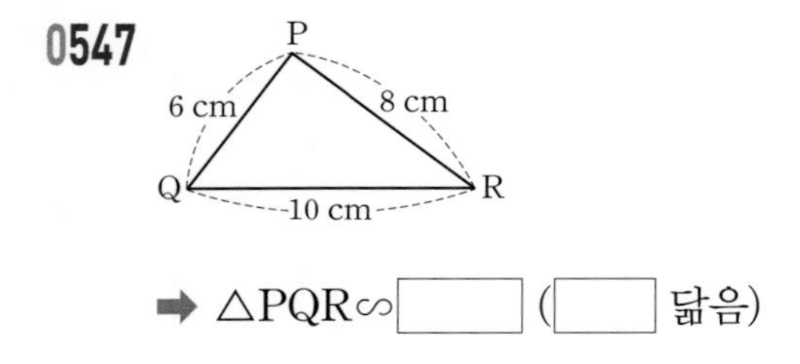

➡ $\triangle$PQR∽□ (□ 닮음)

0548

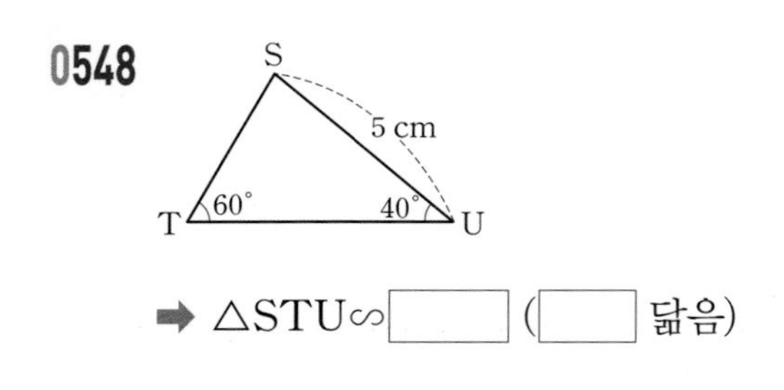

➡ $\triangle$STU∽□ (□ 닮음)

다음 그림에서 $\triangle$ABC와 닮음인 삼각형을 찾아 기호 ∽를 써서 나타내고, 그때의 닮음 조건을 말하여라.

0549

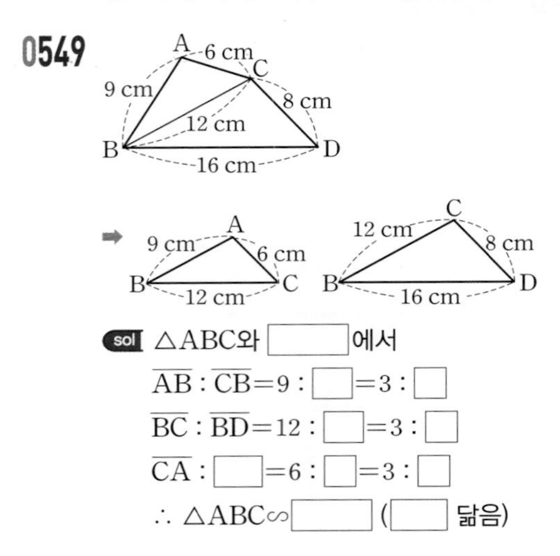

sol $\triangle$ABC와 □에서

$\overline{AB}:\overline{CB}=9:$□$=3:$□

$\overline{BC}:\overline{BD}=12:$□$=3:$□

$\overline{CA}:$□$=6:$□$=3:$□

$\therefore$ $\triangle$ABC∽□ (□ 닮음)

0550

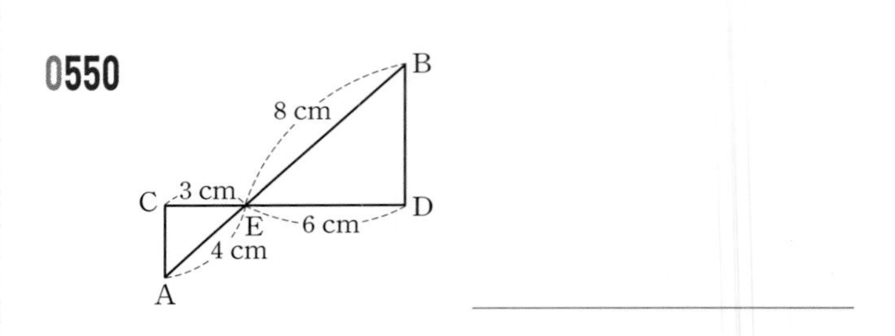

0551 학교 시험 맛보기

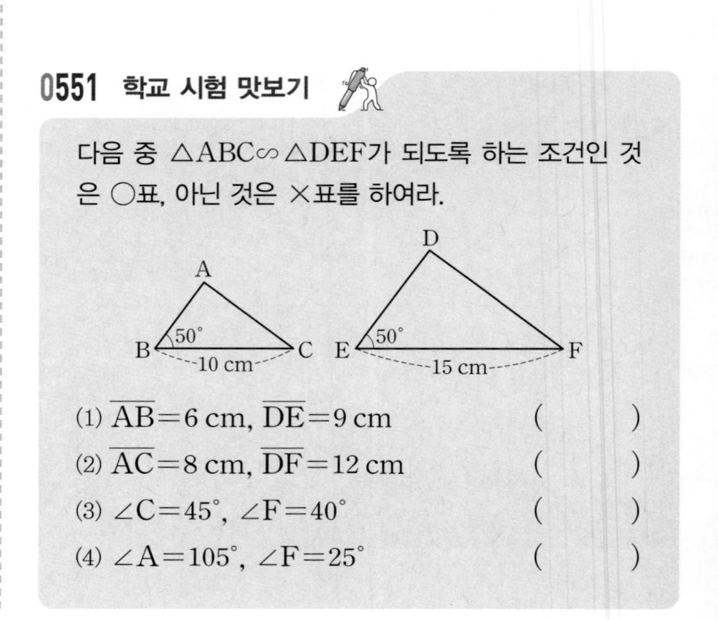

다음 중 $\triangle$ABC∽$\triangle$DEF가 되도록 하는 조건인 것은 ○표, 아닌 것은 ×표를 하여라.

(1) $\overline{AB}=6$ cm, $\overline{DE}=9$ cm ( )

(2) $\overline{AC}=8$ cm, $\overline{DF}=12$ cm ( )

(3) $\angle C=45°$, $\angle F=40°$ ( )

(4) $\angle A=105°$, $\angle F=25°$ ( )

핵심 08

닮음인 삼각형 찾기-SAS 닮음

날짜 : 월 일

Subnote ➡ 26쪽

두 삼각형이 겹쳐진 도형에서 닮음인 삼각형을 찾으려면
➡ 먼저 공통인 각이 있는지 찾아보자.

두 삼각형이 겹쳐진 도형에서 SAS 닮음인 삼각형을 찾는 방법은 다음과 같다.

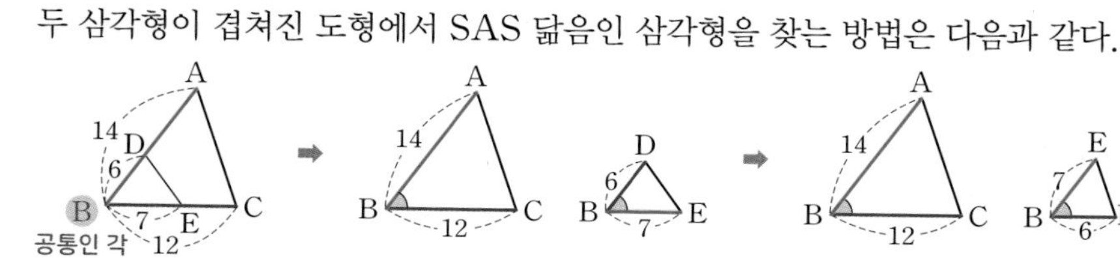
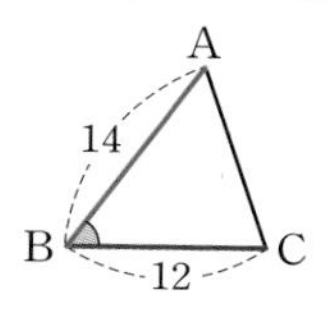

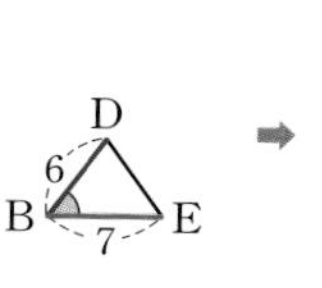
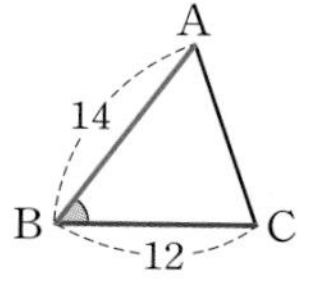
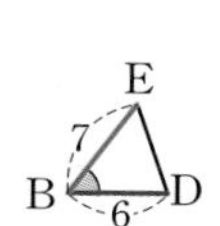

❶ 공통인 각을 기준으로 닮은 삼각형 2개 찾기

❷ 대응변끼리 평행하도록 뒤집기
➡ △ABC∽△EBD (SAS 닮음)

아래 그림을 보고, 다음을 구하여라.

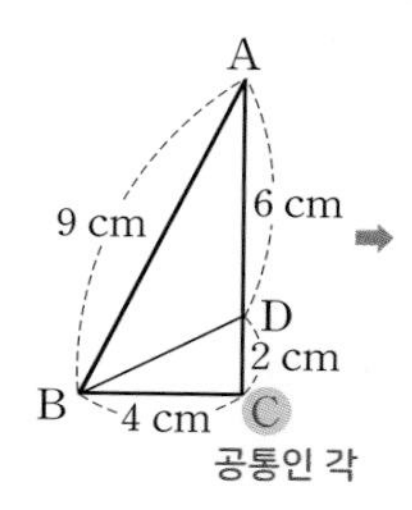

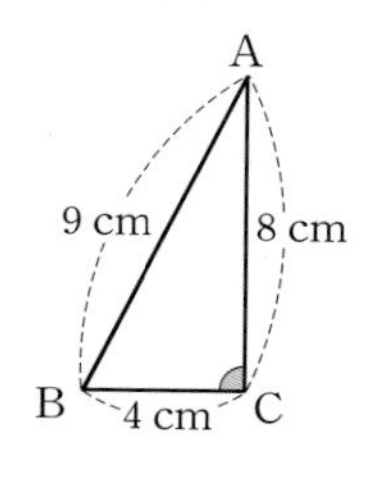

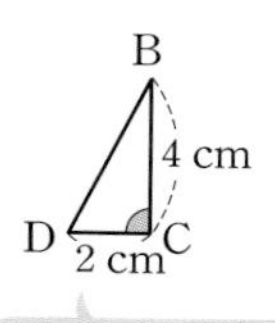

대응점의 순서대로 대응변끼리 평행하도록 △BDC를 움직여봐.

0552 △ABC와 닮음인 삼각형

sol △ABC와 ☐에서
$\overline{BC}:\overline{DC}=4:2=$☐:☐, ∠C는 공통
$\overline{AC}:\overline{BC}=$☐$:4=$☐:☐
∴ △ABC∽☐ (☐ 닮음)

0553 $\overline{BD}$의 길이

sol △ABC와 △BDC의 닮음비는 ☐:☐이므로
$\overline{AB}:\overline{BD}=$☐:☐, $9:\overline{BD}=$☐:☐
∴ $\overline{BD}=$☐(cm)

아래 그림을 보고, 다음을 구하여라.

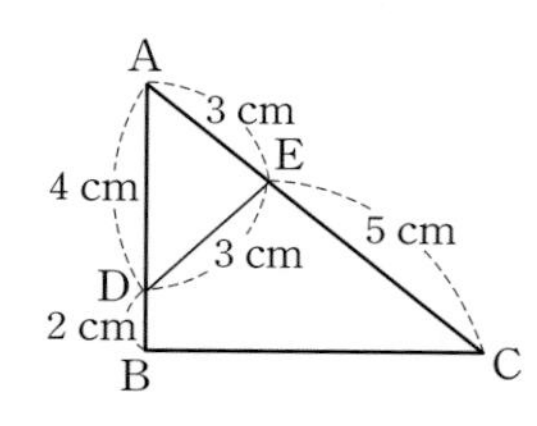

0554 △ABC와 닮음인 삼각형 ________

0555 $\overline{BC}$의 길이 ________

다음 그림에서 x의 값을 구하여라.

0556

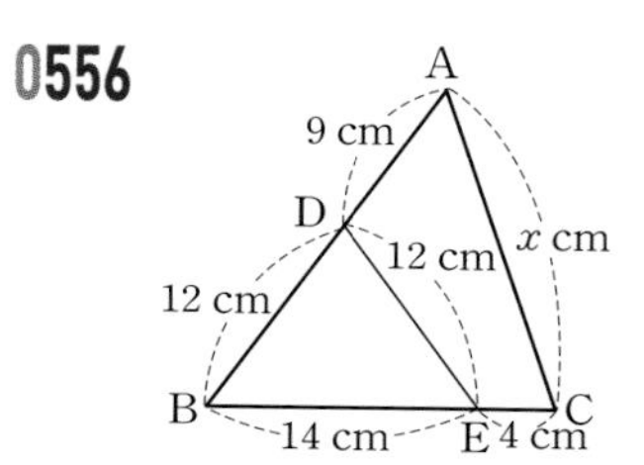

____

0557

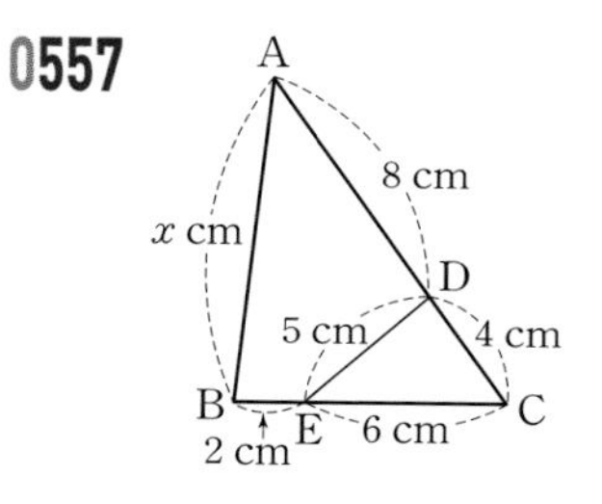

____

0558

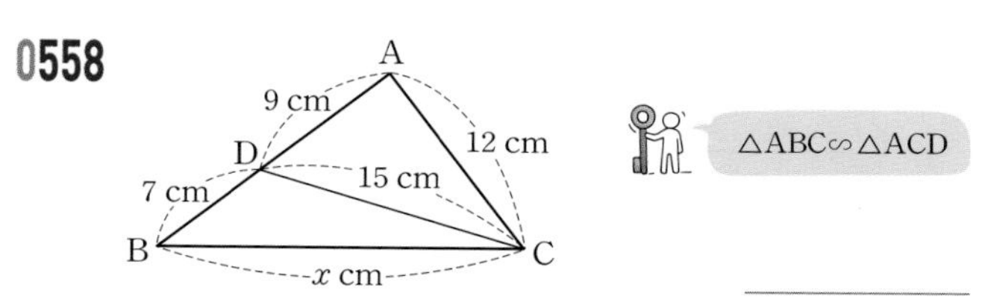

____

핵심 09 닮음인 삼각형 찾기-AA 닮음

날짜 :  월  일

Subnote ➲ 27쪽

공통인 각이 있을 때, 다른 한 내각의 크기가 같으면 AA 닮음이야.

두 삼각형이 겹쳐진 도형에서 AA 닮음인 삼각형을 찾는 방법은 다음과 같다.

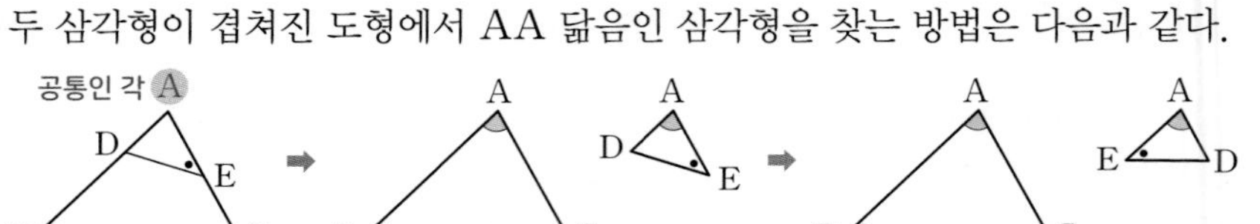

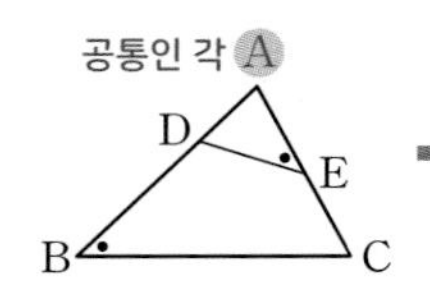

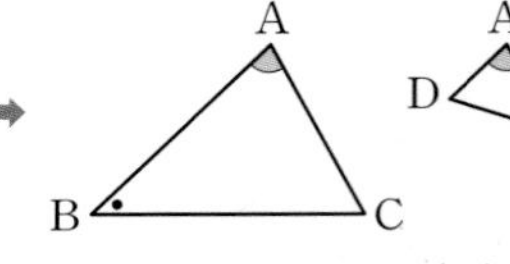

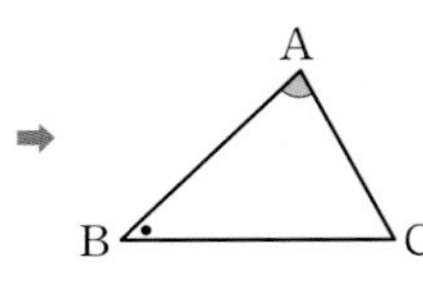

❶ 공통인 각을 기준으로 닮은 삼각형 2개 찾기

❷ 크기가 같은 각이 같은 위치에 오도록 뒤집기
➡ △ABC∽△AED (AA 닮음)

아래 그림을 보고, 다음을 구하여라.

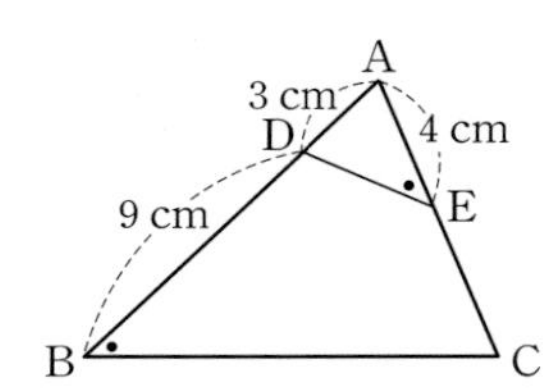

0559 △ABC와 닮음인 삼각형

sol △ABC와 ☐에서
☐는 공통, ∠ABC=∠AED
∴ △ABC∽☐(AA 닮음)

0560 $\overline{AC}$의 길이

sol △ABC와 △AED의 닮음비는
$\overline{AB}$: $\overline{AE}$=12 : 4=☐ : ☐이므로
$\overline{AC}$: $\overline{AD}$=☐ : ☐, $\overline{AC}$: 3=☐ : ☐
∴ $\overline{AC}$=☐(cm)

아래 그림을 보고, 다음을 구하여라.

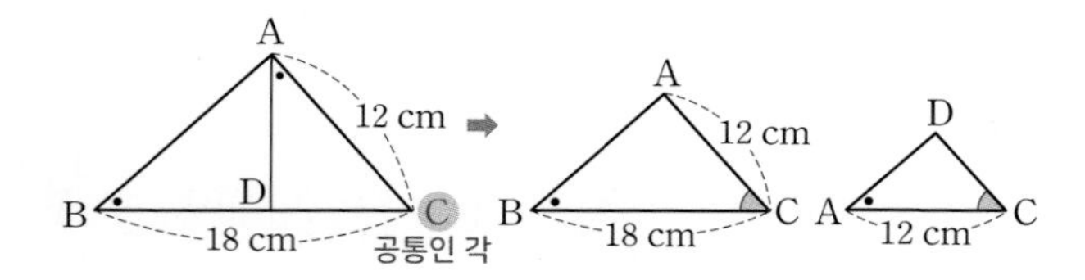

0561 △ABC와 닮음인 삼각형 ________

0562 $\overline{CD}$의 길이 ________

다음 그림에서 x의 값을 구하여라.

0563

A, C, x cm, B, 9 cm, 12 cm, 8 cm, D, E

(단, $\overline{AC}$ // $\overline{DE}$) ________

0564

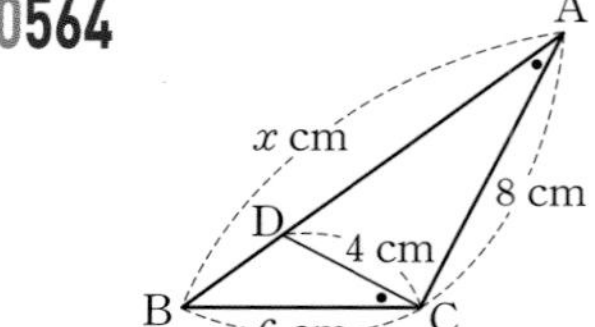

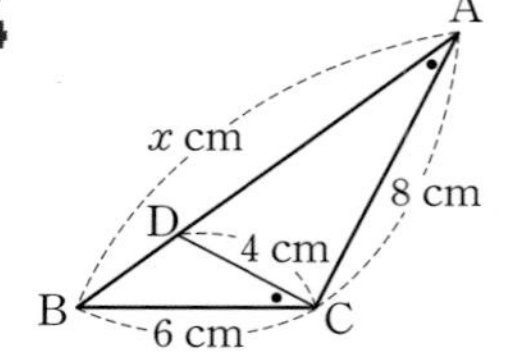

____

0565 학교 시험 맛보기 

오른쪽 그림에서 x의 값을 구하여라.

____

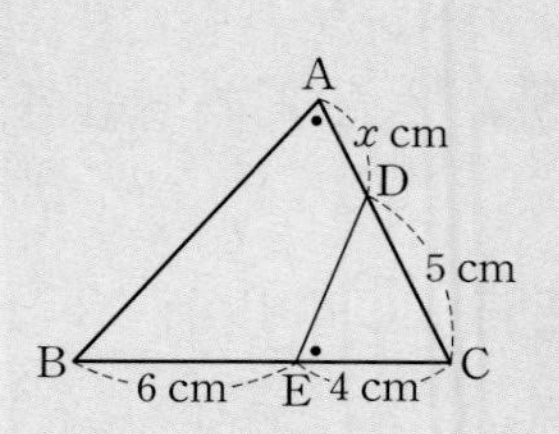

핵심 **10**

직각삼각형의 닮음

날짜 : 월 일

Subnote 27쪽

직각삼각형의 한 내각의 크기는 90°이므로 한 예각의 크기가 같은 두 직각삼각형은 AA 닮음이야.

두 직각삼각형에서 한 예각의 크기가 같으면 이 두 직각삼각형은 닮은 도형이다.

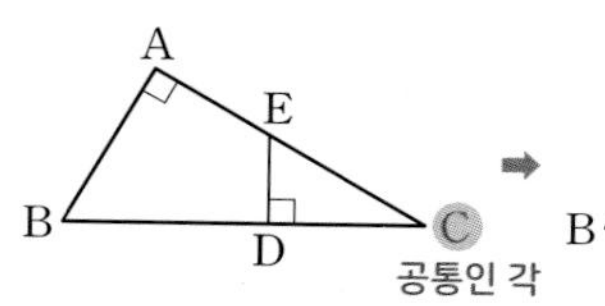

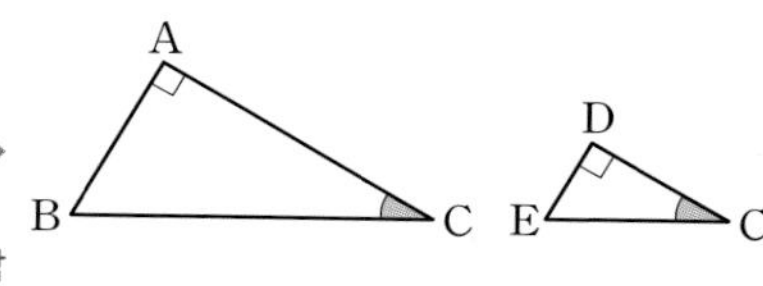

$\angle A = \angle EDC = 90°$, $\angle C$는 공통

➡ $\triangle ABC \backsim \triangle DEC$ (AA 닮음)

다음 그림에서 x의 값을 구하여라.

0566

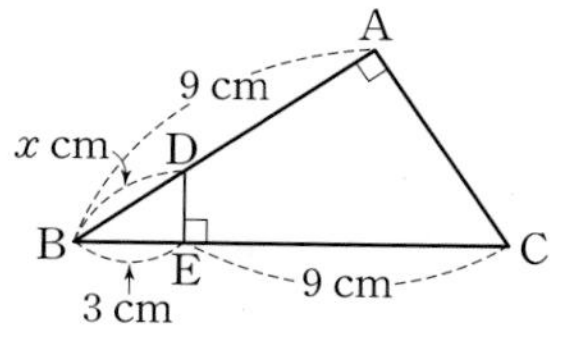

sol $\triangle ABC$와 ☐에서

$\angle B$는 공통, $\angle BAC = \angle BED =$ ☐°

$\therefore \triangle ABC \backsim$ ☐ (AA 닮음)

따라서 $\overline{AB} : \overline{EB} =$ ☐ $: \overline{BD}$에서

$9 : 3 =$ ☐ $: x$ $\therefore x =$ ☐

0567

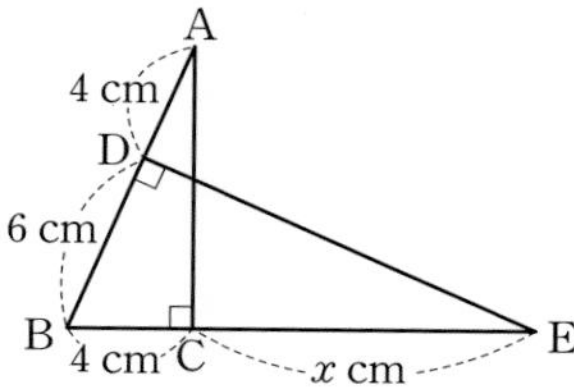

______

0568

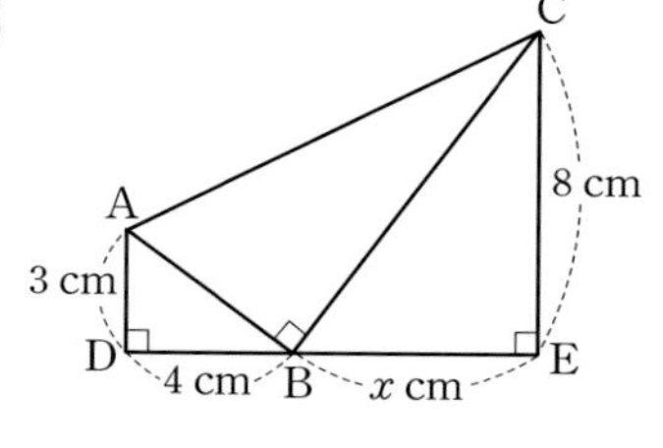

______

$\angle DAB + \angle ABD = 90°$
$\angle ABD + \angle EBC = 90°$
➡ $\angle DAB = \angle EBC$

오른쪽 그림과 같은 $\triangle ABC$에서 $\overline{AB} \perp \overline{CE}$, $\overline{AC} \perp \overline{BD}$일 때, 다음 중 $\triangle ABD$와 닮음인 것은 ○표, 닮음이 아닌 것은 ×표를 하여라.

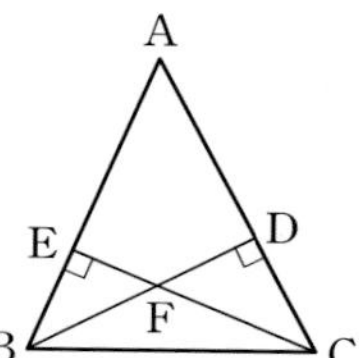
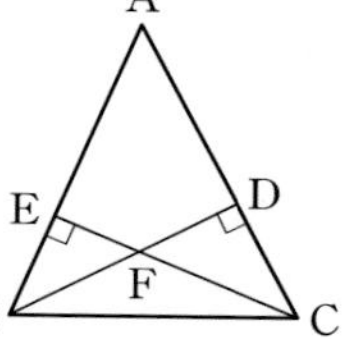

0569 $\triangle ACE$ ( )

0570 $\triangle CBD$ ( )

0571 $\triangle FBE$ ( )

0572 $\triangle FCD$ ( )

0573 학교 시험 맛보기

오른쪽 그림과 같은 $\triangle ABC$에서 $\overline{AB} \perp \overline{CE}$, $\overline{AC} \perp \overline{BD}$일 때, $\overline{CD}$의 길이를 구하여라.

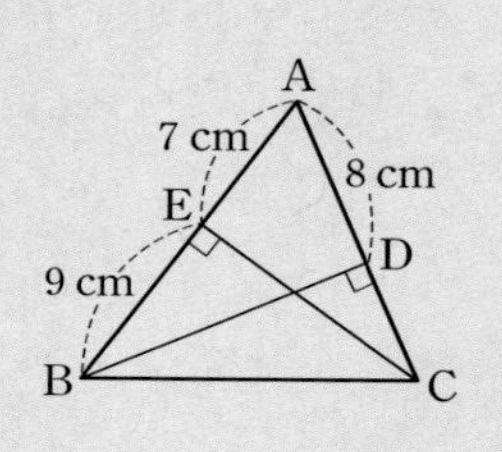

______

5 도형의 닮음

직각삼각형의 닮음의 활용 (1)

날짜 :  월  일

Subnote ➲ 27쪽

각각의 닮은 두 직각삼각형의 대응변의 길이의 비로부터 공식을 쉽게 유도할 수 있어.

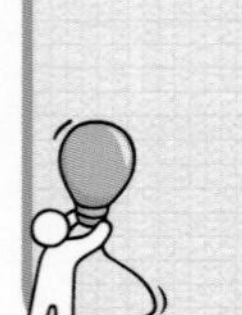

$\angle A=90°$인 직각삼각형 ABC의 꼭짓점 A에서 빗변 BC에 내린 수선의 발을 D라고 하면

$\triangle ABC \backsim \triangle DBA \backsim \triangle DAC$ (AA 닮음)

이므로 다음이 성립한다.

(1) 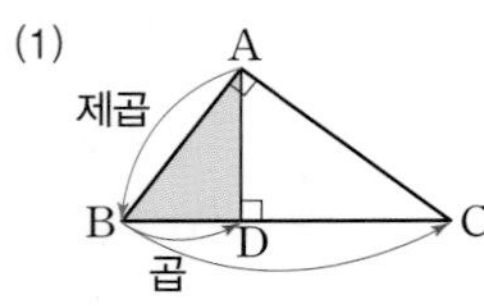

$\triangle ABC \backsim \triangle DBA$

➡ $\overline{AB}^2=\overline{BD}\times\overline{BC}$

(2) 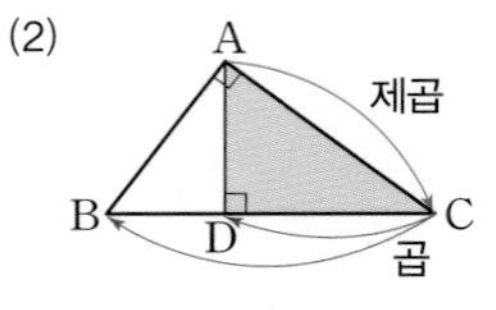

$\triangle ABC \backsim \triangle DAC$

➡ $\overline{AC}^2=\overline{CD}\times\overline{CB}$

(3) 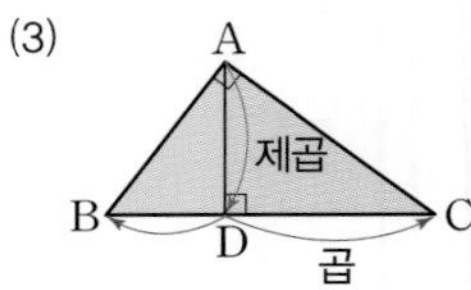

$\triangle DBA \backsim \triangle DAC$

➡ $\overline{AD}^2=\overline{DB}\times\overline{DC}$

 **다음 그림의 $\triangle ABC$에서 $\angle A=90°$이고 $\overline{AD}\perp\overline{BC}$ 일 때, x의 값을 구하여라.**

0574

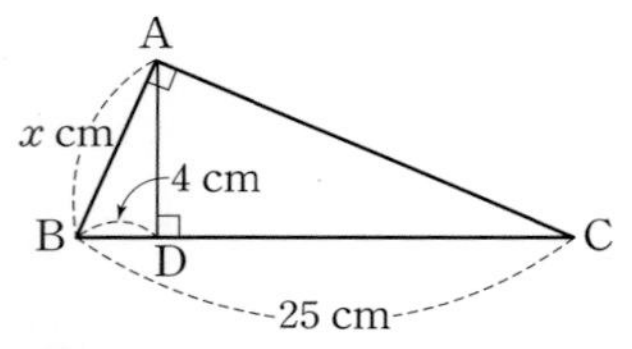

sol $x^2=4\times$ ☐ $\therefore x=$ ☐

0575

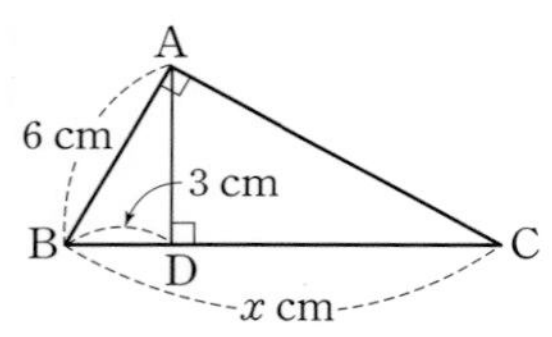

0576

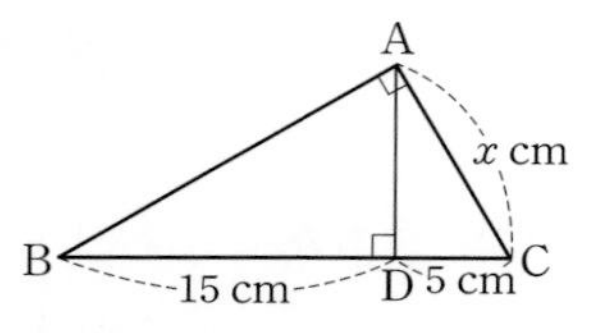

sol $x^2=5\times$ ☐ $\therefore x=$ ☐

0577

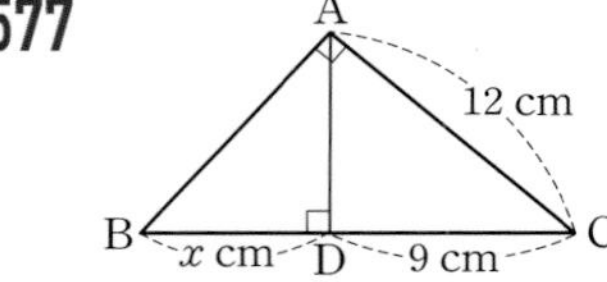

0578

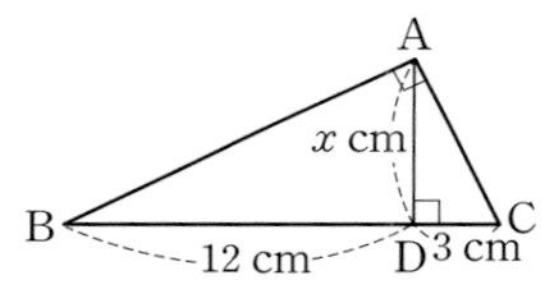

sol $x^2=12\times$ ☐ $\therefore x=$ ☐

0579

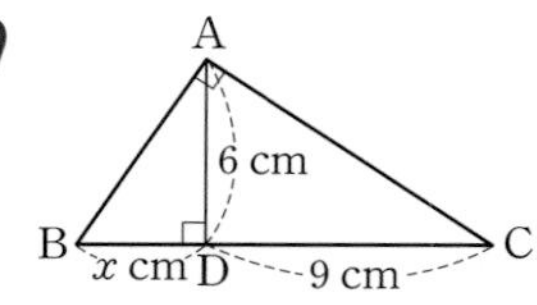

핵심 **12**

직각삼각형의 닮음의 활용 (2)

날짜 : 월 일

Subnote ➡ 28쪽

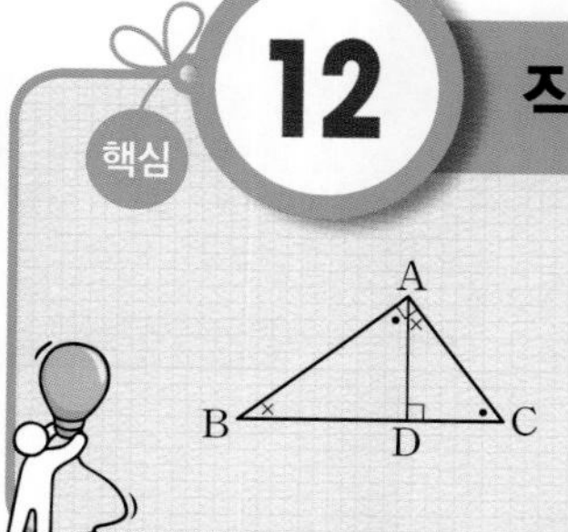

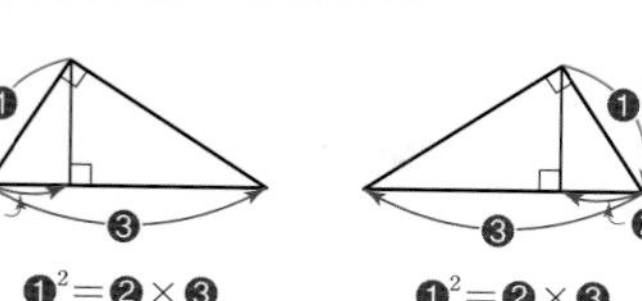

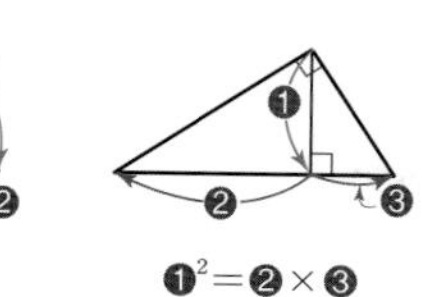

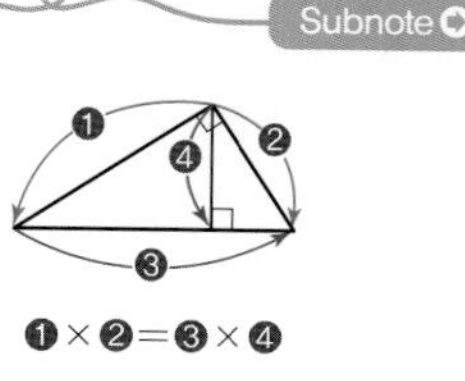

다음 그림에서 x, y의 값을 각각 구하여라.

0580

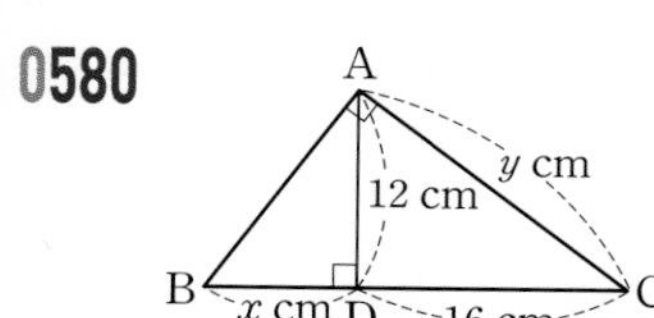

0581

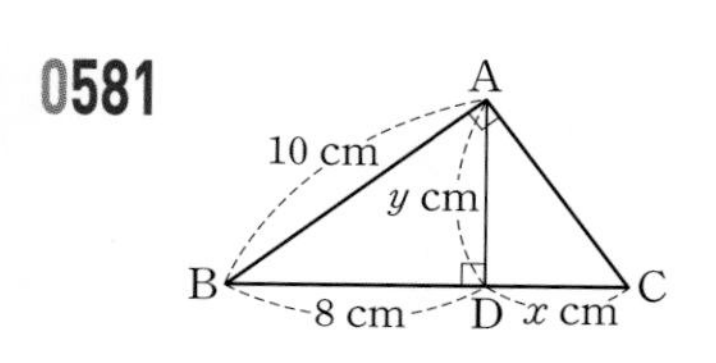

0582

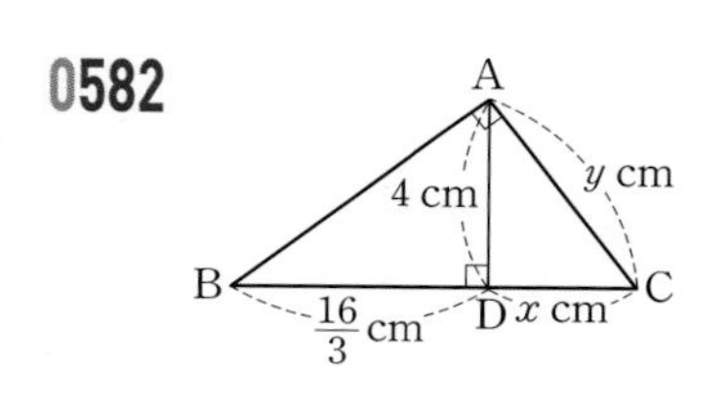

0583

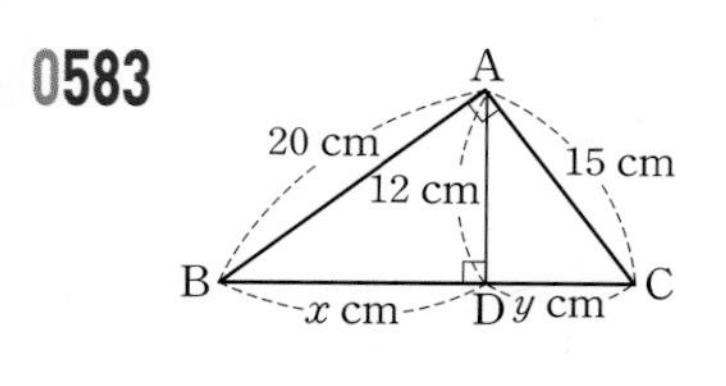

다음 그림과 같은 직각삼각형 ABC의 넓이를 구하여라.

0584

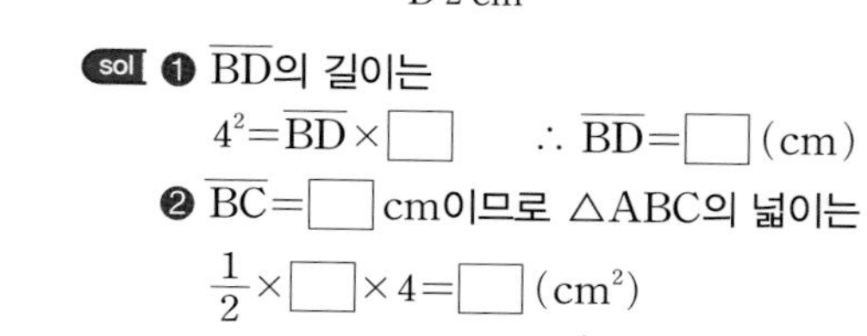

sol ❶ $\overline{BD}$의 길이는

$4^2=\overline{BD}\times\square$ $\quad\therefore \overline{BD}=\square$ (cm)

❷ $\overline{BC}=\square$ cm이므로 $\triangle ABC$의 넓이는

$\frac{1}{2}\times\square\times 4=\square$ (cm^2)

0585

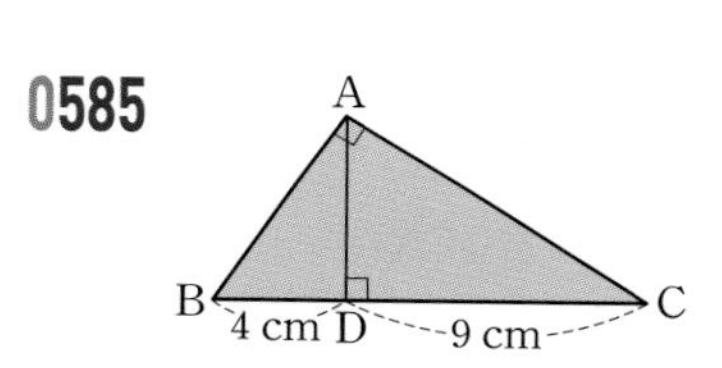

0586

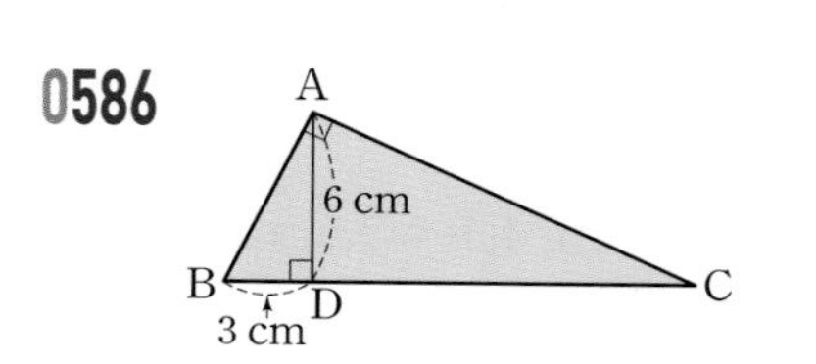

0587 학교 시험 맛보기

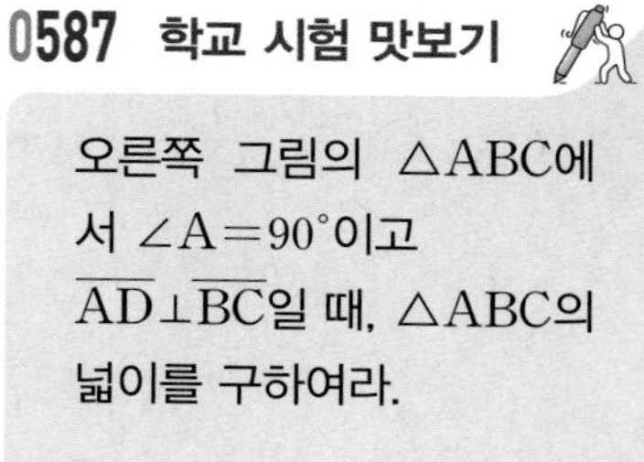

오른쪽 그림의 $\triangle ABC$에서 $\angle A=90^\circ$이고 $\overline{AD}\perp\overline{BC}$일 때, $\triangle ABC$의 넓이를 구하여라.

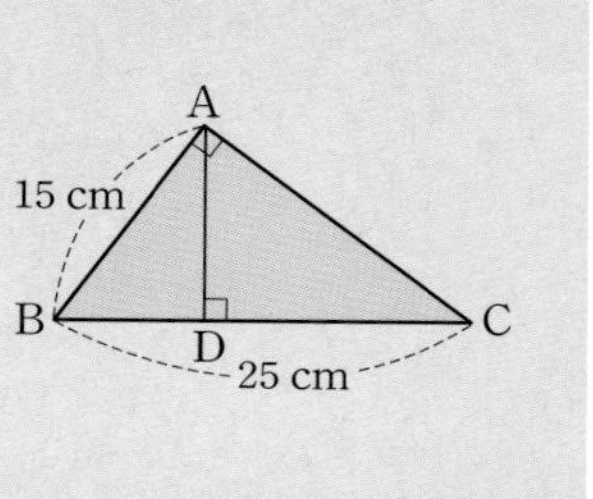

핵심 06~12

Mini Review Test

날짜 : 월 일

Subnote ➲ 28쪽

핵심 07

0588 다음 중 보기의 삼각형과 닮은 도형인 것은?

보기

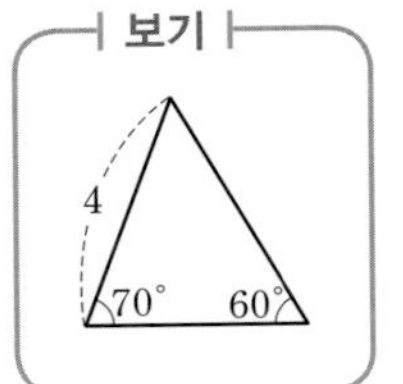

①
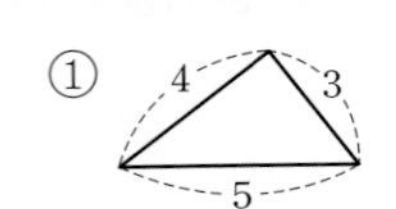

②
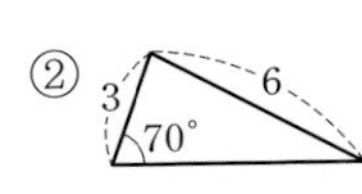

③
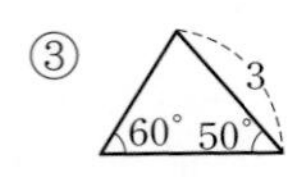

④
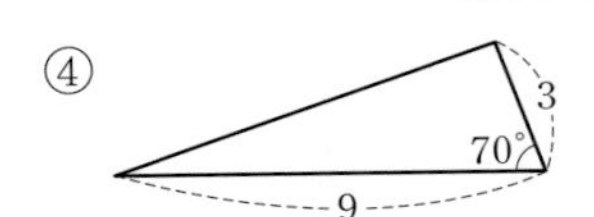

⑤
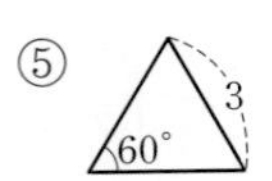

핵심 07

0589 다음 중 $\triangle ABC \backsim \triangle DEF$가 되도록 하는 조건인 것을 모두 고르면? (정답 2개)

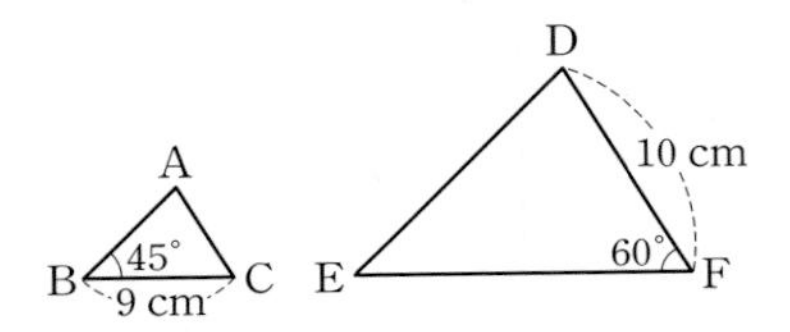

① $\angle C=80^\circ$, $\angle D=55^\circ$

② $\angle A=75^\circ$, $\angle E=45^\circ$

③ $\overline{AB}=6$ cm, $\overline{EF}=10$ cm

④ $\angle C=60^\circ$, $\overline{AC}=6$ cm, $\overline{EF}=15$ cm

⑤ $\overline{AB}=6$ cm, $\overline{EF}=15$ cm

핵심 08

0590 오른쪽 그림과 같은 $\triangle ABC$에서 x의 값은?

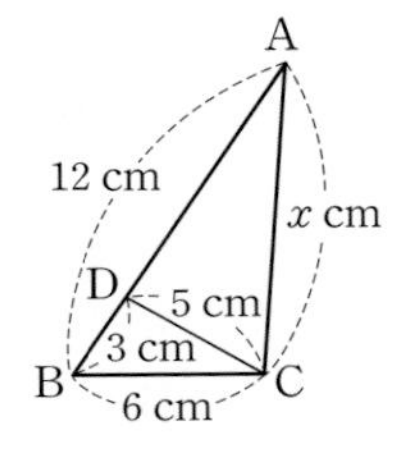

① 7 ② 8
③ 9 ④ 10
⑤ 11

핵심 09

0591 오른쪽 그림과 같은 $\triangle ABC$에서 $\angle A=\angle DEC$이고 $\overline{BE}=10$ cm, $\overline{CD}=8$ cm, $\overline{CE}=6$ cm일 때, $\overline{AD}$의 길이를 구하여라.

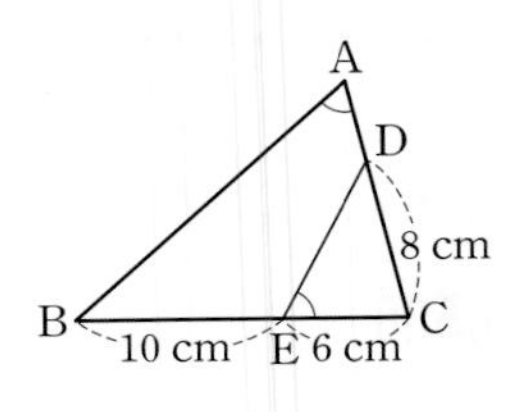

핵심 10

0592 오른쪽 그림에서 $\overline{AB}\perp\overline{DC}$, $\overline{AC}\perp\overline{DE}$, $\overline{BC}=\overline{BD}=6$ cm일 때, x의 값을 구하여라.

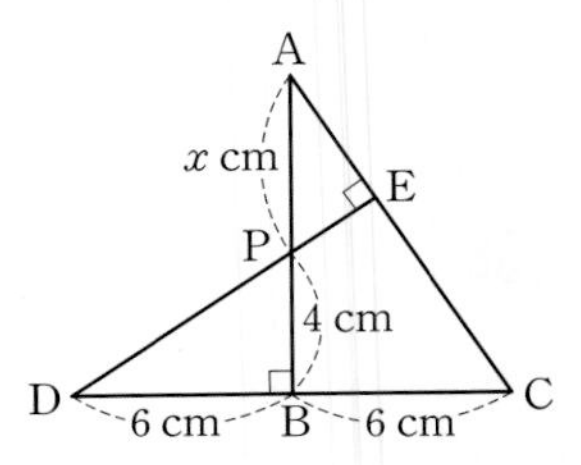

핵심 11 12

0593 오른쪽 그림과 같이 $\angle C=90^\circ$인 직각삼각형 ABC에서 $\overline{AB}\perp\overline{CD}$일 때, $x+y$의 값을 구하여라.

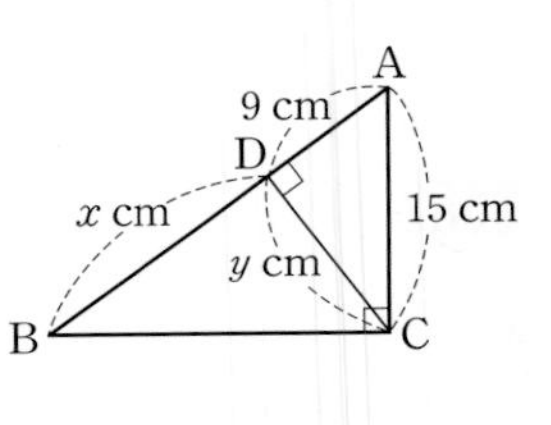

핵심 11 12 서술형

0594 다음 그림의 $\triangle ABC$에서 $\angle A=90^\circ$이고, $\overline{AD}\perp\overline{BC}$일 때, $\triangle ABC$의 넓이를 구하여라.

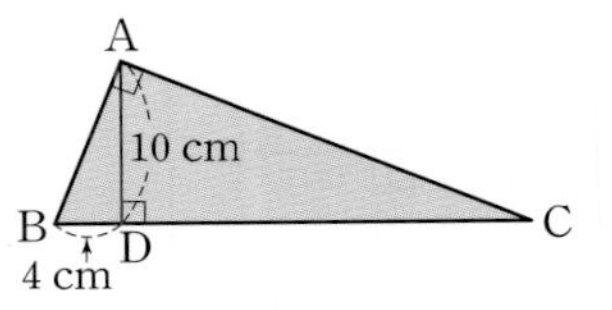

Review

Talk Talk

YOU♡
'△ABC와 △DEF가 닮았다.'를 기호로 나타내면?
(❶)
닮은 두 평면도형에서 대응변의 길이의 비는?
일정해! 이 길이의 비를 (❷)라고 불러.
닮은 두 입체도형에서 닮음비는 어떻게 구할까?
대응하는 (❸)의 비가 닮음비야.
두 삼각형이 서로 닮은 도형이 될 조건은?
(1) 세 쌍의 대응변의 길이의 비가 같으면 (❹) 닮음이야.
(2) 두 쌍의 대응변의 길이의 비가 같고, 그 끼인각의 크기가 같으면 (❺) 닮음이야.
(3) 두 쌍의 대응각의 크기가 같으면 (❻) 닮음이야.
직각삼각형에서 각 변의 길이 사이의 관계는?
(1) $\overline{AB}^2=$(❼)$\times\overline{BC}$
(2) $\overline{AC}^2=\overline{CD}\times$(❽)
(3) $\overline{AD}^2=\overline{DB}\times$(❾)
A
B
C
D
❶ △ABC∽△DEF ❷ 닮음비 ❸ 모서리의 길이 ❹ SSS ❺ SAS ❻ AA ❼ $\overline{BD}$ ❽ $\overline{CB}$ ❾ $\overline{DC}$

4 닮음의 활용

이미 배운 내용

[초등학교 5~6학년군]
- 비례식과 비례배분

[중학교 1학년]
- 작도와 합동
- 평면도형의 성질
- 입체도형의 성질

이번에 배울 내용

6 평행선과 선분의 길이의 비

스스로 공부 계획 세우기

	학습 내용	공부한 날짜	반복하기
6. 평행선과 선분의 길이의 비	**01.** 삼각형에서 평행선과 선분의 길이의 비(1)	월 일	□□
	02. 삼각형에서 평행선과 선분의 길이의 비(2)	월 일	□□
	03. 삼각형에서 평행선과 선분의 길이의 비(3)	월 일	□□
	04. 삼각형에서 평행선과 선분의 길이의 비(4)	월 일	□□
	05. 삼각형의 내각의 이등분선	월 일	□□
	06. 내각의 이등분선과 삼각형의 넓이의 비	월 일	□□
	07. 삼각형의 외각의 이등분선	월 일	□□
	08. 평행선 사이의 선분의 길이의 비(1)	월 일	□□
	09. 평행선 사이의 선분의 길이의 비(2)	월 일	□□
	10. 사다리꼴에서 평행선과 선분의 길이의 비(1)	월 일	□□
	11. 사다리꼴에서 평행선과 선분의 길이의 비(2)	월 일	□□
	12. 평행선 사이의 선분의 길이의 비의 활용	월 일	□□
	Mini **Review** Test(**01~12**)	월 일	□□

6 평행선과 선분의 길이의 비

개념 NOTE

1 삼각형에서 평행선과 선분의 길이의 비 핵심 01 ~ 04

(1) $\triangle ABC$에서 $\overline{AB}$, $\overline{AC}$ 또는 그 연장선 위에 각각 점 D, E가 있을 때,

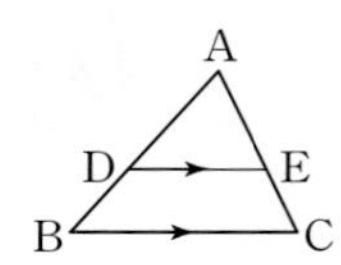

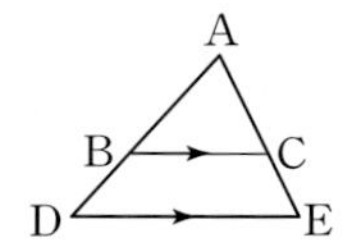

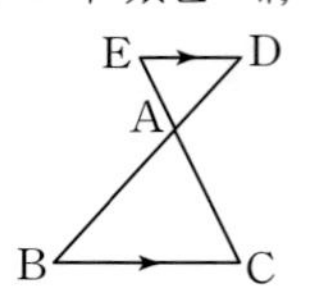

① $\overline{BC} /\!/ \overline{DE}$이면 $\mathbf{\overline{AB} : \overline{AD} = \overline{AC} : \overline{AE} = \overline{BC} : \overline{DE}}$

② $\overline{BC} /\!/ \overline{DE}$이면 $\mathbf{\overline{AD} : \overline{DB} = \overline{AE} : \overline{EC}}$

(2) $\triangle ABC$에서 $\overline{AB}$, $\overline{AC}$ 또는 그 연장선 위에 각각 점 D, E가 있을 때,

① $\overline{AB} : \overline{AD} = \overline{AC} : \overline{AE} = \overline{BC} : \overline{DE}$이면 $\mathbf{\overline{BC} /\!/ \overline{DE}}$

② $\overline{AD} : \overline{DB} = \overline{AE} : \overline{EC}$이면 $\mathbf{\overline{BC} /\!/ \overline{DE}}$

$\triangle ABC \backsim \triangle ADE$ (AA 닮음)이므로
$\overline{AB} : \overline{AD} = \overline{AC} : \overline{AE}$
$= \overline{BC} : \overline{DE}$

$\overline{AD} : \overline{DB} \neq \overline{DE} : \overline{BC}$임에 주의한다.

2 삼각형의 내각과 외각의 이등분선 핵심 05 06 07

(1) 삼각형의 내각의 이등분선의 성질

$\triangle ABC$에서 $\angle A$의 이등분선이 $\overline{BC}$와 만나는 점을 D라 하면

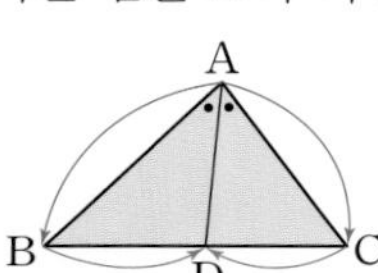

➡ $\mathbf{\overline{AB} : \overline{AC} = \overline{BD} : \overline{CD}}$

(2) 삼각형의 외각의 이등분선의 성질

$\triangle ABC$에서 $\angle A$의 외각의 이등분선이 $\overline{BC}$의 연장선과 만나는 점을 D라 하면

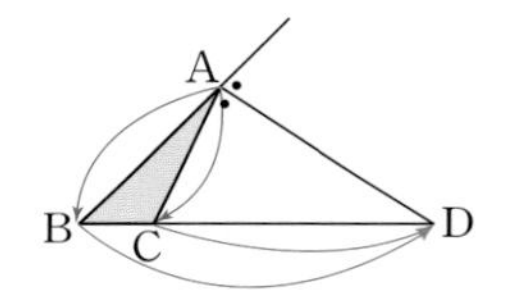

➡ $\mathbf{\overline{AB} : \overline{AC} = \overline{BD} : \overline{CD}}$

$\triangle ABD$와 $\triangle ACD$의 높이가 같으므로 두 삼각형의 넓이의 비는 밑변의 길이의 비와 같다.
➡ $\triangle ABD : \triangle ACD$
$= \overline{BD} : \overline{CD} = \overline{AB} : \overline{AC}$

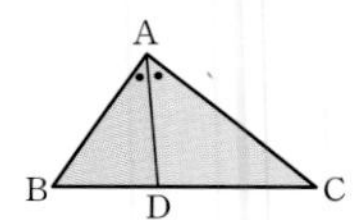

3 평행선 사이의 선분의 길이의 비 핵심 08 09

세 개 이상의 평행선이 다른 두 직선과 만날 때, 평행선 사이의 선분의 길이의 비는 같다.

➡ 오른쪽 그림에서 $l /\!/ m /\!/ n$이면

$\boldsymbol{a : b = c : d}$

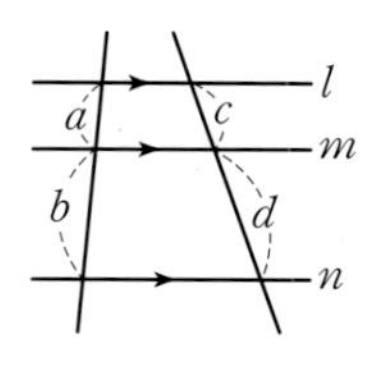

4 사다리꼴에서 평행선 사이의 선분의 길이의 비 핵심 10 11 12

사다리꼴 ABCD에서 $\overline{AD} /\!/ \overline{EF} /\!/ \overline{BC}$일 때,

$$\overline{EF} = \frac{mb+na}{m+n}$$

$\overline{AB} /\!/ \overline{EF} /\!/ \overline{DC}$일 때

➡ $\overline{EF} = \frac{ab}{a+b}$

핵심 **01**

삼각형에서 평행선과 선분의 길이의 비 (1)

날짜 : 월 일

Subnote ➲ 29쪽

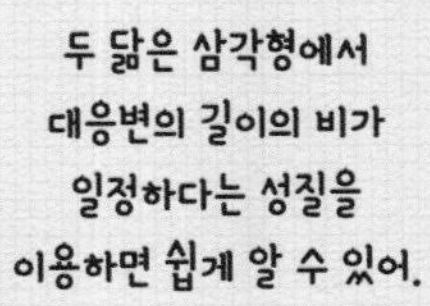

$\triangle ABC$에서 두 변 AB와 AC 또는 그 연장선 위에 각각 점 D, E가 있을 때,
$\overline{BC} /\!/ \overline{DE}$이면 ➡ $\overline{AB} : \overline{AD} = \overline{AC} : \overline{AE} = \overline{BC} : \overline{DE}$

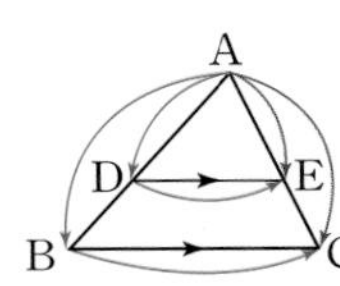

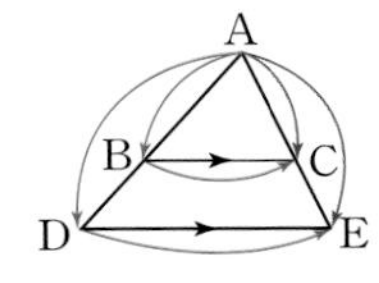

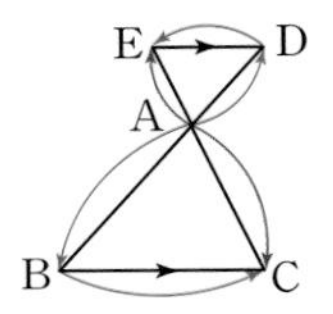

다음 그림에서 $\overline{BC} /\!/ \overline{DE}$일 때, x의 값을 구하여라.

0595

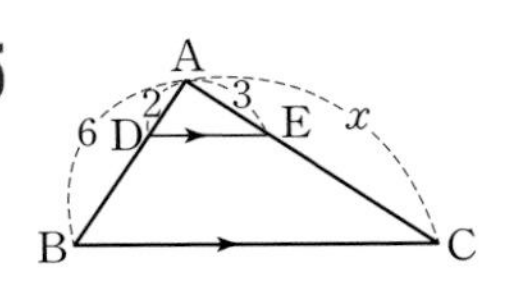

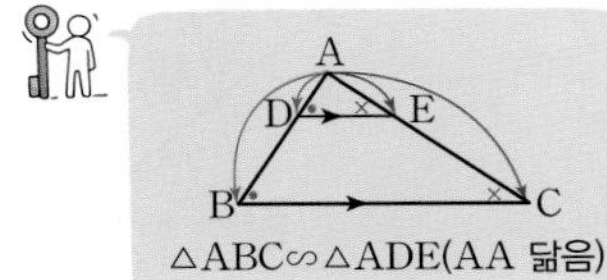

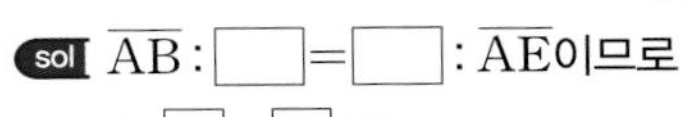

sol $\overline{AB}$: □ = □ : $\overline{AE}$이므로
6 : □ = □ : 3
$2x$ = □ ∴ x = □

0596

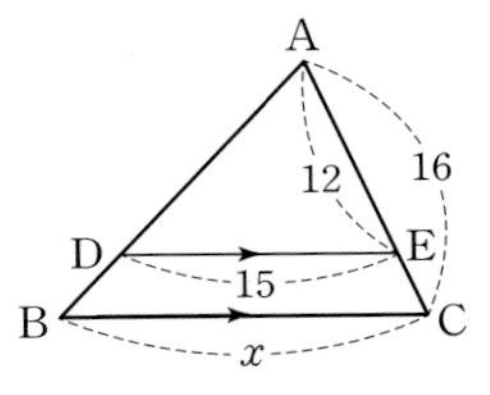

____

0597

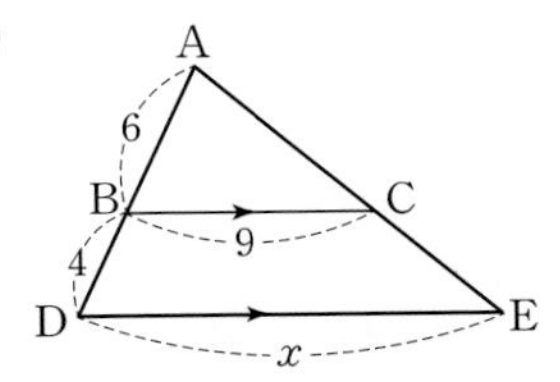

____

0598

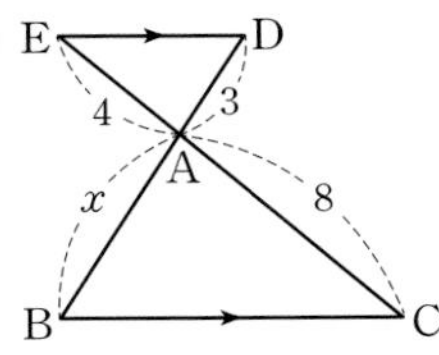

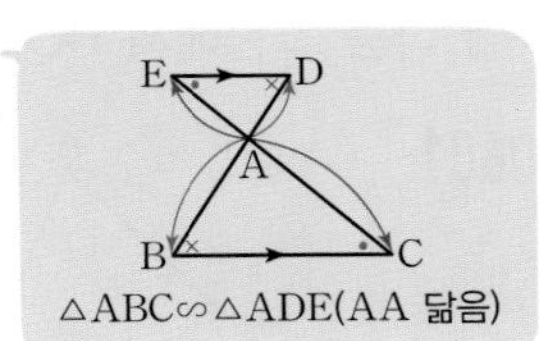

sol □ : $\overline{AE}$ = $\overline{AB}$: □이므로
□ : 4 = x : □
$4x$ = □ ∴ x = □

0599

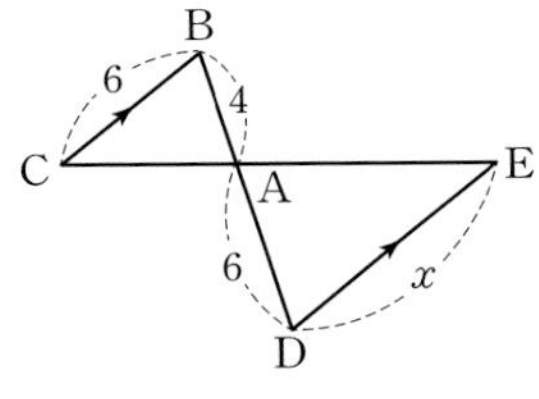

____

0600 학교 시험 맛보기

오른쪽 그림과 같은 $\triangle ABC$에서 $\overline{BC} /\!/ \overline{DE}$일 때, $x+y$의 값을 구하여라.

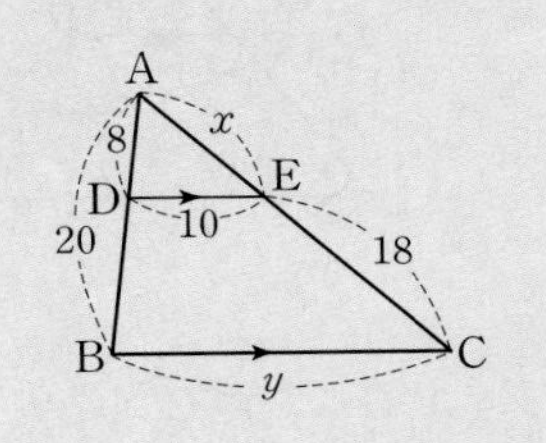

____

핵심 02 삼각형에서 평행선과 선분의 길이의 비 (2)

날짜 : 월 일

Subnote ➡ 29쪽

$\triangle ABC$에서 $\overline{AB}$, $\overline{AC}$ 또는 그 연장선 위에 각각 점 D, E가 있을 때, $\overline{BC} /\!/ \overline{DE}$이면 ➡ $\mathbf{\overline{AD} : \overline{DB} = \overline{AE} : \overline{EC}}$

$\overline{AD} : \overline{DB} \neq \overline{DE} : \overline{BC}$임에 주의해!

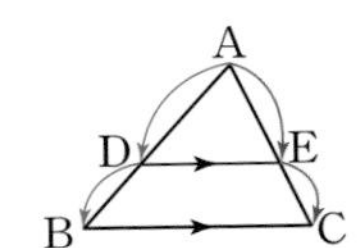
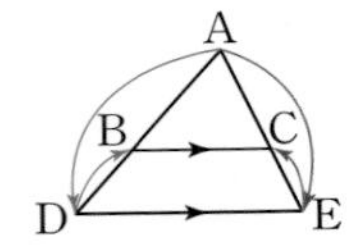
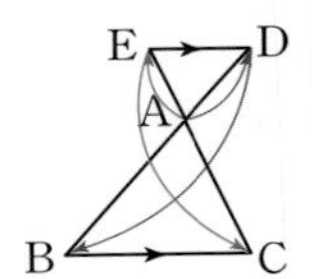

다음 그림에서 $\overline{BC} /\!/ \overline{DE}$일 때, x의 값을 구하여라.

0601

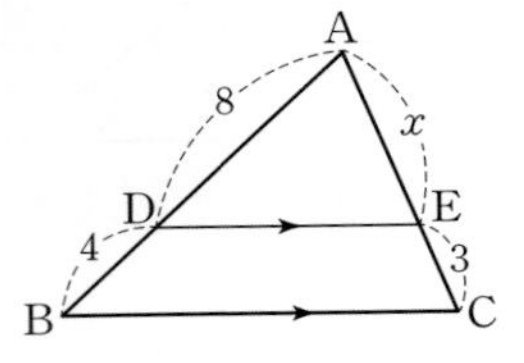

sol $\overline{AD} : \overline{DB} = \overline{AE} :$ ☐이므로

$8 : 4 = x :$ ☐

$4x =$ ☐ $\quad \therefore x =$ ☐

0602

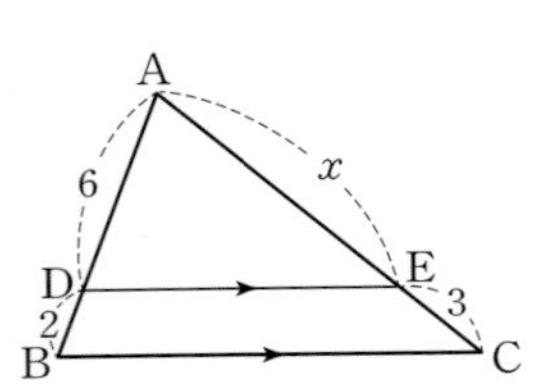

______

0603

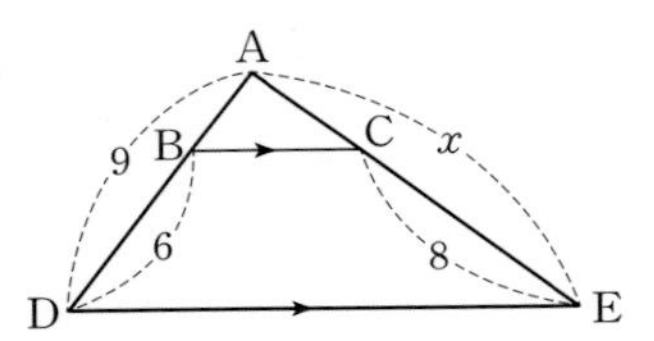

______

0604

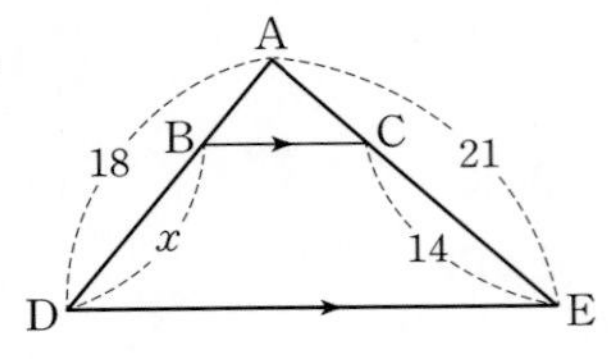

______

0605

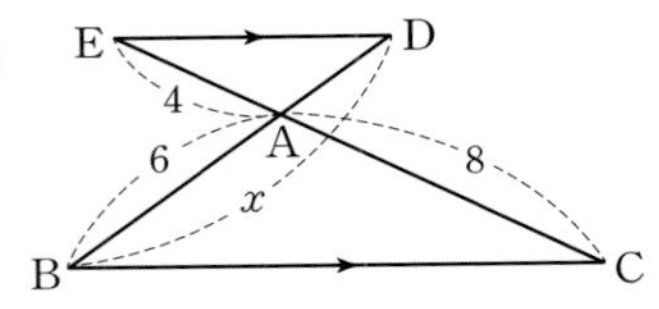

sol $\overline{AD} : \overline{DB} =$ ☐ $: \overline{EC}$이므로

$6 : 10 =$ ☐ $: x$

$6x =$ ☐ $\quad \therefore x =$ ☐

0606

______

0607

______

0608 학교 시험 맛보기 

오른쪽 그림에서 $\overline{BC} /\!/ \overline{DE}$일 때, $x+y$의 값을 구하여라.

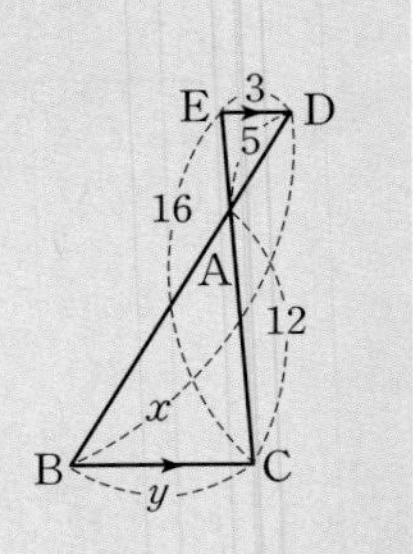

______

핵심

03 삼각형에서 평행선과 선분의 길이의 비 (3)

날짜 :  월  일

Subnote ➡ 29쪽

선분 중에서 길이의 비가 같은 것을 찾아.

(1)

$\overline{BC} /\!/ \overline{DE}$이면

➡ $\overline{AB} : \overline{AD} = \overline{BQ} : \overline{DP} = \overline{AQ} : \overline{AP}$ (△ABQ∽△ADP)

$= \overline{QC} : \overline{PE} = \overline{AC} : \overline{AE}$ (△AQC∽△APE)

(2)

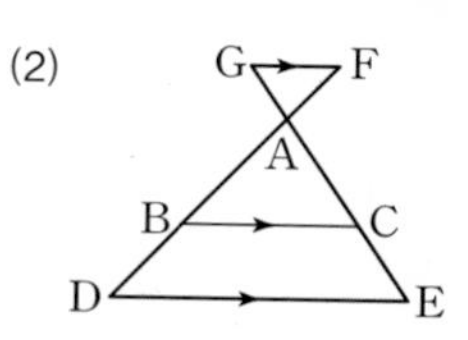

$\overline{BC} /\!/ \overline{DE} /\!/ \overline{GF}$이면

➡ $\overline{AB} : \overline{AD} = \overline{AC} : \overline{AE}$

$= \overline{AF} : \overline{AG}$

다음 그림에서 $\overline{BC} /\!/ \overline{DE}$일 때, x, y의 값을 각각 구하여라.

0609

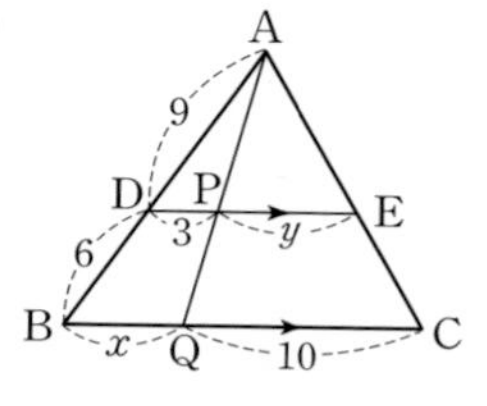

sol □ : 9 = x : 30이므로 x = □

□ : 9 = 10 : y이므로 y = □

0610

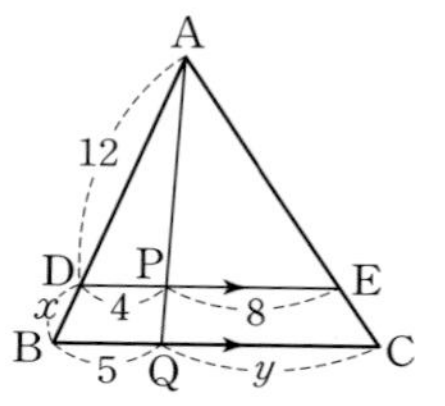

0611

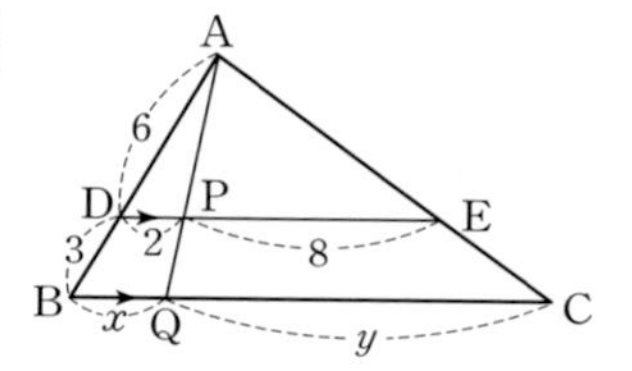

다음 그림에서 $\overline{BC} /\!/ \overline{DE} /\!/ \overline{GF}$일 때, x, y의 값을 각각 구하여라.

0612

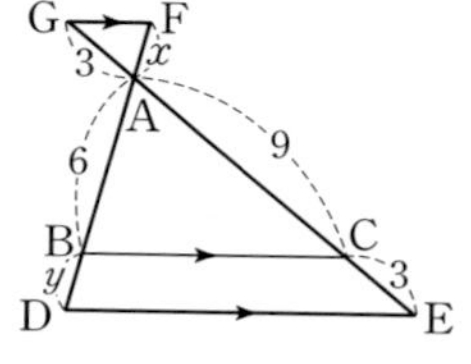

sol 3 : 9 = x : 6이므로 x = □

6 : y = 9 : 3이므로 y = □

0613

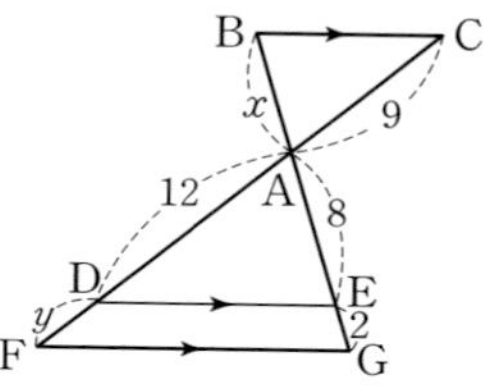

0614

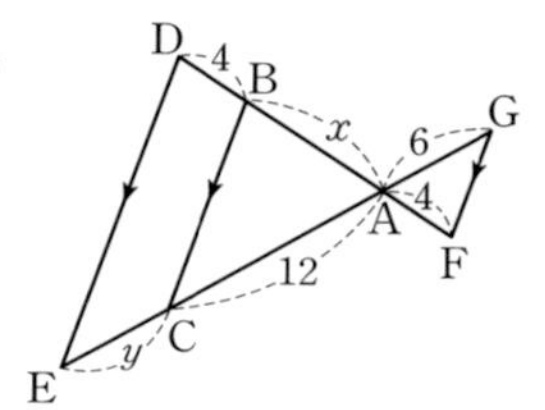

핵심 04 삼각형에서 평행선과 선분의 길이의 비 (4)

Subnote 29쪽

$\overline{BC}$와 $\overline{DE}$가 평행한지 확인하려면 선분의 길이의 비가 같은지를 알아보면 돼.

△ABC에서 $\overline{AB}$와 $\overline{AC}$ 또는 그 연장선 위에 각각 점 D, E가 있을 때,

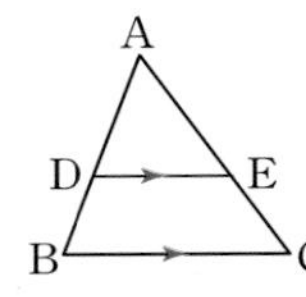
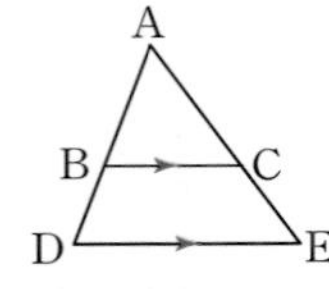
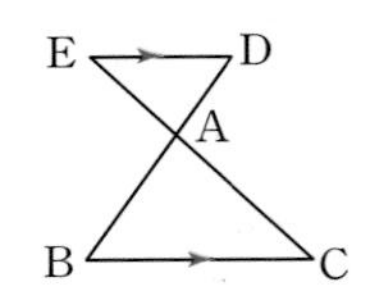

(1) $\overline{AB}:\overline{AD}=\overline{AC}:\overline{AE}=\overline{BC}:\overline{DE}$이면 ➡ $\overline{BC}/\!/\overline{DE}$

(2) $\overline{AD}:\overline{DB}=\overline{AE}:\overline{EC}$이면 ➡ $\overline{BC}/\!/\overline{DE}$

다음 그림에서 $\overline{BC}/\!/\overline{DE}$인 것에는 ○표, 아닌 것에는 ×표를 하여라.

0615

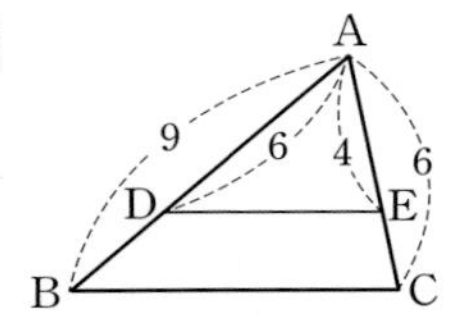

( )

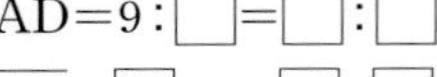

sol $\overline{AB}:\overline{AD}=9:\square=\square:\square$,
$\overline{AC}:\overline{AE}=\square:4=\square:\square$
➡ $\overline{BC}/\!/\overline{DE}$ (이다, 아니다).

0616

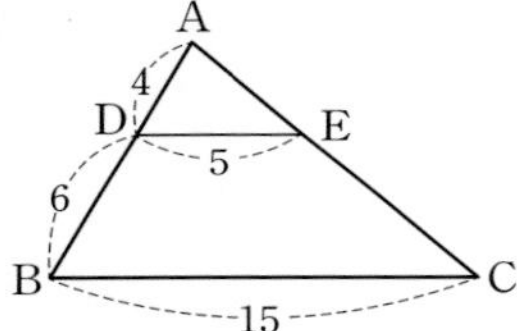

( )

0617

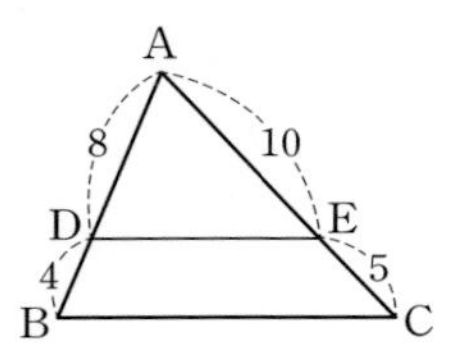

( )

0618

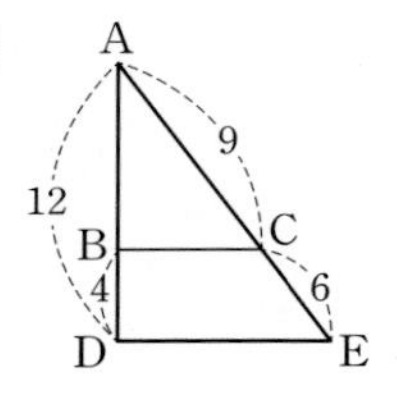

( )

0619

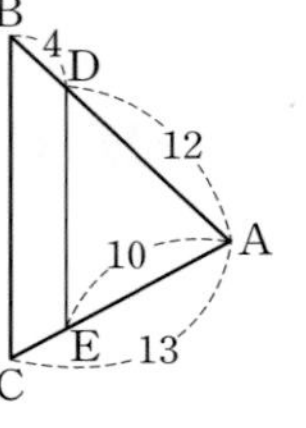

( )

0620

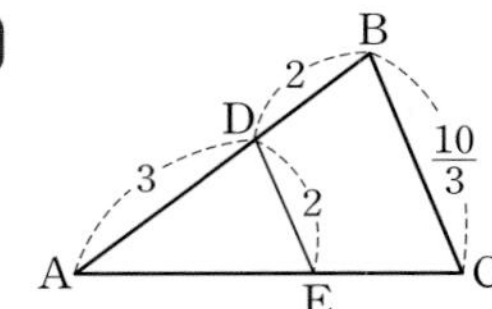

( )

0621

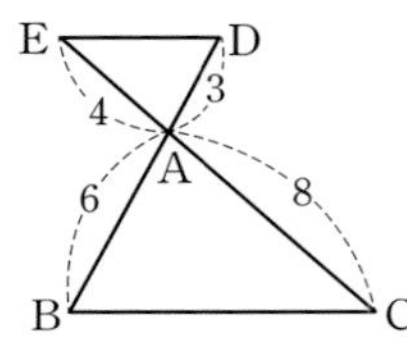

( )

0622

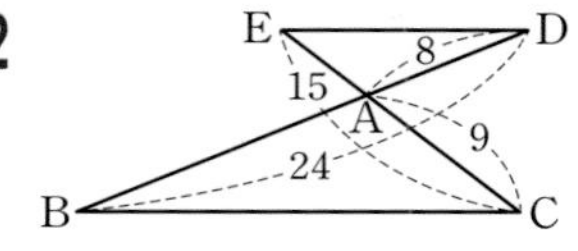

( )

05 삼각형의 내각의 이등분선

핵심

날짜 : 월 일

Subnote ➔ 30쪽

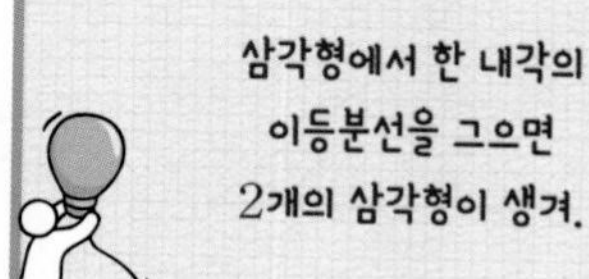

$\triangle ABC$에서 $\angle A$의 이등분선이 $\overline{BC}$와 만나는 점을 D라고 하면

$\overline{AB} : \overline{AC} = \overline{BD} : \overline{CD}$
❶ ❷ ❸ ❹

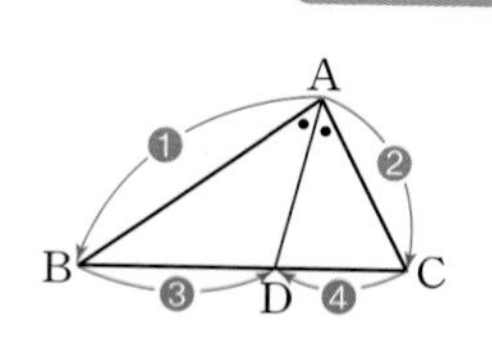

다음 그림의 $\triangle ABC$에서 $\angle A$의 이등분선이 $\overline{BC}$와 만나는 점을 D라고 할 때, x의 값을 구하여라.

0623

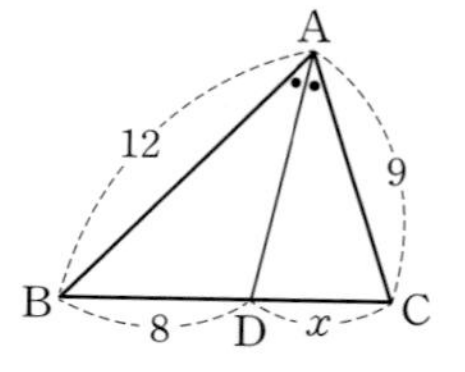

sol $\overline{AD} /\!/ \overline{EC}$에서
$\angle ACE = \angle AEC$이므로
$\triangle ACE$는 이등변삼각형이다.
$\therefore \overline{AE} = \overline{AC} = \square$

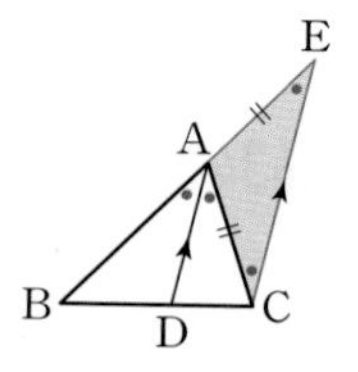

$\triangle BCE$에서
$\overline{BA} : \overline{AE} = \overline{BD} : \overline{DC}$
$\therefore \overline{AB} : \overline{AC} = \overline{BD} : \overline{CD}$
즉, $12 : \square = 8 : x$이므로
$12x = \square \qquad \therefore x = \square$

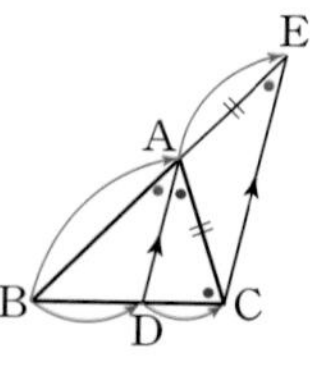

0624

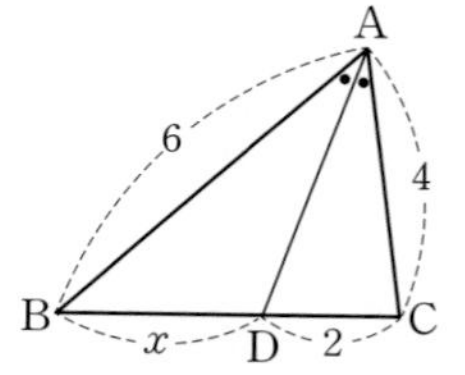

0625

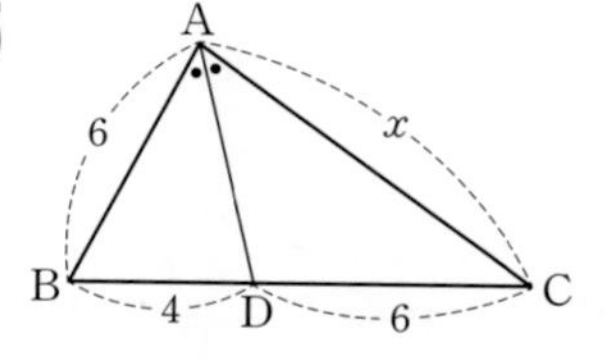

0626

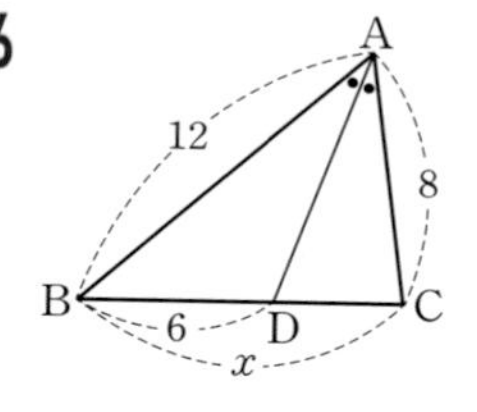

0627

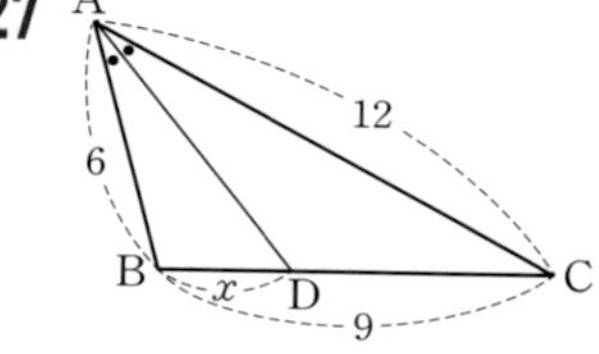

0628

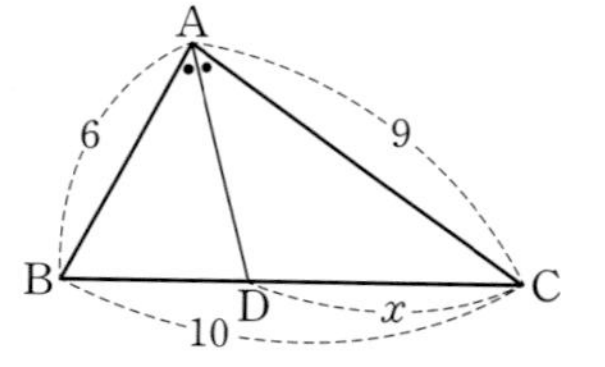

0629 학교 시험 맛보기

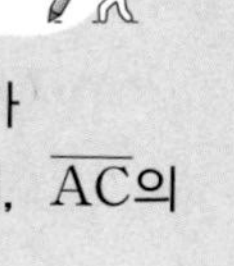

오른쪽 그림에서 점 I가 $\triangle ABC$의 내심일 때, $\overline{AC}$의 길이를 구하여라.

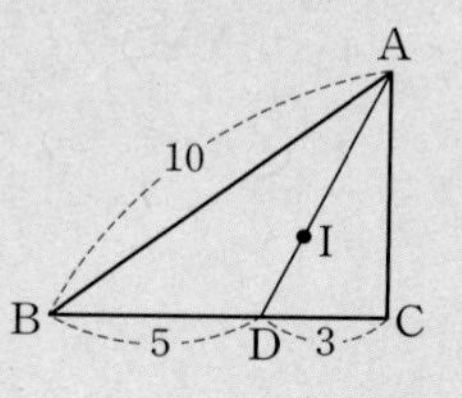

핵심 06 내각의 이등분선과 삼각형의 넓이의 비

날짜 :  월  일

Subnote ➊ 30쪽

변의 길이의 비가 넓이의 비가 돼.

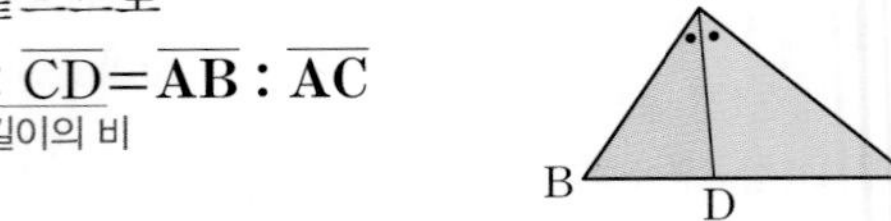

△ABD와 △ACD의 높이가 같으므로

△ABD : △ACD = $\overline{BD}$: $\overline{CD}$ = $\overline{AB}$: $\overline{AC}$

(밑변의 길이의 비)

📁 다음 그림의 △ABC에서 $\overline{AD}$가 ∠A의 이등분선일 때, △ABD와 △ACD의 넓이의 비를 구하여라.

0630

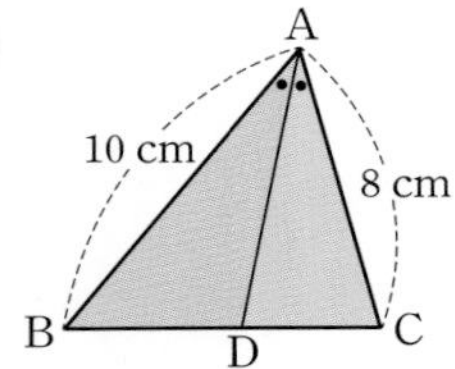

sol $\overline{BD}$: $\overline{CD}$ = $\overline{AB}$: ☐ = 10 : ☐ = ☐ : ☐

➡ △ABD : △ACD = $\overline{BD}$: ☐ = ☐ : ☐

0631

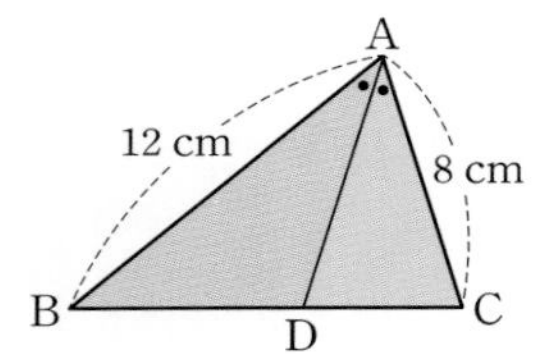

📁 다음 그림의 △ABC에서 $\overline{AD}$가 ∠A의 이등분선일 때, 주어진 조건에서 색칠한 부분의 넓이를 구하여라.

0632 △ABC = 100 cm^2일 때

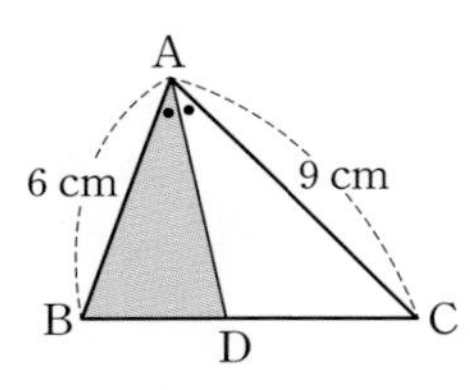

sol △ABD : △ACD = 6 : 9 = 2 : ☐이므로

△ABD = ☐ × △ABC

= ☐ × 100 = ☐ (cm^2)

0633 △ABD = 60 cm^2일 때

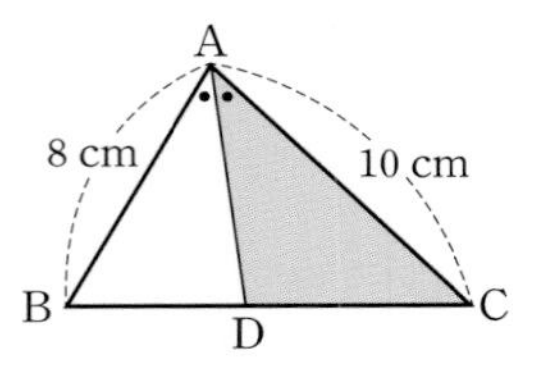

0634 △ACD = 30 cm^2일 때

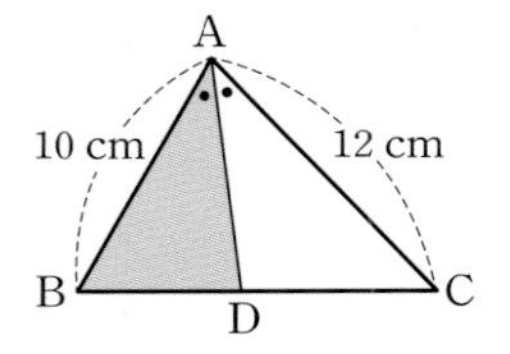

0635 △ACD = 15 cm^2일 때

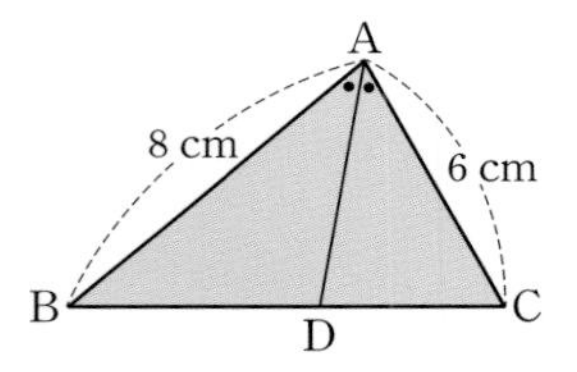

0636 학교 시험 맛보기

오른쪽 그림과 같은 ∠C = 90°인 직각삼각형 ABC에서 $\overline{AD}$가 ∠A의 이등분선일 때, △ABD의 넓이를 구하여라.

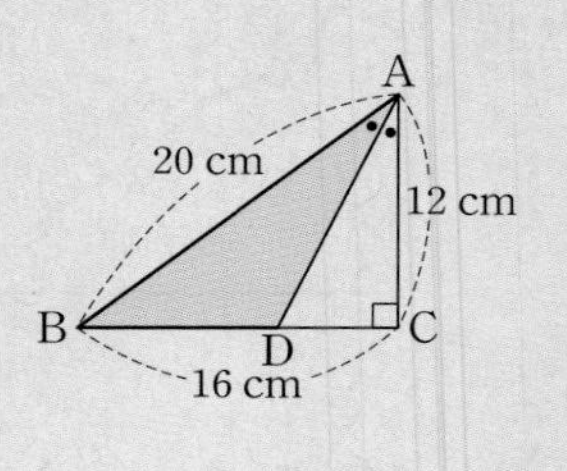

삼각형의 외각의 이등분선

날짜 : 월 일

Subnote ➡ 30쪽

$\overline{AD}$에 평행한 보조선을 그으면 원리를 이해할 수 있어.

$\triangle ABC$에서 $\angle A$의 외각의 이등분선이 $\overline{BC}$의 연장선과 만나는 점을 D라고 하면

$\overline{AB}:\overline{AC}=\overline{BD}:\overline{CD}$
❶ ❷ ❸ ❹

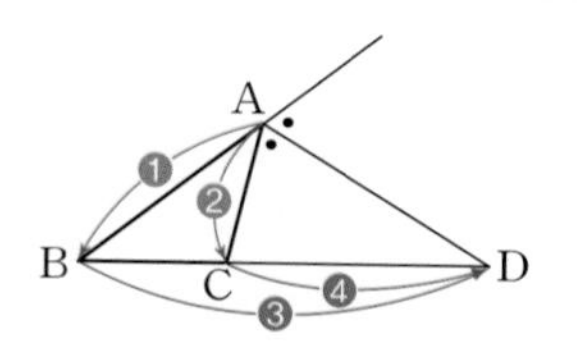

다음 그림의 $\triangle ABC$에서 $\overline{AD}$가 $\angle A$의 외각의 이등분선일 때, x의 값을 구하여라.

0637

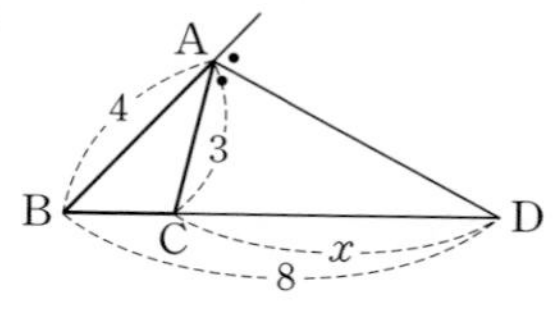

sol $\overline{AD}/\!/\overline{FC}$에서
$\angle AFC=\angle ACF$이므로
$\triangle AFC$는 이등변삼각형이다.
$\therefore \overline{AF}=\overline{AC}=$□
$\triangle BAD$에서
$\overline{BA}:\overline{AF}=\overline{BD}:\overline{DC}$
$\therefore \overline{AB}:\overline{AC}=\overline{BD}:\overline{CD}$
즉, 4 : □$=8:x$이므로
$4x=$□ $\therefore x=$□

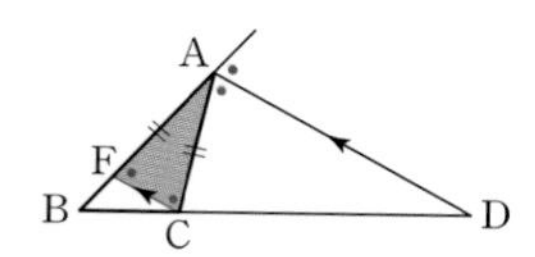

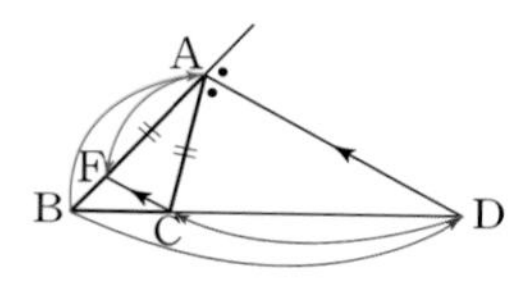

0638

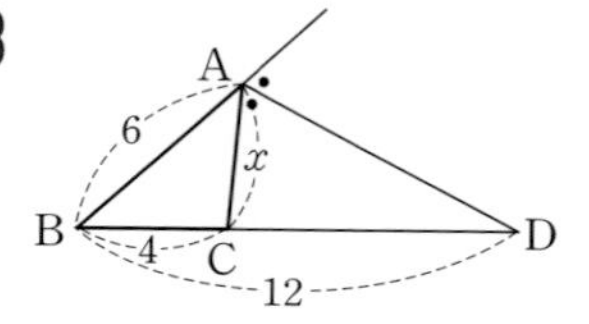

0639

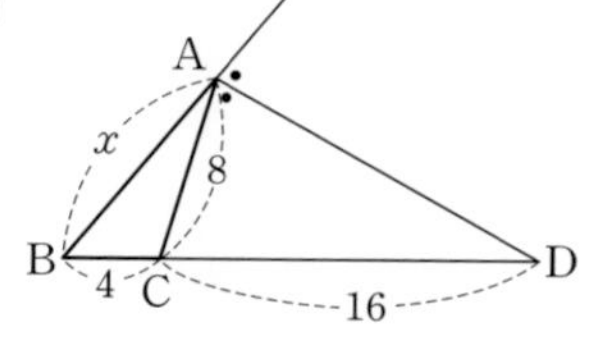

0640

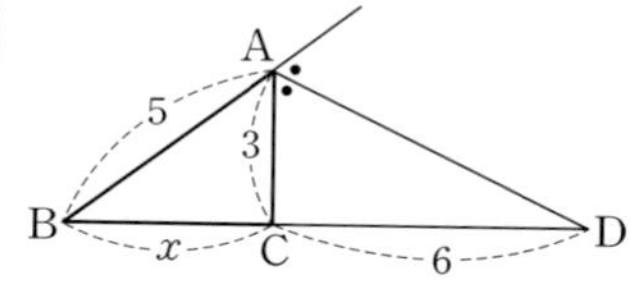

0641

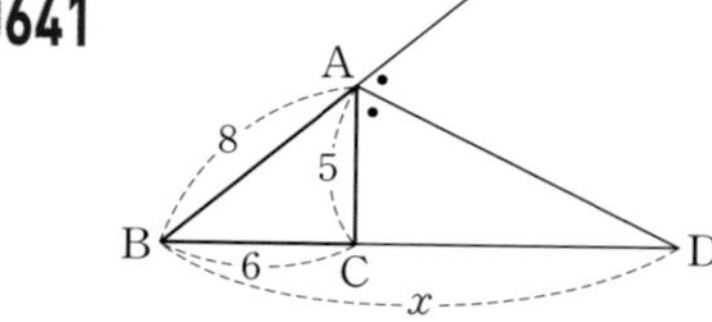

0642

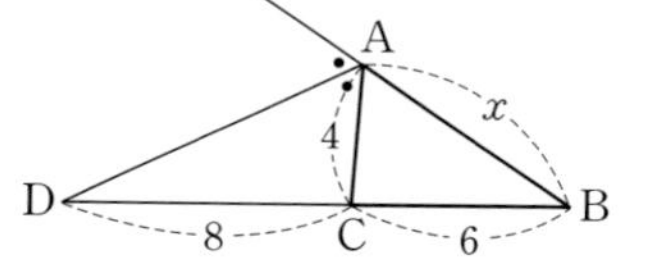

0643 학교 시험 맛보기

오른쪽 그림과 같은 $\triangle ABC$에서 $\angle A$의 외각의 이등분선과 $\overline{BC}$의 연장선의 교점을 D라고 하자. $\triangle ACD$의 넓이가 20 cm^2일 때, $\triangle ABC$의 넓이를 구하여라.

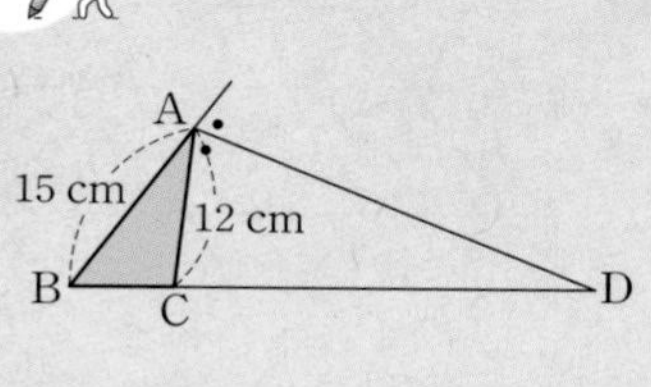

08 평행선 사이의 선분의 길이의 비 (1)

날짜 :  월 일

Subnote ➔ 31쪽

평행선과 만나는
두 직선 중에서
하나를 평행이동하여
삼각형을 만들어 봐.

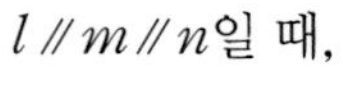

$l /\!/ m /\!/ n$일 때,

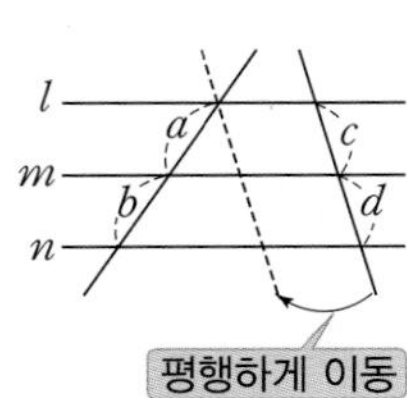

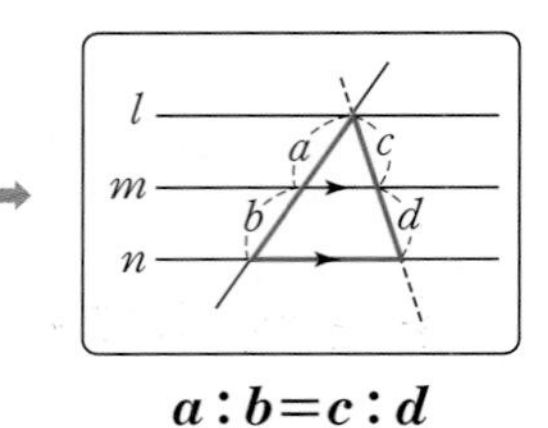

$a : b = c : d$

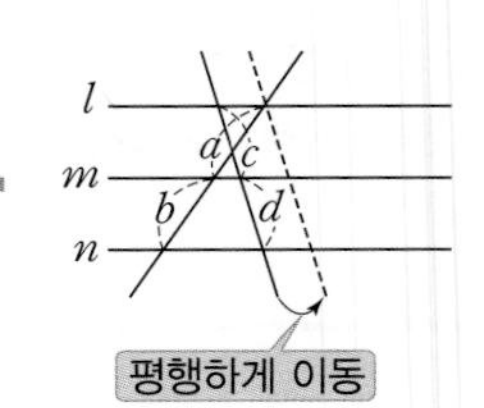

다음 그림에서 $l /\!/ m /\!/ n$일 때, x의 값을 구하여라.

0644

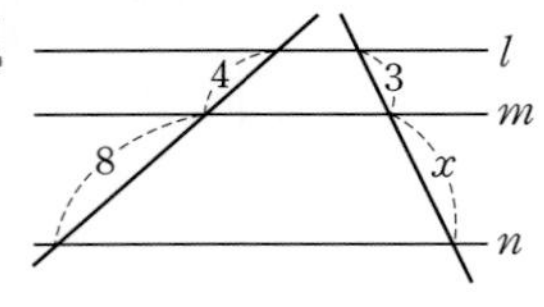

sol $4 : 8 = \square : x$이므로

$4x = \square$ $\therefore x = \square$

0645

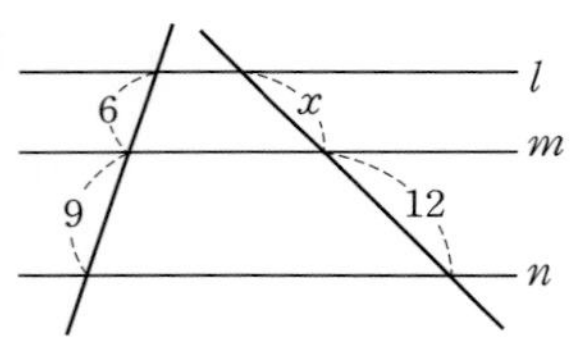

0646

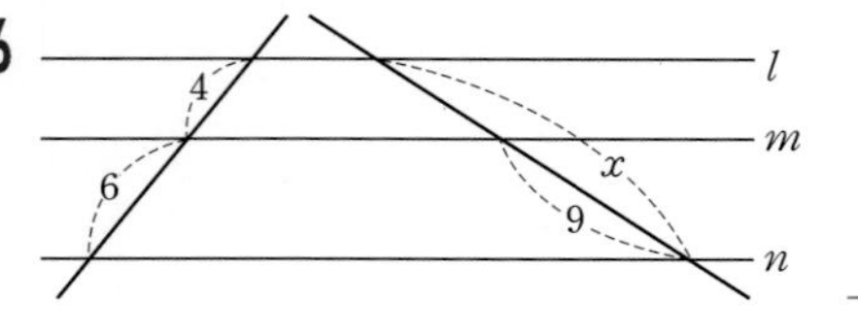

다음 그림에서 $l /\!/ m /\!/ n$일 때, x의 값을 구하여라.

0647

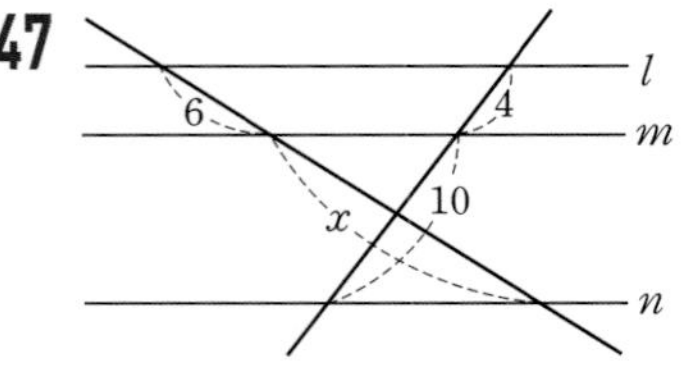

sol $6 : x = 4 : \square$이므로

$4x = \square$ $\therefore x = \square$

0648

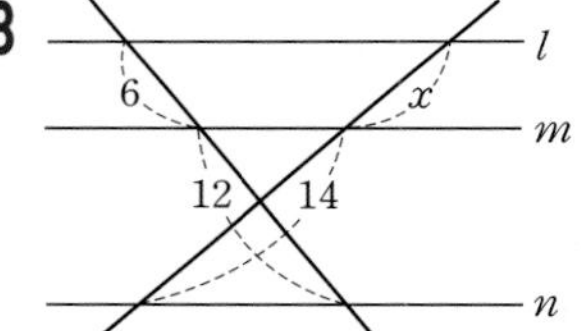

0649

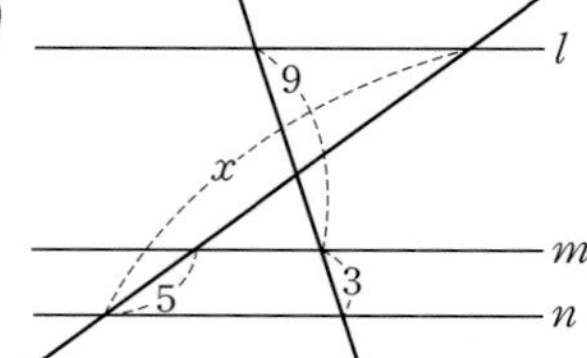

평행선 사이의 선분의 길이의 비 (2)

날짜 :  월 일

Subnote 31쪽

세 개 이상의 평행선이 다른 세 직선과 만날 때에도 평행선 사이의 선분의 길이의 비는 같아!

$l /\!/ m /\!/ n$일 때,

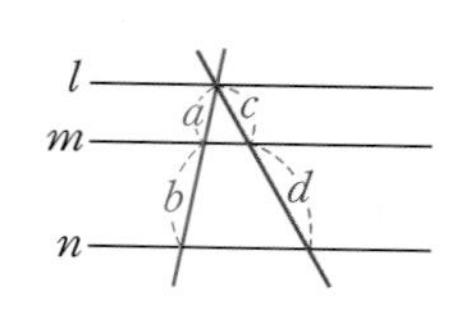

$a : b = c : d$

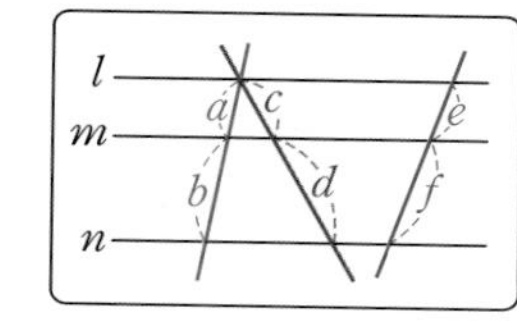

$\boldsymbol{a : b = c : d = e : f}$

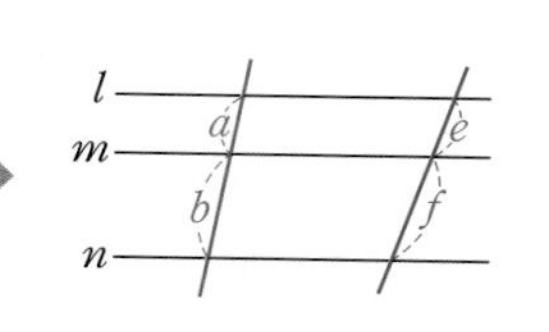

$a : b = e : f$

다음 그림에서 $l /\!/ m /\!/ n$일 때, x, y의 값을 각각 구하여라.

0650

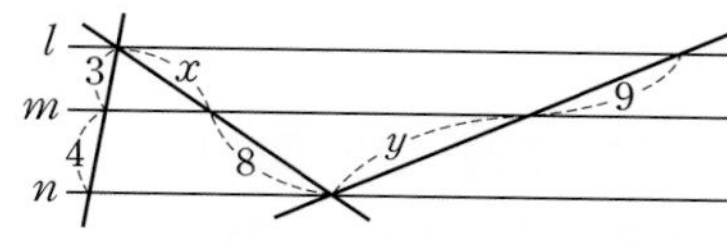

sol $3 : 4 = x : 8$이므로 $x =$ ☐

$3 : 4 = 9 : y$이므로 $y =$ ☐

0651

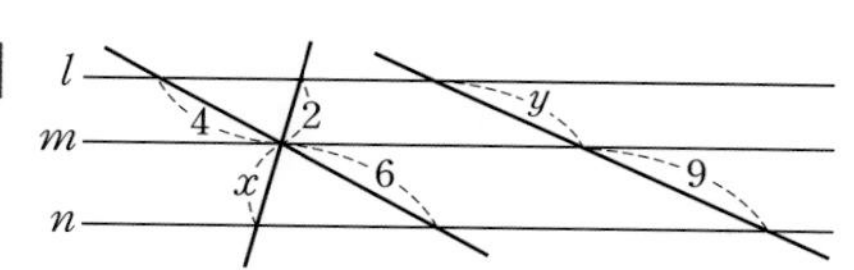

0652

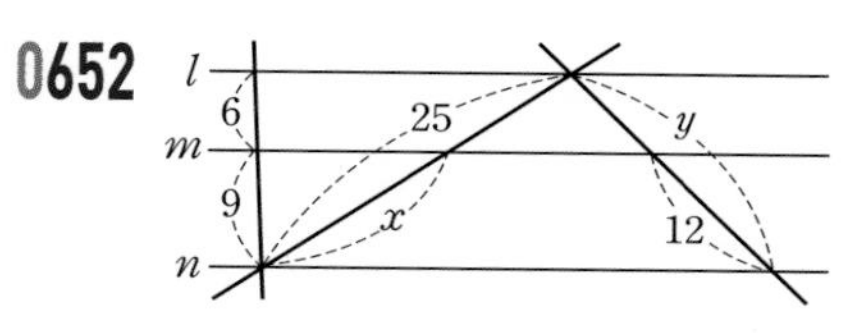

다음 그림에서 $k /\!/ l /\!/ m /\!/ n$일 때, x, y의 값을 각각 구하여라.

0653

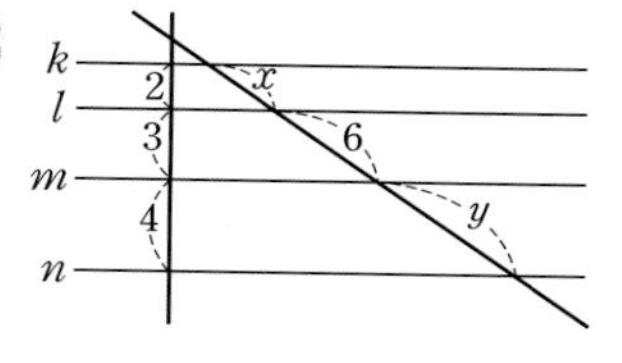

0654

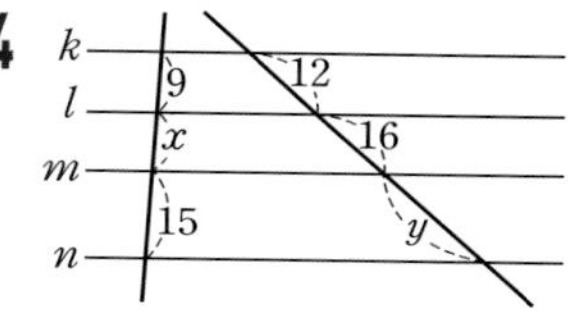

0655

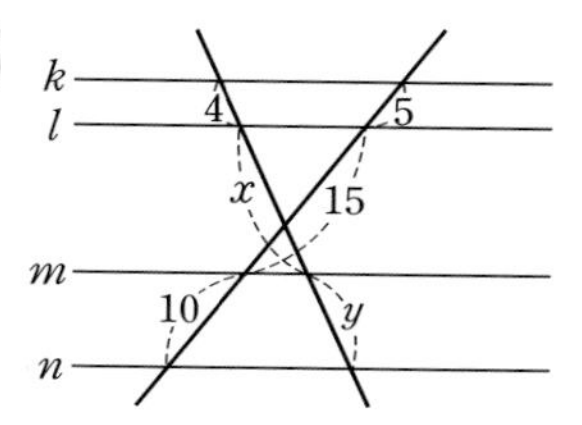

6 평행선과 선분의 길이의 비

사다리꼴에서 평행선과 선분의 길이의 비 (1)

날짜 : 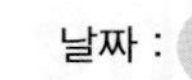 월  일 

Subnote ➡ 31쪽

삼각형에서 평행선과 선분의 길이의 비를 사다리꼴에서 활용하는 문제야. 적당한 곳에 보조선을 그어 삼각형을 만들어야 해.

평행선을 그어 $\overline{EF}$의 길이 구하기

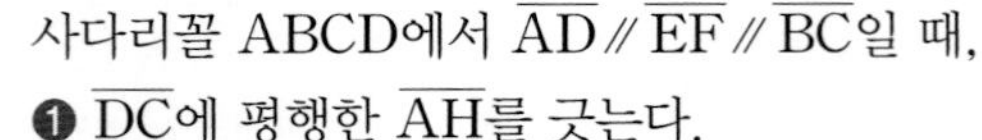

사다리꼴 ABCD에서 $\overline{AD}/\!/\overline{EF}/\!/\overline{BC}$일 때,

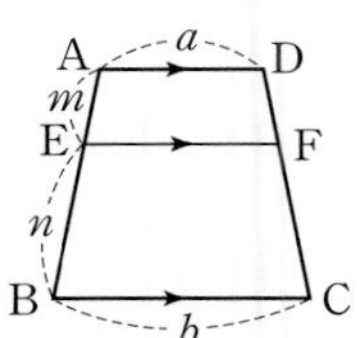

❶ $\overline{DC}$에 평행한 $\overline{AH}$를 긋는다.

❷ □AHCD가 평행사변형이므로
$\overline{GF}=\overline{AD}=a$, $\overline{BH}=b-a$

❸ △ABH에서 $\overline{EG}:\overline{BH}=m:(m+n)$이므로
$\overline{EG}=\dfrac{m(b-a)}{m+n}$

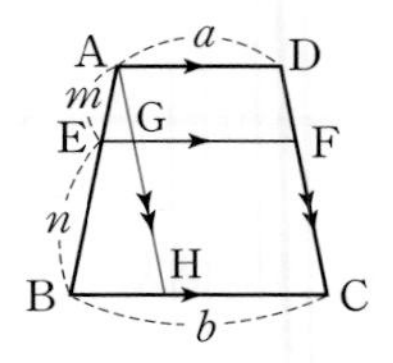

❹ $\overline{EF}=\overline{EG}+\overline{GF}=\dfrac{mb+na}{m+n}$

오른쪽 그림과 같은 사다리꼴 ABCD에서 $\overline{AD}/\!/\overline{EF}/\!/\overline{BC}$이고 $\overline{AH}/\!/\overline{DC}$일 때, 다음을 구하여라.

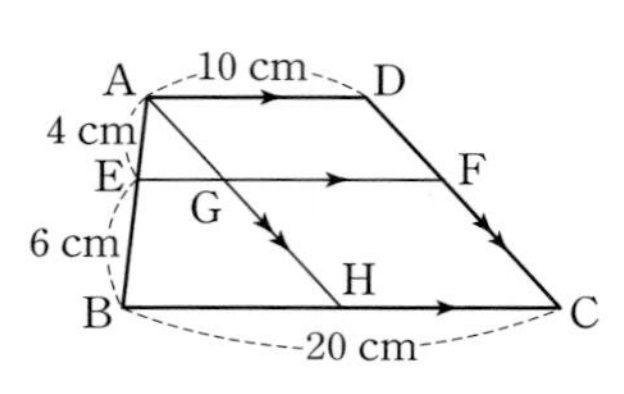

0656 $\overline{GF}$의 길이

sol $\overline{GF}=\overline{AD}=$ □ cm

평행사변형의 대변의 길이는 같아!

0657 $\overline{BH}$의 길이

sol $\overline{BH}=\overline{BC}-\overline{HC}=20-$ □ $=$ □ (cm)

0658 $\overline{EG}$의 길이

sol △ABH에서 $\overline{EG}/\!/\overline{BH}$이므로 $\overline{AE}:\overline{AB}=\overline{EG}:\overline{BH}$
4 : □ $=\overline{EG}$: □ $\quad\therefore \overline{EG}=$ □ (cm)

0659 $\overline{EF}$의 길이

sol $\overline{EF}=\overline{EG}+\overline{GF}=$ □ $+$ □ $=$ □ (cm)

다음 그림과 같은 사다리꼴 ABCD에서 $\overline{AD}/\!/\overline{EF}/\!/\overline{BC}$이고 $\overline{AH}/\!/\overline{DC}$일 때, $\overline{EF}$의 길이를 구하여라.

0660

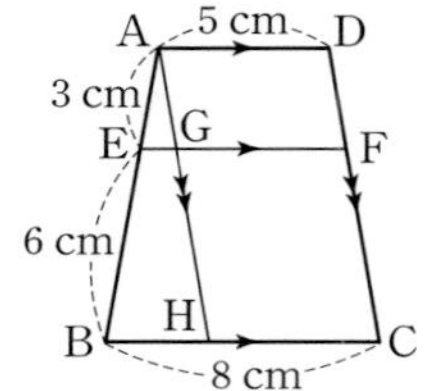

0661

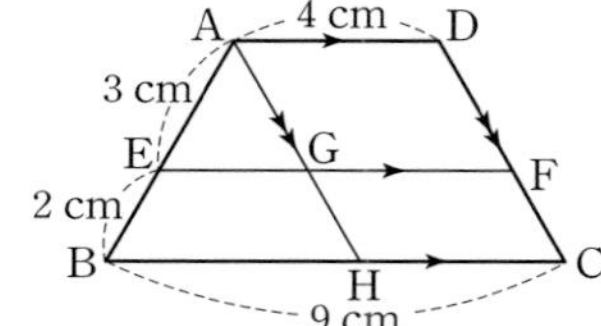

0662

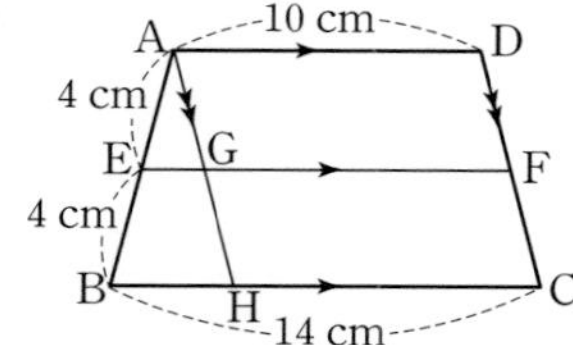

핵심 11 사다리꼴에서 평행선과 선분의 길이의 비 (2)

날짜 :  월  일 

Subnote ➡ 32쪽

사다리꼴에서 대각선을 그으면 두 개의 삼각형이 만들어져.

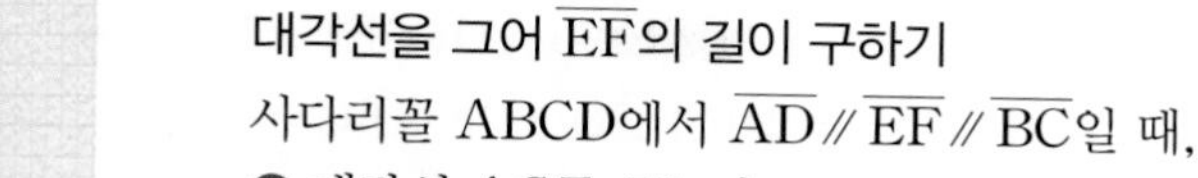

대각선을 그어 $\overline{EF}$의 길이 구하기

사다리꼴 ABCD에서 $\overline{AD} /\!/ \overline{EF} /\!/ \overline{BC}$일 때,

❶ 대각선 AC를 긋는다.

❷ △ABC에서 $\overline{EG} : \overline{BC} = m : (m+n)$이므로

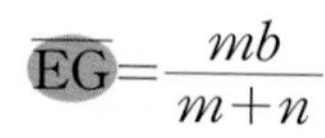

$\overline{EG} = \dfrac{mb}{m+n}$

❸ △CDA에서 $\overline{GF} : \overline{AD} = n : (m+n)$이므로

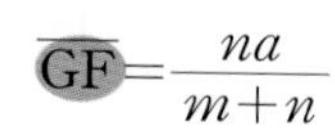

$\overline{GF} = \dfrac{na}{m+n}$

❹ $\overline{EF} = \overline{EG} + \overline{GF} = \dfrac{mb+na}{m+n}$

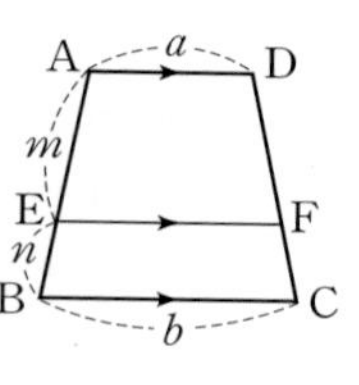

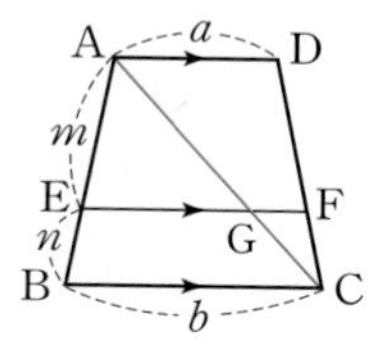

오른쪽 그림과 같은 사다리꼴 ABCD에서 $\overline{AD} /\!/ \overline{EF} /\!/ \overline{BC}$일 때, 다음을 구하여라.

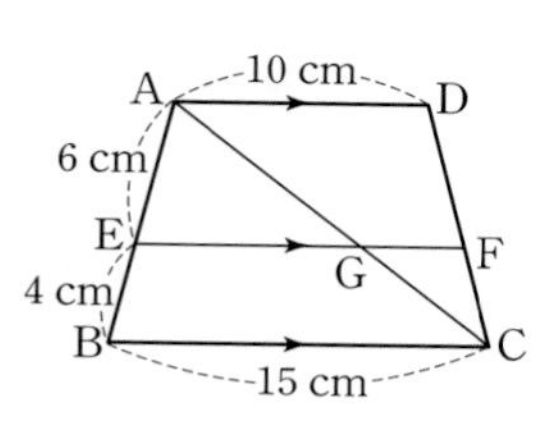

0663 $\overline{EG}$의 길이

sol △ABC에서 $\overline{EG} /\!/ \overline{BC}$이므로
$\overline{AE} : \overline{AB} = \overline{EG} : \overline{BC}$
$6 : 10 = \overline{EG} : \square$ $\therefore \overline{EG} = \square$(cm)

0664 $\overline{GF}$의 길이

sol △ACD에서 $\overline{AD} /\!/ \overline{GF}$이므로
$\overline{GF} : \overline{AD} = \overline{CG} : \overline{CA} = \overline{BE} : \overline{BA}$
$\overline{GF} : 10 = 4 : \square$ $\therefore \overline{GF} = \square$(cm)

0665 $\overline{EF}$의 길이

sol $\overline{EF} = \overline{EG} + \overline{GF} = \square + \square = \square$(cm)

다음 그림과 같은 사다리꼴 ABCD에서 $\overline{AD} /\!/ \overline{EF} /\!/ \overline{BC}$일 때, $\overline{EF}$의 길이를 구하여라.

0666

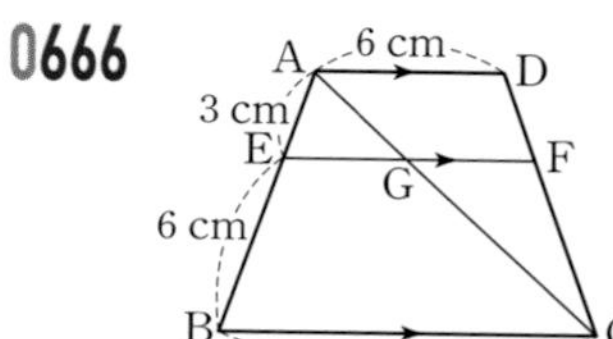

0667

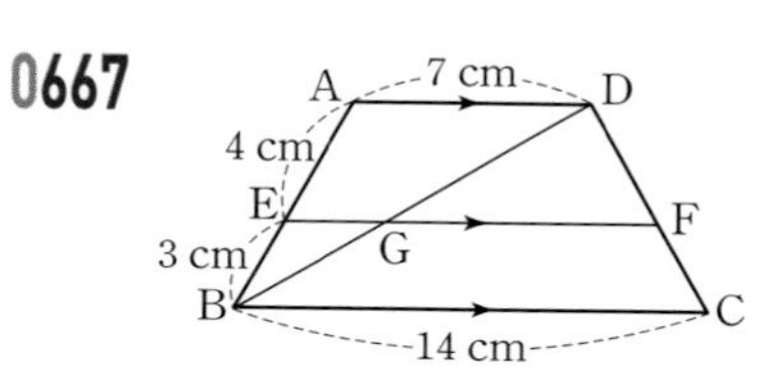

0668 학교 시험 맛보기

오른쪽 그림과 같은 사다리꼴 ABCD에서 $\overline{AD} /\!/ \overline{EF} /\!/ \overline{BC}$일 때, $\overline{EF}$의 길이를 구하여라.

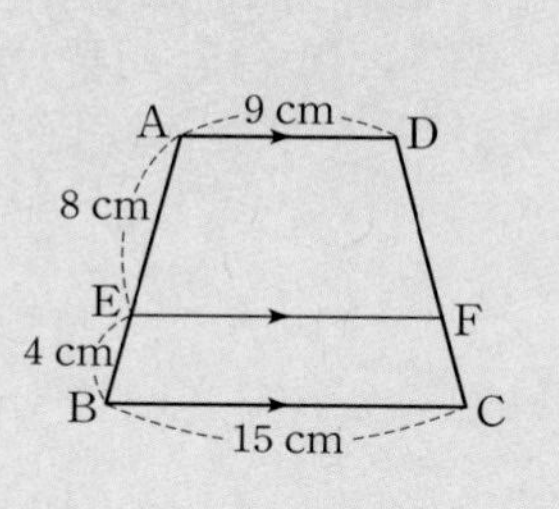

6 평행선과 선분의 길이의 비

핵심

12 평행선 사이의 선분의 길이의 비의 활용

날짜 : 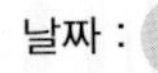 월  일 

Subnote ➡ 32쪽

삼각형에서 평행선과 선분의 길이의 비를 이용해.

$\overline{AC}$와 $\overline{BD}$의 교점이 E이고 $\overline{AB} /\!/ \overline{EF} /\!/ \overline{DC}$일 때,

(1) $\underbrace{\overline{AE}:\overline{EC}=\overline{BE}:\overline{ED}}_{\triangle ABE \backsim \triangle CDE}=\underbrace{\overline{BF}:\overline{FC}}_{\triangle BEF \backsim \triangle BDC}=a:b$

(2) $\underbrace{\overline{AB}:\overline{EF}=\overline{BC}:\overline{FC}}_{\triangle ABC \backsim \triangle EFC}$에서 $\overline{EF}=\dfrac{ab}{a+b}$

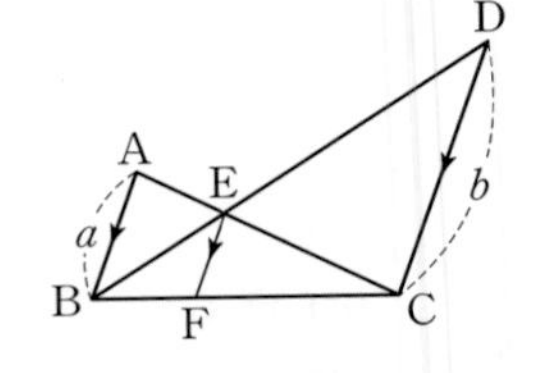

오른쪽 그림에서 $\overline{AB} /\!/ \overline{EF} /\!/ \overline{DC}$일 때, 다음을 구하여라.

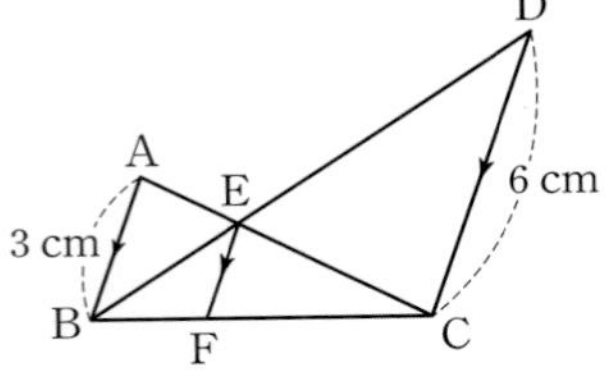

0669 $\overline{BE}:\overline{DE}$

sol $\triangle ABE \backsim \triangle CDE$이므로

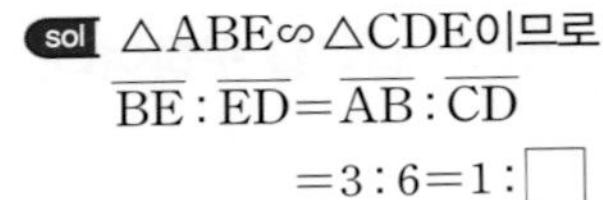

$\overline{BE}:\overline{ED}=\overline{AB}:\overline{CD}$

$=3:6=1:\square$

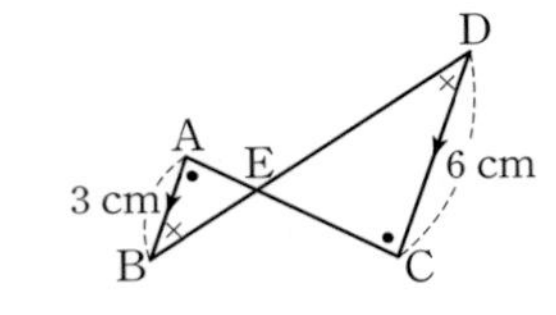

0670 $\overline{BF}:\overline{BC}$

sol $\triangle BFE \backsim \triangle BCD$이므로

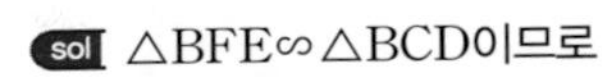

$\overline{BF}:\overline{BC}=\overline{BE}:\overline{BD}$

$=1:(1+2)$

$=1:\square$

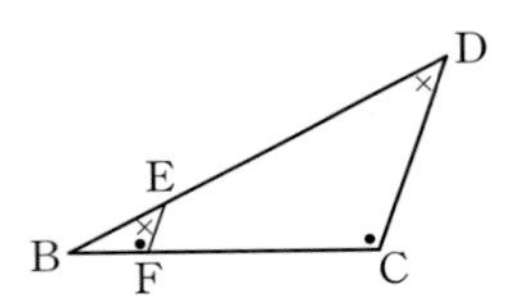

0671 $\overline{EF}$의 길이

sol $\triangle BCD$에서 $\overline{EF} /\!/ \overline{DC}$이므로

$\overline{BF}:\overline{BC}=\overline{EF}:\overline{DC}$

$1:\square=\overline{EF}:\square$ $\quad\therefore \overline{EF}=\square\,(\text{cm})$

다음 그림에서 $\overline{AB} /\!/ \overline{EF} /\!/ \overline{DC}$일 때, x의 값을 구하여라.

0672

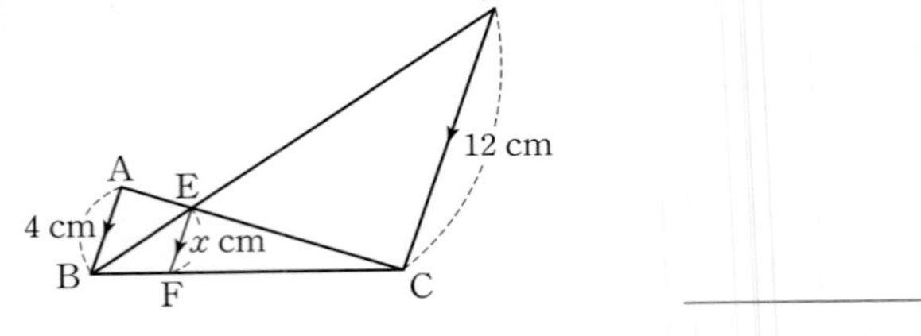

0673

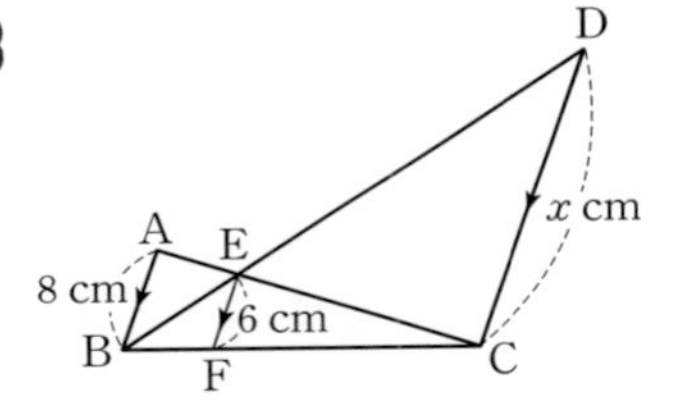

0674 학교 시험 맛보기

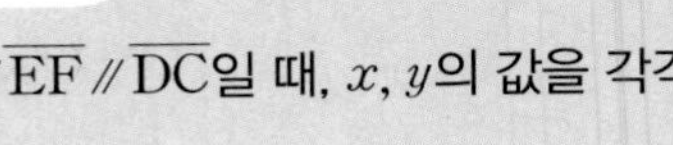

다음 그림에서 $\overline{AB} /\!/ \overline{EF} /\!/ \overline{DC}$일 때, x, y의 값을 각각 구하여라.

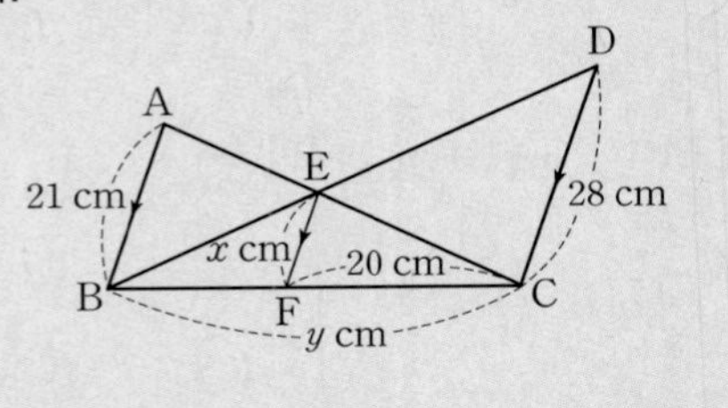

Mini Review Test

날짜 : 월 일 

Subnote ❶ 32쪽

핵심 02

0675 오른쪽 그림에서 $\overline{BC} /\!/ \overline{DE}$일 때, $x+y$의 값을 구하여라.

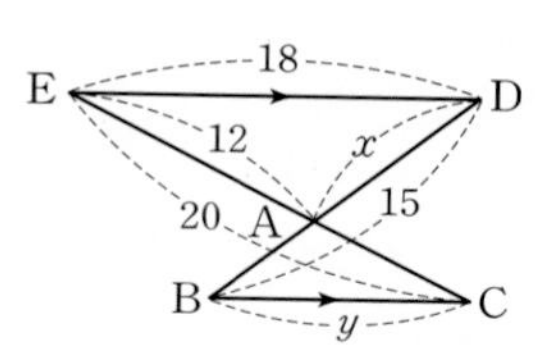

핵심 04

0676 다음 중 $\overline{BC} /\!/ \overline{DE}$인 것을 모두 고르면? (정답 2개)

①
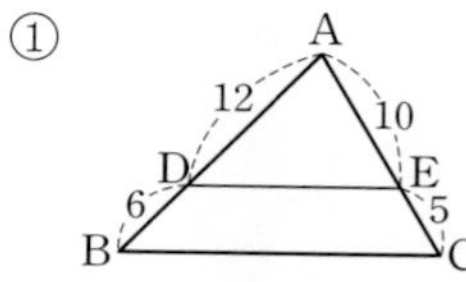

②
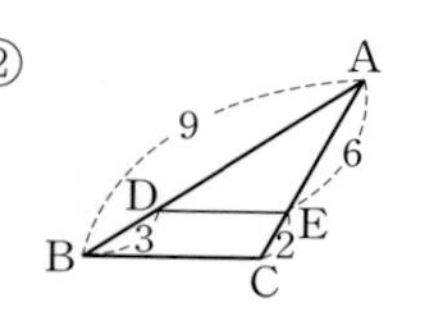

③
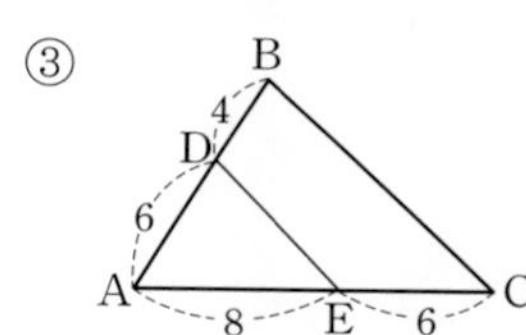

④
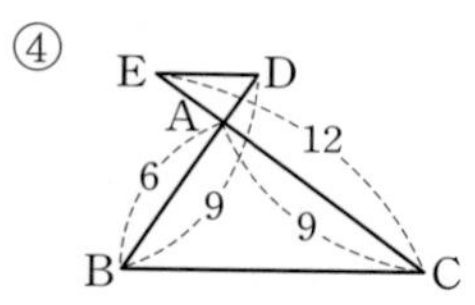

⑤
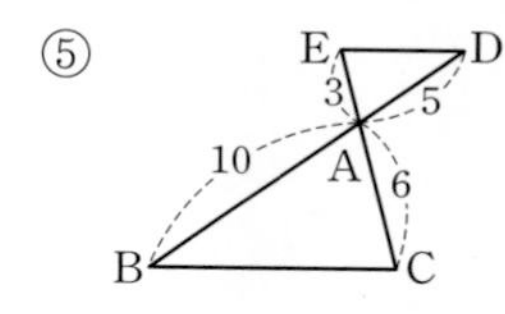

핵심 06

0677 오른쪽 그림과 같은 $\triangle ABC$에서 $\overline{AD}$가 $\angle A$의 이등분선이고, $\triangle ABC$의 넓이가 72 cm^2일 때, $\triangle ABD$의 넓이를 구하여라.

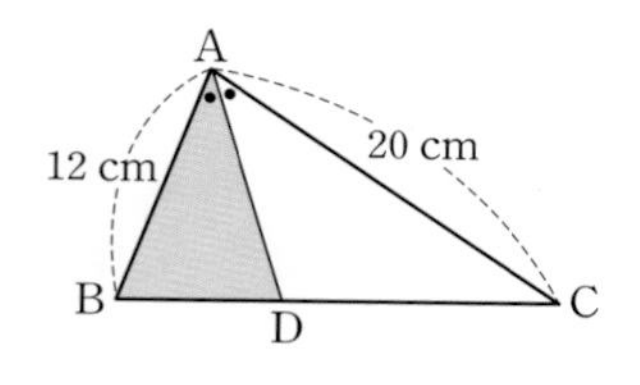

핵심 07

0678 오른쪽 그림의 $\triangle ABC$에서 $\overline{AD}$가 $\angle A$의 외각의 이등분선일 때, $\overline{CD}$의 길이를 구하여라.

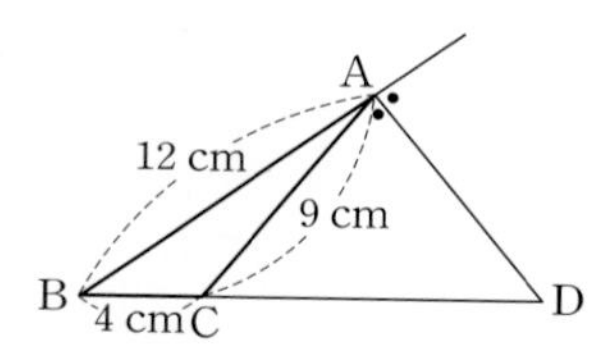

핵심 09

0679 오른쪽 그림에서 $l /\!/ m /\!/ n$일 때, $x+y$의 값을 구하여라.

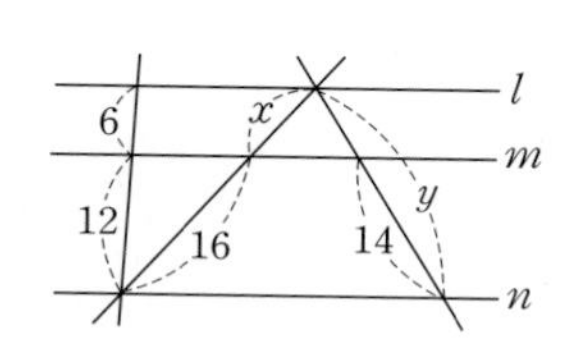

핵심 10 11

0680 오른쪽 그림과 같은 사다리꼴 ABCD에서 $\overline{AD} /\!/ \overline{EF} /\!/ \overline{BC}$일 때, $\overline{EF}$의 길이를 구하여라.

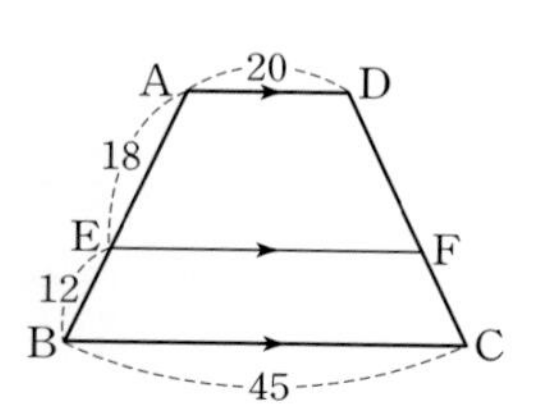

핵심 12 서술형

0681 다음 그림에서 $\overline{AB} /\!/ \overline{EF} /\!/ \overline{DC}$일 때, $x+y$의 값을 구하여라.

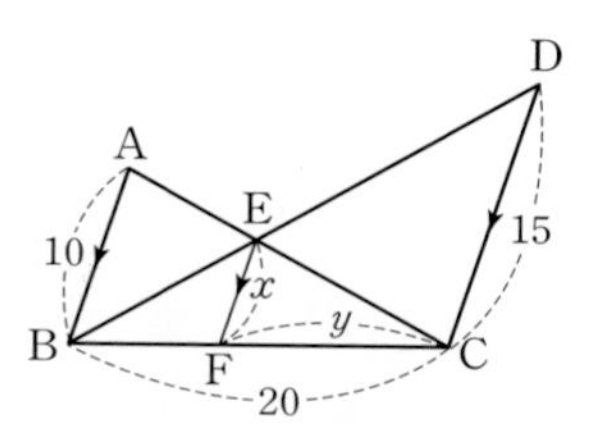

Review

6. 평행선과 선분의 길이의 비

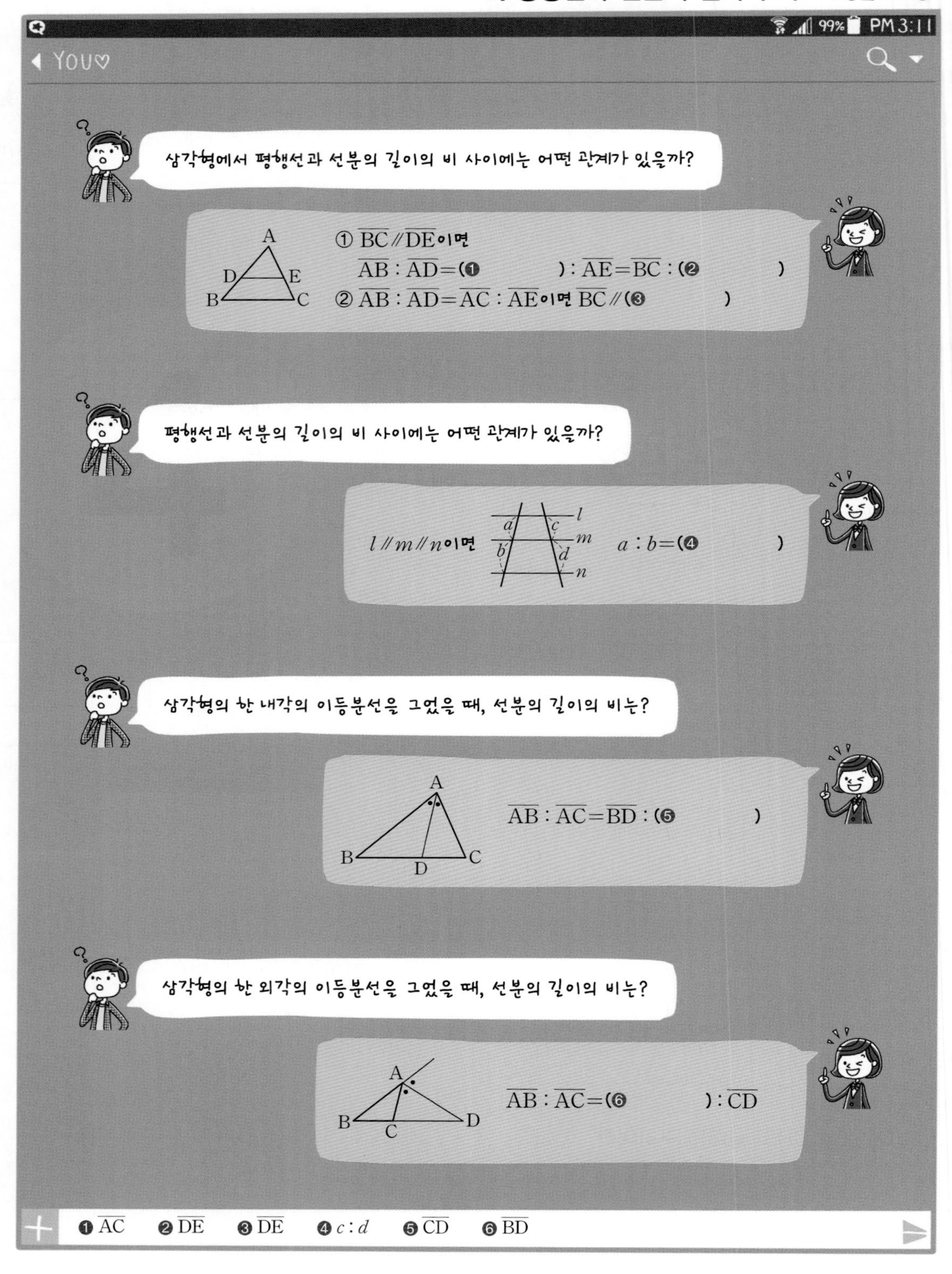

7 삼각형의 무게중심

스스로 공부 계획 세우기

	학습 내용	공부한 날짜	반복하기
7. 삼각형의 무게중심	**01.** 삼각형의 중점연결정리(1)	월 일	□□
	02. 삼각형의 중점연결정리(2)	월 일	□□
	03. 삼각형의 중점연결정리를 이용한 삼각형의 둘레의 길이	월 일	□□
	04. 삼각형의 중점연결정리를 이용한 사각형의 둘레의 길이	월 일	□□
	05. 삼각형의 중점연결정리의 활용	월 일	□□
	06. 사다리꼴에서 중점연결정리(1)	월 일	□□
	07. 사다리꼴에서 중점연결정리(2)	월 일	□□
	Mini **Review** Test(**01**~**07**)	월 일	□□
	08. 삼각형의 중선	월 일	□□
	09. 삼각형의 무게중심	월 일	□□
	10. 삼각형의 무게중심의 활용	월 일	□□
	11. 삼각형의 무게중심과 넓이	월 일	□□
	12. 평행사변형에서 삼각형의 무게중심의 활용(1)	월 일	□□
	13. 평행사변형에서 삼각형의 무게중심의 활용(2)	월 일	□□
	Mini **Review** Test(**08**~**13**)	월 일	□□

7 삼각형의 무게중심

개념 NOTE

1 삼각형의 중점연결정리 핵심 01 ~ 05

(1) $\triangle ABC$에서 $\overline{AM}=\overline{MB}$, $\overline{AN}=\overline{NC}$이면

$\overline{MN} /\!/ \overline{BC}$, $\overline{MN}=\frac{1}{2}\overline{BC}$

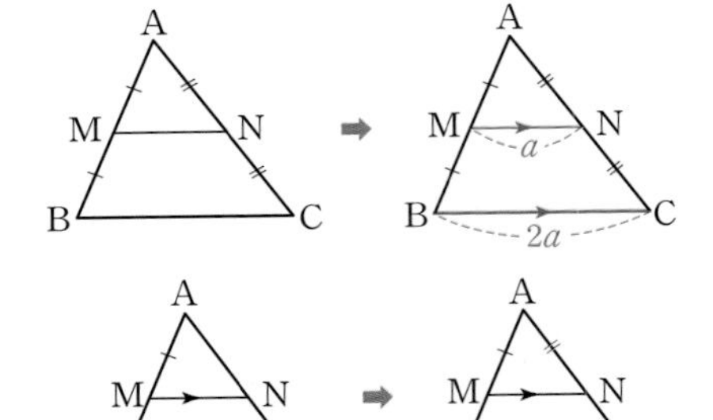

(2) $\triangle ABC$에서 $\overline{AM}=\overline{MB}$, $\overline{MN} /\!/ \overline{BC}$이면

$\overline{AN}=\overline{NC}$

삼각형의 두 변의 중점을 연결한 선분의 성질을 **중점연결정리**라고 한다.
삼각형의 중점연결정리는 앞에서 배운 '삼각형에서의 평행선과 선분의 길이의 비'의 특수한 경우로 아래 그림에서 $\overline{AM}:\overline{AB}=1:2$인 경우에 해당한다.

➡ $\overline{AM}:\overline{AB}=\overline{MN}:\overline{BC}$

2 사다리꼴에서 중점연결정리 핵심 06 07

$\overline{AD} /\!/ \overline{BC}$인 사다리꼴 ABCD에서 $\overline{AB}$, $\overline{CD}$의 중점을 각각 M, N이라 고 하면 $\overline{AD} /\!/ \overline{MN} /\!/ \overline{BC}$이므로 다음이 성립한다.

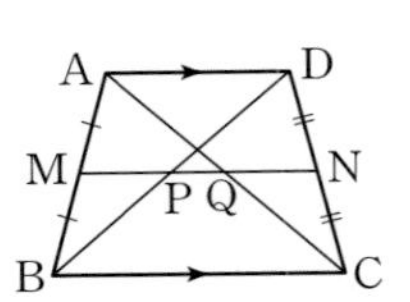

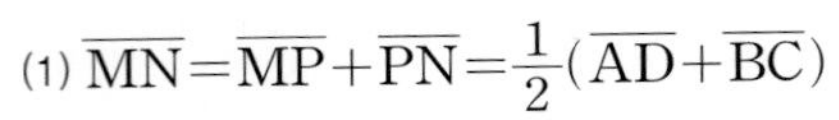

(1) $\overline{MN}=\overline{MP}+\overline{PN}=\frac{1}{2}(\overline{AD}+\overline{BC})$

(2) $\overline{PQ}=\frac{1}{2}(\overline{BC}-\overline{AD})$ (단, $\overline{BC}>\overline{AD}$)

3 삼각형의 무게중심 핵심 08 09 10

(1) **삼각형의 중선:** 삼각형의 한 꼭짓점과 그 대변의 중점을 이은 선분
(2) **삼각형의 무게중심:** 삼각형의 세 중선의 교점
(3) **무게중심의 성질:** 삼각형의 무게중심은 세 중선의 길이를 꼭짓점으로부터 각각 2 : 1로 나눈다.

➡ 삼각형의 무게중심을 G라고 하면

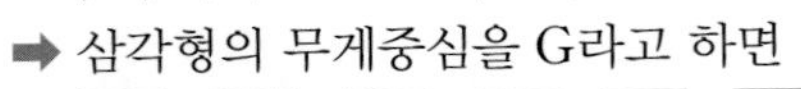

$\overline{AG}:\overline{GD}=\overline{BG}:\overline{GE}=\overline{CG}:\overline{GF}=2:1$

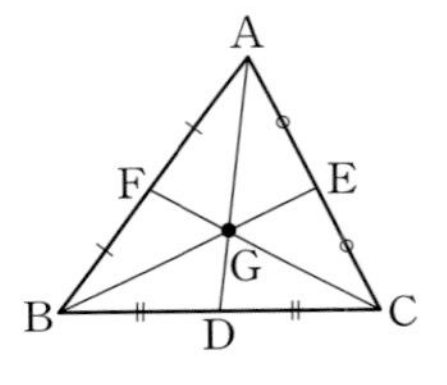

중선의 성질
삼각형의 중선은 그 삼각형의 넓이를 이등분한다.

4 삼각형의 무게중심과 넓이 핵심 11

삼각형의 세 중선에 의하여 삼각형의 넓이는 6등분된다.
➡ 삼각형 ABC의 무게중심을 G라고 하면

$\triangle GAF=\triangle GBF=\triangle GBD=\triangle GCD=\triangle GCE=\triangle GAE$
$=\frac{1}{6}\triangle ABC$

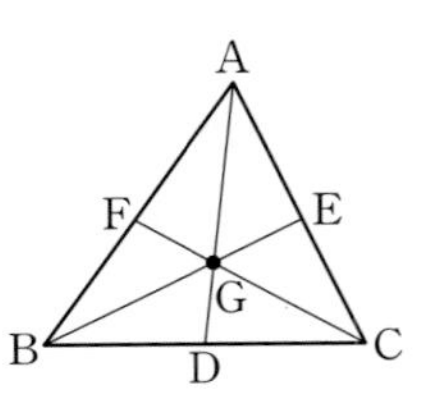

$\triangle GAB=\triangle GBC=\triangle GCA$
$=\frac{1}{3}\triangle ABC$

5 평행사변형에서 삼각형의 무게중심의 활용 핵심 12 13

평행사변형 ABCD에서 $\overline{AO}=\overline{OC}$이므로 두 점 P, Q는 각각 $\triangle ABC$, $\triangle ACD$의 무게중심이다.

(1) $\overline{BP}=\overline{PQ}=\overline{QD}=\frac{1}{3}\overline{BD}$

(2) $\overline{PO}=\overline{QO}=\frac{1}{6}\overline{BD}$

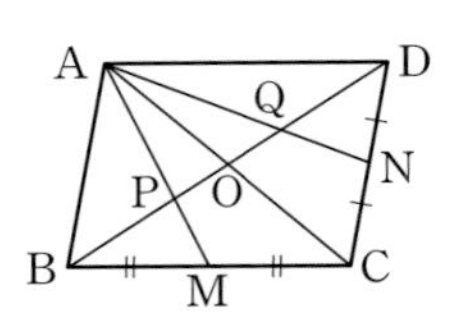

01 삼각형의 중점연결정리 (1)

핵심

날짜 : 월 일

Subnote ➔ 33쪽

삼각형에서의 평행선과 선분의 길이의 비의 특수한 경우야.

$\triangle ABC$에서 $\overline{AM}=\overline{MB}$, $\overline{AN}=\overline{NC}$이면

$\overline{MN} /\!/ \overline{BC}$, $\overline{MN}=\frac{1}{2}\overline{BC}$

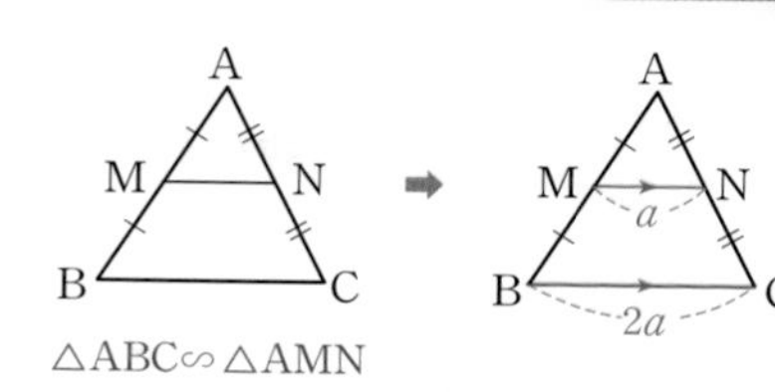

다음 그림과 같은 $\triangle ABC$에서 $\overline{AB}$, $\overline{AC}$의 중점을 각각 M, N이라고 할 때, x의 값을 구하여라.

0682

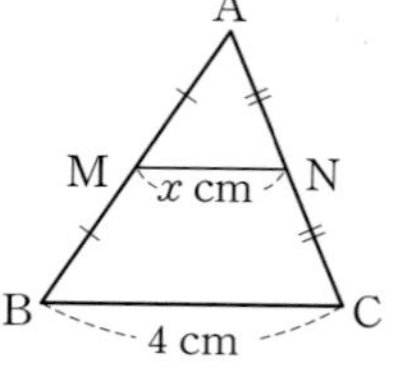

sol $\overline{MN}=\frac{1}{2}\overline{BC}=\frac{1}{2}\times\square=\square$(cm)

$\therefore x=\square$

0683

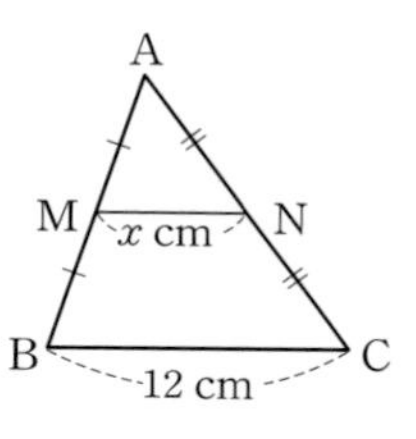

0684

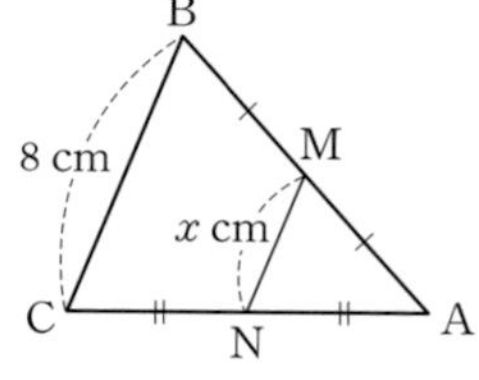

0685

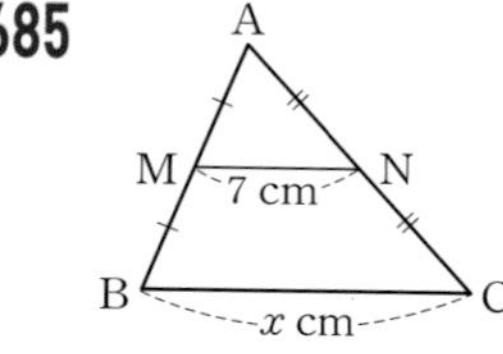

0686

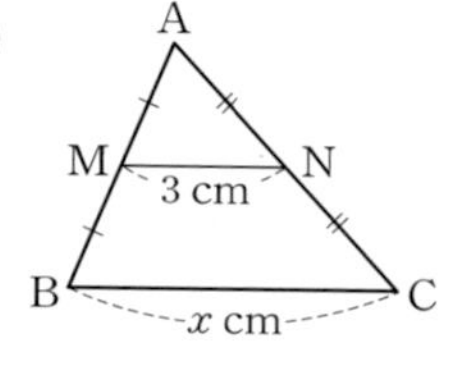

0687

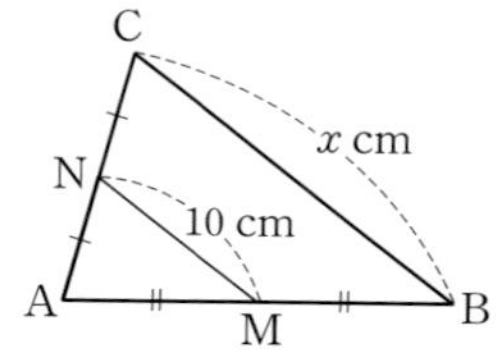

0688 학교 시험 맛보기

오른쪽 그림과 같은 $\triangle ABC$에서 $\overline{AB}$, $\overline{AC}$의 중점을 각각 M, N이라고 할 때 x, y의 값을 각각 구하여라.

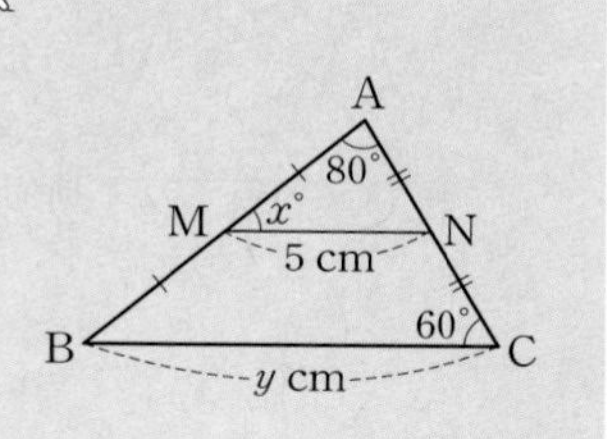

7 삼각형의 무게중심

삼각형의 중점연결정리 (2)

날짜 : 월 일

Subnote ➡ 33쪽

삼각형의 한 변의 중점을 이용하여 다른 변의 중점을 찾을 수 있어.

$\triangle ABC$에서 $\overline{AM}=\overline{MB}$, $\overline{MN} /\!/ \overline{BC}$이면
$\overline{AN}=\overline{NC}$

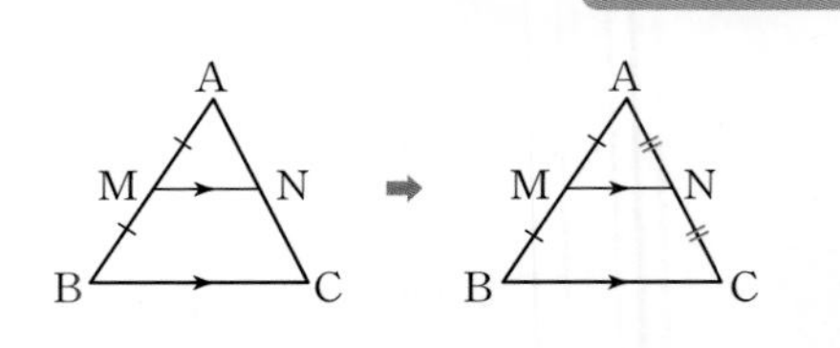

다음 그림과 같은 $\triangle ABC$에서 $\overline{AM}=\overline{MB}$이고 $\overline{MN} /\!/ \overline{BC}$일 때, x의 값을 구하여라.

0689

(A, M, N, B, C; 2 cm, x cm)

______

0690

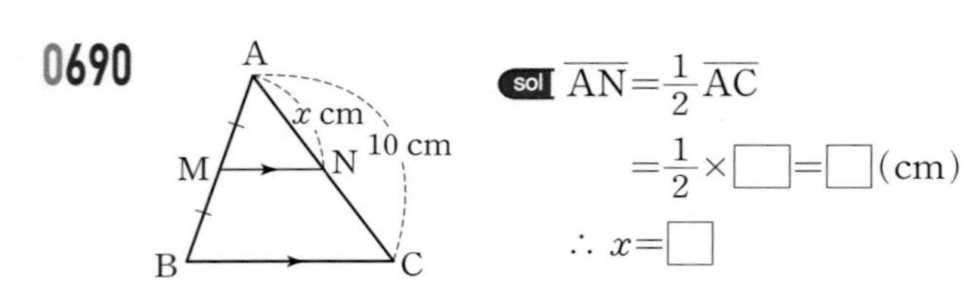

sol $\overline{AN}=\frac{1}{2}\overline{AC}$
$=\frac{1}{2}\times\square=\square$(cm)
$\therefore x=\square$

0691

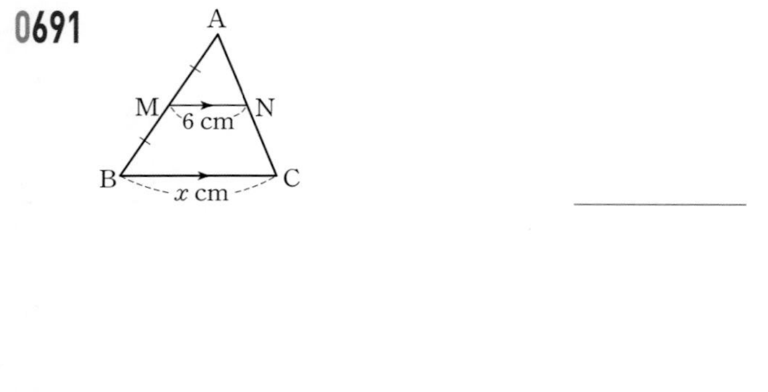

______

0692

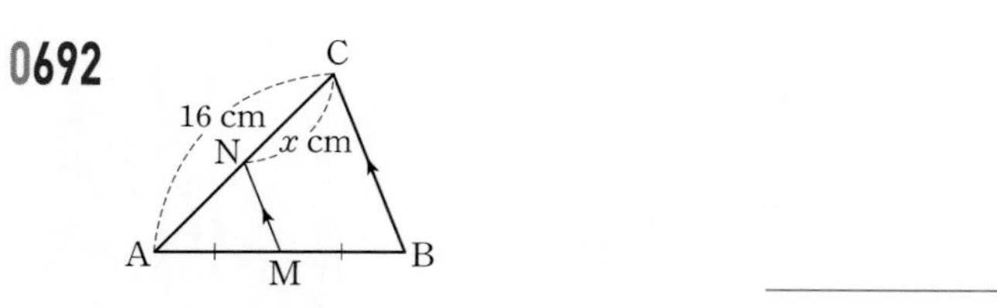

______

다음 그림과 같은 $\triangle ABC$에서 $\overline{AM}=\overline{MB}$이고 $\overline{MN} /\!/ \overline{BC}$일 때, x, y의 값을 각각 구하여라.

0693

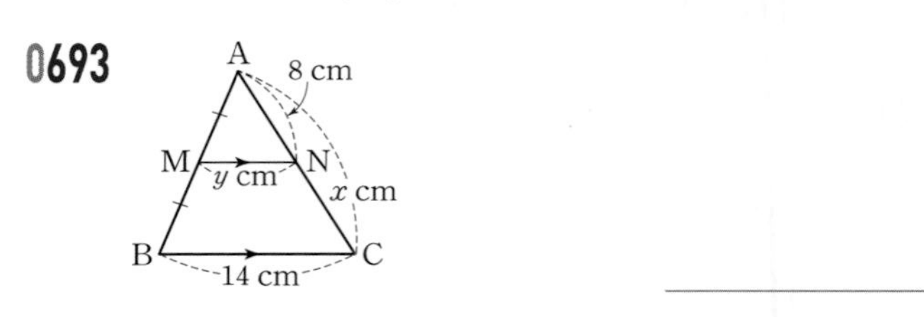

______

0694

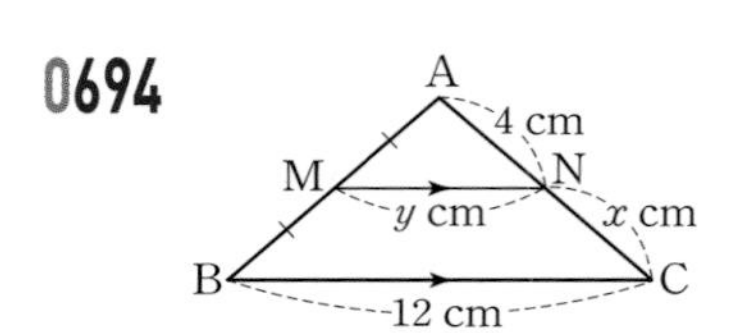

______

0695

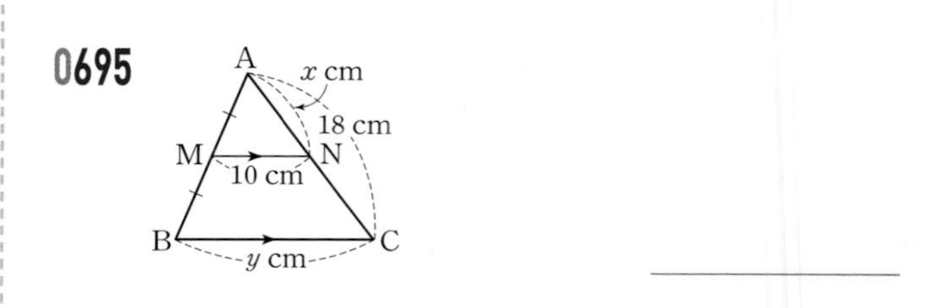

______

0696

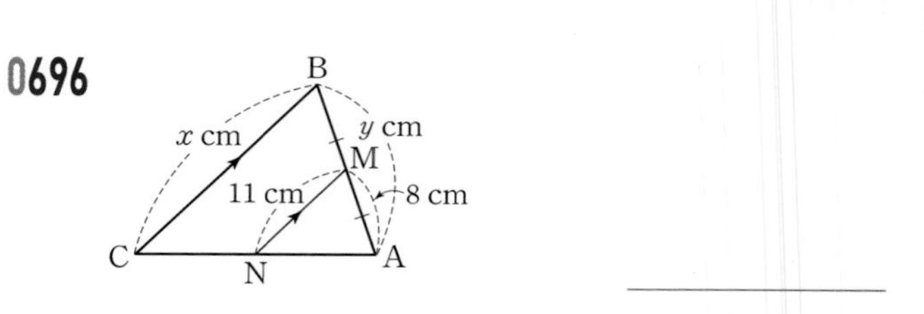

______

삼각형의 중점연결정리를 이용한 삼각형의 둘레의 길이

날짜 : 월 일

Subnote ➲ 34쪽

삼각형의 세 변의 중점을 연결하여 만든 삼각형의 둘레의 길이는 처음 삼각형의 둘레의 길이의 $\frac{1}{2}$ 이야.

△ABC에서 $\overline{AB}$, $\overline{BC}$, $\overline{CA}$의 중점을 각각 D, E, F라고 하면

$\overline{DE}=\frac{1}{2}\overline{AC}$, $\overline{EF}=\frac{1}{2}\overline{AB}$, $\overline{FD}=\frac{1}{2}\overline{BC}$

➡ (△DEF의 둘레의 길이)$=\frac{1}{2}\times$(△ABC의 둘레의 길이)

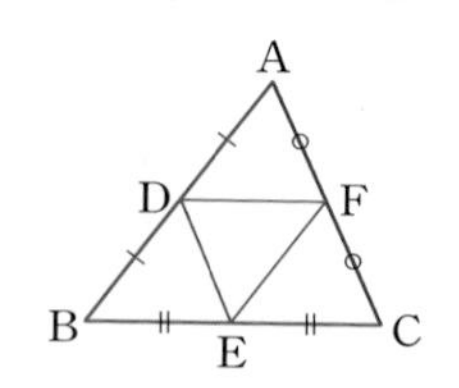

아래 그림과 같은 △ABC에서 $\overline{AB}$, $\overline{BC}$, $\overline{CA}$의 중점을 각각 D, E, F라고 할 때, 다음을 구하여라.

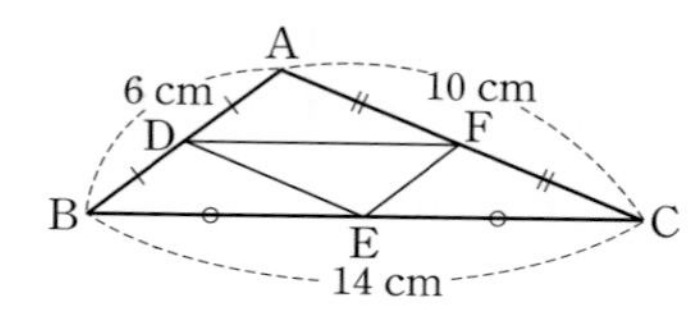

0697 $\overline{DE}$의 길이

sol $\overline{DE}=\frac{1}{2}\overline{AC}=\frac{1}{2}\times\square=\square$(cm)

0698 $\overline{EF}$의 길이

sol $\overline{EF}=\frac{1}{2}\overline{AB}=\frac{1}{2}\times\square=\square$(cm)

0699 $\overline{FD}$의 길이

sol $\overline{FD}=\frac{1}{2}\overline{BC}=\frac{1}{2}\times\square=\square$(cm)

0700 △DEF의 둘레의 길이

sol (△DEF의 둘레의 길이)$=\overline{DE}+\overline{EF}+\overline{FD}$

$=\square+\square+\square=\square$(cm)

다음 그림과 같은 △ABC에서 $\overline{AB}$, $\overline{BC}$, $\overline{CA}$의 중점을 각각 D, E, F라고 할 때, △DEF의 둘레의 길이를 구하여라.

0701

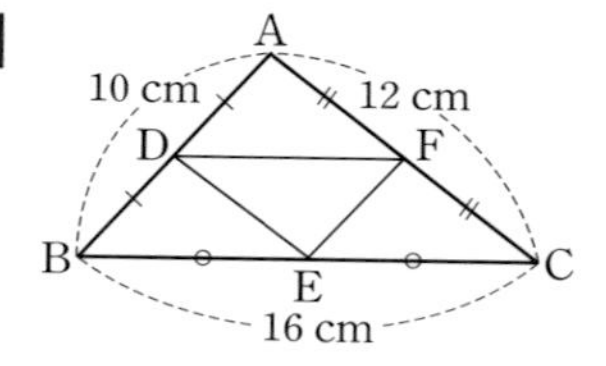

0702

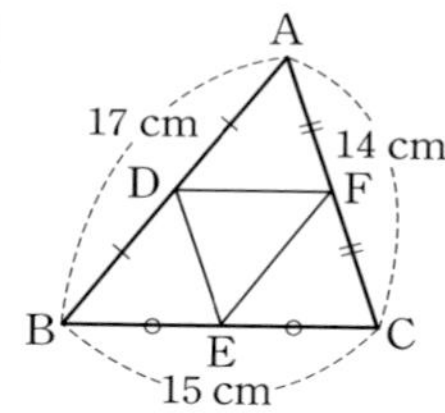

0703 학교 시험 맛보기

오른쪽 그림과 같은 △ABC에서 $\overline{AB}$, $\overline{BC}$, $\overline{CA}$의 중점을 각각 D, E, F라고 할 때, △ABC의 둘레의 길이를 구하여라.

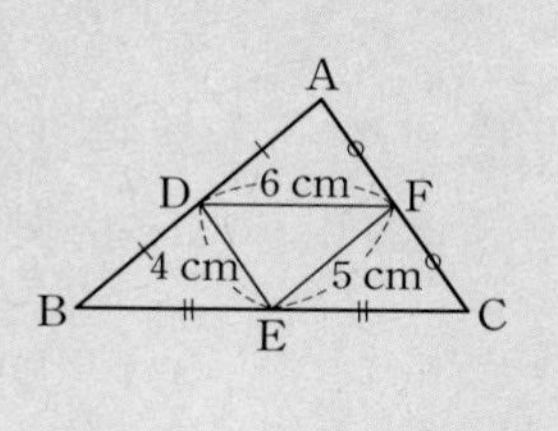

key (△ABC의 둘레의 길이)$=2\times$(△DEF의 둘레의 길이)

핵심 04 삼각형의 중점연결정리를 이용한 사각형의 둘레의 길이

날짜 : 월 일

Subnote ➔ 34쪽

사각형의 네 변의 중점을 연결하여 만든 사각형의 둘레의 길이는 처음 사각형의 두 대각선의 길이의 합과 같아.

□ABCD에서 $\overline{AB}$, $\overline{BC}$, $\overline{CD}$, $\overline{DA}$의 중점을 각각 E, F, G, H라고 하면

(1) $\overline{AC} /\!/ \overline{EF} /\!/ \overline{HG}$, $\overline{EF}=\overline{HG}=\frac{1}{2}\overline{AC}$

(2) $\overline{BD} /\!/ \overline{EH} /\!/ \overline{FG}$, $\overline{EH}=\overline{FG}=\frac{1}{2}\overline{BD}$

(3) (□EFGH의 둘레의 길이)$=\overline{AC}+\overline{BD}$

$=\overline{EF}+\overline{FG}+\overline{GH}+\overline{HE}=2\overline{EF}+2\overline{EH}=\overline{AC}+\overline{BD}$

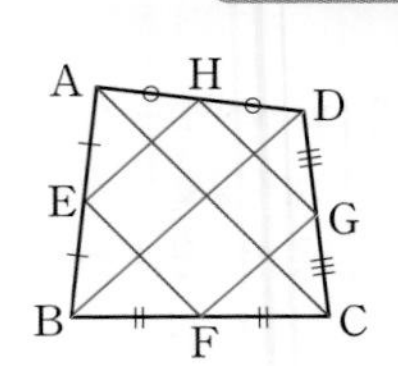

오른쪽 그림과 같은 □ABCD에서 $\overline{AB}$, $\overline{BC}$, $\overline{CD}$, $\overline{DA}$의 중점을 각각 E, F, G, H라고 할 때, 다음을 구하여라.

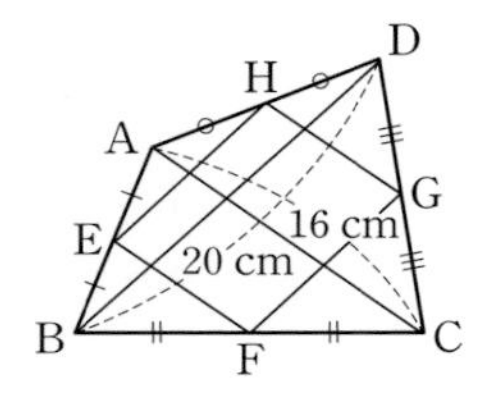

0704 $\overline{AC}$와 평행한 선분

sol △DAC에서 $\overline{DH}=\overline{HA}$, $\overline{DG}=\overline{GC}$이므로

$\overline{AC} /\!/$ ☐

△ABC에서 $\overline{BE}=\overline{EA}$, $\overline{BF}=\overline{FC}$이므로

$\overline{AC} /\!/$ ☐

➡ $\overline{AC}$와 평행한 선분은 ☐, ☐이다.

0705 $\overline{BD}$와 평행한 선분 ________

0706 $\overline{EF}$, $\overline{HG}$의 길이

sol $\overline{EF}=\overline{HG}=\frac{1}{2}\overline{AC}=\frac{1}{2}\times$☐$=$☐(cm)

0707 $\overline{EH}$, $\overline{FG}$의 길이 ________

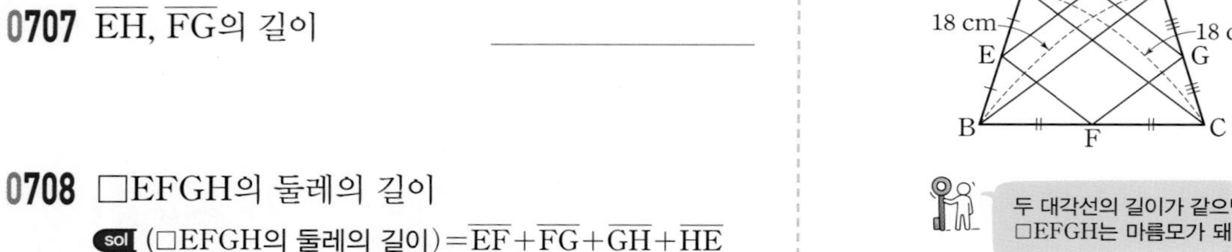

0708 □EFGH의 둘레의 길이

sol (□EFGH의 둘레의 길이)$=\overline{EF}+\overline{FG}+\overline{GH}+\overline{HE}$

$=\overline{AC}+\overline{BD}$

$=$☐$+$☐$=$☐(cm)

다음 그림과 같은 □ABCD에서 $\overline{AB}$, $\overline{BC}$, $\overline{CD}$, $\overline{DA}$의 중점을 각각 E, F, G, H라고 할 때, □EFGH의 둘레의 길이를 구하여라.

0709

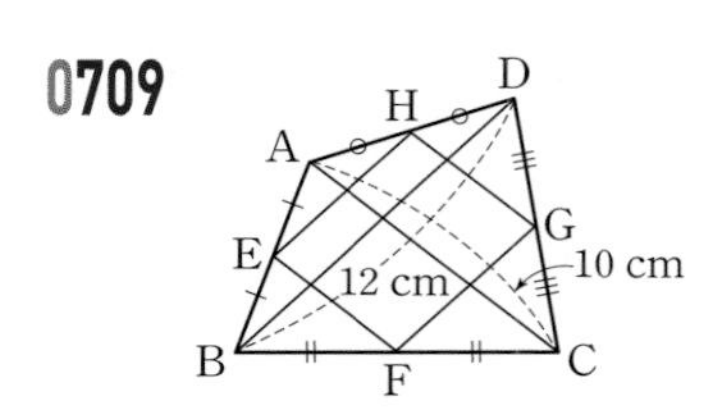

____

0710

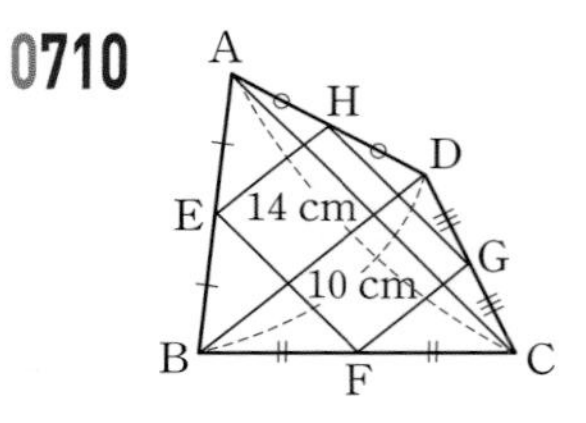

____

0711

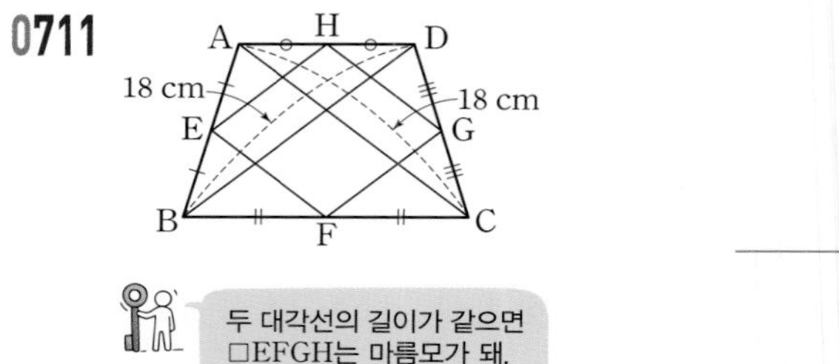

____

핵심

05 삼각형의 중점연결정리의 활용

날짜 : 월 일

Subnote ➲ 34쪽

오른쪽 그림에서 두 변의 중점을 연결한 두 삼각형을 찾아내어 삼각형의 중점연결정리를 이용해서 $\overline{DF}$, $\overline{BE}$의 길이를 구해.

$\triangle$ABC에서 $\overline{AE}=\overline{EF}=\overline{FC}$, $\overline{BD}=\overline{DC}$, $\overline{AG}=\overline{GD}$일 때, $\overline{GE}=a$라고 하면

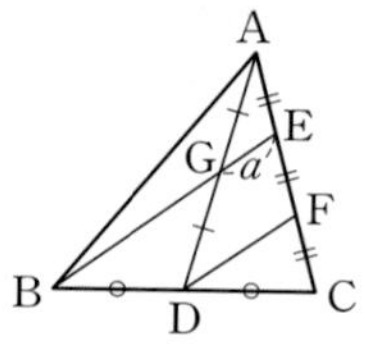

➡

➡

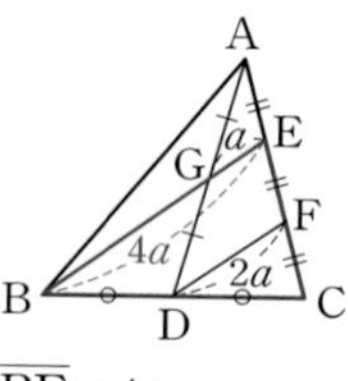

$\overline{DF}=2a$

$\overline{BE}=4a$

$\overline{BG}=\overline{BE}-\overline{GE}=3a$

오른쪽 그림과 같은 $\triangle$ABC에서 $\overline{AE}=\overline{EF}=\overline{FC}$, $\overline{BD}=\overline{DC}$, $\overline{AG}=\overline{GD}$일 때, 다음을 구하여라.

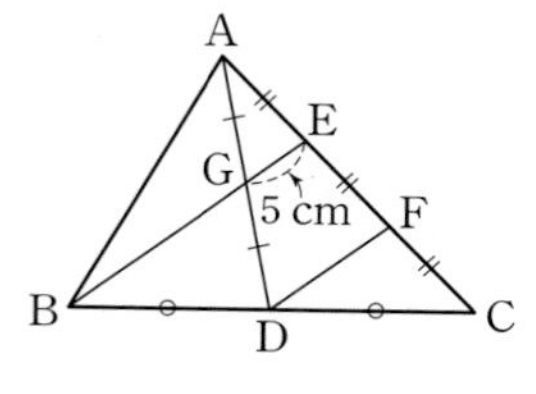

0712 $\overline{DF}$의 길이

sol $\triangle$ADF에서

$\overline{DF}=2\overline{GE}=2\times\square=\square$(cm)

0713 $\overline{BE}$의 길이

sol $\triangle$CEB에서

$\overline{BE}=2\overline{DF}=2\times\square=\square$(cm)

0714 $\overline{BG}$의 길이

sol $\overline{BG}=\overline{BE}-\overline{GE}$

$=\square-\square=\square$(cm)

다음 그림과 같은 $\triangle$ABC에서 x의 값을 구하여라.

0715

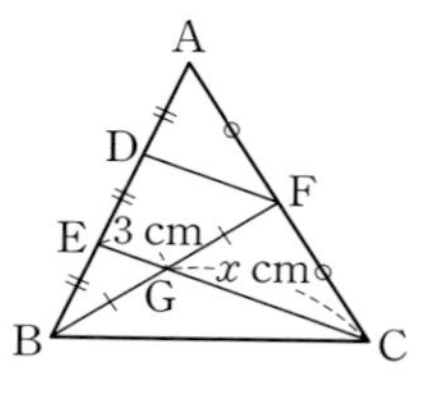

0716

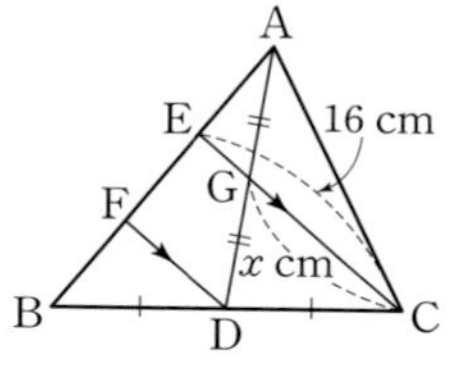

key $\overline{FD}\to\overline{EG}\to\overline{GC}$ 순으로 선분의 길이를 구해 본다.

0717 학교 시험 맛보기

오른쪽 그림과 같은 $\triangle$ABC에서 $\overline{AD}=\overline{DB}$, $\overline{CG}=\overline{GD}$이고, $\overline{DE}/\!/\overline{BF}$이다. $\overline{BG}=18$ cm일 때, x의 값을 구하여라.

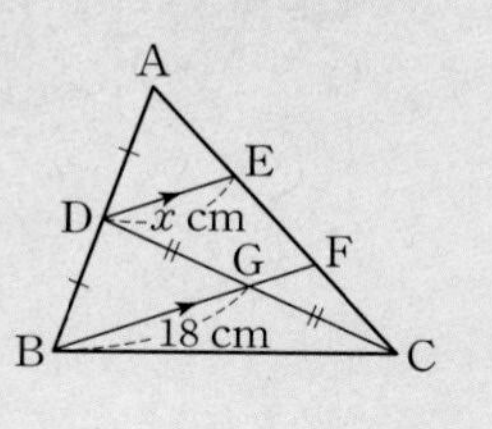

key $\overline{GF}$, $\overline{BF}$의 길이를 x에 대한 식으로 나타낸다.

06 사다리꼴에서 중점연결정리 (1)

날짜 : 월 일

Subnote 34쪽

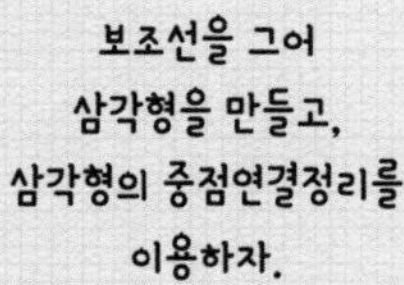

$\overline{AD}/\!/\overline{BC}$인 사다리꼴 ABCD에서 $\overline{AB}$, $\overline{CD}$의 중점을 각각 M, N이라고 할 때

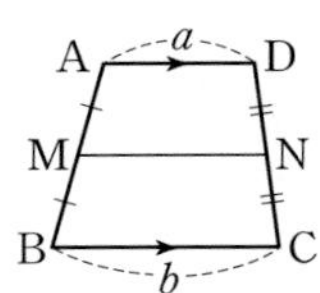
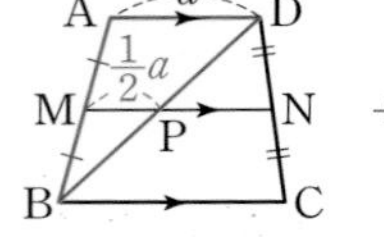
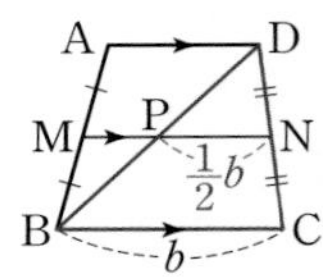

$\overline{AD}/\!/\overline{MN}/\!/\overline{BC}$ $\quad$ $\overline{MN}=\overline{MP}+\overline{PN}=\frac{1}{2}(a+b)$

오른쪽 그림과 같이 $\overline{AD}/\!/\overline{BC}$인 사다리꼴 ABCD에서 $\overline{AB}$, $\overline{CD}$의 중점을 각각 M, N이라고 할 때, 다음을 구하여라.

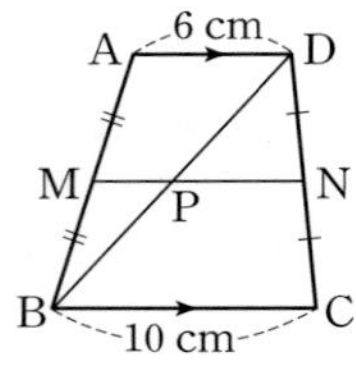

0718 $\overline{MP}$의 길이

sol △ABD에서
$\overline{MP}=\frac{1}{2}\overline{AD}=\frac{1}{2}\times\square=\square$(cm)

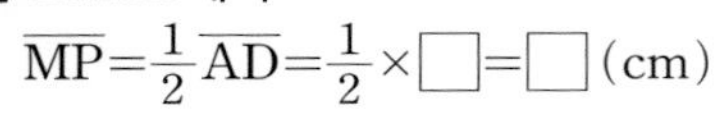

0719 $\overline{PN}$의 길이

sol △BCD에서
$\overline{PN}=\frac{1}{2}\overline{BC}=\frac{1}{2}\times\square=\square$(cm)

0720 $\overline{MN}$의 길이

sol $\overline{MN}=\overline{MP}+\overline{PN}$
$=\square+\square=\square$(cm)

다음 그림과 같이 $\overline{AD}/\!/\overline{BC}$인 사다리꼴 ABCD에서 $\overline{AB}$, $\overline{CD}$의 중점을 각각 M, N이라고 할 때, x의 값을 구하여라.

0721

A, D, 8 cm, M, P, N, x cm, B, C, 12 cm

0722

A, D, x cm, M, P, N, 5 cm, B, C, 6 cm

0723 학교 시험 맛보기

오른쪽 그림과 같이 $\overline{AD}/\!/\overline{BC}$인 사다리꼴 ABCD에서 $\overline{AB}$, $\overline{CD}$의 중점을 각각 M, N이라고 할 때, $\overline{MN}$의 길이를 구하여라.

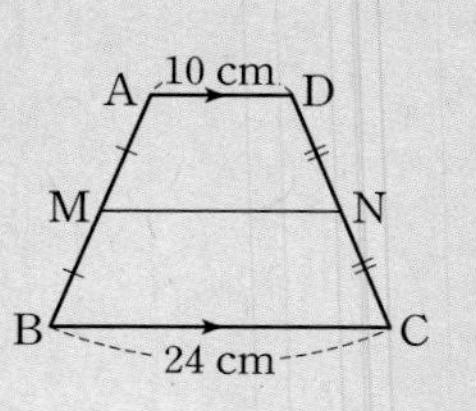

key 보조선을 그어 삼각형을 만든다.

핵심 07 사다리꼴에서 중점연결정리 (2)

날짜 : 월 일

Subnote ➲ 35쪽

삼각형의 중점연결정리를 이용하자.

$\overline{AD}/\!/\overline{BC}$인 사다리꼴 ABCD에서 $\overline{AB}$, $\overline{CD}$의 중점을 각각 M, N이라고 할 때

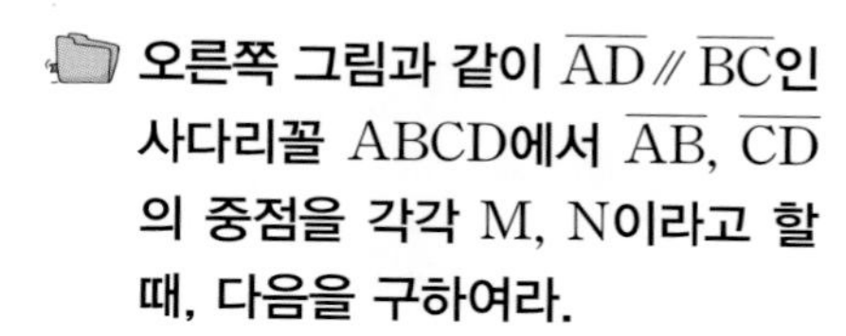

$\overline{AD}/\!/\overline{MN}/\!/\overline{BC}$ $\overline{PQ}=\overline{MQ}-\overline{MP}=\frac{1}{2}(b-a)$

오른쪽 그림과 같이 $\overline{AD}/\!/\overline{BC}$인 사다리꼴 ABCD에서 $\overline{AB}$, $\overline{CD}$의 중점을 각각 M, N이라고 할 때, 다음을 구하여라.

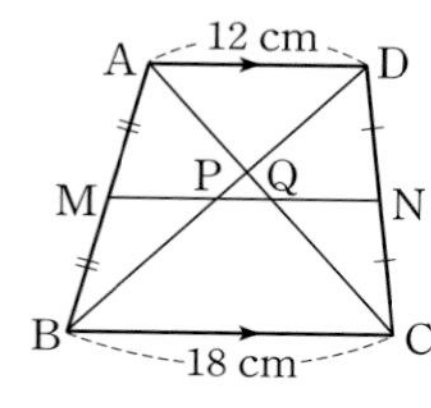

0724 $\overline{MQ}$의 길이

sol △ABC에서
$\overline{MQ}=\frac{1}{2}\overline{BC}=\frac{1}{2}\times\square=\square$ (cm)

0725 $\overline{MP}$의 길이

sol △ABD에서
$\overline{MP}=\frac{1}{2}\overline{AD}=\frac{1}{2}\times\square=\square$ (cm)

0726 $\overline{PQ}$의 길이

sol $\overline{PQ}=\overline{MQ}-\overline{MP}$
$=\square-\square=\square$ (cm)

다음 그림과 같이 $\overline{AD}/\!/\overline{BC}$인 사다리꼴 ABCD에서 $\overline{AB}$, $\overline{CD}$의 중점을 각각 M, N이라고 할 때, x의 값을 구하여라.

0727

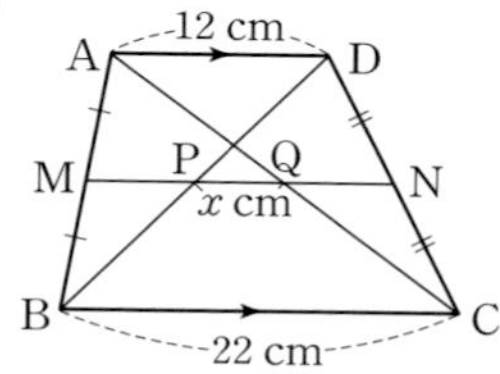

0728

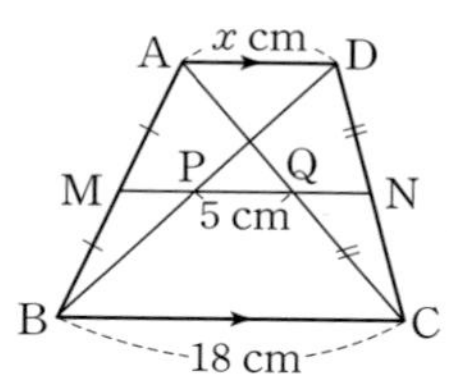

0729

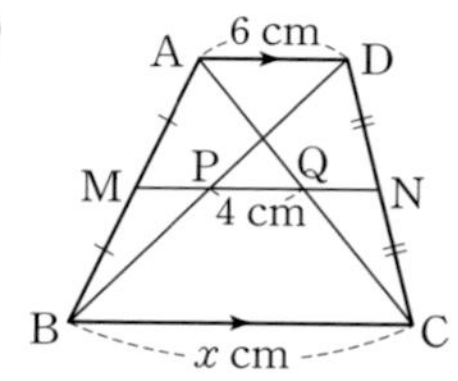

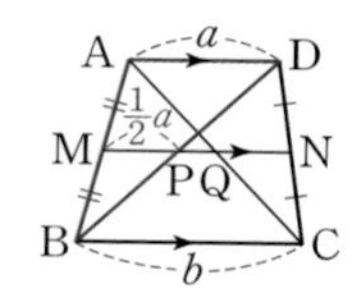

핵심 01~07

Mini Review Test

날짜 : 월 일

Subnote 35쪽

핵심 01 02

0730 오른쪽 그림과 같은 △ABC에서 $\overline{AM}=\overline{MB}$이고, $\overline{MN} /\!/ \overline{BC}$일 때, $x+y$의 값은?

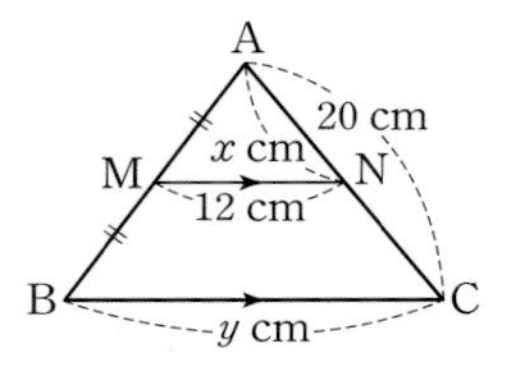

① 28 ② 30 ③ 32
④ 34 ⑤ 36

핵심 03

0731 오른쪽 그림과 같은 △ABC에서 각 변의 중점을 잡아 △DEF를 그리고, △DEF에서 각 변의 중점을 잡아 △GHI를 그렸다. △DEF의 둘레의 길이가 20 cm일 때, △GHI와 △ABC의 둘레의 길이를 차례대로 구하여라.

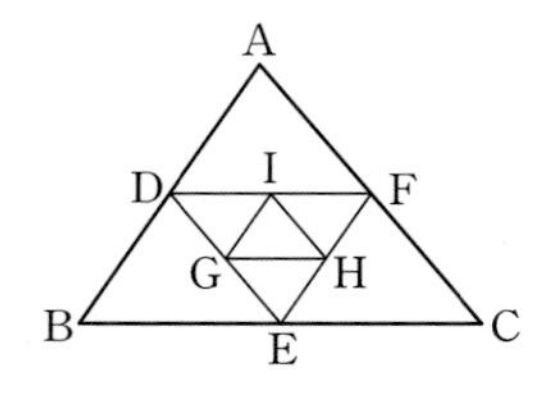

핵심 04

0732 오른쪽 그림과 같은 □ABCD에서 $\overline{AB}$, $\overline{BC}$, $\overline{CD}$, $\overline{DA}$의 중점을 각각 E, F, G, H라고 할 때, □EFGH의 둘레의 길이를 구하여라.

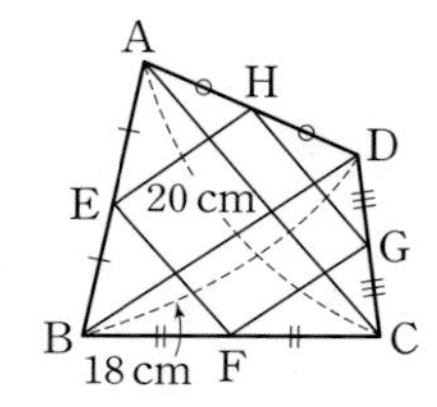

핵심 05

0733 오른쪽 그림과 같은 △ABC에서 $\overline{BD}=\overline{DC}$, $\overline{AG}=\overline{GD}$이고 $\overline{BE} /\!/ \overline{DF}$이다. $\overline{BG}=21$ cm일 때, x의 값은?

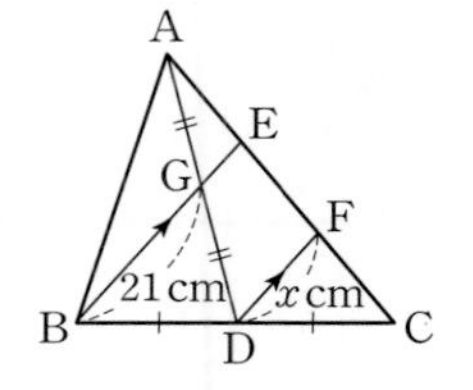

① 12 ② 13 ③ 14
④ 15 ⑤ 16

핵심 06 서술형

0734 오른쪽 그림과 같이 $\overline{AD} /\!/ \overline{BC}$인 사다리꼴 ABCD에서 두 점 M, N은 각각 $\overline{AB}$, $\overline{DC}$의 중점이고 $\overline{AD}=7$ cm, $\overline{BC}=13$ cm일 때, $\overline{MN}$의 길이를 구하여라.

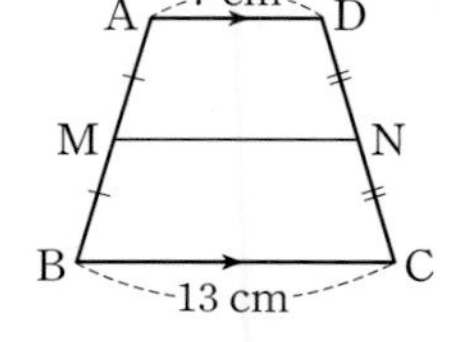

핵심 07

0735 오른쪽 그림과 같이 $\overline{AD} /\!/ \overline{BC}$인 사다리꼴 ABCD에서 두 점 M, N은 각각 $\overline{AB}$, $\overline{CD}$의 중점이고 $\overline{AD}=8$ cm, $\overline{BC}=14$ cm일 때, $\overline{PQ}$의 길이를 구하여라.

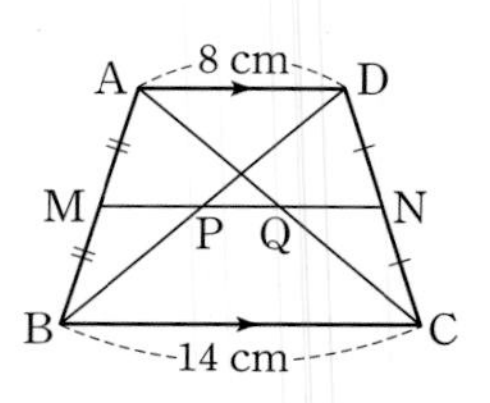

08 삼각형의 중선

날짜 :  월  일

Subnote ➔ 35쪽

한 삼각형에는 3개의 중선이 있어.

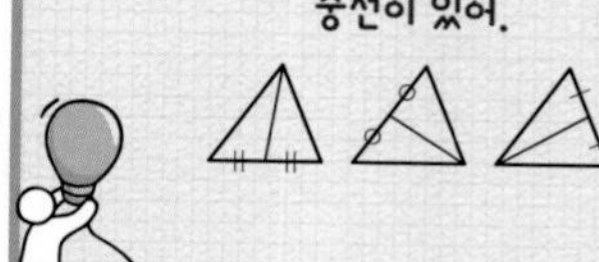

(1) **삼각형의 중선:** 삼각형의 한 꼭짓점과 그 대변의 중점을 이은 선분

(2) **삼각형의 중선의 성질:** 삼각형의 한 중선은 그 삼각형의 넓이를 이등분한다.

➡ $\overline{AD}$가 $\triangle ABC$의 중선일 때 $\triangle ABD=\triangle ADC=\frac{1}{2}\triangle ABC$

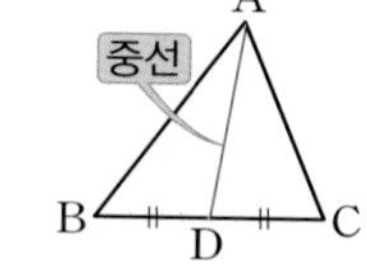

다음 그림에서 $\overline{AD}$가 $\triangle ABC$의 중선이고, $\triangle ABC$의 넓이가 60 cm^2일 때, 색칠한 부분의 넓이를 구하여라.

0736

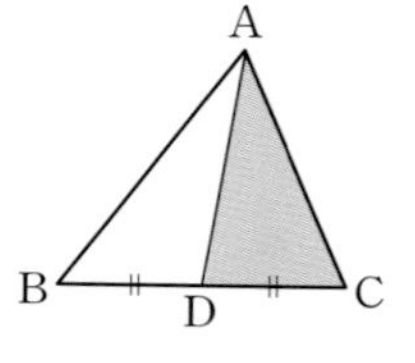

sol $\triangle ADC=\frac{1}{2}\triangle ABC=\frac{1}{2}\times\square=\square\ (\text{cm}^2)$

0737

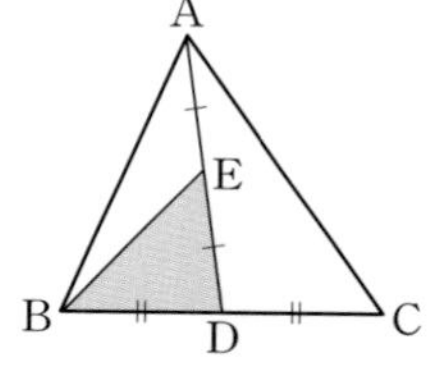

$\overline{BE}$는 $\triangle ABD$의 중선이야.

0738

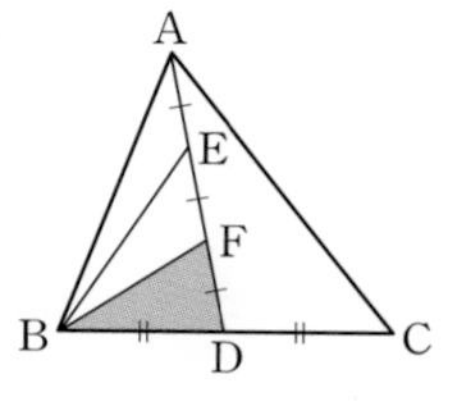

다음 그림에서 $\overline{AD}$가 $\triangle ABC$의 중선일 때, 주어진 조건에서 $\triangle ABC$의 넓이를 구하여라.

0739 $\triangle ABD=6\text{ cm}^2$일 때

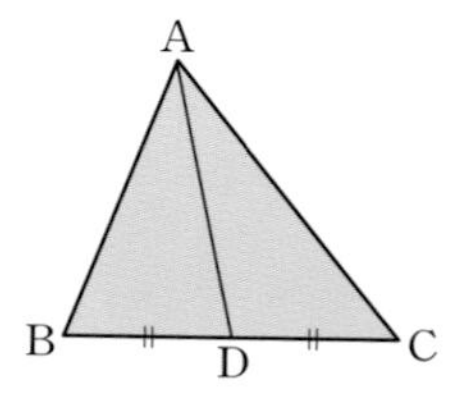

sol $\triangle ABC=2\triangle ABD=2\times\square=\square\ (\text{cm}^2)$

0740 $\triangle AEC=4\text{ cm}^2$일 때

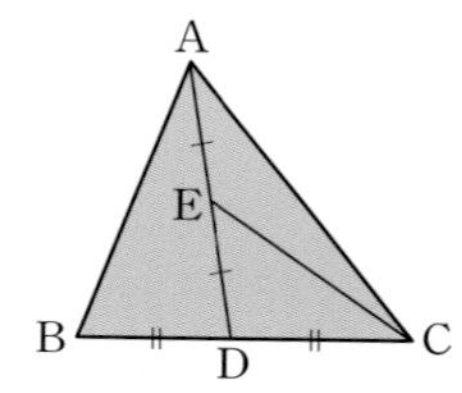

0741 학교 시험 맛보기

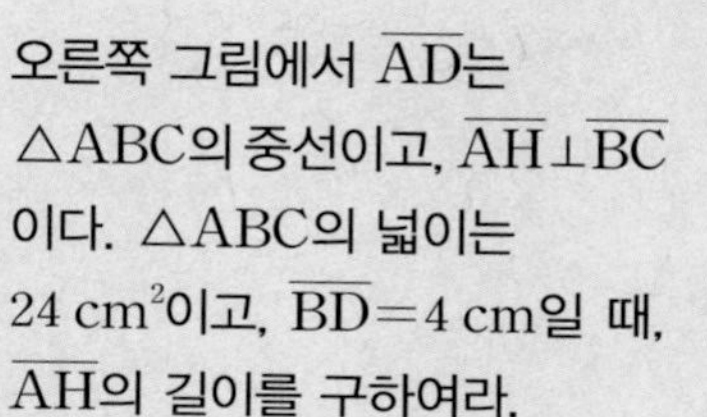

오른쪽 그림에서 $\overline{AD}$는 $\triangle ABC$의 중선이고, $\overline{AH}\perp\overline{BC}$이다. $\triangle ABC$의 넓이는 24 cm^2이고, $\overline{BD}=4\text{ cm}$일 때, $\overline{AH}$의 길이를 구하여라.

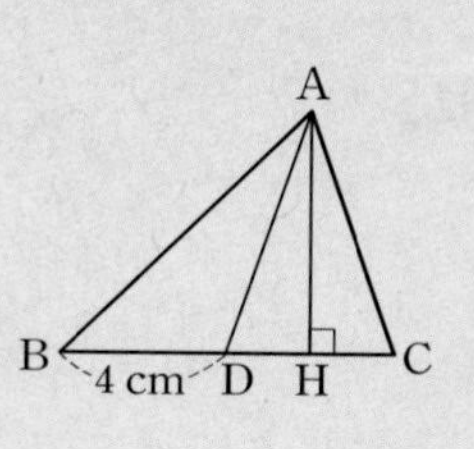

09 삼각형의 무게중심

날짜 :  월  일

Subnote ➡ 36쪽

핵심

삼각형의 세 중선은 한 점에서 만나는데 그 점이 무게중심이야.

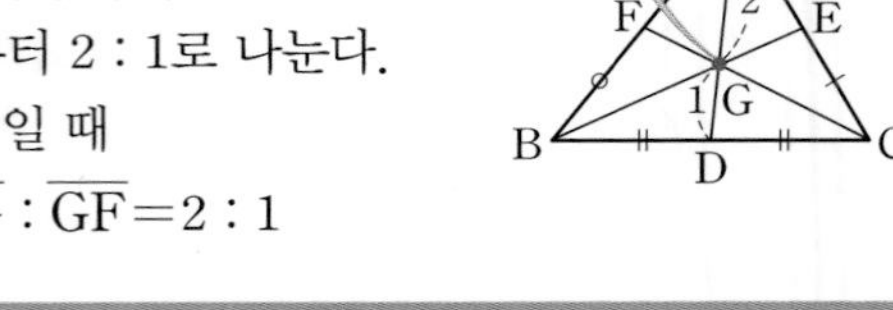

(1) **삼각형의 무게중심:** 삼각형의 세 중선의 교점

(2) **삼각형의 무게중심의 성질:** 삼각형의 무게중심은 세 중선의 길이를 각 꼭짓점으로부터 2 : 1로 나눈다.

➡ 점 G가 △ABC의 무게중심일 때

$\overline{AG} : \overline{GD} = \overline{BG} : \overline{GE} = \overline{CG} : \overline{GF} = 2 : 1$

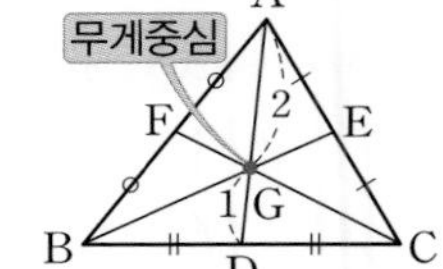

다음 그림에서 점 G가 △ABC의 무게중심일 때, x의 값을 구하여라.

0742

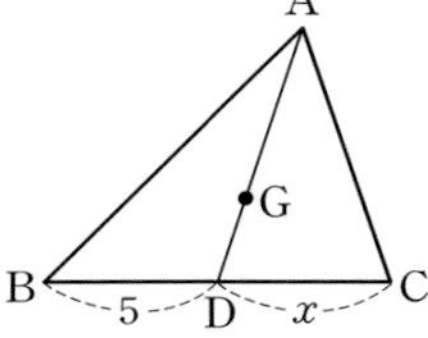

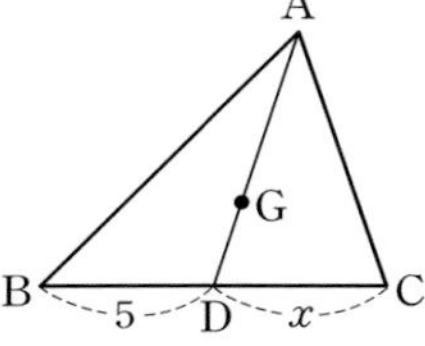

0743

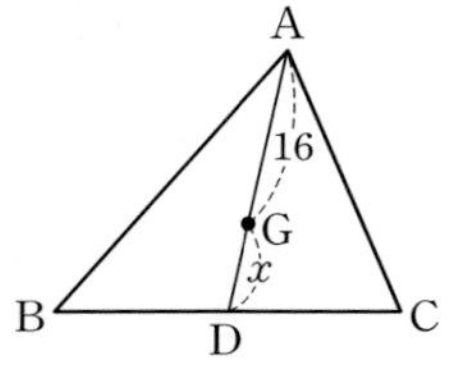

sol $\overline{AG} : \overline{GD} = 2 : \square$ 이므로

$16 : x = 2 : \square \quad \therefore x = \square$

0744

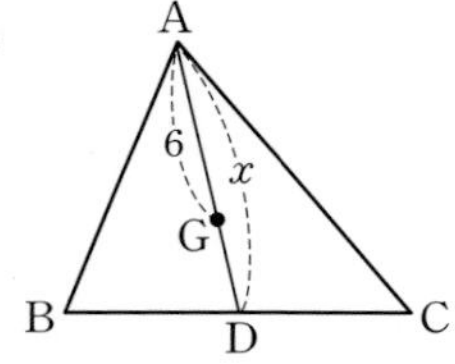

$\overline{AG} : \overline{GD} : \overline{AD} = 2 : 1 : 3$

0745

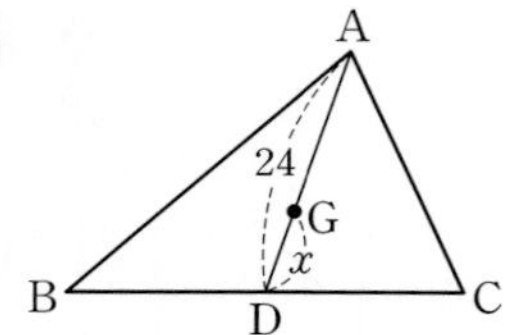

0746

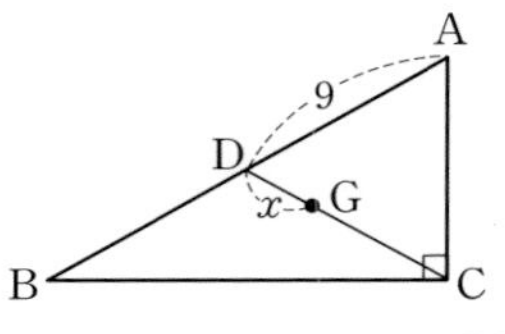

직각삼각형의 빗변의 중점은 외심과 같아.

sol $\overline{CD} = \overline{BD} = \overline{AD} = \square$

$\overline{GD} = \frac{1}{3}\overline{CD} = \frac{1}{3} \times \square = \square \quad \therefore x = \square$

0747

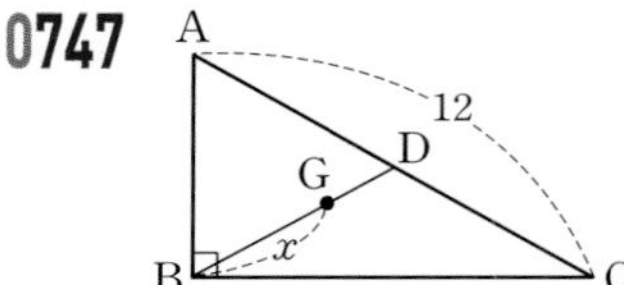

0748

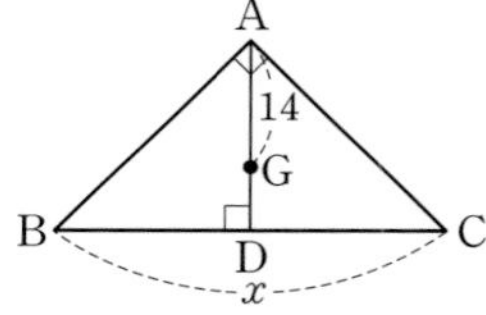

0749 학교 시험 맛보기 

오른쪽 그림에서 점 G가 △ABC의 무게중심일 때, x, y의 값을 각각 구하여라.

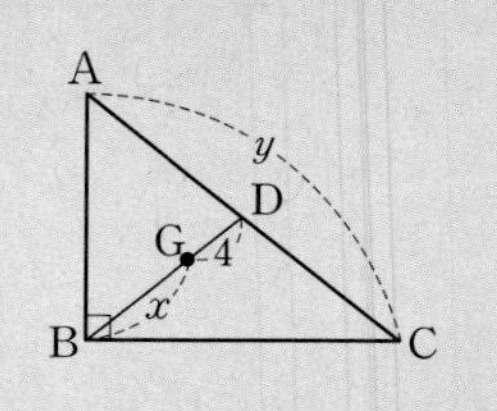

핵심 **10**

날짜 : 월 일

Subnote ➜ 36쪽

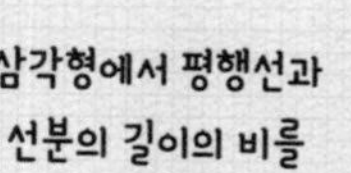

점 G가 △ABC의 무게중심이고

(1) $\overline{EF} /\!/ \overline{BC}$일 때

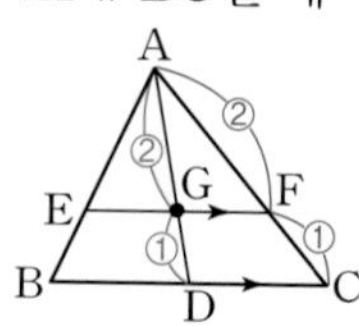

$\overline{AF} : \overline{FC} = \overline{AG} : \overline{GD}$
$= 2 : 1$

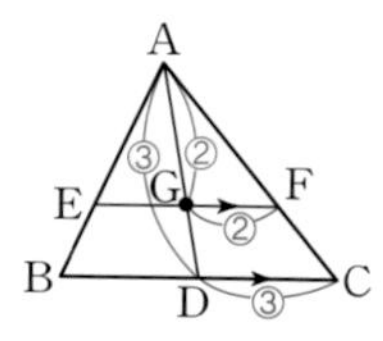

$\overline{AG} : \overline{AD} = \overline{GF} : \overline{DC}$
$= 2 : 3$

(2) $\overline{BE} /\!/ \overline{DF}$일 때

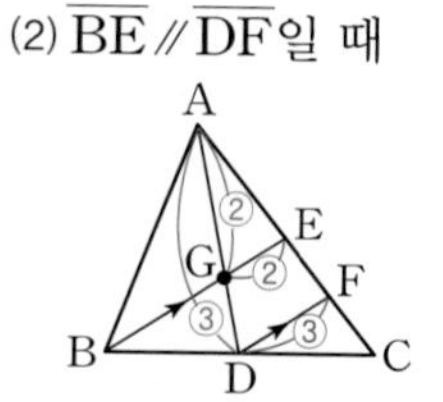

$\overline{GE} : \overline{DF} = \overline{AG} : \overline{AD}$
$= 2 : 3$

다음 그림에서 점 G는 △ABC의 무게중심이고, $\overline{EF} /\!/ \overline{BC}$일 때, x, y의 값을 각각 구하여라.

0750

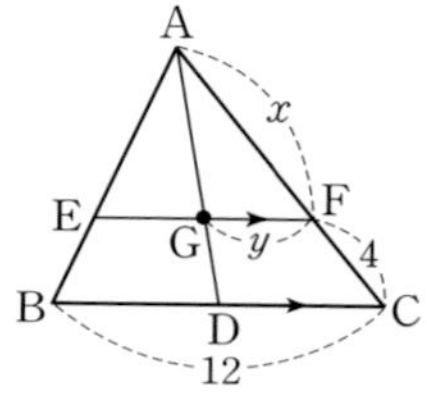

sol ❶ $\overline{AD}$가 중선이므로 $\overline{DC} = \overline{BD} = \square$

❷ △ADC에서 $\overline{AF} : \overline{FC} = \square : 1$이므로

$x : 4 = \square : 1 \quad \therefore x = \square$

$\overline{GF} : \overline{DC} = 2 : \square$이므로

$y : 6 = 2 : \square \quad \therefore y = \square$

0751

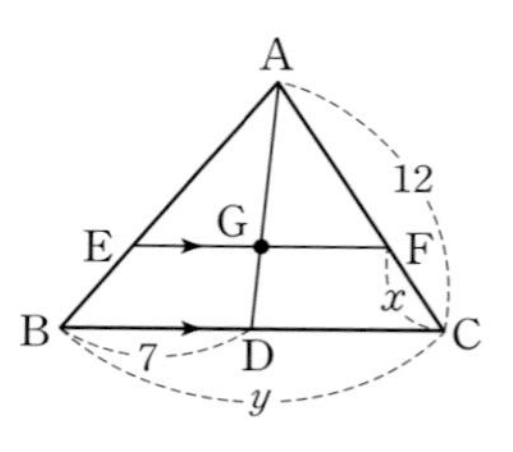

0752

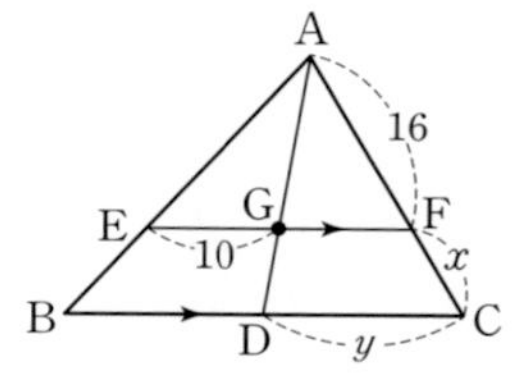

다음 그림에서 점 G는 △ABC의 무게중심이고, $\overline{BE} /\!/ \overline{DF}$일 때, x, y의 값을 각각 구하여라.

0753

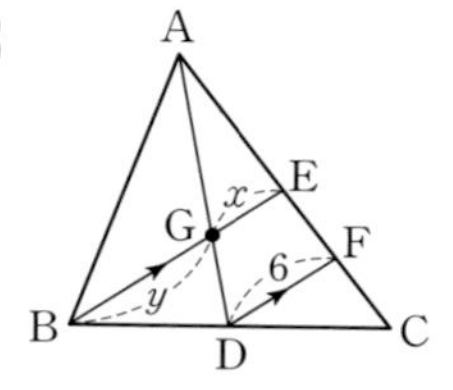

sol ❶ △ADF에서 $\overline{GE} : \overline{DF} = 2 : \square$이므로

$x : 6 = 2 : \square \quad \therefore x = \square$

❷ $\overline{BG} = 2\overline{GE}$이므로 $y = \square$

0754

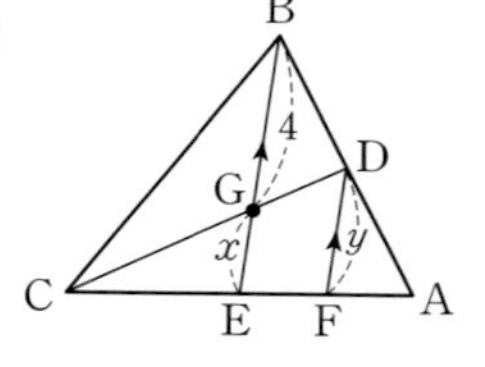

0755 학교 시험 맛보기 

오른쪽 그림에서 점 G는 △ABC의 무게중심이고, $\overline{BE} /\!/ \overline{DF}$일 때, $x+y$의 값을 구하여라.

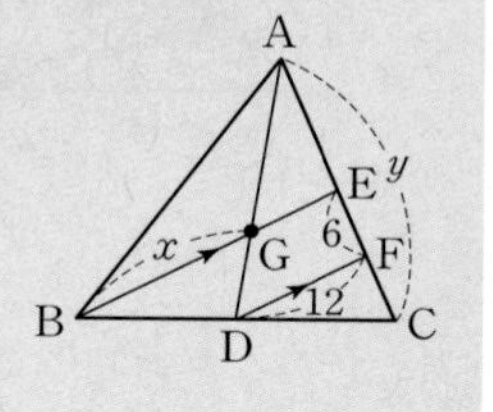

핵심

11 삼각형의 무게중심과 넓이

날짜 : 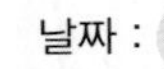 월  일 

Subnote ⊙ 36쪽

삼각형의 세 중선에 의해 나누어지는 6개의 삼각형의 넓이는 모두 같아.

점 G가 $\triangle ABC$의 무게중심일 때

(1) $\triangle GAF=\triangle GBF=\triangle GBD=\triangle GCD$

$=\triangle GCE=\triangle GAE=\frac{1}{6}\triangle ABC$

(2) $\triangle GAB=\triangle GBC=\triangle GCA=\frac{1}{3}\triangle ABC$

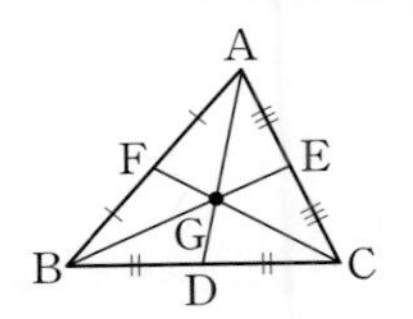

다음 그림에서 점 G는 $\triangle ABC$의 무게중심이다. $\triangle ABC$의 넓이가 42 cm^2일 때, 색칠한 부분의 넓이를 구하여라.

0756

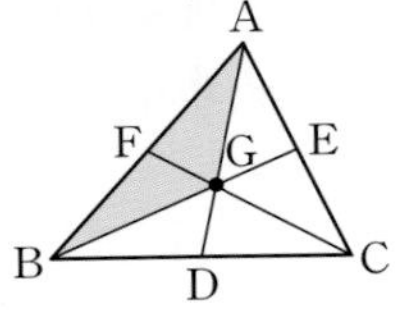

sol $\triangle GAB=\frac{1}{3}\triangle ABC$

$=\frac{1}{3}\times\square$

$=\square\,(\text{cm}^2)$

0757

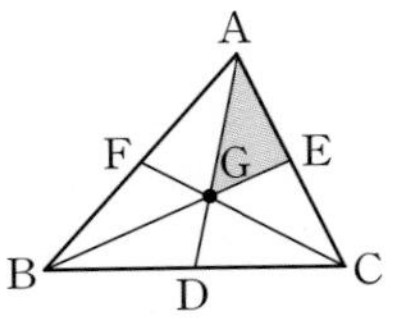

0758

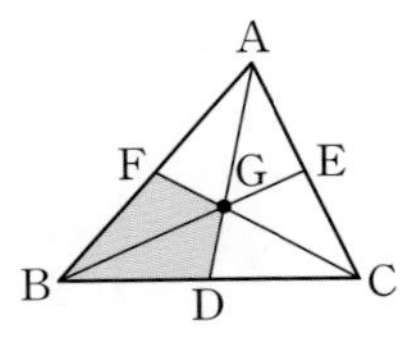

0759

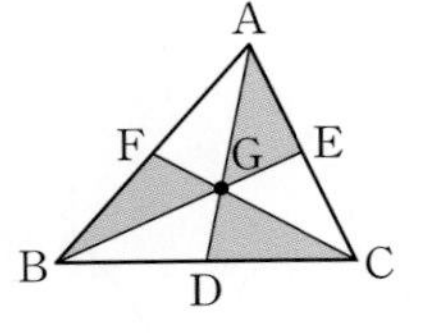

다음 그림에서 점 G는 $\triangle ABC$의 무게중심이다. 주어진 조건에서 $\triangle ABC$의 넓이를 구하여라.

0760 $\triangle GCA=10\text{ cm}^2$일 때

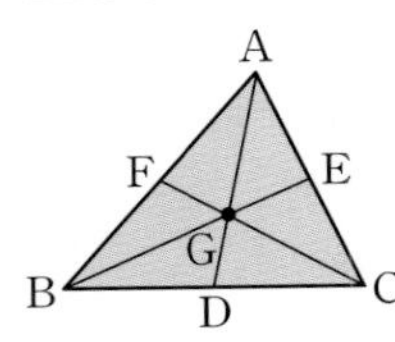

0761 $\triangle GAF=8\text{ cm}^2$일 때

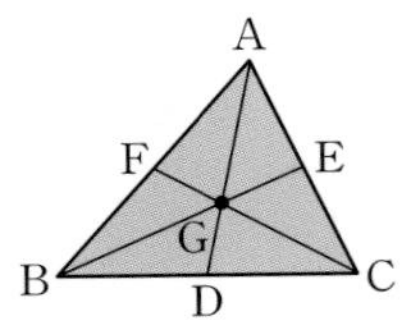

0762 $\square GDCE=18\text{ cm}^2$일 때

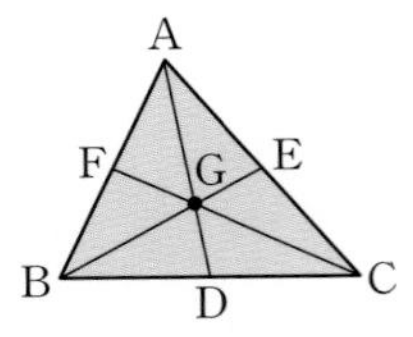

0763 학교 시험 맛보기 

오른쪽 그림에서 점 G는 $\triangle ABC$의 무게중심이고, 점 M은 $\overline{GC}$의 중점이다. $\triangle ABC$의 넓이가 48 cm^2일 때, $\triangle GDM$의 넓이를 구하여라.

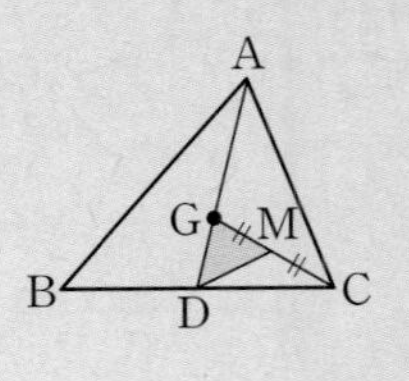

핵심 **12**

평행사변형에서 삼각형의 무게중심의 활용 (1)

날짜 : 월 일

Subnote ➡ 37쪽

$\overline{AO}=\overline{OC}$이므로 두 점 P, Q는 △ABC, △ACD의 무게중심이야.

평행사변형 ABCD에서 $\overline{BC}$, $\overline{CD}$의 중점을 각각 M, N이라고 할 때

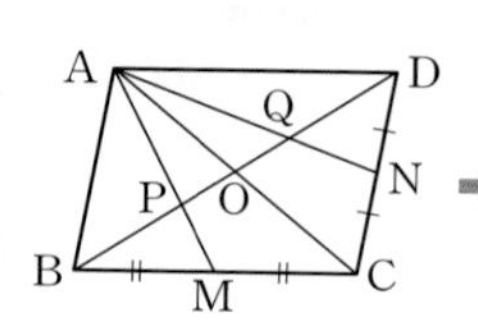

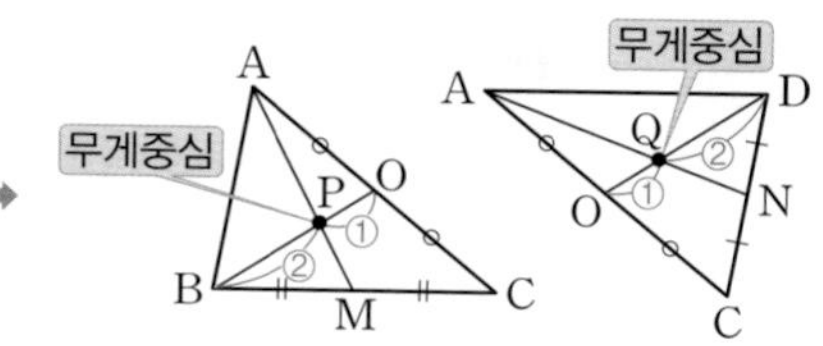

(1) $\overline{BP}=\overline{PQ}=\overline{QD}=\frac{1}{3}\overline{BD}$

(2) $\overline{PO}=\overline{QO}=\frac{1}{6}\overline{BD}$

오른쪽 그림의 평행사변형 ABCD에서 $\overline{BC}$, $\overline{CD}$의 중점을 각각 M, N이라 하고 $\overline{BD}=30$ cm일 때, 다음을 구하여라. (단, 점 O는 두 대각선의 교점이다.)

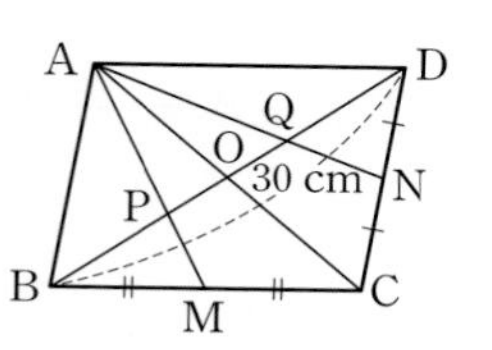

0764 $\overline{DO}$의 길이

sol $\overline{DO}=\frac{1}{2}\overline{BD}=\frac{1}{2}\times\square=\square$(cm)

0765 $\overline{DQ}$의 길이

sol 점 Q는 △ACD의 무게중심이므로
$\overline{DQ}=\frac{2}{3}\overline{DO}=\frac{2}{3}\times\square=\square$(cm)

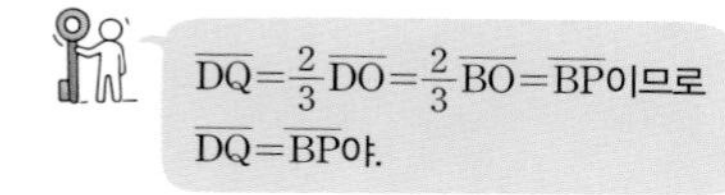

0766 $\overline{QO}$의 길이

sol $\overline{QO}=\frac{1}{3}\overline{DO}=\frac{1}{3}\times\square=\square$(cm)

0767 $\overline{PQ}$의 길이

sol $\overline{PO}=\overline{QO}$이므로 $\overline{PQ}=2\overline{QO}=2\times\square=\square$(cm)

다음 그림과 같은 평행사변형 ABCD에서 x의 값을 구하여라. (단, 점 O는 두 대각선의 교점이다.)

0768

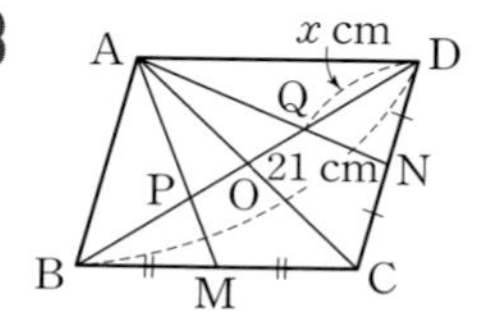

0769

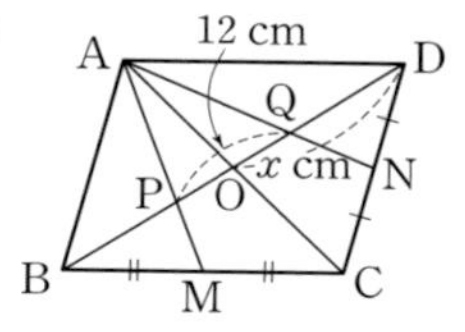

0770

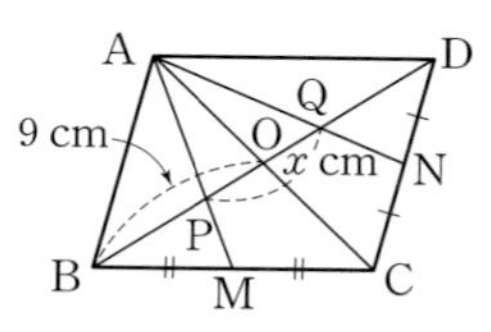

0771

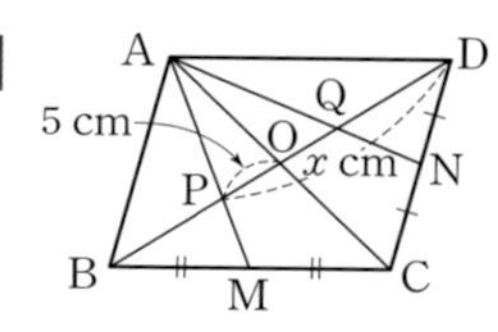

7 삼각형의 무게중심

다음 그림과 같은 평행사변형 ABCD의 넓이가 $12\ \text{cm}^2$일 때, 색칠한 부분의 넓이를 구하여라.
(단, 점 O는 두 대각선의 교점이다.)

0772

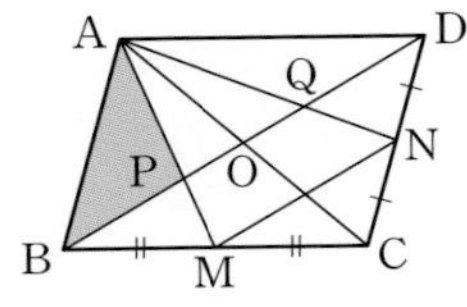

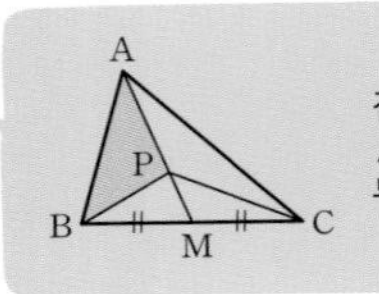

점 P는 △ABC의 무게중심이야.

sol $\triangle ABP=\frac{1}{3}\triangle ABC=\frac{1}{3}\times\frac{1}{\square}\square ABCD$

$=\frac{1}{\square}\square ABCD=\square(\text{cm}^2)$

0773

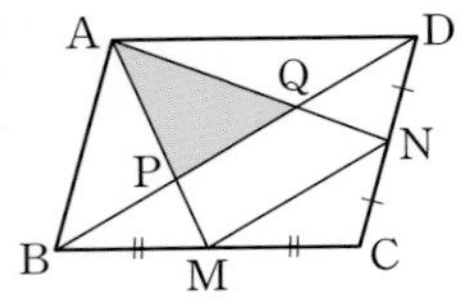

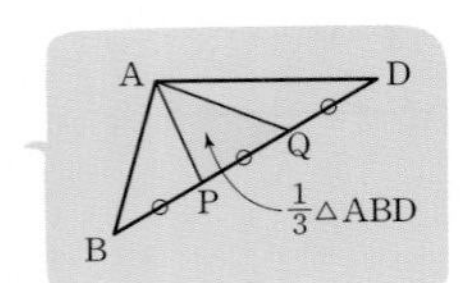

0774

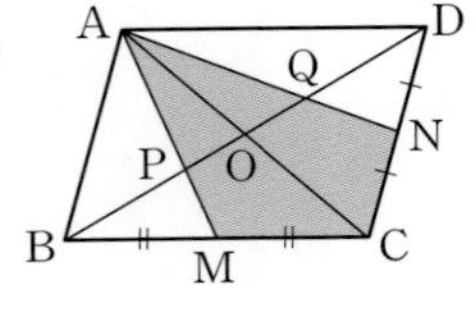

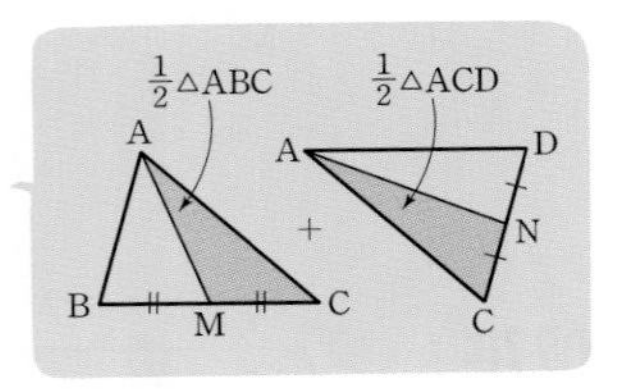

0775

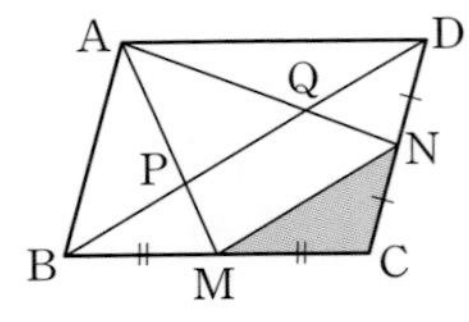

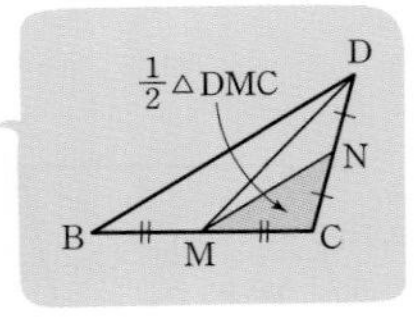

0776

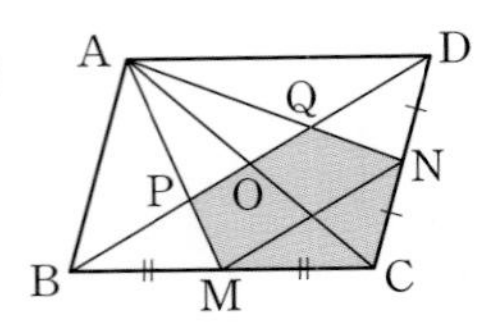

0777

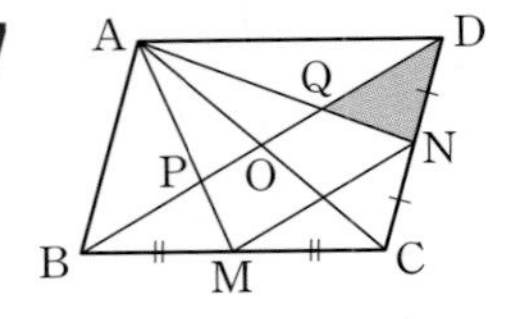

0778

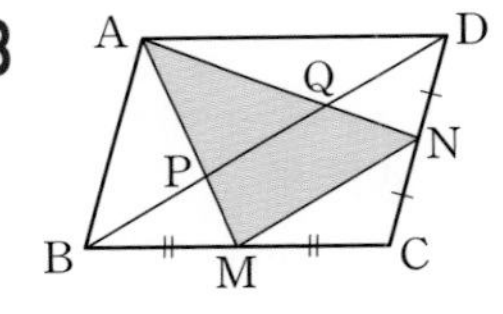

□AMCN−△NMC

0779

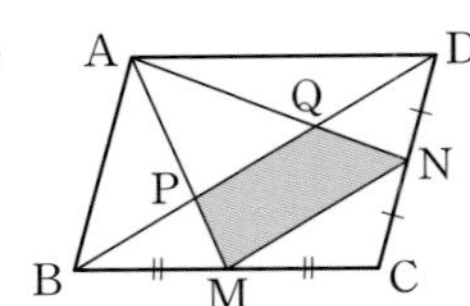

핵심 08~13

Mini Review Test

날짜 : 월 일

Subnote ➲ 37쪽

핵심 08

0780 오른쪽 그림에서 $\overline{BD}=\overline{DC}$, $\overline{AE}=\overline{EF}=\overline{FB}$이고 $\triangle AED$의 넓이가 5 cm^2일 때, $\triangle ABC$의 넓이는?

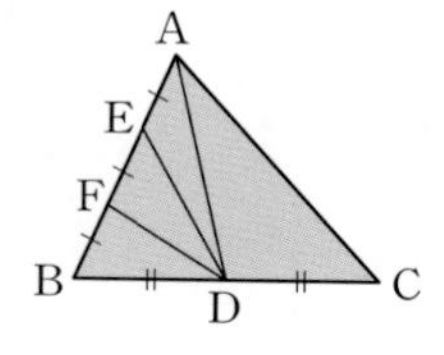

① 24 cm^2 ② 25 cm^2 ③ 27 cm^2
④ 30 cm^2 ⑤ 32 cm^2

핵심 09

0781 다음 그림에서 점 G가 $\triangle ABC$의 무게중심일 때, x, y의 값을 각각 구하여라.

(1)

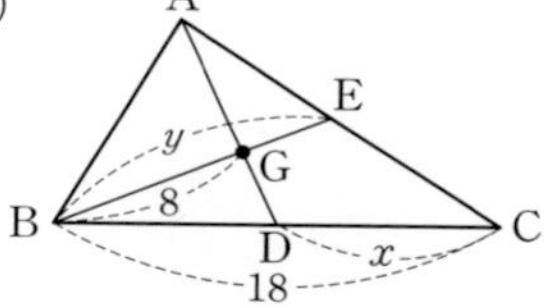

(2)

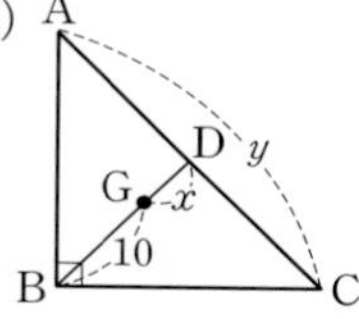

핵심 10 서술형

0782 오른쪽 그림에서 점 G는 $\triangle ABC$의 무게중심이고, $\overline{BE}\,/\!/\,\overline{DF}$이다. $\overline{DF}=9$, $\overline{AC}=28$일 때, $x+y$의 값을 구하여라.

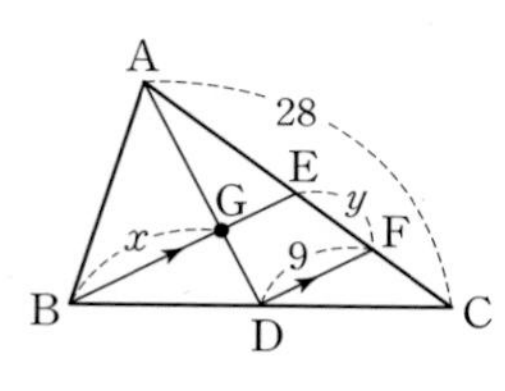

핵심 11

0783 오른쪽 그림에서 점 G는 $\triangle ABC$의 무게중심이고, $\triangle ABC$의 넓이가 60 cm^2일 때, $\triangle AMG$의 넓이는?

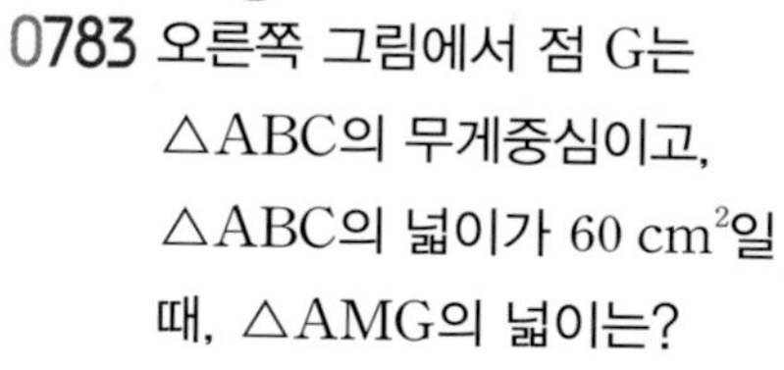

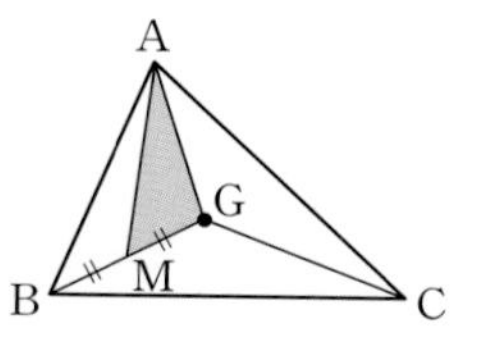

① 5 cm^2 ② 6 cm^2 ③ 10 cm^2
④ 12 cm^2 ⑤ 15 cm^2

핵심 12

0784 오른쪽 그림과 같은 평행사변형 ABCD에서 x의 값은?

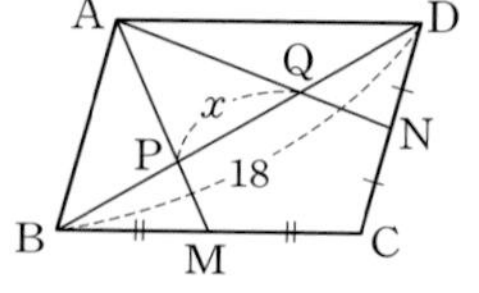

① 5 ② 6
③ 7 ④ 8
⑤ 9

핵심 13

0785 오른쪽 그림과 같은 평행사변형 ABCD에서 점 O는 두 대각선의 교점이다. □ABCD의 넓이가 36 cm^2일 때, □QOCN의 넓이는?

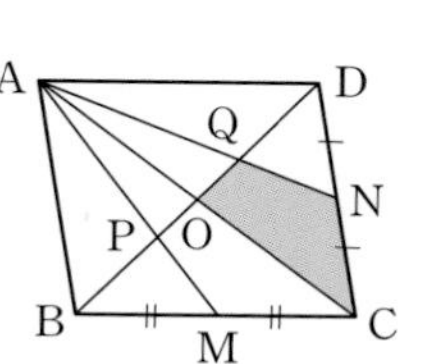

① 4 cm^2 ② 6 cm^2 ③ 8 cm^2
④ 10 cm^2 ⑤ 12 cm^2

Review

7. 삼각형의 무게중심

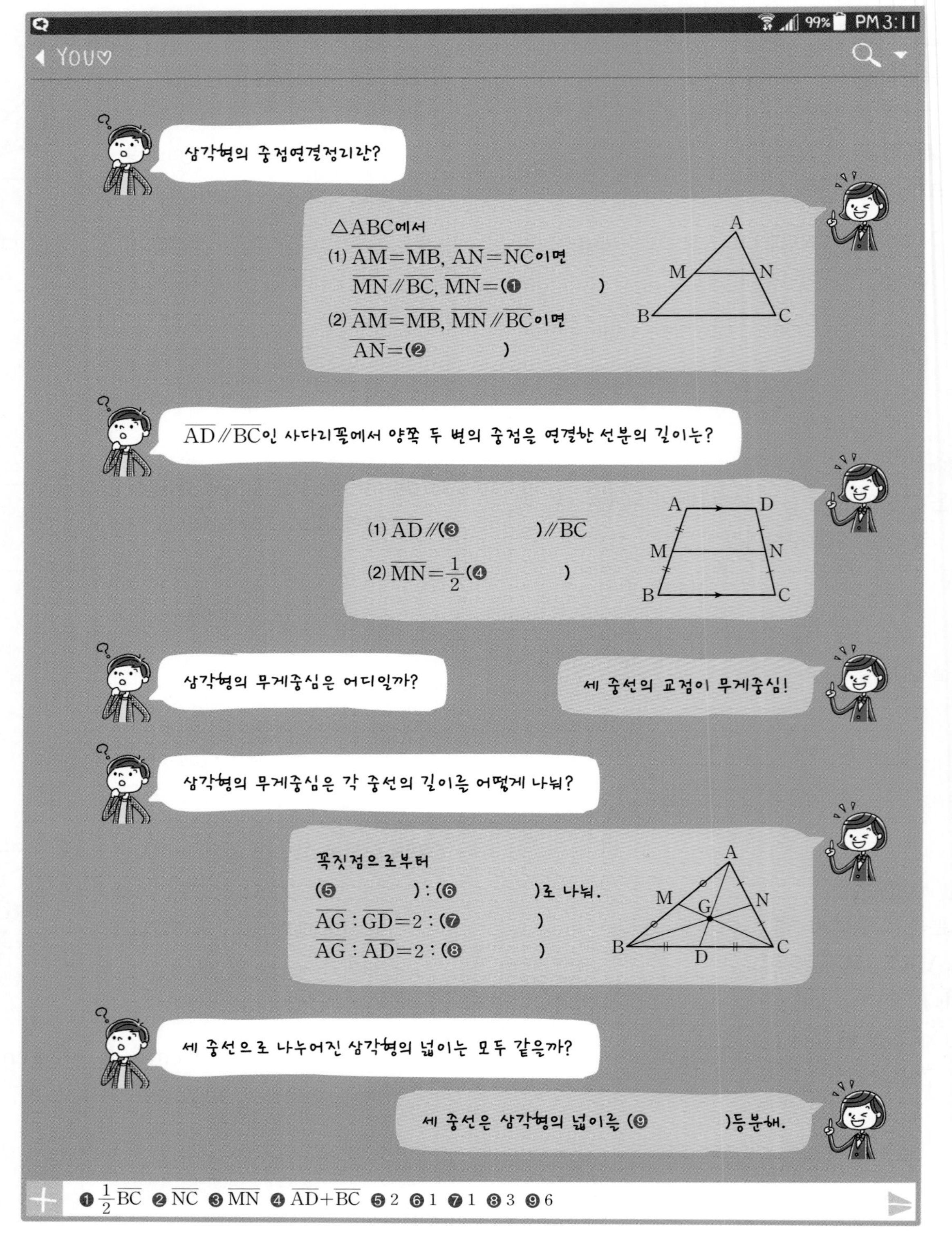

8 닮은 도형의 넓이와 부피

스스로 공부 계획 세우기

	학습 내용	공부한 날짜	반복하기
8. 닮은 도형의 넓이와 부피	**01.** 평면도형에서의 넓이의 비(1)	월 일	□□
	02. 평면도형에서의 넓이의 비(2)	월 일	□□
	03. 평면도형에서의 넓이의 비(3)	월 일	□□
	04. 입체도형에서의 겉넓이와 부피의 비(1)	월 일	□□
	05. 입체도형에서의 겉넓이와 부피의 비(2)	월 일	□□
	06. 닮음의 활용(1)	월 일	□□
	07. 닮음의 활용(2)	월 일	□□
	Mini **Review** Test(**01**~**07**)	월 일	□□

8 닮은 도형의 넓이와 부피

개념 NOTE

1 닮은 두 평면도형의 둘레의 길이의 비와 넓이의 비 핵심 01 02 03

닮은 두 평면도형의 닮음비가 $m:n$일 때

(1) 둘레의 길이의 비 ➡ $m:n$

(2) 넓이의 비 ➡ $m^2:n^2$

예 오른쪽 그림과 같이 한 변의 길이가 1 cm인 정사각형 A를 4개 이어 붙여 정사각형 B를 만들었을 때, 정사각형 A와 B의 닮음비는 1 : 2이므로

① 둘레의 길이의 비 ➡ $(1\times4):(2\times4)=1:2$

② 넓이의 비 ➡ $1^2:2^2=1:4$

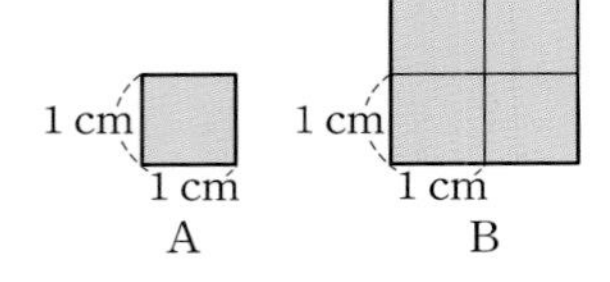

- 닮은 두 평면도형에서 닮음비는 대응하는 변의 길이의 비와 같다.
- 닮은 두 평면도형에서 둘레의 길이의 비는 닮음비와 같다.

2 닮은 두 입체도형의 겉넓이의 비와 부피의 비 핵심 04 05

닮은 두 입체도형의 닮음비가 $m:n$일 때

(1) 겉넓이의 비 ➡ $m^2:n^2$

(2) 부피의 비 ➡ $m^3:n^3$

예 오른쪽 그림과 같이 한 모서리의 길이가 1 cm인 정육면체 A를 8개 쌓아 정육면체 B를 만들었을 때, 정육면체 A와 B의 닮음비는 1 : 2이므로

① 겉넓이의 비 ➡ $(6\times1\times1):(6\times2\times2)=1:4$

② 부피의 비 ➡ $1^3:2^3=1:8$

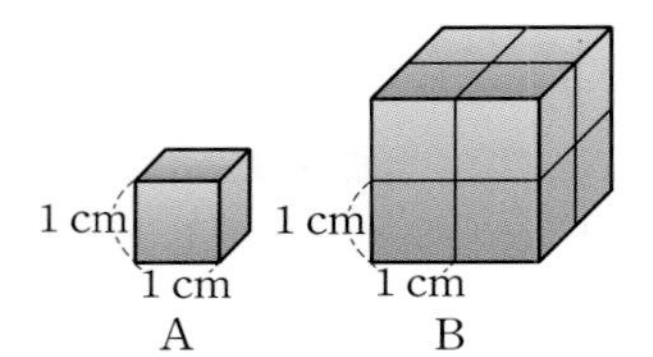

- 닮은 두 입체도형에서 닮음비는 대응하는 모서리의 길이의 비와 같다.
- 닮은 두 입체도형의 닮음비가 $m:n$일 때
  (1) 옆넓이의 비는 $m^2:n^2$
  (2) 밑넓이의 비는 $m^2:n^2$

3 축도와 축척 핵심 06 07

(1) **축도**: 도형을 일정한 비율로 줄인 그림

(2) **축척**: 축도에서 실제 도형을 일정하게 줄인 비율

① $(\text{축척})=\dfrac{(\text{축도에서의 길이})}{(\text{실제 길이})}$

② $(\text{축도에서의 길이})=(\text{실제 길이})\times(\text{축척})$

③ $(\text{실제 길이})=\dfrac{(\text{축도에서의 길이})}{(\text{축척})}$

예 축척이 $\dfrac{1}{1000}$인 지도에서 두 지점 A, B 사이의 거리를 재었을 때 1.6 cm이었다면 두 지점 A, B 사이의 실제 거리는

$1.6\times1000=1600(\text{cm})$

- 지도에서 축척이 $\dfrac{1}{1000}$이라는 것은 실제 길이를 $\dfrac{1}{1000}$로 축소했다는 것이므로 지도에서의 길이와 실제 길이의 비가 1 : 1000임을 나타낸다.

핵심 01 평면도형에서의 넓이의 비 (1)

날짜 :  월  일

Subnote ➡ 38쪽

닮은 두 평면도형의 닮음비를 알면 둘레의 길이의 비와 넓이의 비를 알 수 있어.

닮은 두 평면도형의 닮음비가 $m:n$일 때

(1) 둘레의 길이의 비 ➡ $m:n$

(2) 넓이의 비 ➡ $m^2:n^2$

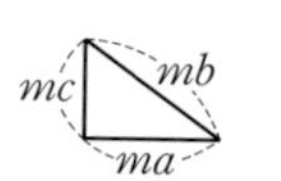

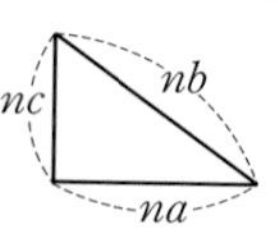

오른쪽 그림과 같은 두 정사각형 ABCD와 EFGH에 대하여 다음을 구하여라.

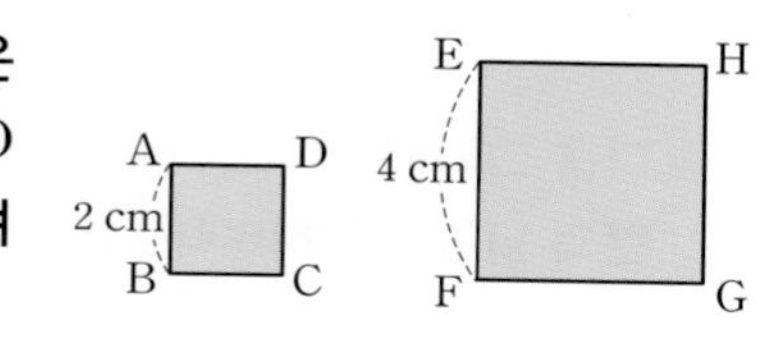

0786 □ABCD와 □EFGH의 닮음비 ________

0787 □ABCD와 □EFGH의 둘레의 길이의 비 ________

0788 □ABCD와 □EFGH의 넓이의 비 ________

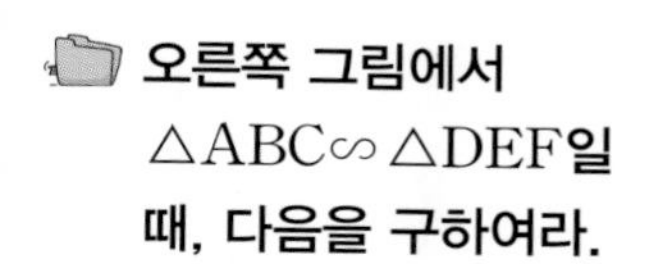

오른쪽 그림에서 △ABC∽△DEF일 때, 다음을 구하여라.

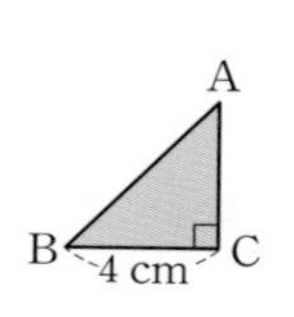

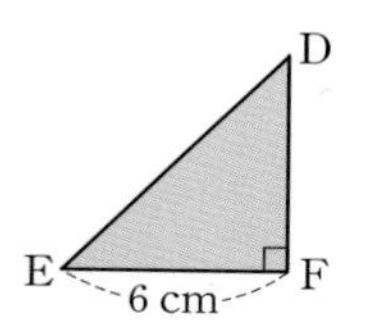

0789 △ABC와 △DEF의 닮음비 ________

0790 △ABC와 △DEF의 둘레의 길이의 비 ________

0791 △ABC와 △DEF의 넓이의 비 ________

□ABCD∽□EFGH이고 닮음비가 $3:4$일 때, 다음을 구하여라.

0792 □ABCD의 둘레의 길이가 18 cm일 때, □EFGH의 둘레의 길이 ________

0793 □ABCD의 넓이가 18 cm^{2}일 때, □EFGH의 넓이 ________

반지름의 길이의 비가 $1:3$인 두 원 O, O′에 대하여 다음을 구하여라.

0794 원 O의 둘레의 길이가 9π cm일 때, 원 O′의 둘레의 길이 ________

0795 원 O′의 넓이가 81π cm^{2}일 때, 원 O의 넓이 ________

0796 학교 시험 맛보기 

△ABC∽△DEF이고 두 삼각형의 넓이의 비가 $9:25$이다. △ABC의 둘레의 길이가 15 cm일 때, △DEF의 둘레의 길이를 구하여라.

____

핵심 02 평면도형에서의 넓이의 비 (2)

날짜 : 월 일

Subnote 38쪽

닮음비가 $m:n$인 닮은 두 평면도형의 넓이의 비는 $m^2:n^2$이야.

오른쪽 그림의 $\triangle ABC$에서 $\overline{BC} /\!/ \overline{DE}$이므로
(1) $\triangle ABC$와 $\triangle ADE$의 닮음비는 $\overline{AB}:\overline{AD}=2:1$
(2) $\triangle ABC$와 $\triangle ADE$의 넓이의 비는
$\triangle ABC : \triangle ADE = 4:1$

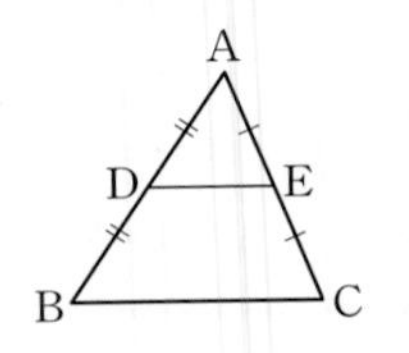

아래 그림과 같은 $\triangle ABC$에서 $\triangle ABC=27\text{ cm}^2$일 때, 다음을 구하여라.

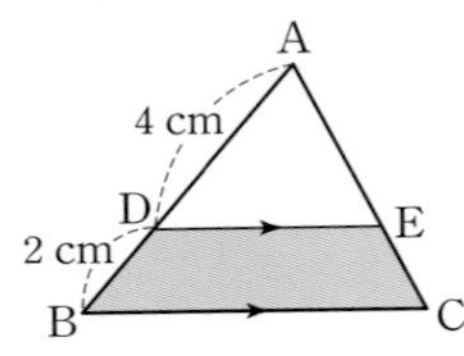

0797 $\triangle ABC$와 $\triangle ADE$의 닮음비

sol $\overline{AB}:\overline{AD}=\square:4=\square:2$

0798 $\triangle ABC$와 $\triangle ADE$의 넓이의 비

sol $\triangle ABC:\triangle ADE=\square:4$

0799 $\triangle ADE$의 넓이

sol $27:\triangle ADE=\square:4$이므로
$\square\triangle ADE=108 \quad \therefore \triangle ADE=\square(\text{cm}^2)$

0800 $\square DBCE$의 넓이

sol $\square DBCE=\triangle ABC-\triangle ADE$
$=27-\square=\square(\text{cm}^2)$

다음 그림의 $\triangle ABC$에서 $\overline{BC} /\!/ \overline{DE}$일 때, 색칠한 부분의 넓이를 구하여라.

0801 $\triangle ABC=12\text{ cm}^2$일 때

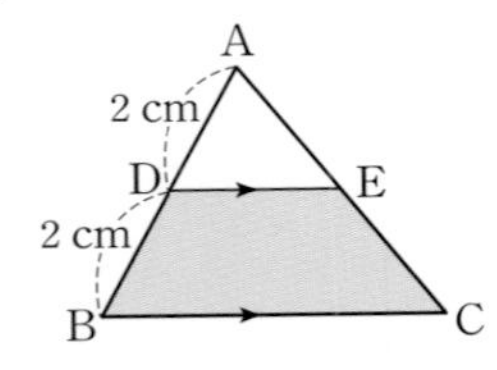

0802 $\triangle ADE=27\text{ cm}^2$일 때

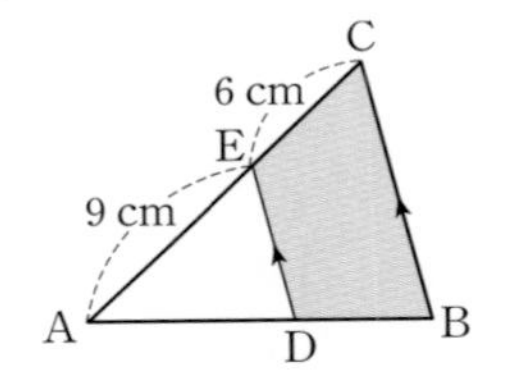

0803 학교 시험 맛보기

오른쪽 그림의 $\triangle ABC$에서 $\overline{BC} /\!/ \overline{DE}$이고, $\triangle ADE$의 넓이가 18 cm^2일 때, 색칠한 부분의 넓이를 구하여라.

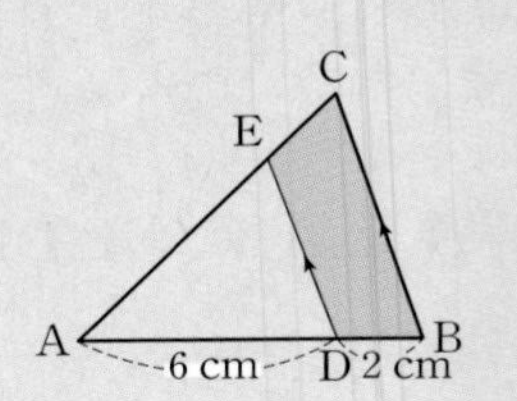

핵심 03 평면도형에서의 넓이의 비 (3)

날짜 : 월 일

Subnote ➜ 39쪽

$\triangle AOD \backsim \triangle COB$
(AA 닮음)이므로
(닮음비)$=a : b$

오른쪽 그림의 사다리꼴 ABCD에서 $\overline{AD} /\!/ \overline{BC}$이므로
(1) $\overline{AO} : \overline{CO} = \overline{DO} : \overline{BO} = a : b$
(2) $\triangle AOD : \triangle COB = a^2 : b^2$
(3) $\triangle AOD : \triangle ABO = \overline{DO} : \overline{BO} = a : b$
$\triangle ABO : \triangle COB = \overline{AO} : \overline{CO} = a : b$
(4) $\triangle ABO = \triangle DCO$

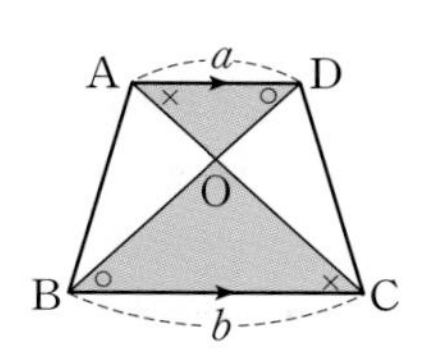

아래 그림과 같은 $\overline{AD} /\!/ \overline{BC}$인 사다리꼴 ABCD에서 $\triangle AOD = 12\,\text{cm}^2$일 때, 다음을 구하여라. (단, 점 O는 두 대각선의 교점이다.)

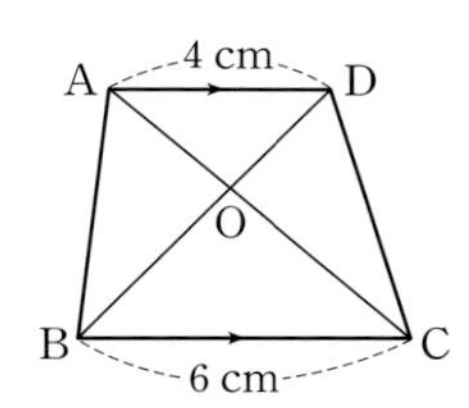

0804 $\triangle AOD$와 $\triangle COB$의 닮음비

sol $\overline{AD} : \overline{BC} = 4 : 6 = 2 : \square$

0805 $\triangle AOD$와 $\triangle COB$의 넓이의 비

sol $\triangle AOD : \triangle COB = 4 : \square$

0806 $\triangle COB$의 넓이

sol $\triangle AOD : \triangle COB = 4 : \square$이므로
$\square : \triangle COB = 4 : \square \quad \therefore \triangle COB = \square\,(\text{cm}^2)$

0807 $\triangle ABO$의 넓이

sol $\overline{BO} : \overline{DO} = 3 : 2$이므로 $\triangle ABO : \triangle AOD = 3 : 2$
$\triangle ABO : \square = 3 : 2 \quad \therefore \triangle ABO = \square\,(\text{cm}^2)$

다음 그림과 같은 $\overline{AD} /\!/ \overline{BC}$인 사다리꼴 ABCD에서 색칠한 부분의 넓이를 구하여라. (단, 점 O는 두 대각선의 교점이다.)

0808 $\triangle AOD = 18\,\text{cm}^2$일 때

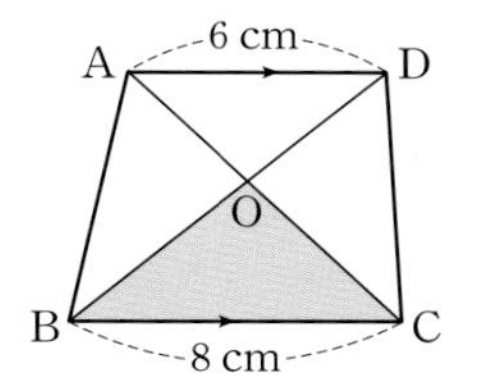

0809 $\triangle ABO = 18\,\text{cm}^2$일 때

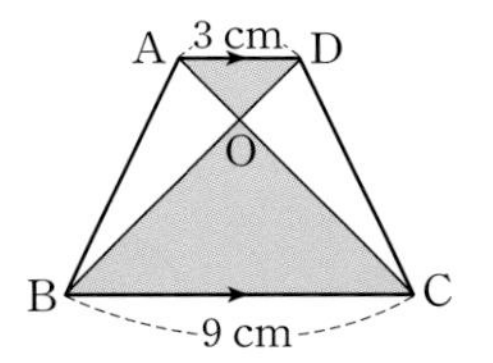

0810 학교 시험 맛보기 

오른쪽 그림과 같은 $\overline{AD} /\!/ \overline{BC}$인 사다리꼴 ABCD에서 $\triangle COB = 24\,\text{cm}^2$일 때, $\square ABCD$의 넓이를 구하여라. (단, 점 O는 두 대각선의 교점이다.)

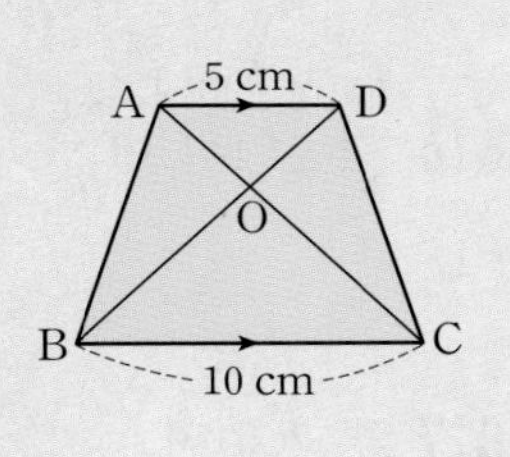

핵심 **04**

입체도형에서의 겉넓이와 부피의 비 (1)

날짜 : 월 일 

Subnote ➔ 39쪽

닮은 두 입체도형의 부피의 비는 닮음비의 세제곱과 같다.

닮은 두 입체도형의 닮음비가 $m:n$일 때

(1) 겉넓이의 비 ➡ $m^2:n^2$

(2) 부피의 비 ➡ $m^3:n^3$

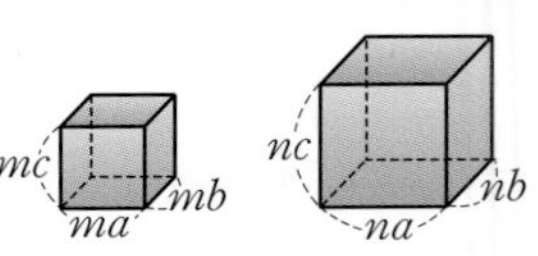

오른쪽 그림과 같은 두 닮은 원기둥 A, B에 대하여 다음을 구하여라.

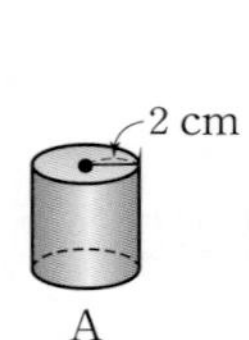

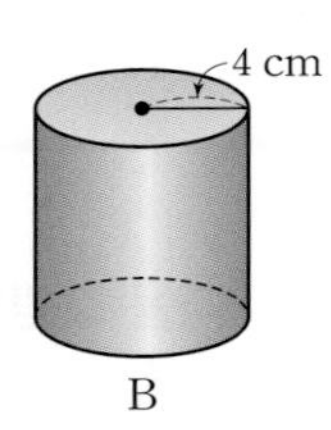

0811 닮음비 __________

0812 밑면의 둘레의 길이의 비 __________

0813 겉넓이의 비 __________

0814 부피의 비 __________

오른쪽 그림과 같은 두 구 O, O′에 대하여 다음을 구하여라.

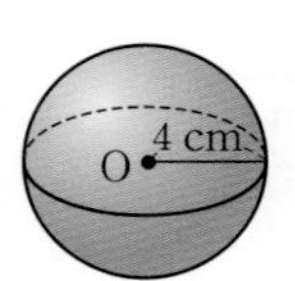

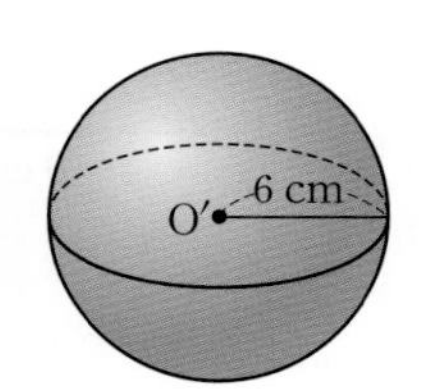

0815 닮음비 __________

0816 겉넓이의 비 __________

0817 부피의 비 __________

다음 그림과 같은 두 입체도형 A, B가 서로 닮음일 때, 겉넓이의 비와 부피의 비를 구하여라.

0818

3 cm 5 cm

A B

(1) 겉넓이의 비 ➡ __________

(2) 부피의 비 ➡ __________

0819

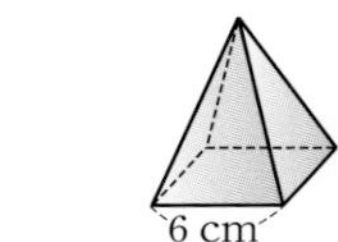

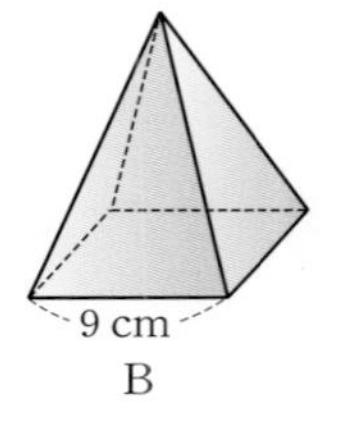

(1) 겉넓이의 비 ➡ __________

(2) 부피의 비 ➡ __________

0820

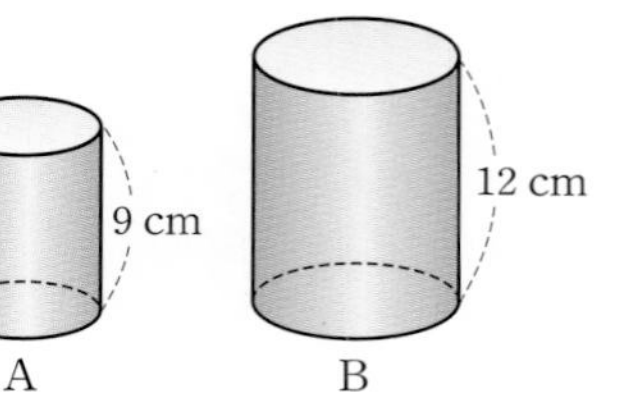

(1) 겉넓이의 비 ➡ __________

(2) 부피의 비 ➡ __________

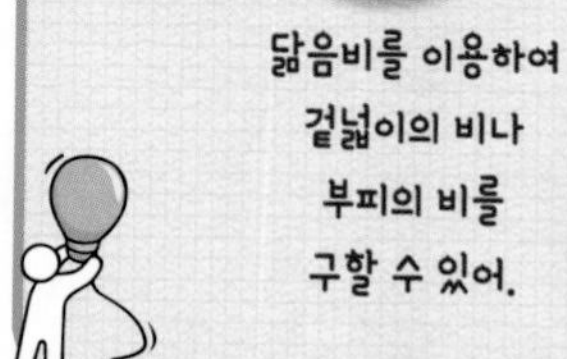

05 입체도형에서의 겉넓이와 부피의 비 (2)

날짜 :  월 일

Subnote 39쪽

핵심

닮음비를 이용하여 겉넓이의 비나 부피의 비를 구할 수 있어.

닮은 두 입체도형의 겉넓이와 부피의 비의 활용 문제는 다음과 같이 구한다.

❶ 닮음비 $m : n$을 구한다.

❷ 겉넓이의 비($m^2 : n^2$) 또는 부피의 비($m^3 : n^3$)을 구한다.

❸ 비례식을 이용하여 겉넓이나 부피를 구한다.

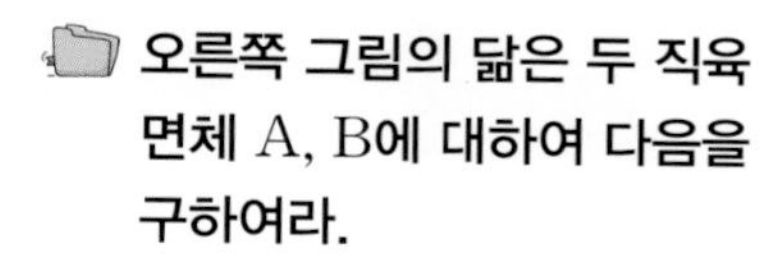

오른쪽 그림의 닮은 두 직육면체 A, B에 대하여 다음을 구하여라.

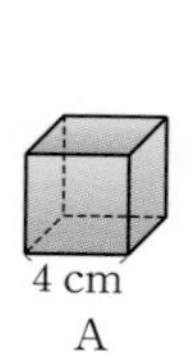

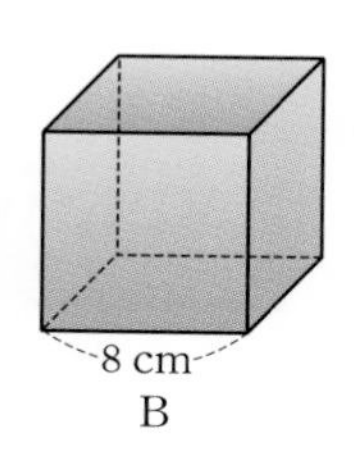

0821 닮음비 ________

0822 겉넓이의 비 ________

0823 직육면체 A의 겉넓이가 10 cm^2일 때, 직육면체 B의 겉넓이 ________

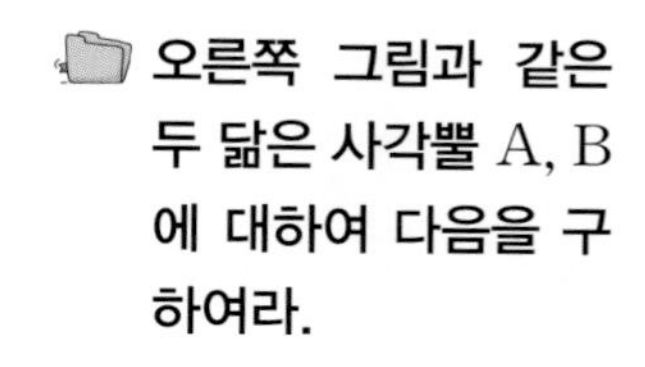

오른쪽 그림과 같은 두 닮은 사각뿔 A, B에 대하여 다음을 구하여라.

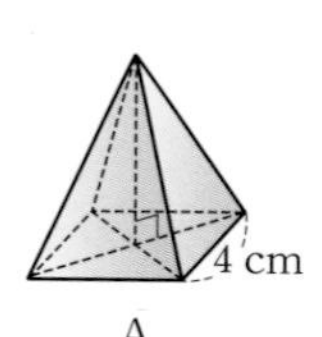

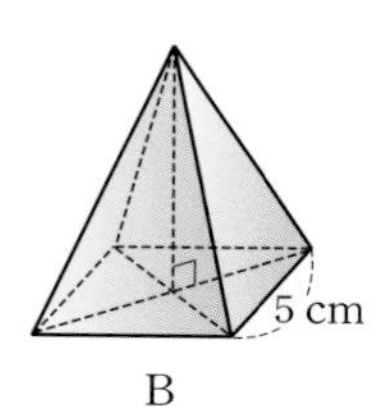

0824 닮음비 ________

0825 부피의 비 ________

0826 사각뿔 B의 부피가 250 cm^3일 때, 사각뿔 A의 부피 ________

오른쪽 그림의 닮은 두 입체도형 A, B에 대하여 다음을 구하여라.

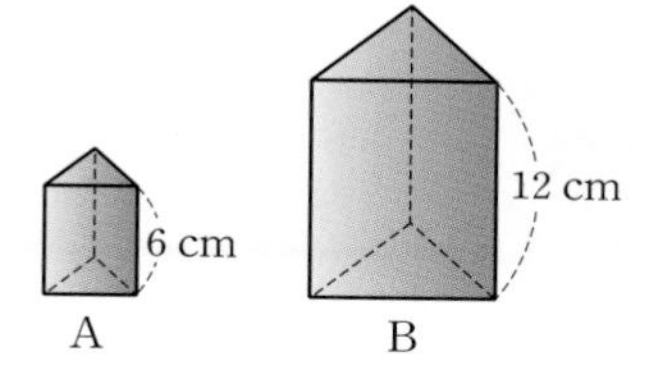

0827 삼각기둥 A의 겉넓이가 24 cm^2일 때, 삼각기둥 B의 겉넓이 ________

0828 삼각기둥 A의 부피가 40 cm^3일 때, 삼각기둥 B의 부피 ________

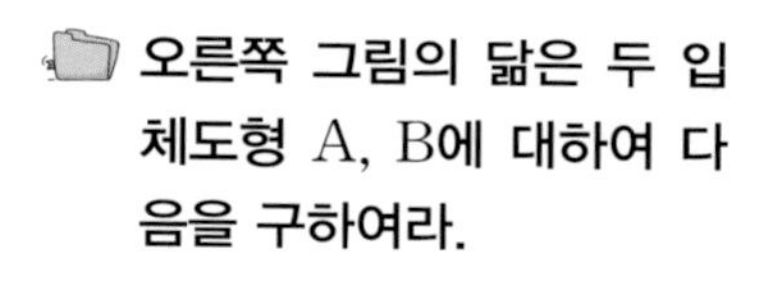

오른쪽 그림의 닮은 두 입체도형 A, B에 대하여 다음을 구하여라.

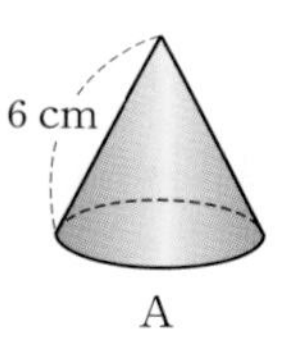

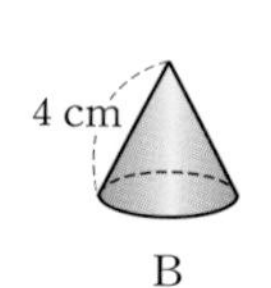

0829 원뿔 A의 겉넓이가 $45\pi\text{ cm}^2$일 때, 원뿔 B의 겉넓이 ________

0830 원뿔 B의 부피가 $40\pi\text{ cm}^3$일 때, 원뿔 A의 부피 ________

0831 학교 시험 맛보기 

서로 닮은 두 원기둥 A, B의 겉넓이가 각각 $18\pi\text{ cm}^2$, $32\pi\text{ cm}^2$이다. 원기둥 A의 부피가 $54\pi\text{ cm}^3$일 때, 원기둥 B의 부피를 구하여라.

____

날짜 : 월 일

Subnote ➡ 40쪽

닮은 두 도형을 찾아내어 닮음비를 이용하면 나무의 높이를 구할 수 있어.

오른쪽 그림과 같이 막대를 이용하여 나무의 높이를 구할 수 있다.

❶ 닮음인 도형 찾기
➡ $\triangle ABC \backsim \triangle DEF$

❷ 닮음비 구하기
➡ $\overline{BC} : \overline{EF} = 4.5 : 1.5 = 3 : 1$

❸ 나무의 높이 구하기
➡ $\overline{AC} : \overline{DF} = 3 : 1$이므로
$\overline{AC} : 1.2 = 3 : 1 \quad \therefore \overline{AC} = 3.6\,(\text{m})$

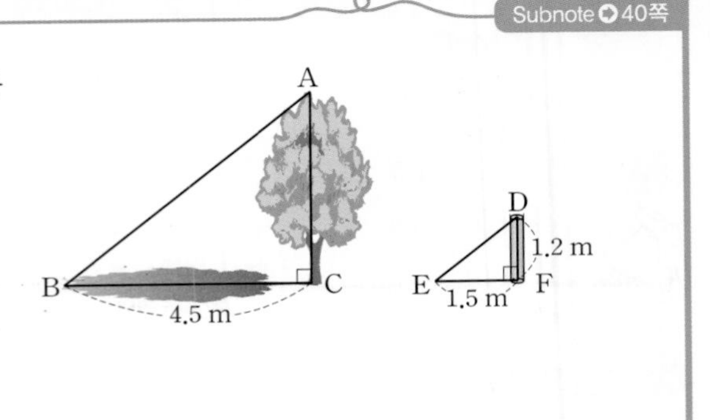

키가 1.5 m인 하영이가 나무의 높이를 재기 위해 아래 그림과 같이 나무의 그림자 끝과 자신의 그림자 끝이 일치하도록 섰다. 다음 물음에 답하여라.

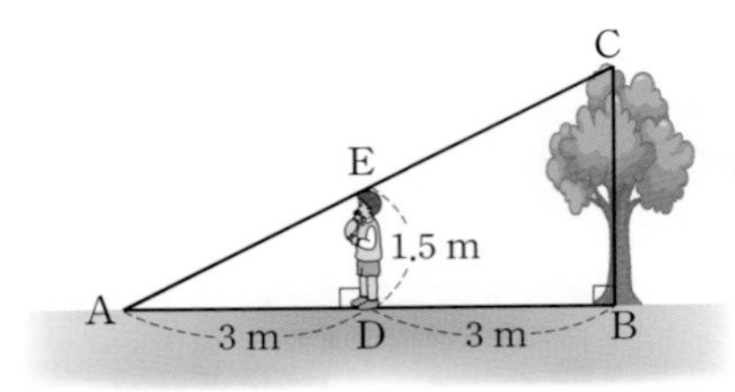

0832 $\triangle ABC$와 닮은 삼각형을 찾아 닮음의 기호를 사용하여 나타내어라.

0833 닮음비를 구하여라.

sol $\triangle ABC \backsim$ ☐ 이므로 닮음비는
$\overline{AD} : \overline{AB} = 3 : (3+☐) = 1 : ☐$

0834 나무의 높이를 구하여라.

sol $\overline{DE} : \overline{BC} = 1 : ☐$이므로
$1.5 : \overline{BC} = 1 : ☐ \qquad \therefore \overline{BC} = ☐\,(\text{m})$

다음 물음에 답하여라.

0835 어떤 탑의 높이를 재기 위하여 탑의 그림자 끝점 A에서 1.8 m 떨어진 지점 B에 길이가 0.8 m인 막대를 세웠더니 그 그림자의 끝이 탑의 그림자의 끝과 일치하였다. 막대와 탑 사이의 거리가 7.2 m일 때, 탑의 높이를 구하여라.

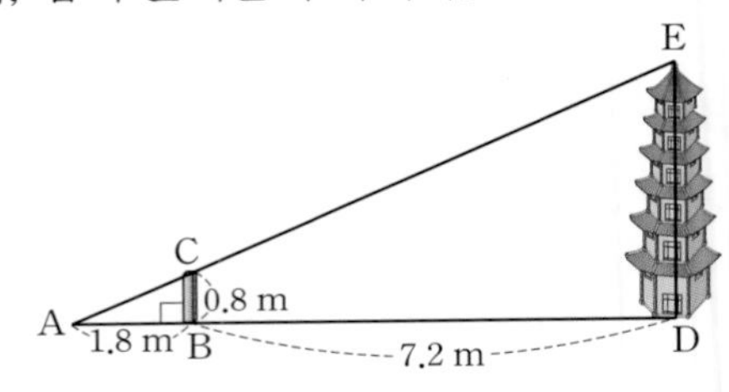

0836 건물의 높이를 측정하기 위해 다음 그림과 같이 건물에서 10 m 떨어진 곳에 거울을 놓고, 거울에서 2 m 떨어진 곳에 섰더니 건물의 꼭대기가 거울에 비쳐 보였다. 이때 건물의 높이를 구하여라. (단, $\angle ACB = \angle DCE$이고, 거울의 두께는 무시한다.)

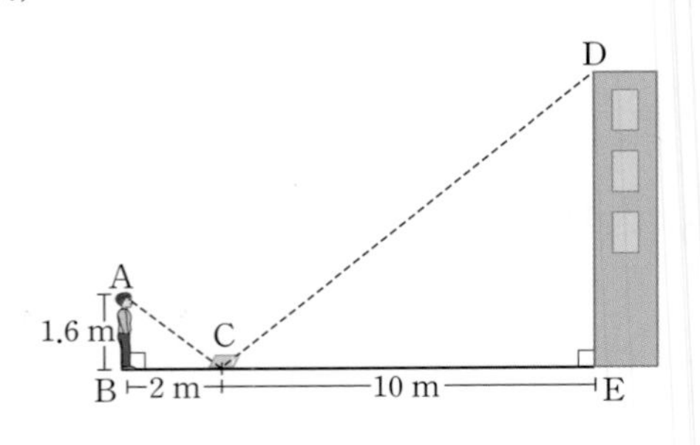

07 닮음의 활용 (2)

핵심

날짜 :  월  일

Subnote ➔ 40쪽

직접 측정하기 어려운 거리나 높이 등은 도형의 닮음을 이용한 축도를 그려서 구할 수 있어.

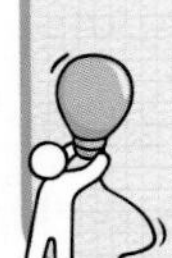

(1) **축도**: 도형을 일정한 비율로 줄인 그림

(2) **축척**: 축도에서 실제 도형을 일정하게 줄인 비율

① $(\text{축척})=\dfrac{(\text{축도에서의 길이})}{(\text{실제 거리})}$

② (축도에서의 길이)=(실제 거리)×(축척)

③ $(\text{실제 거리})=\dfrac{(\text{축도에서의 길이})}{(\text{축척})}$

다음과 같은 지도의 축척을 구하여라.

0837 실제 거리가 30 m인 두 지점 사이의 거리를 6 cm로 나타낸 지도

sol $(\text{축척})=\dfrac{(\text{축도에서의 길이})}{(\text{실제 거리})}$이므로

$\dfrac{6\text{ cm}}{\square\text{ m}}=\dfrac{6\text{ cm}}{\square\text{ cm}}=\square$

0838 실제 거리가 500 m인 두 지점 사이의 거리를 4 cm로 나타낸 지도 ________

0839 실제 거리가 1 km인 두 지점 사이의 거리를 5 cm로 나타낸 지도 ________

0840 실제 거리가 25 km인 두 지점 사이의 거리를 5 cm로 나타낸 지도 ________

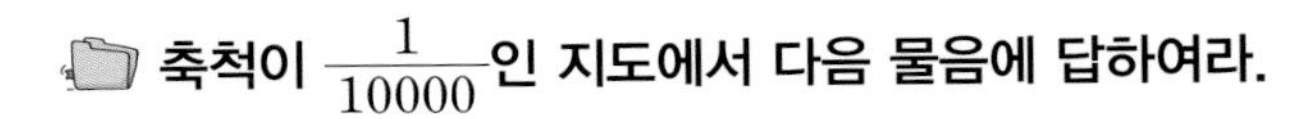

축척이 $\dfrac{1}{10000}$인 지도에서 다음 물음에 답하여라.

0841 지도에서의 거리가 4 cm인 두 지점 사이의 실제 거리는 몇 km인지 구하여라.

sol $(\text{실제 거리})=\dfrac{(\text{지도에서의 길이})}{(\text{축척})}$이므로

$4\text{ cm}\div\square=\square\text{ cm}=\square\text{ km}$

0842 실제 거리가 2 km인 두 지점 사이의 지도에서의 거리는 몇 cm인지 구하여라. ________

축척이 $\dfrac{1}{5000}$인 지도에서 다음 물음에 답하여라.

0843 지도에서의 거리가 12 cm인 두 지점 사이의 실제 거리는 몇 km인지 구하여라. ________

0844 실제 거리가 0.2 km인 두 지점 사이의 지도에서의 거리는 몇 cm인지 구하여라. ________

Mini Review Test

날짜 : 월 일

Subnote ➔ 40쪽

핵심 01

0845 다음 그림에서 $\triangle ABC \backsim \triangle DEF$이고, 닮음비가 5 : 4일 때, $\triangle DEF$의 둘레의 길이는?

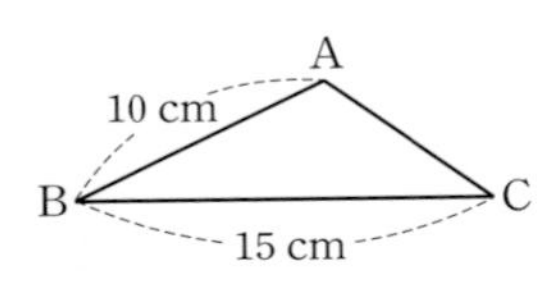

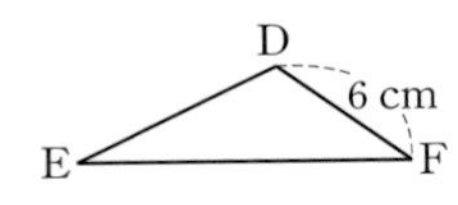

① 20 cm ② 23 cm ③ 25 cm
④ 26 cm ⑤ 31 cm

핵심 01

0846 □ABCD∽□EFGH이고 넓이의 비가 9 : 16이다. □ABCD의 둘레의 길이가 18 cm일 때, □EFGH의 둘레의 길이는?

① 20 cm ② 22 cm ③ 24 cm
④ 26 cm ⑤ 28 cm

핵심 02

0847 오른쪽 그림에서 $\overline{AC} /\!/ \overline{DE}$이고 $\triangle DBE = 10\text{ cm}^2$일 때, □ADEC의 넓이를 구하여라.

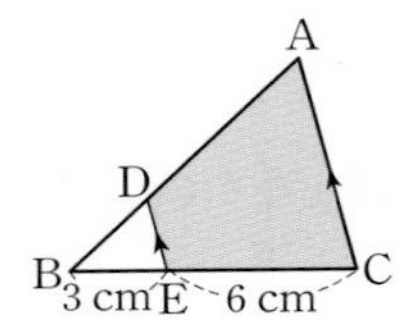

핵심 03 서술형

0848 오른쪽 그림에서 $\overline{AD} /\!/ \overline{BC}$이고 $\triangle COB = 54\text{ cm}^2$일 때, □ABCD의 넓이를 구하여라. (단, 점 O는 두 대각선의 교점이다.)

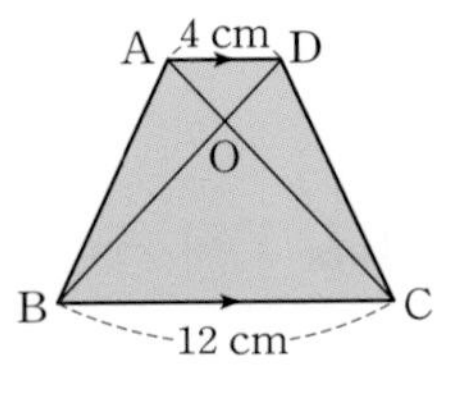

핵심 04 05

0849 다음 그림에서 두 사면체는 닮은 도형이고, 밑면의 둘레의 길이의 비가 4 : 5이다. 큰 사면체의 옆넓이가 200 cm^2일 때, 작은 사면체의 옆넓이를 구하여라.

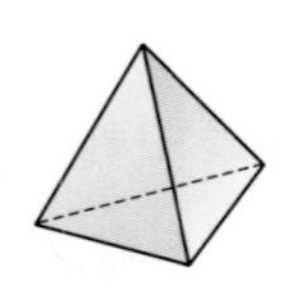

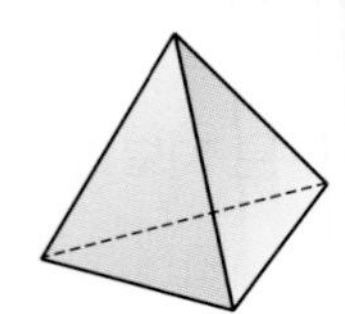

핵심 05

0850 닮은 두 직육면체 A, B의 부피가 각각 27 cm^3, 125 cm^3이다. A의 겉넓이가 18 cm^2일 때, B의 겉넓이는?

① 48 cm^2 ② 50 cm^2 ③ 52 cm^2
④ 54 cm^2 ⑤ 56 cm^2

핵심 06

0851 오른쪽 그림은 강의 폭을 구하기 위하여 닮은 삼각형을 그린 것이다. 이때 강의 폭 $\overline{AB}$의 길이는?

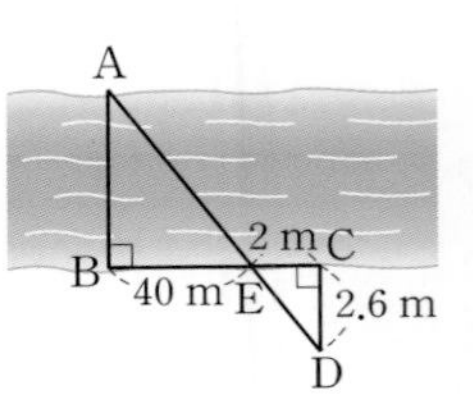

① 52 m ② 54 m ③ 56 m
④ 58 m ⑤ 60 m

핵심 07

0852 어떤 지도에서의 거리가 12 cm인 두 지점 사이의 실제 거리가 600 m일 때, 이 지도에서 거리가 40 cm인 두 지점 사이의 실제 거리는 몇 km인지 구하여라.

Review

8. 닮은 도형의 넓이와 부피

5 피타고라스 정리

이미 배운 내용

[중학교 1학년]
- 평면도형의 성질
- 입체도형의 성질

이번에 배울 내용

9. 피타고라스 정리
- 피타고라스 정리

9 피타고라스 정리

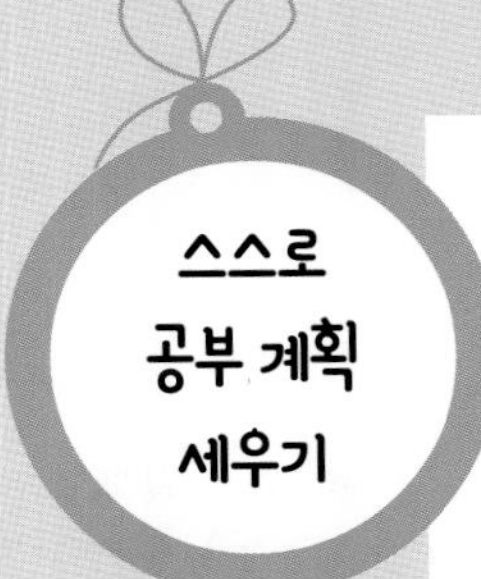

	학습 내용	공부한 날짜	반복하기
9. 피타고라스 정리	**01.** 삼각형의 변의 길이 구하기(1)	월 일	□□
	02. 삼각형의 변의 길이 구하기(2)	월 일	□□
	03. 사각형의 변의 길이 구하기	월 일	□□
	04. 대각선의 길이 구하기	월 일	□□
	05. 피타고라스 정리의 이해 −유클리드의 방법(1)	월 일	□□
	06. 피타고라스 정리의 이해 −유클리드의 방법(2)	월 일	□□
	07. 피타고라스 정리의 이해 −피타고라스의 방법	월 일	□□
	08. 피타고라스 정리의 이해	월 일	□□
	Mini **Review** Test(01~08)	월 일	□□
	09. 직각삼각형이 되기 위한 조건	월 일	□□
	10. 삼각형의 변의 길이에 대한 각의 크기	월 일	□□
	11. 삼각형의 각의 크기에 대한 변의 길이	월 일	□□
	12. 직각삼각형의 닮음을 이용한 성질	월 일	□□
	13. 피타고라스 정리를 이용한 직각삼각형의 성질	월 일	□□
	14. 두 대각선이 직교하는 사각형의 성질	월 일	□□
	15. 내부에 한 점이 있는 직사각형의 성질	월 일	□□
	16. 직각삼각형에서 세 반원 사이의 관계	월 일	□□
	17. 히포크라테스의 원의 넓이	월 일	□□
	Mini **Review** Test(09~17)	월 일	□□

9 피타고라스 정리

개념 NOTE

1 피타고라스 정리 핵심 01 ~ 04

(1) 피타고라스 정리

직각삼각형에서 직각을 낀 두 변의 길이의 제곱의 합은 빗변의 길이의 제곱과 같다. 이와 같은 성질을 **피타고라스 정리**라고 한다.
즉, 직각삼각형에서 직각을 낀 두 변의 길이를 각각 a, b라 하고 빗변의 길이를 c라고 하면 $\boldsymbol{a^2+b^2=c^2}$이 성립한다.

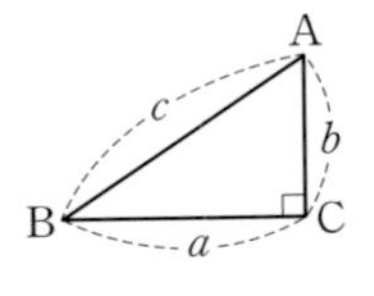

피타고라스 정리는 직각삼각형에서만 적용할 수 있다. 또, 삼각형의 세 변의 길이 a, b, c는 항상 양수이다.

(2) 피타고라스 수

$c^2=a^2+b^2$을 만족시키는 세 자연수 a, b, c를 피타고라스 수라고 하며 세 자연수로는 $(3, 4, 5)$, $(5, 12, 13)$, $(7, 24, 25)$, $(8, 15, 17)$ 등이 있다.

참고 피타고라스 수의 정수배도 피타고라스 정리가 성립한다.
$(3, 4, 5) \Rightarrow (6, 8, 10) \Rightarrow (9, 12, 15) \Rightarrow \cdots$

2 피타고라스 정리의 확인 핵심 05 ~ 08

(1) 유클리드의 방법

다음 그림과 같이 $\angle C=90^\circ$인 직각삼각형 ABC에 대하여 세 변을 각각 한 변으로 하는 세 정사각형을 그리면 □AFGB=□ACDE+□BHIC이므로 $\overline{AB}^2=\overline{AC}^2+\overline{BC}^2$

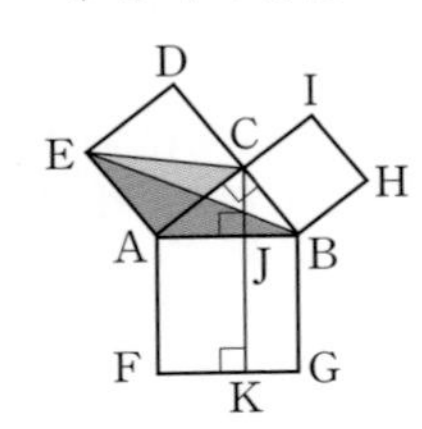

$\overline{EA} /\!/ \overline{DB}$이므로
△ACE=△ABE

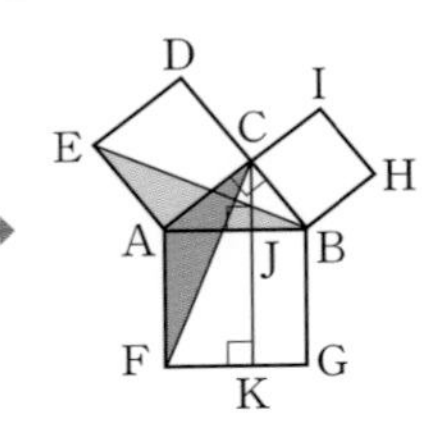

△ABE=△AFC
(∵ SAS 합동)

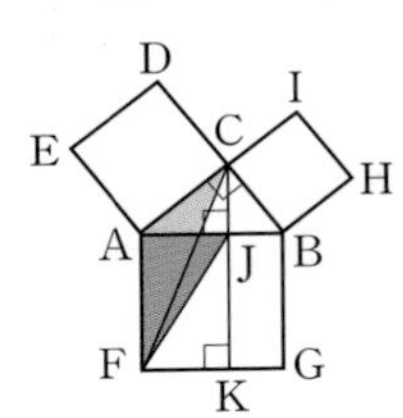

$\overline{CK} /\!/ \overline{AF}$이므로
△AFC=△AFJ

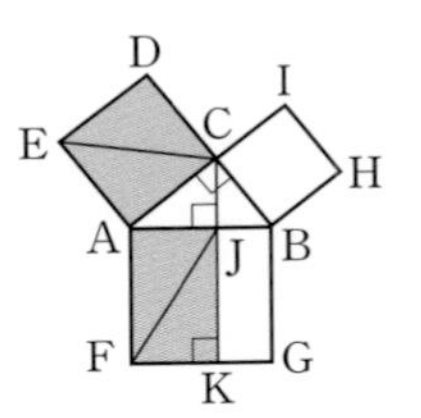

△ACE=△AFJ이므로
□ACDE=□AFKJ

$l /\!/ m$일 때,
△ABC=△DBC

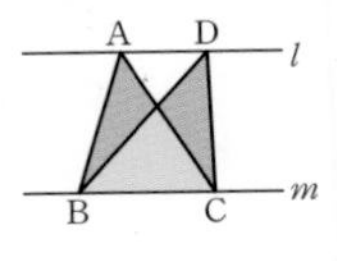

(2) 피타고라스의 방법

오른쪽 그림에서 도형 (가), (나)는 모두 한 변의 길이가 $a+b$인 정사각형이므로 그 넓이가 서로 같다.

① 도형 (가), (나)의 삼각형들은 모두 직각을 낀 두 변의 길이가 각각 a, b이고 빗변의 길이가 c인 직각삼각형이므로 그 넓이가 모두 같다.

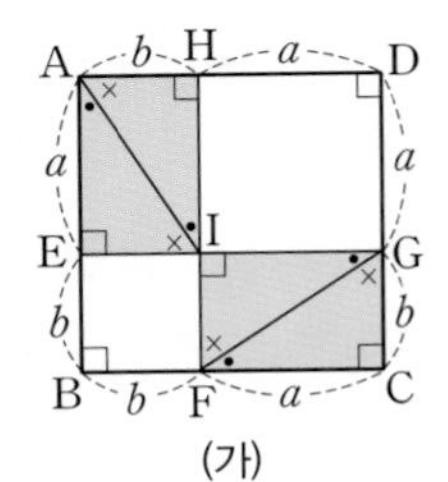

(가)

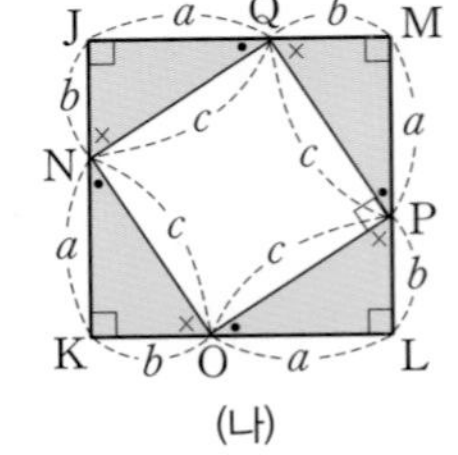

(나)

② □DHIG, □BFIE, □NOPQ는 한 변의 길이가 각각 a, b, c인 정사각형이다.

③ □DHIG+□BFIE=□NOPQ이므로 $a^2+b^2=c^2$

□NOPQ는 정사각형
(i) $\overline{NO}=\overline{OP}=\overline{PQ}$
$=\overline{QN}=c$
(ii) ∠NOP
=∠OPQ
=∠PQN=∠QNO
$=180^\circ-(\bullet+\times)$
$=180^\circ-90^\circ=90^\circ$

3 직각삼각형이 되기 위한 조건 핵심 09

삼각형 ABC의 세 변의 길이를 각각 a, b, c라고 할 때,

$$a^2+b^2=c^2$$

이면 이 삼각형은 **빗변의 길이가 c인 직각삼각형**이다.

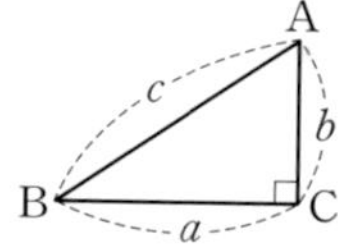

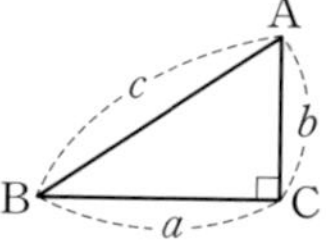

4 삼각형의 변의 길이에 대한 각의 크기 핵심 10 11

$\triangle ABC$에서 $\overline{AB}=c$, $\overline{BC}=a$, $\overline{CA}=b$이고, c가 가장 긴 변의 길이일 때,

(1) $c^2<a^2+b^2$이면 $\angle C<90°$(예각삼각형)

(2) $c^2=a^2+b^2$이면 $\angle C=90°$(직각삼각형)

(3) $c^2>a^2+b^2$이면 $\angle C>90°$(둔각삼각형)

예 세 변의 길이가 각각 4, 5, 6인 삼각형은 $6^2<4^2+5^2$이므로 예각삼각형이다.

5 피타고라스 정리의 활용 핵심 13 ~ 17

(1) 피타고라스 정리를 이용한 직각삼각형의 성질

$\angle A=90°$인 직각삼각형 ABC에서 점 D, E가 각각 $\overline{AB}$, $\overline{AC}$ 위에 있을 때,

➡ $\overline{DE}^2+\overline{BC}^2=\overline{BE}^2+\overline{CD}^2$

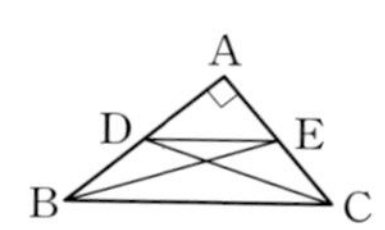

(2) 두 대각선이 직교하는 사각형의 성질

□ABCD에서 두 대각선이 직교할 때,

➡ $\overline{AB}^2+\overline{CD}^2=\overline{AD}^2+\overline{BC}^2$ ← 두 대변의 길이의 제곱의 합은 서로 같다.

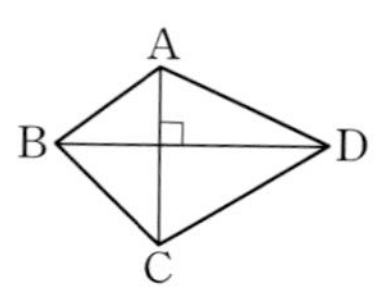

(3) 피타고라스 정리를 이용한 직사각형의 성질

직사각형 ABCD의 내부에 있는 임의의 점 P에 대하여

➡ $\overline{AP}^2+\overline{CP}^2=\overline{BP}^2+\overline{DP}^2$

(4) 직각삼각형에서 세 반원 사이의 관계

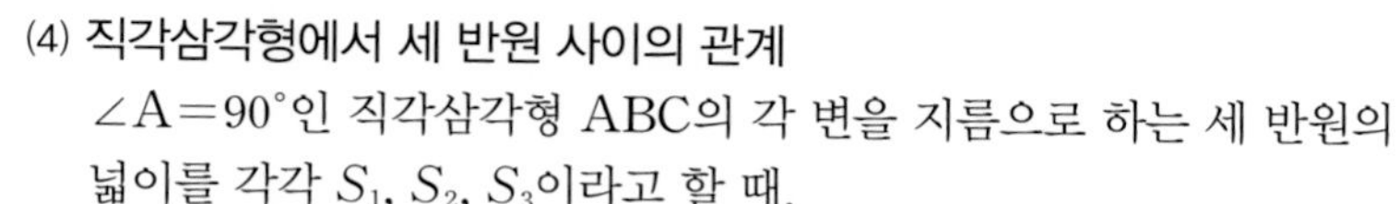

$\angle A=90°$인 직각삼각형 ABC의 각 변을 지름으로 하는 세 반원의 넓이를 각각 S_1, S_2, S_3이라고 할 때,

➡ $S_1+S_2=S_3$

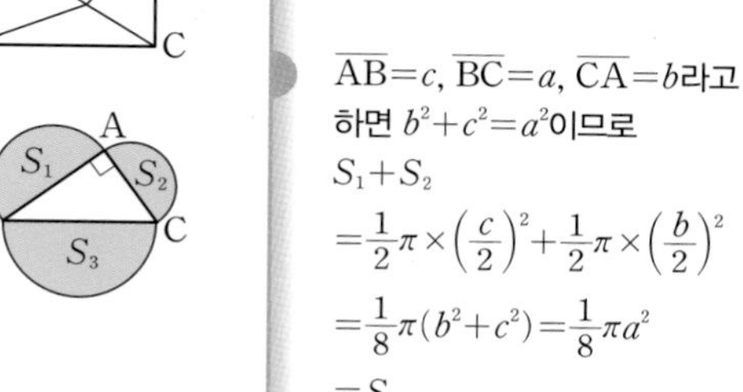

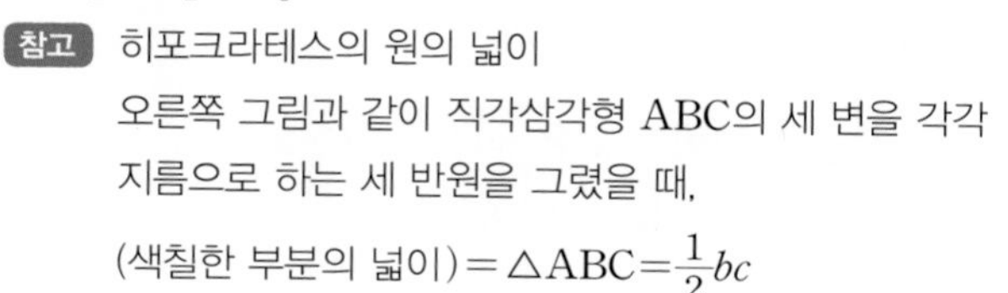

참고 히포크라테스의 원의 넓이

오른쪽 그림과 같이 직각삼각형 ABC의 세 변을 각각 지름으로 하는 세 반원을 그렸을 때,

(색칠한 부분의 넓이) $=\triangle ABC=\frac{1}{2}bc$

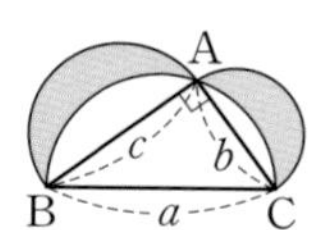

개념 NOTE

$\overline{AB}=c$, $\overline{BC}=a$, $\overline{CA}=b$라고 하면 $b^2+c^2=a^2$이므로

S_1+S_2

$=\frac{1}{2}\pi\times\left(\frac{c}{2}\right)^2+\frac{1}{2}\pi\times\left(\frac{b}{2}\right)^2$

$=\frac{1}{8}\pi(b^2+c^2)=\frac{1}{8}\pi a^2$

$=S_3$

01 삼각형의 변의 길이 구하기 (1)

핵심

날짜 : 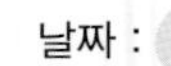 월  일 

Subnote ➜ 41쪽

직각삼각형에서 두 변의 길이를 알면 피타고라스 정리를 이용하여 한 변의 길이를 구할 수 있어.

직각삼각형에서 직각을 낀 두 변의 길이의 제곱의 합은 빗변의 길이의 제곱과 같다.

➡ $\angle C=90^\circ$인 직각삼각형 ABC에서 $\boldsymbol{a^2+b^2=c^2}$

➡ $a^2=c^2-b^2$, $b^2=c^2-a^2$

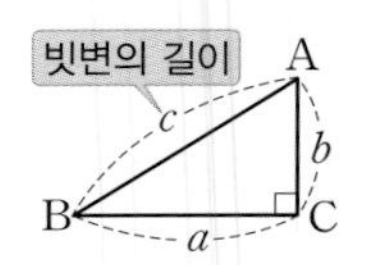

다음 그림의 직각삼각형에서 x의 값을 구하여라.

0853

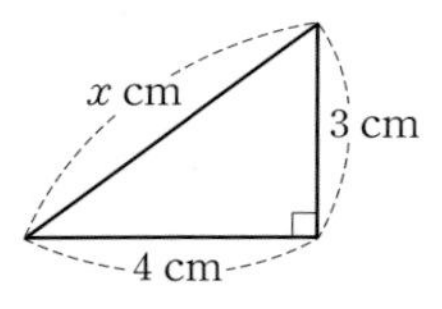

sol $x^2=4^2+3^2=$ ☐

$\therefore x=$ ☐ ($\because x>0$)

0854

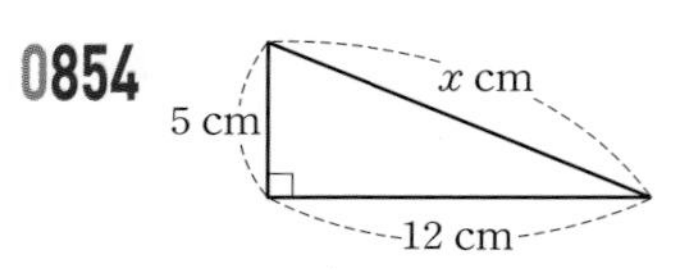

______

0855

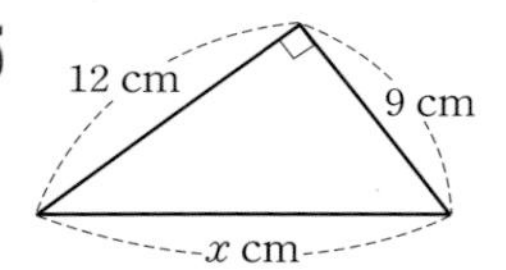

______

0856

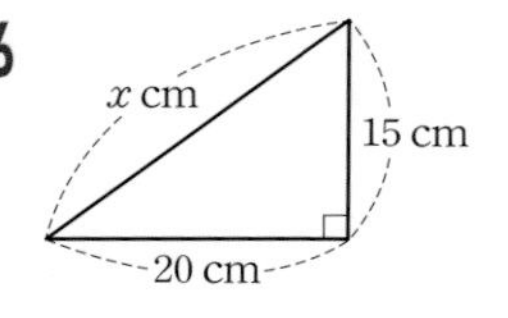

______

다음 그림의 직각삼각형에서 x의 값을 구하여라.

0857

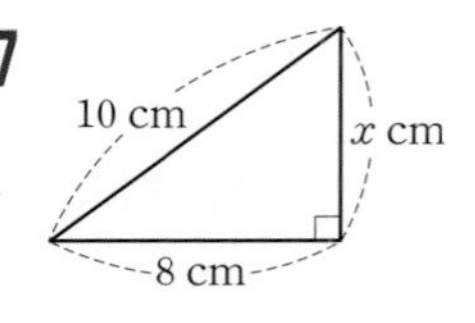

______

0858

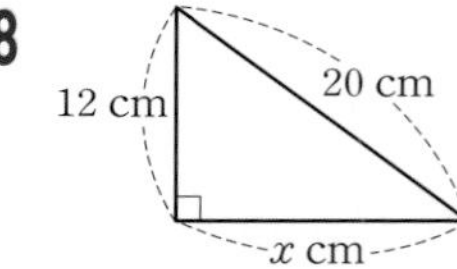

______

0859

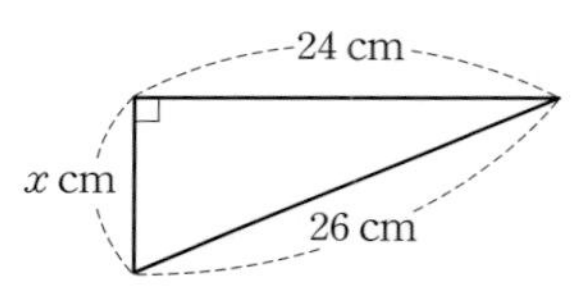

______

0860 학교 시험 맛보기 

오른쪽 그림과 같은 직각삼각형 ABC의 넓이를 구하여라.

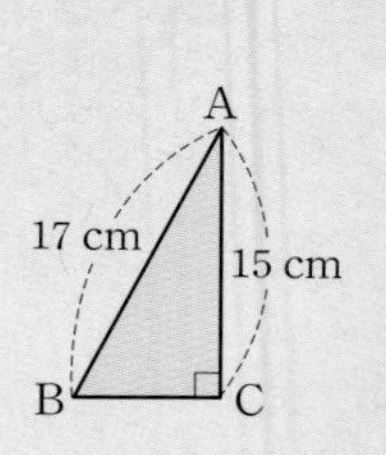

______

핵심 02 삼각형의 변의 길이 구하기 (2)

날짜 : 월 일

Subnote 41쪽

주어진 도형에서
두 개의 직각삼각형을 찾아
피타고라스 정리를 이용해.

(1)

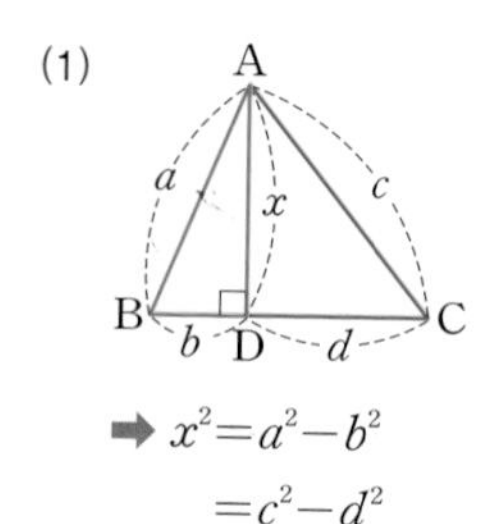

➡ $x^2=a^2-b^2$
$=c^2-d^2$

(2)

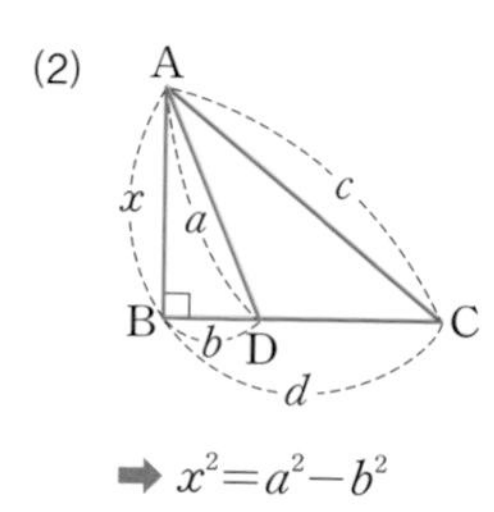

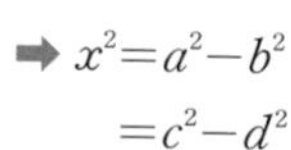

➡ $x^2=a^2-b^2$
$=c^2-d^2$

다음 그림에서 x, y의 값을 각각 구하여라.

0861

sol $\triangle$ADC에서 $x^2=10^2-6^2=\square$
$\therefore x=\square$ ($\because x>0$)
$\triangle$ABD에서 $y^2=15^2+8^2=\square$
$\therefore y=\square$ ($\because y>0$)

0862

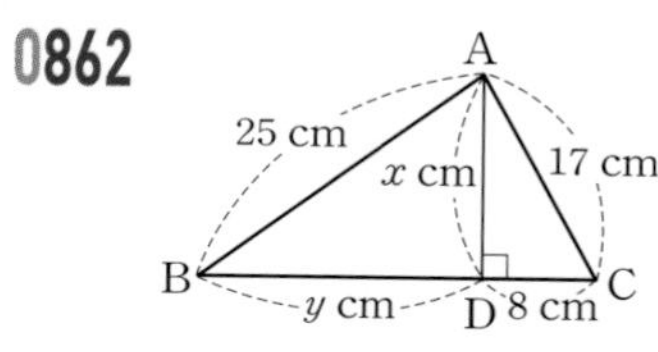

0863

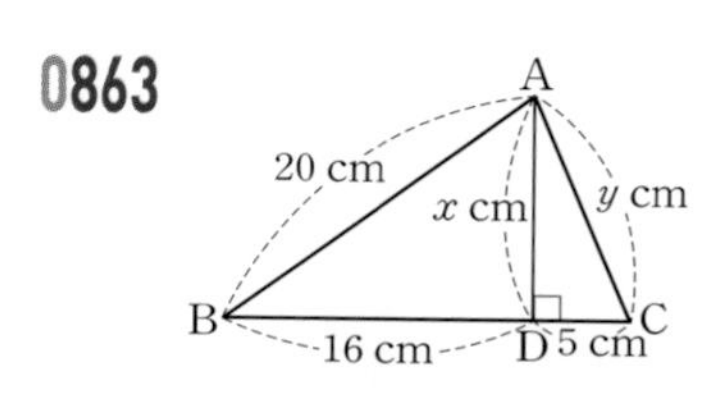

다음 그림에서 x, y의 값을 각각 구하여라.

0864

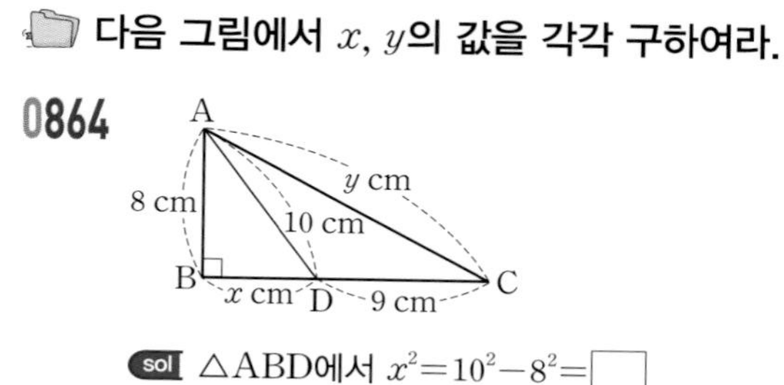

sol $\triangle$ABD에서 $x^2=10^2-8^2=\square$
$\therefore x=\square$ ($\because x>0$)

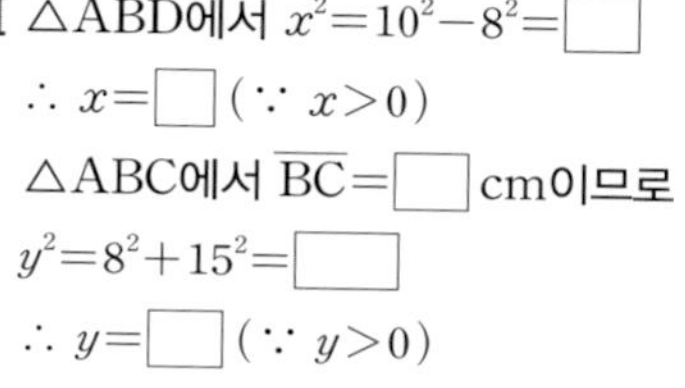

$\triangle$ABC에서 $\overline{BC}=\square$cm이므로
$y^2=8^2+15^2=\square$
$\therefore y=\square$ ($\because y>0$)

0865

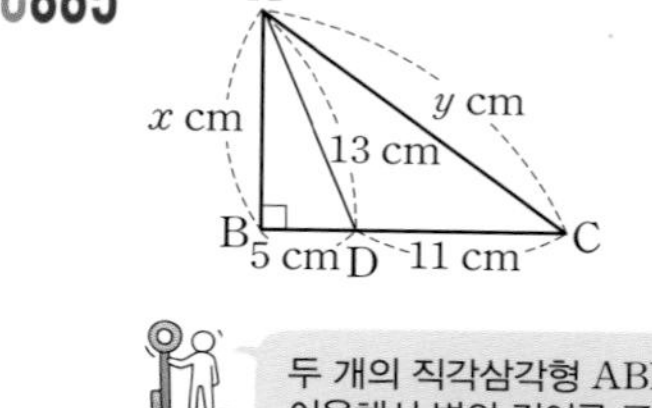

두 개의 직각삼각형 ABD와 ABC에서 각각 피타고라스 정리를 이용해서 변의 길이를 구해 봐.

0866 학교 시험 맛보기

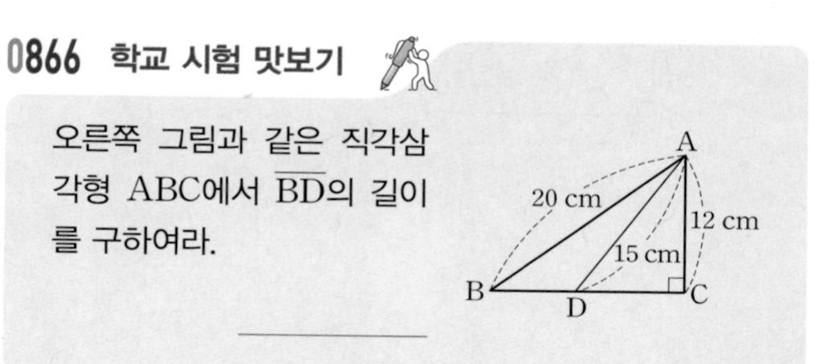

오른쪽 그림과 같은 직각삼각형 ABC에서 $\overline{BD}$의 길이를 구하여라.

핵심 03 사각형의 변의 길이 구하기

날짜 :  월  일

Subnote ➜ 42쪽

보조선을 그어 직각삼각형을 만들어 봐.

(1) 2개의 직각삼각형 만들기

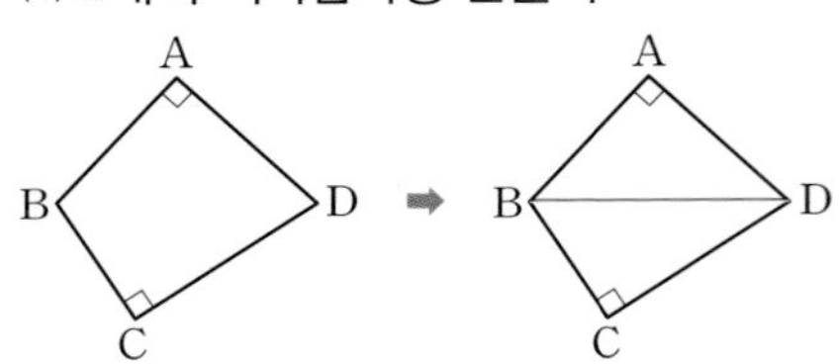

(2) 수선을 그어 직각삼각형 만들기

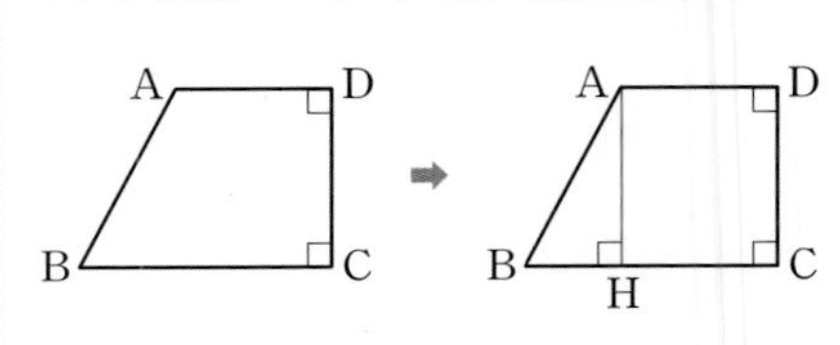

다음 그림의 □ABCD에서 x의 값을 구하여라.

0867

1 cm, 8 cm, 4 cm, x cm

보조선 BD를 그어서 직각삼각형 2개를 만들어 봐.

sol $\overline{BD}$를 그으면 △ABD에서

$\overline{BD}^2=1^2+8^2=\square$

△BCD에서

$x^2=\square-4^2=\square$

$\therefore x=\square$ ($\because x>0$)

0868

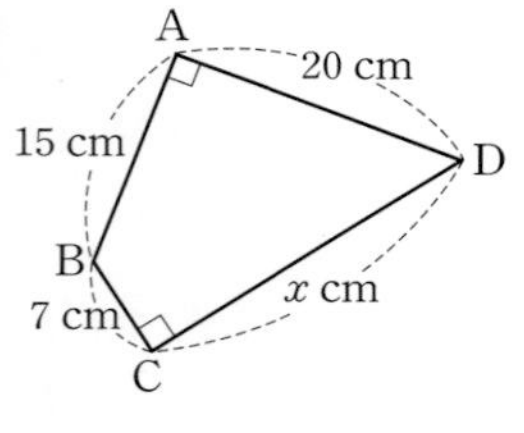

0869

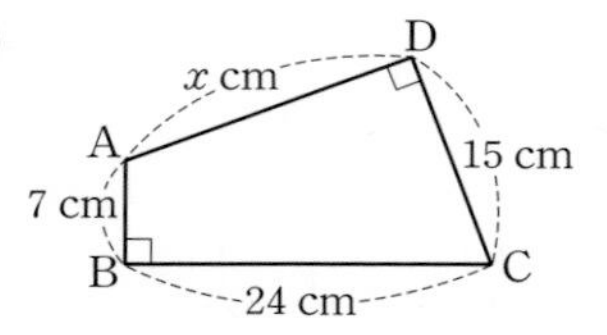

다음 그림의 □ABCD에서 x의 값을 구하여라.

0870

A 3 cm D, x cm, 4 cm, B 6 cm C

sol 꼭짓점 A에서 $\overline{BC}$에 내린 수선의 발을 H라고 하면

$\overline{BH}=\overline{BC}-\overline{HC}=\square$(cm),

$\overline{AH}=\overline{DC}=\square$ cm이므로

$x^2=\overline{BH}^2+\overline{AH}^2=\square$

$\therefore x=\square$ ($\because x>0$)

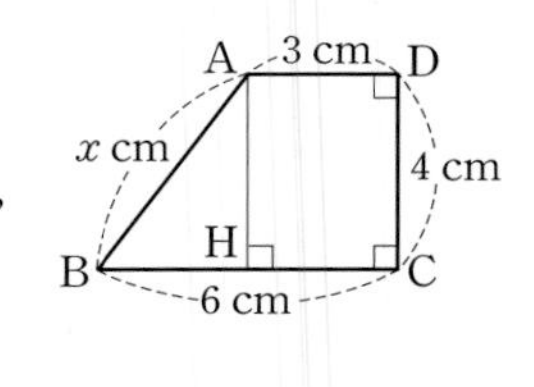

0871

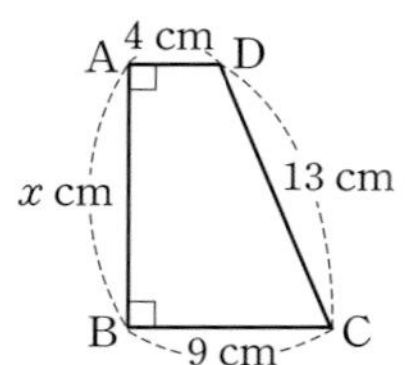

0872 학교 시험 맛보기

오른쪽 그림과 같은 등변사다리꼴 ABCD의 넓이를 구하여라.

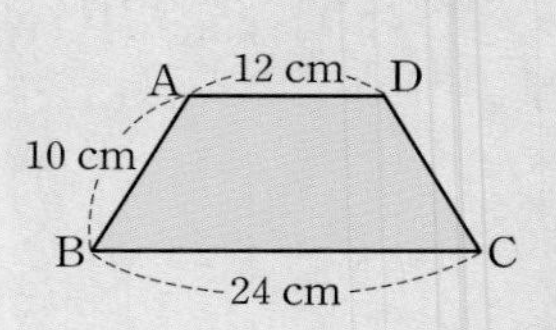

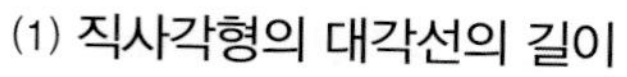

대각선의 길이 구하기

날짜 : 월 일

Subnote ➔ 42쪽

피타고라스 정리를 이용하여 직사각형의 대각선의 길이를 구해 보자.

(1) 직사각형의 대각선의 길이

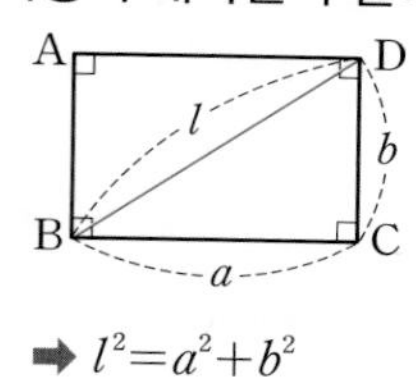

➡ $l^2=a^2+b^2$

(2) $\mathrm{P}(x_1, y_1)$, $\mathrm{Q}(x_2, y_2)$ 사이의 거리

➡ $\overline{\mathrm{PQ}}^2=(x_2-x_1)^2+(y_2-y_1)^2$

다음 직사각형 ABCD의 대각선의 길이를 구하여라.

0873

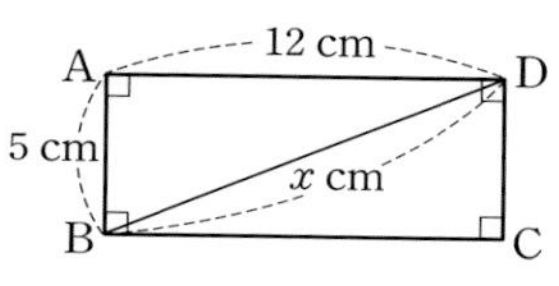

sol $x^2=5^2+12^2=\square$

$\therefore x=\square$ ($\because x>0$)

따라서 대각선의 길이는 $\square$ cm이다.

0874

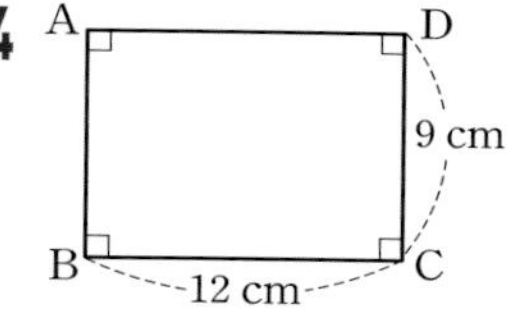

______

0875

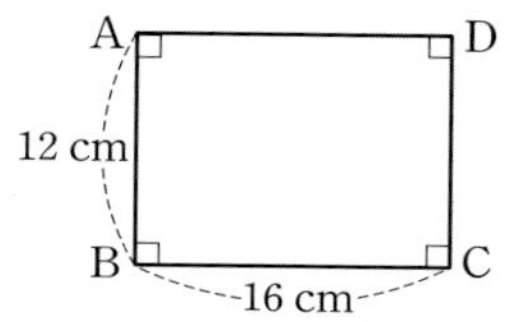

______

0876

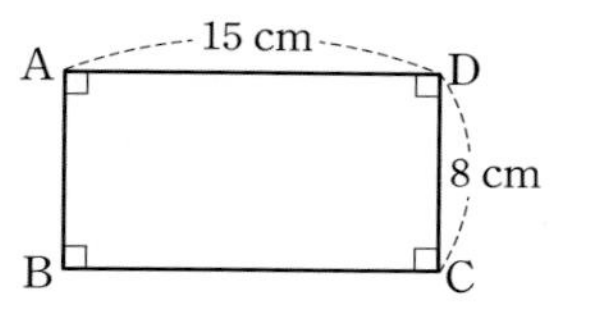

______

다음 두 점 사이의 거리를 구하여라.

0877 O(0, 0), P(3, 4)

sol

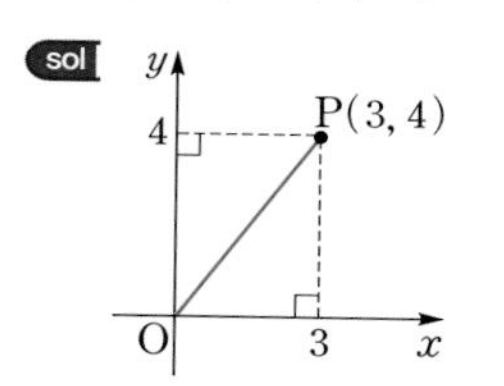

➡

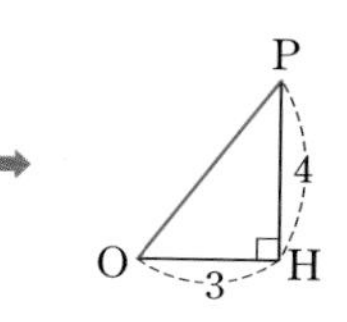

△OPH에서 $\overline{\mathrm{OP}}^2=3^2+4^2=\square$

$\therefore \overline{\mathrm{OP}}=\square$ ($\because \overline{\mathrm{OP}}>0$)

0878 O(0, 0), P(8, −6) ______

0879 P(0, 5), Q(4, 2)

sol

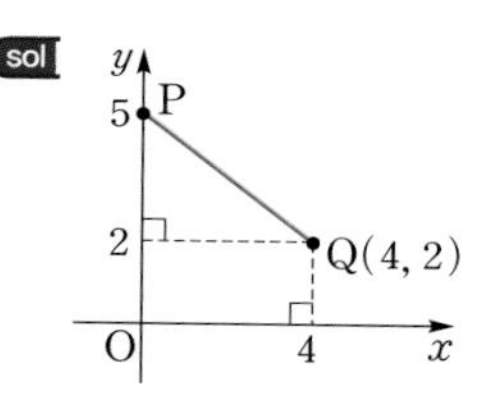

➡

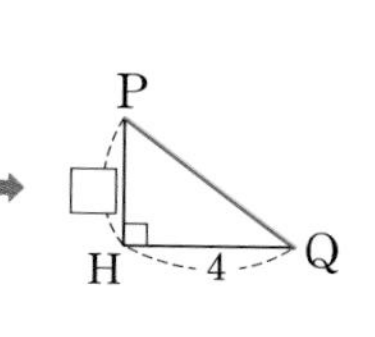

△PHQ에서 $\overline{\mathrm{PQ}}^2=4^2+3^2=\square$

$\therefore \overline{\mathrm{PQ}}=\square$ ($\because \overline{\mathrm{PQ}}>0$)

0880 P(−1, −3), Q(4, 9) ______

핵심 **05**

피타고라스 정리의 이해-유클리드의 방법 (1)

날짜 :  월  일

Subnote ➡ 42쪽

오른쪽 그림에서 같은 색인 두 부분의 넓이가 각각 같아.

오른쪽 그림과 같이 직각삼각형 ABC의 각 변을 한 변으로 하는 세 정사각형을 그려 보면

(1) □ACDE=□AFKJ, □CBHI=□JKGB

(2) □AFGB=□ACDE+□CBHI

(3) $\overline{AB}^2=\overline{CA}^2+\overline{BC}^2$

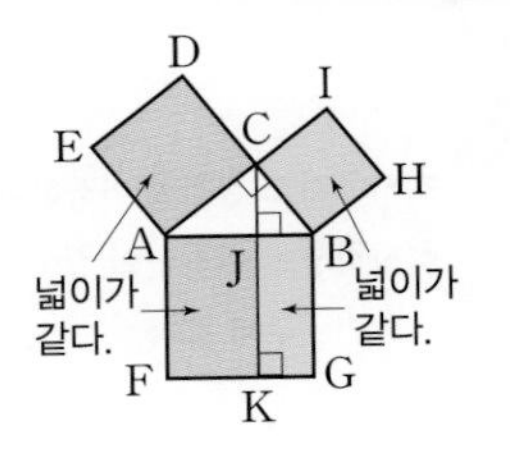

다음 그림은 직각삼각형 ABC의 각 변을 한 변으로 하는 세 정사각형을 그린 것이다. 이때 색칠한 부분의 넓이를 구하여라.

0881

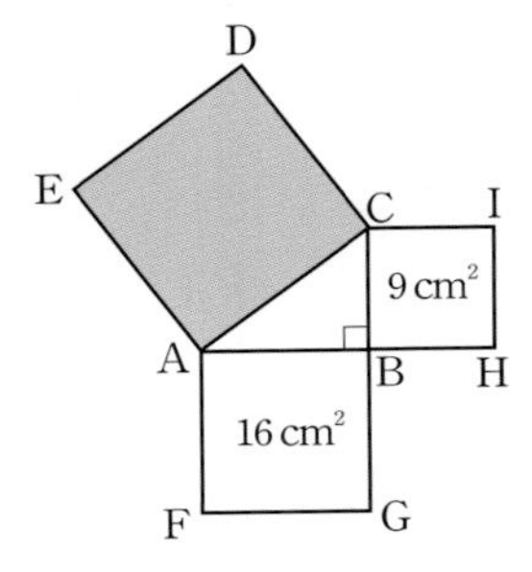

sol □ACDE=□AFGB+□BHIC

=□+□=□ (cm²)

0882

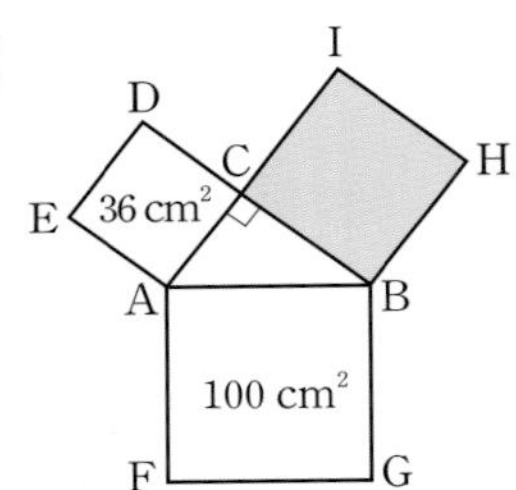

0883

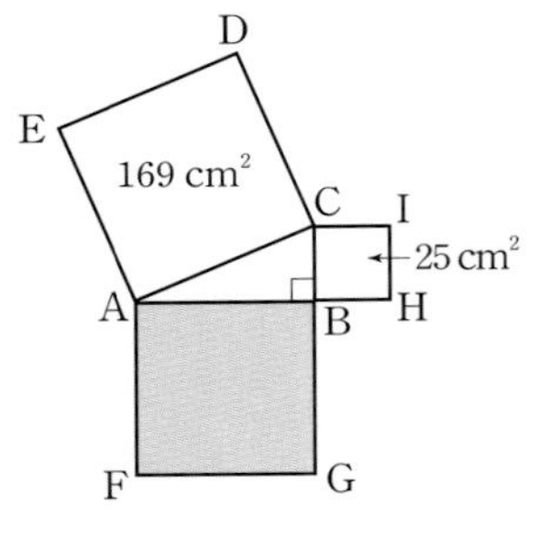

0884

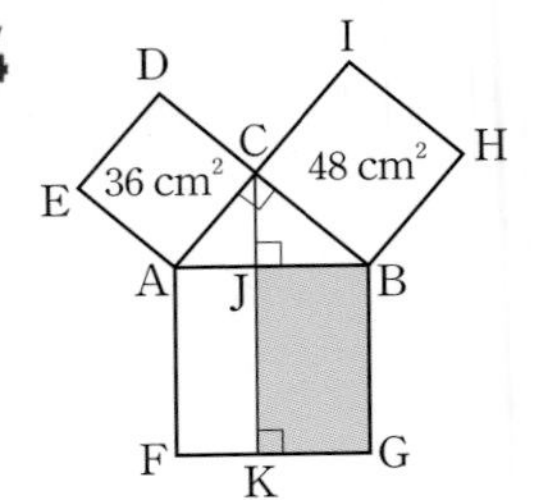

색칠한 부분과 넓이가 같은 사각형을 찾아봐.

0885

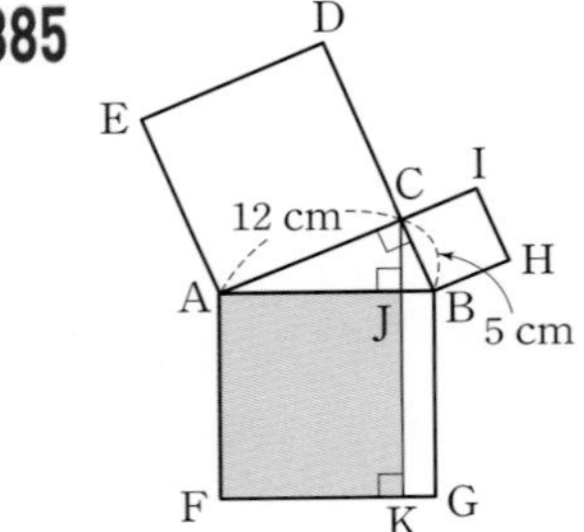

0886 학교 시험 맛보기 

오른쪽 그림은 직각삼각형 ABC의 빗변이 아닌 두 변을 한 변으로 하는 정사각형을 그린 것이다. $\overline{AB}$=13 cm일 때, 색칠한 두 정사각형의 넓이의 합을 구하여라.

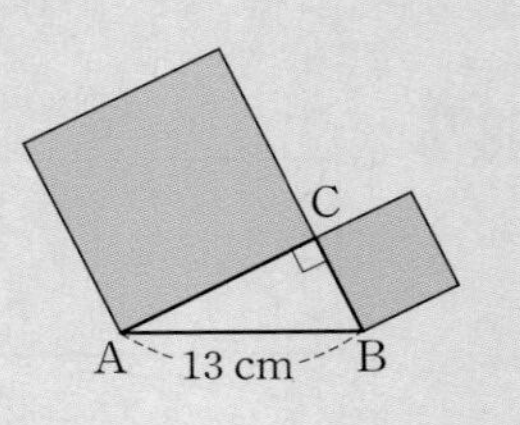

06 피타고라스 정리의 이해-유클리드의 방법 (2)

핵심

날짜 : 월 일

Subnote 43쪽

$l /\!/ m$일 때,

$\triangle ABC = \triangle DBC$

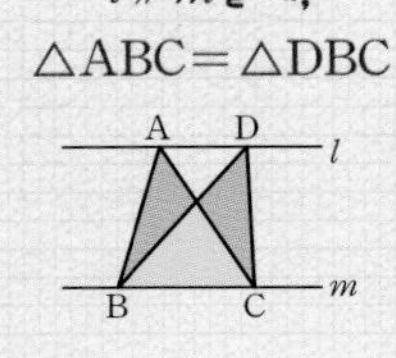

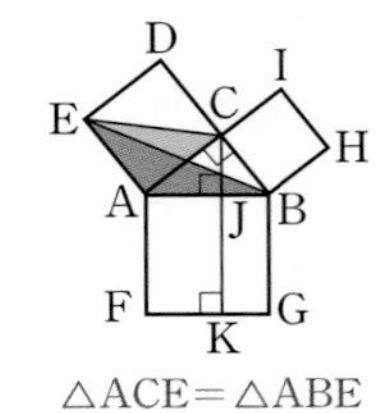

$\triangle ACE = \triangle ABE$

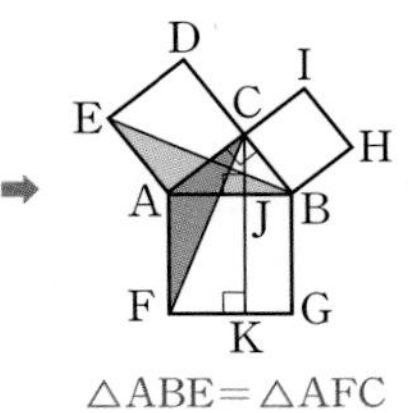

$\triangle ABE = \triangle AFC$

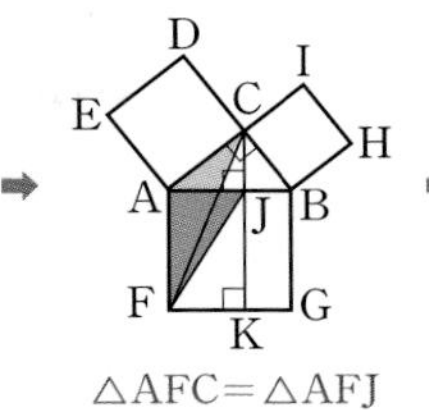

$\triangle AFC = \triangle AFJ$

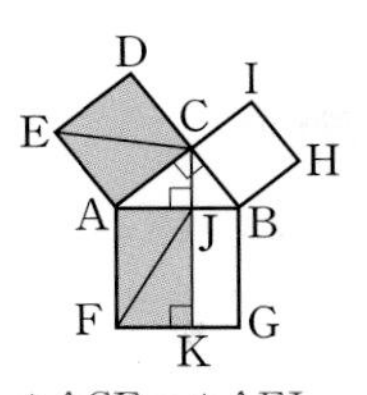

$\triangle ACE = \triangle AFJ$

$\square ACDE = \square AFKJ$

다음 그림은 직각삼각형 ABC의 각 변을 한 변으로 하는 세 정사각형을 그린 것이다. 이때 색칠한 부분의 넓이를 구하여라.

0887

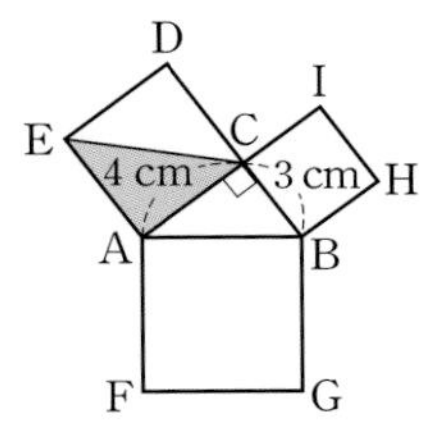

0888

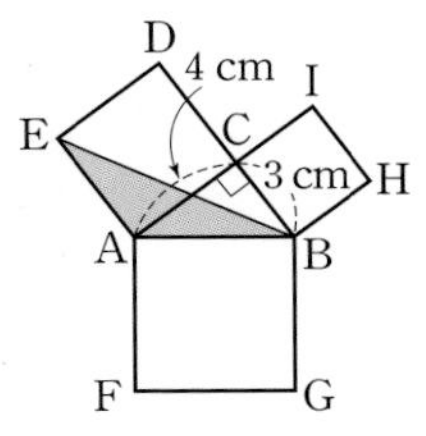

0889

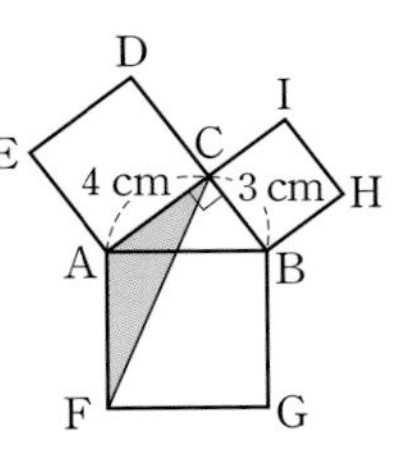

0890

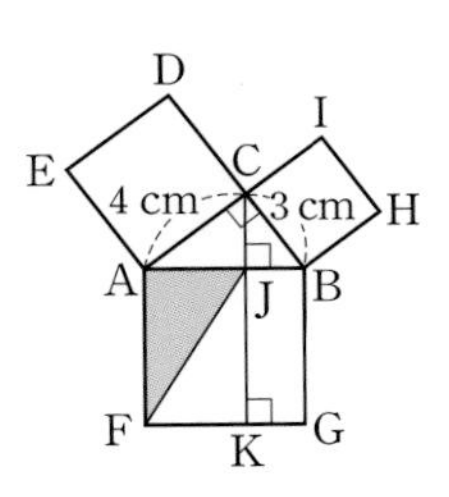

0891

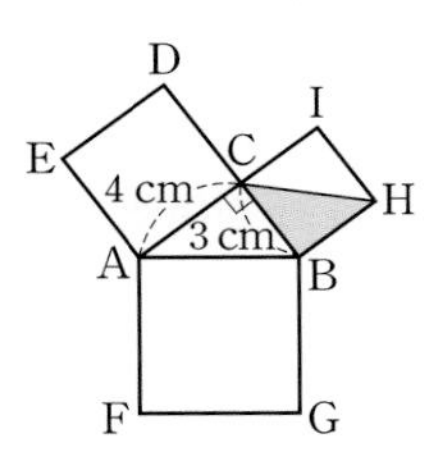

0892

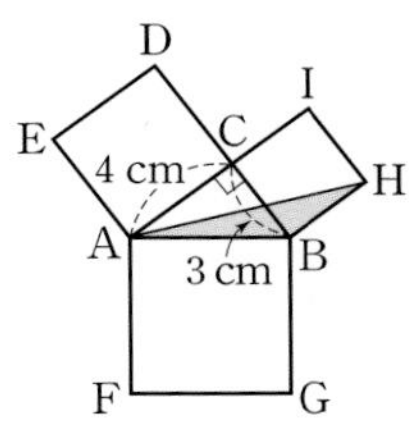

0893

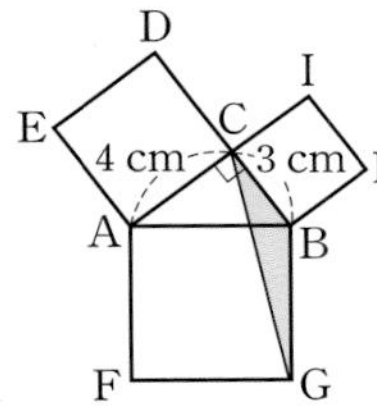

0894

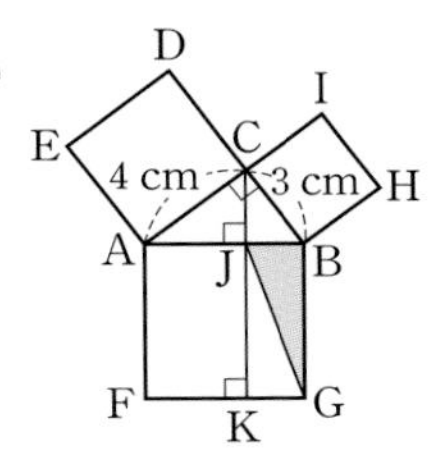

0895 학교 시험 맛보기

오른쪽 그림은 직각삼각형 ABC의 각 변을 한 변으로 하는 세 정사각형을 그린 것이다. 색칠한 부분의 넓이를 구하여라.

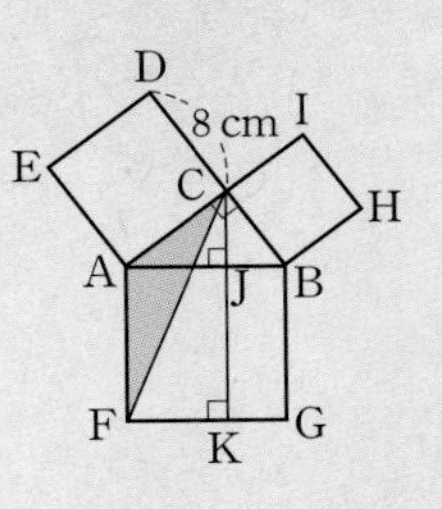

9 피타고라스 정리

핵심 **07** 피타고라스 정리의 이해-피타고라스의 방법

날짜 : 월 일

Subnote 43쪽

합동인 직각삼각형 4개를 뺀 부분의 넓이가 같음을 이용한거야.

오른쪽 그림에서 도형 (가), (나)는 모두 한 변의 길이가 $a+b$인 정사각형이므로 그 넓이가 서로 같다.

(1) □DHIG, □BFIE, □NOPQ는 한 변의 길이가 각각 a, b, c인 정사각형이다.

(2) □DHIG+□BFIE=□NOPQ이므로 $a^2+b^2=c^2$

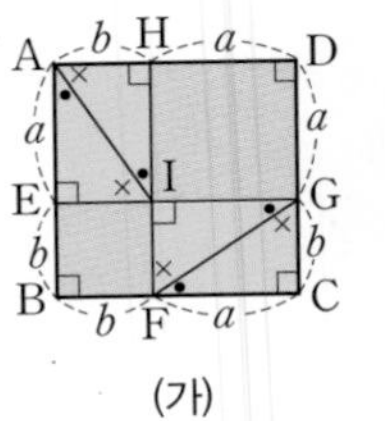
(가)

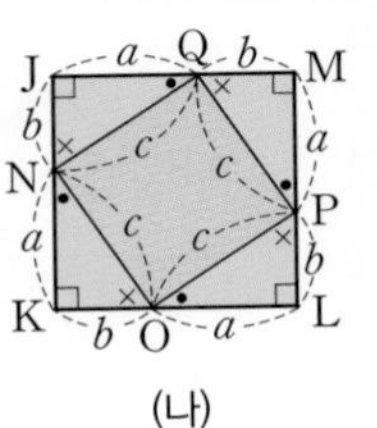
(나)

다음 그림에서 □ABCD는 정사각형이고 $\overline{AE}=\overline{BF}=\overline{CG}=\overline{DH}$일 때, $\overline{EH}$의 길이와 □EFGH의 넓이를 각각 구하여라.

0896

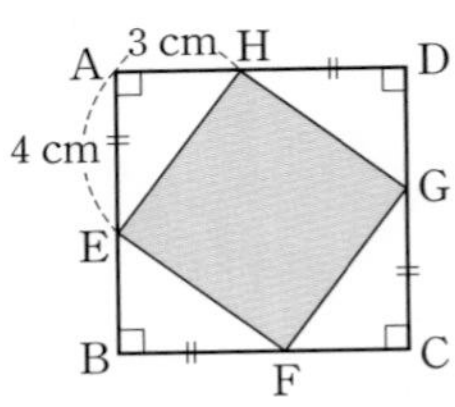

□EFGH는 정사각형이야.

sol (i) $\overline{EH}^2=3^2+4^2=\square$이므로

$\overline{EH}=\square$(cm) ($\because \overline{EH}>0$)

(ii) □EFGH$=\overline{EH}^2=\square$(cm^2)

0897

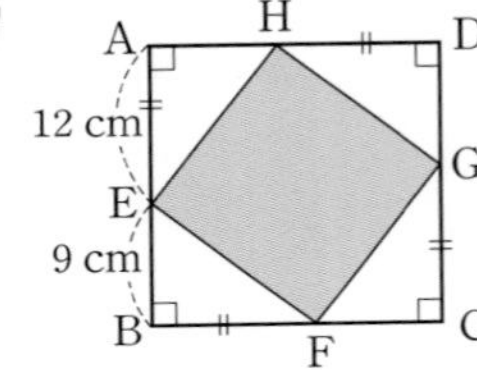

(1) $\overline{EH}$의 길이

(2) □EFGH의 넓이

0898

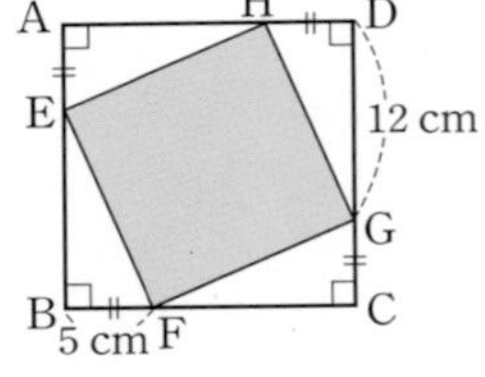

(1) $\overline{EH}$의 길이

(2) □EFGH의 넓이

다음 그림에서 □ABCD는 정사각형이고 $\overline{AH}=\overline{BE}=\overline{CF}=\overline{GD}$이다. □EFGH의 넓이가 주어질 때, $\overline{EH}$, $\overline{AE}$의 길이를 각각 구하여라.

0899

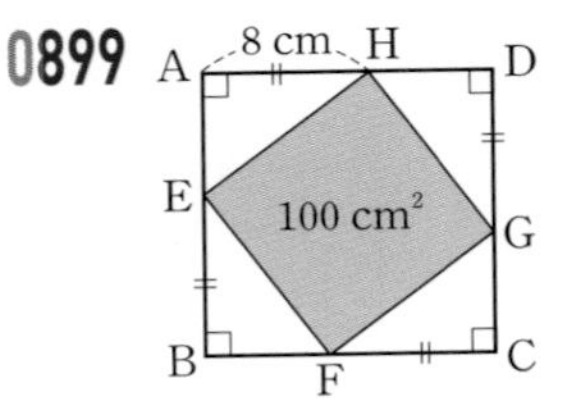

sol (i) $\overline{EH}^2=100$이므로 $\overline{EH}=\square$(cm) ($\because \overline{EH}>0$)

(ii) $\overline{AE}^2=10^2-8^2=\square$이므로

$\overline{AE}=\square$(cm) ($\because \overline{AE}>0$)

0900

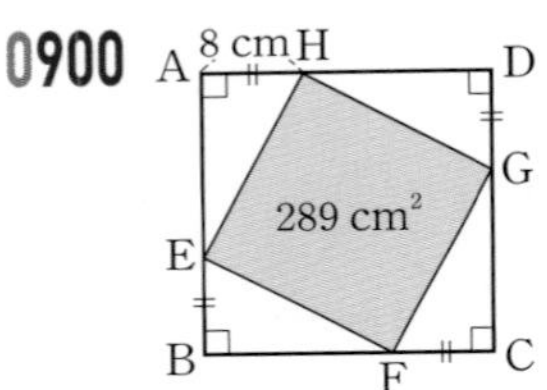

(1) $\overline{EH}$의 길이

(2) $\overline{AE}$의 길이

0901 학교 시험 맛보기

오른쪽 그림과 같은 정사각형 ABCD에서 $\overline{AE}=\overline{BF}=\overline{CG}=\overline{DH}$일 때, □ABCD의 넓이를 구하여라.

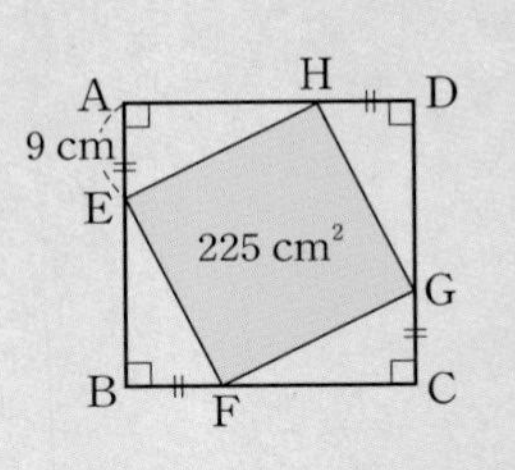

핵심 **08**

피타고라스 정리의 이해

날짜 : 월 일

Subnote 43쪽

피타고라스 정리의 증명은 다양한 방법으로 할 수 있어.

(1)

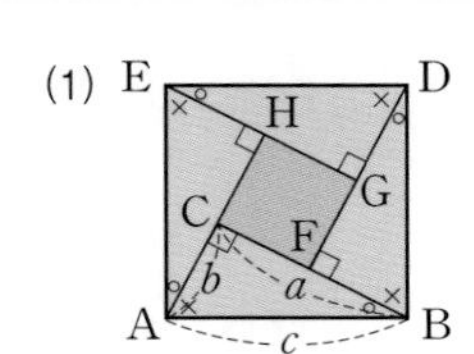

① △ABC≡△BDF≡△DEG≡△EAH
② □ABDE, □CFGH는 정사각형
③ □ABDE=4△ABC+□CFGH

(2)

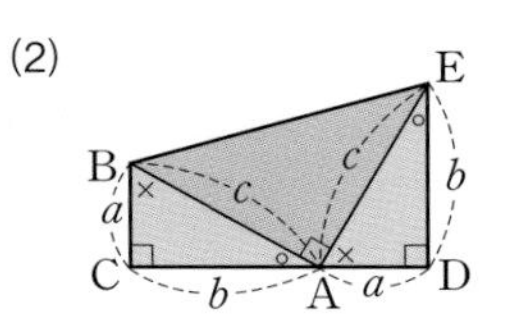

① △ABC≡△EAD
② △ABE는 직각이등변삼각형
③ □BCDE=△ABC+△ABE+△EAD

다음은 합동인 4개의 직각삼각형을 이용하여 정사각형 ABCD를 만든 것이다. □EFGH의 넓이를 구하여라.

0902

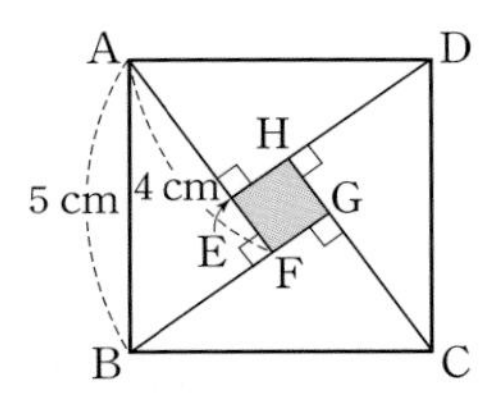

sol △ABF에서 $\overline{BF}^2=5^2-4^2=\square$

$\therefore \overline{BF}=\square$ (cm) ($\because \overline{BF}>0$)

이때 △ABF≡△DAE이므로 $\overline{AE}=\overline{BF}=\square$ (cm)

$\therefore \overline{EF}=\overline{AF}-\overline{AE}=\square$ (cm)

$\therefore$ □EFGH=$\square$ (cm^2)

0903

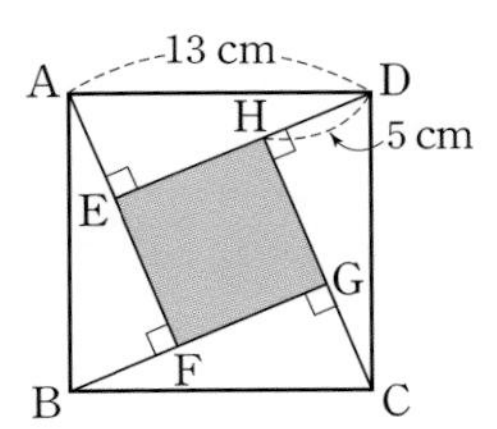

0904

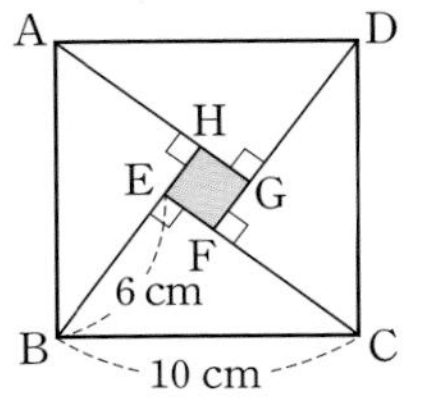

다음 그림에서 △ABC≡△CDE이고, 세 점 B, C, D가 일직선 위에 있을 때, △ACE의 넓이를 구하여라.

0905

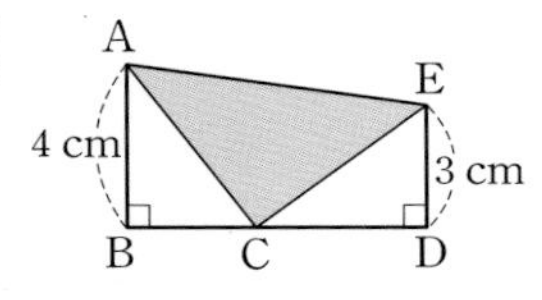

sol △ABC≡△CDE이므로 $\overline{BC}=\overline{DE}=\square$ (cm)

△ABC에서 $\overline{AC}^2=4^2+3^2=\square$

$\therefore \overline{AC}=\square$ (cm) ($\because \overline{AC}>0$)

이때 ∠ACE=90°이므로 △ACE는 $\overline{AC}=\overline{CE}$인 직각이등변삼각형이다.

$\therefore$ △ACE$=\frac{1}{2}\times\square^2=\square$ (cm^2)

0906

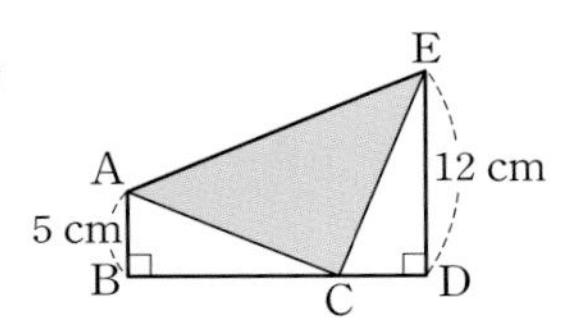

0907 학교 시험 맛보기

오른쪽 그림에서 △ABC≡△CDE이고, 세 점 B, C, D는 일직선 위에 있다. △ACE의 넓이는 50 cm^{2}이고, $\overline{BC}$=8 cm일 때, □ABDE의 넓이를 구하여라.

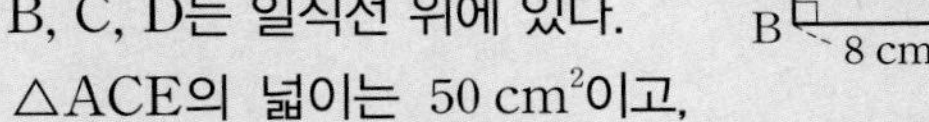

핵심 01~08

Mini Review Test

날짜 : 월 일

Subnote 44쪽

핵심 01

0908 오른쪽 그림과 같이 $\angle C=90°$ 인 직각삼각형 ABC의 넓이를 구하여라.

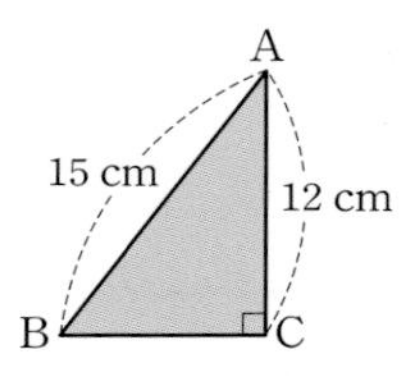

핵심 02

0909 오른쪽 그림과 같은 직각삼각형 ABC에서 $\overline{AB}=15$ cm, $\overline{AD}=17$ cm, $\overline{CD}=12$ cm일 때, $\overline{AC}$의 길이를 구하여라.

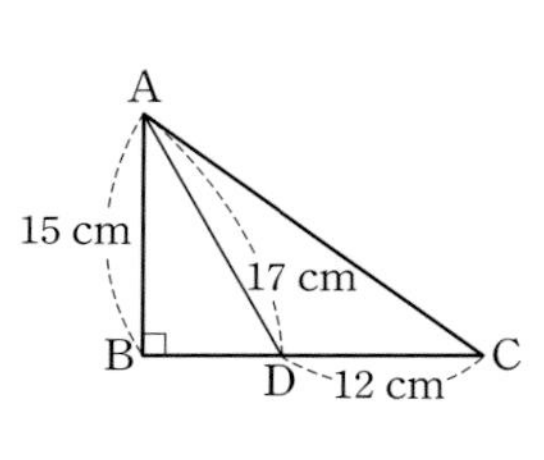

핵심 03

0910 오른쪽 그림과 같은 사다리꼴 ABCD에서 $\overline{AB}=5$ cm, $\overline{AD}=4$ cm, $\overline{BC}=7$ cm일 때, $\overline{CD}$의 길이는?

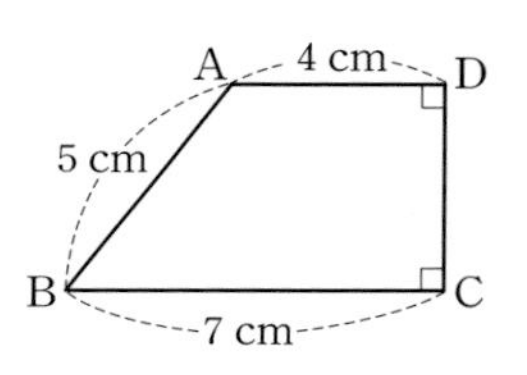

① 3 cm ② 4 cm ③ 5 cm
④ 6 cm ⑤ 7 cm

핵심 04

0911 두 점 $P(-2,\ -2)$, $Q(4,\ 6)$ 사이의 거리를 구하여라.

핵심 05 06

0912 오른쪽 그림은 직각삼각형 ABC의 각 변을 한 변으로 하는 정사각형을 그린 것이다. 다음 중 옳지 않은 것은?

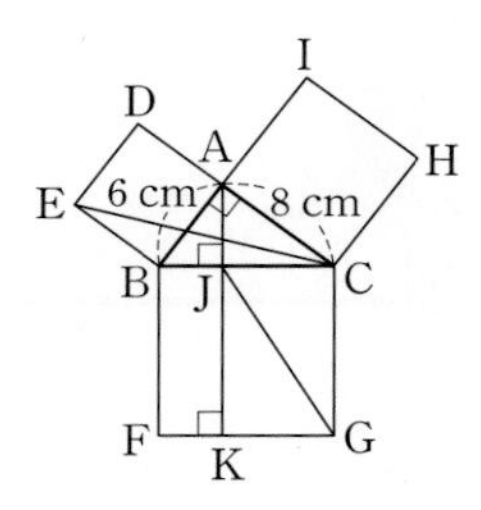

① $\overline{BC}=10$ cm
② $\triangle EBC=18\text{ cm}^2$
③ $\triangle JCG=50\text{ cm}^2$
④ $\square BFKJ=36\text{ cm}^2$
⑤ $\square BFGC=100\text{ cm}^2$

핵심 07

0913 오른쪽 그림과 같은 정사각형 ABCD에서 $\overline{AH}=\overline{BE}=\overline{CF}=\overline{DG}=3$ cm이고 □EFGH의 넓이가 25 cm^2일 때, $\overline{AE}$의 길이를 구하여라.

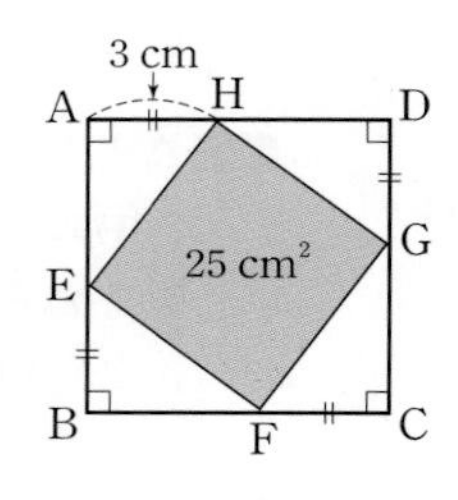

핵심 08

0914 오른쪽 그림과 같은 정사각형 ABCD에서 4개의 직각삼각형은 모두 합동일 때, □EFGH의 넓이를 구하여라.

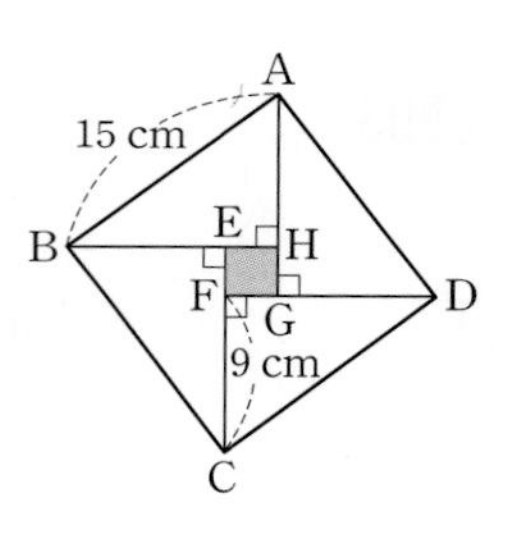

핵심 08 서술형

0915 오른쪽 그림에서 $\triangle ABC\equiv\triangle CDE$이고, 세 점 B, C, D는 일직선 위에 있다. △ACE의 넓이가 $\frac{169}{2}\text{ cm}^2$이고, $\overline{AB}=5$ cm일 때, □ABDE의 넓이를 구하여라.

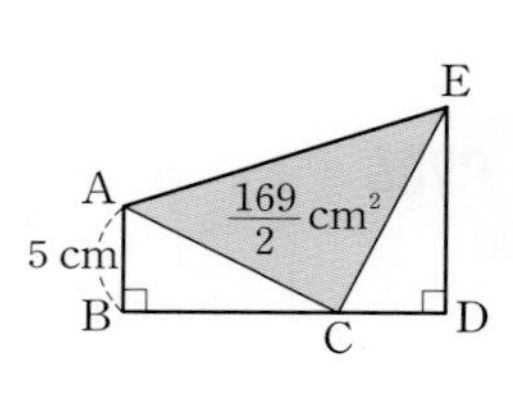

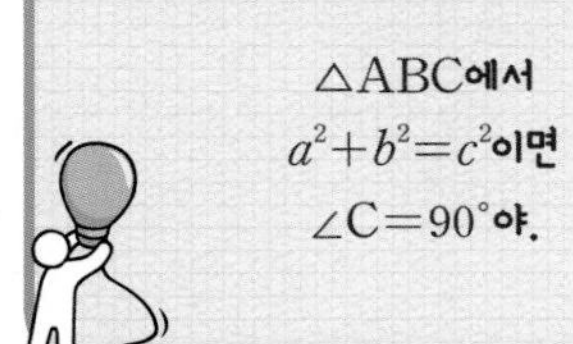

핵심 09 직각삼각형이 되기 위한 조건

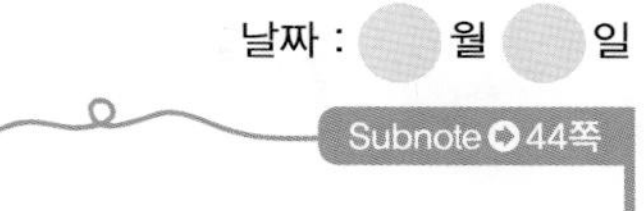

Subnote 44쪽

$\triangle$ABC에서 $a^2+b^2=c^2$이면 $\angle C=90^\circ$야.

세 변의 길이가 각각 a, b, c인 $\triangle$ABC에서
$$a^2+b^2=c^2$$
이면 이 삼각형은 **빗변의 길이가 c인 직각삼각형**이다.

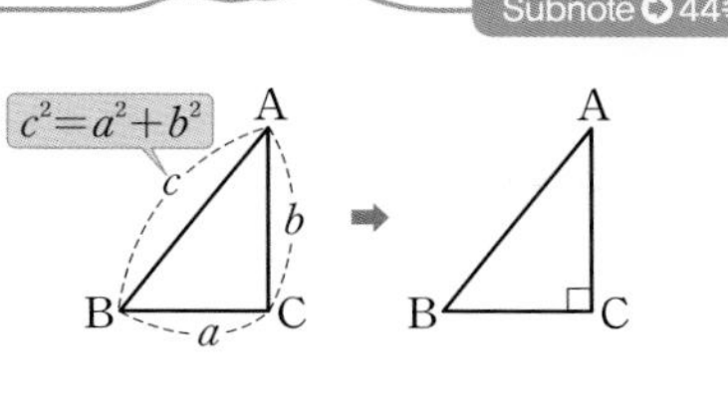

삼각형의 세 변의 길이가 다음과 같다. ● 안에 =, ≠ 중 알맞은 것을 써넣고, 옳은 것에 ◯표를 하여라.

0916 3 cm, 4 cm, 5 cm

➡ 3^2+4^2 ● 5^2

➡ 직각삼각형(이다, 이 아니다).

0917 1 cm, 2 cm, 3 cm

➡ 1^2+2^2 ● 3^2

➡ 직각삼각형(이다, 이 아니다).

세 변의 길이가 다음과 같은 삼각형 중에서 직각삼각형인 것에는 ○표, 직각삼각형이 아닌 것에는 ×표를 하여라.

0918 2 cm, 3 cm, 4 cm ( )

0919 9 cm, 12 cm, 15 cm ( )

0920 4 cm, 5 cm, 7 cm ( )

세 변의 길이가 다음과 같은 삼각형이 직각삼각형이 되도록 하는 x^2의 값을 모두 구하여라.

0921 4 cm, 5 cm, x cm

sol (i) 가장 긴 변의 길이가 5 cm일 때

$\square^2=\square^2+x^2$ $\quad\therefore x^2=\square$

(ii) 가장 긴 변의 길이가 x cm일 때

$x^2=4^2+5^2=\square$

(i), (ii)에 의하여 구하는 x^2의 값은 $\square$, $\square$이다.

0922 5 cm, 13 cm, x cm ________

0923 8 cm, x cm, 15 cm ________

0924 학교 시험 맛보기

세 변의 길이가 각각 8 cm, 17 cm, x cm인 삼각형이 직각삼각형이 되도록 하는 자연수 x의 값을 구하여라.

____

9 피타고라스 정리

핵심 **10**

삼각형의 변의 길이에 대한 각의 크기

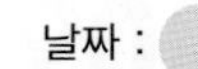  

날짜 : 월 일

Subnote 45쪽

가장 긴 변의 길이의 제곱 (c^2)과 나머지 두 변의 길이의 제곱의 합 (a^2+b^2)의 대소를 비교해.

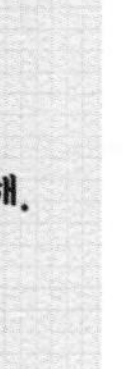

삼각형 ABC에서 $\overline{AB}=c$, $\overline{BC}=a$, $\overline{CA}=b$이고 c가 가장 긴 변의 길이일 때,

(1) $c^2<a^2+b^2$이면 $\angle C<90^\circ$

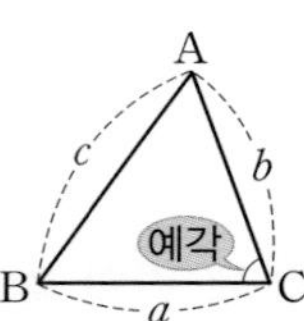

➡ 예각삼각형

(2) $c^2=a^2+b^2$이면 $\angle C=90^\circ$

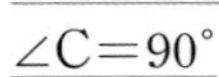

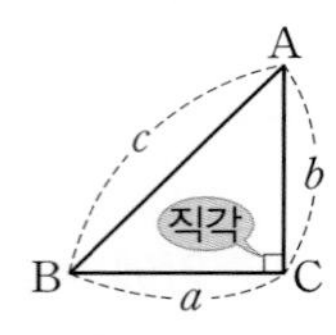

➡ 직각삼각형

(3) $c^2>a^2+b^2$이면 $\angle C>90^\circ$

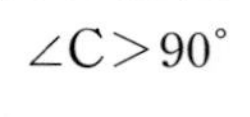

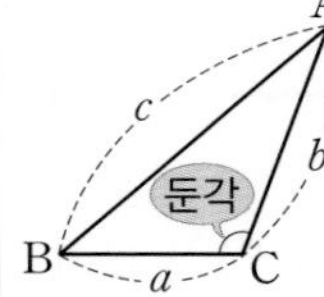

➡ 둔각삼각형

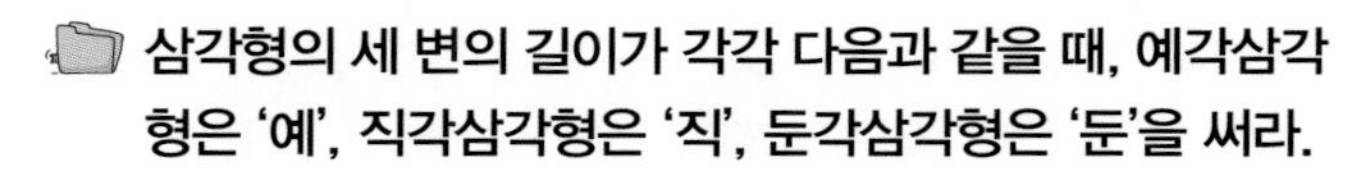

삼각형의 세 변의 길이가 각각 다음과 같을 때, 예각삼각형은 '예', 직각삼각형은 '직', 둔각삼각형은 '둔'을 써라.

0925 2 cm, 3 cm, 4 cm

sol 가장 긴 변의 길이는 ☐ cm이고

4^2 ☐ 2^2+3^2

가장 긴 변의 길이의 제곱 / 나머지 두 변의 길이의 제곱의 합

이므로 ☐각삼각형이다.

0926 4 cm, 5 cm, 6 cm ________

0927 5 cm, 7 cm, 9 cm ________

0928 6 cm, 8 cm, 10 cm ________

0929 5 cm, 11 cm, 13 cm ________

0930 6 cm, 7 cm, 8 cm ________

0931 6 cm, 11 cm, 13 cm ________

0932 9 cm, 12 cm, 15 cm ________

0933 12 cm, 13 cm, 17 cm ________

핵심 11 삼각형의 각의 크기에 대한 변의 길이

날짜 : 월 일

Subnote 45쪽

삼각형의 한 변의 길이는 나머지 두 변의 길이의 차보다 크고, 합보다 작아.

삼각형 ABC에서 $\overline{AB}=c$, $\overline{BC}=a$, $\overline{CA}=b$이고 c가 가장 긴 변의 길이일 때, 다음이 성립한다.

(1) $\angle C<90°$ (예각삼각형)이면 ➡ $c^2<a^2+b^2$

(2) $\angle C=90°$ (직각삼각형)이면 ➡ $c^2=a^2+b^2$

(3) $\angle C>90°$ (둔각삼각형)이면 ➡ $c^2>a^2+b^2$

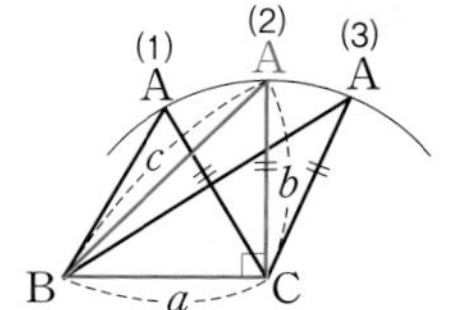

다음 그림과 같은 $\triangle ABC$에서 $\overline{BC}$가 가장 긴 변이고, $\angle A<90°$일 때, 자연수 x의 값을 구하여라.

0934

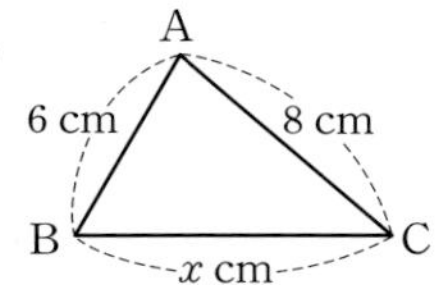

sol (i) 삼각형의 세 변의 길이 사이의 관계에 의하여

$8<x<6+8$ $\therefore 8<x<\square$

(ii) 예각삼각형이므로

$x^2<6^2+8^2$ $\therefore x^2<\square$

(i), (ii)를 모두 만족시키는 자연수 x의 값은 $\square$이다.

0935

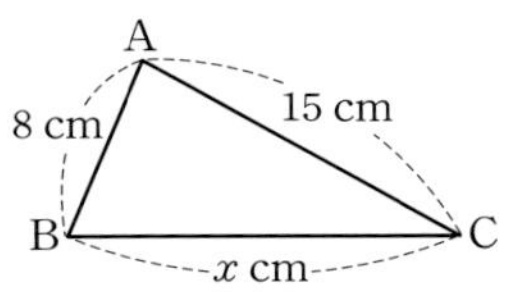

______

0936

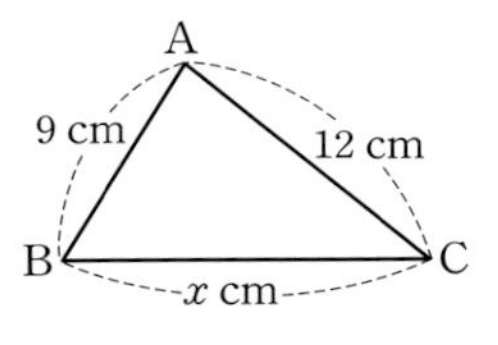

______

다음 그림과 같은 $\triangle ABC$에서 $90°<\angle A<180°$일 때, 자연수 x의 값을 구하여라.

0937

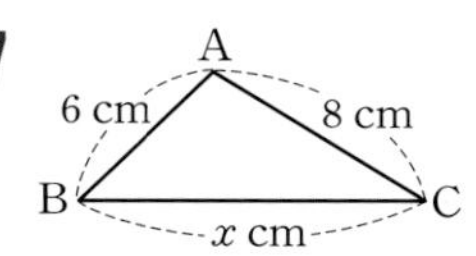

∠A가 둔각이므로 $\overline{BC}$가 가장 긴 변이야.

sol (i) 삼각형의 세 변의 길이 사이의 관계에 의하여

$8<x<6+8$ $\therefore 8<x<\square$

(ii) 둔각삼각형이므로

$x^2>6^2+8^2$ $\therefore x^2>\square$

(i), (ii)를 모두 만족시키는 자연수 x의 값은

$\square$, $\square$, $\square$이다.

0938

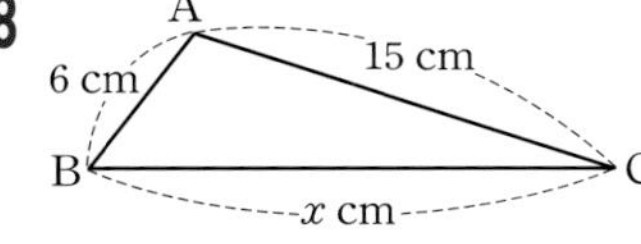

______

0939 학교 시험 맛보기

세 변의 길이가 각각 3, 5, x인 삼각형이 둔각삼각형이 되도록 하는 자연수 x의 값을 구하여라. (단, $x<5$)

______

key 5가 가장 긴 변의 길이이므로 $5^2>3^2+x^2$

9 피타고라스 정리

직각삼각형의 닮음을 이용한 성질

날짜 :  월  일

Subnote ➔ 45쪽

$\triangle$ABC, $\triangle$DBA, $\triangle$DAC가 AA 닮음인 것을 이용해.

$\angle A=90^\circ$인 직각삼각형 ABC에서 $\overline{AD}\perp\overline{BC}$일 때,

(1) 피타고라스 정리: $a^2=b^2+c^2$

(2) 직각삼각형의 닮음: $c^2=ax$, $b^2=ay$, $h^2=xy$

(3) 직각삼각형의 넓이: $bc=ah$

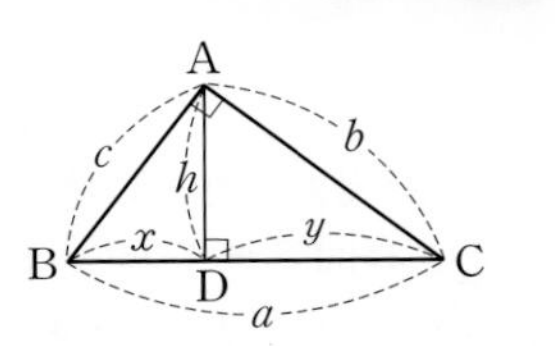

다음 그림과 같이 $\angle A=90^\circ$인 직각삼각형 ABC에서 $\overline{AD}\perp\overline{BC}$일 때, x의 값을 구하여라.

0940

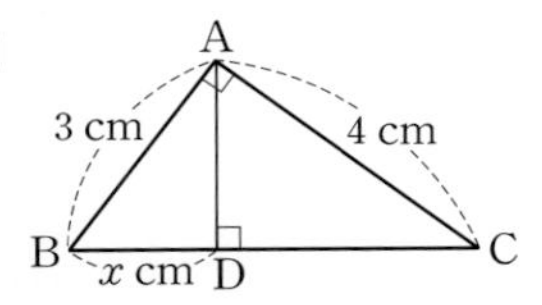

sol $\triangle$ABC에서 $\overline{BC}^2=3^2+4^2=$□

$\therefore \overline{BC}=$□ (cm) ($\because \overline{BC}>0$)

$\triangle$ABC에서 $3^2=x\times$□ $\therefore x=$□

0941

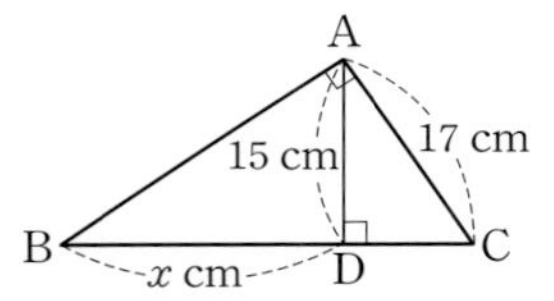

______

0942

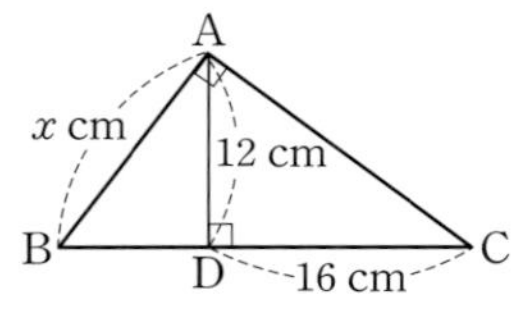

______

다음 그림과 같이 $\angle A=90^\circ$인 직각삼각형 ABC에서 $\overline{AD}\perp\overline{BC}$일 때, x의 값을 구하여라.

0943

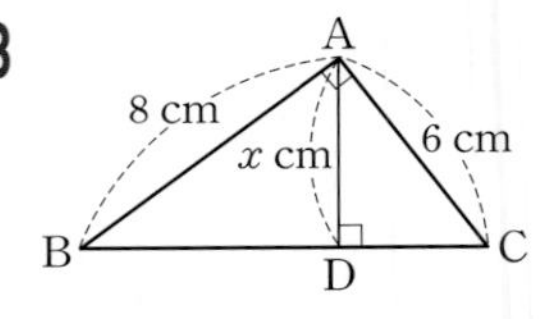

sol $\triangle$ABC에서 $\overline{BC}^2=8^2+6^2=$□

$\therefore \overline{BC}=$□ (cm) ($\because \overline{BC}>0$)

이때 $\overline{AB}\times\overline{AC}=\overline{AD}\times\overline{BC}$이므로

$8\times$□$=x\times$□ $\therefore x=$□

0944

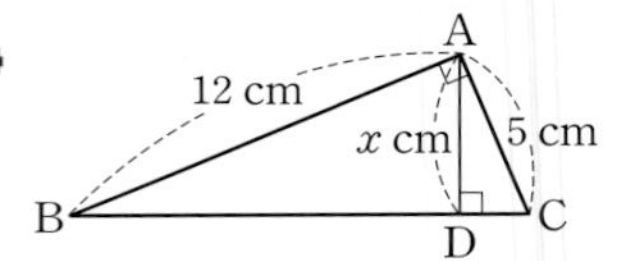

______

0945 학교 시험 맛보기 

오른쪽 그림과 같이 직각삼각형 ABC의 꼭짓점 A에서 빗변에 내린 수선의 발을 D라 하자. $\overline{AB}=9$ cm, $\overline{BC}=15$ cm일 때, $\overline{AD}$의 길이를 구하여라.

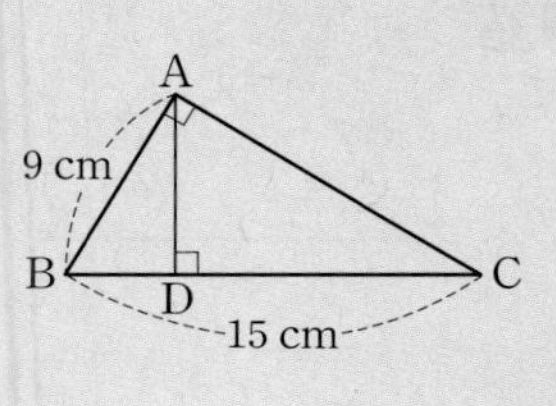

______

핵심

13 피타고라스 정리를 이용한 직각삼각형의 성질

날짜 : 월 일

Subnote 45쪽

오른쪽 그림의 삼각형에서 직각삼각형을 모두 찾아봐.

$\angle A=90^\circ$인 직각삼각형 ABC에서 $\overline{AB}$, $\overline{AC}$ 위에 각각 점 D, E가 있을 때,

$$\overline{DE}^2+\overline{BC}^2=\overline{BE}^2+\overline{CD}^2$$

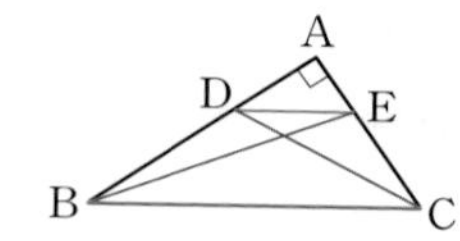

참고 $\overline{DE}^2+\overline{BC}^2=(\overline{AD}^2+\overline{AE}^2)+(\overline{AB}^2+\overline{AC}^2)$ ← 직각삼각형 ADE, ABC
$=(\overline{AB}^2+\overline{AE}^2)+(\overline{AD}^2+\overline{AC}^2)$ ← 직각삼각형 ABE, ADC
$=\overline{BE}^2+\overline{CD}^2$

다음 그림의 직각삼각형 ABC에서 $\overline{DE}^2+\overline{BC}^2$의 값을 구하여라.

0946

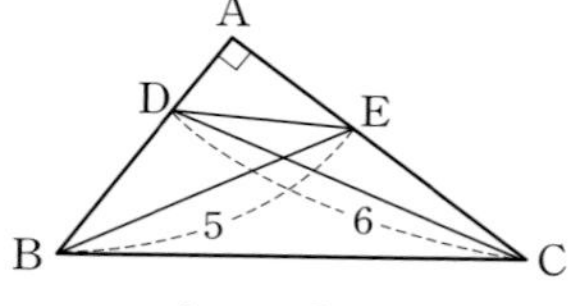

sol $\overline{DE}^2+\overline{BC}^2=\overline{BE}^2+\square^2$
$=5^2+\square^2=\square$

0947

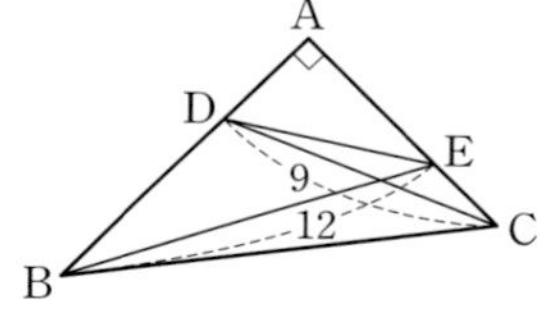

0948

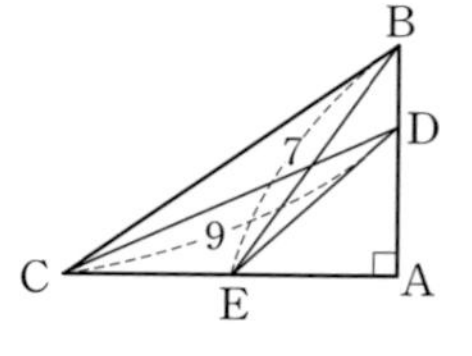

다음 그림의 직각삼각형 ABC에서 x^2의 값을 구하여라.

0949

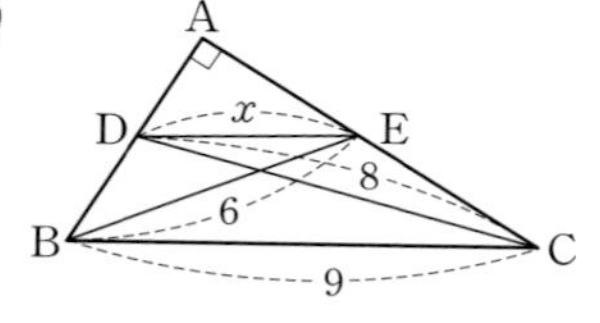

0950

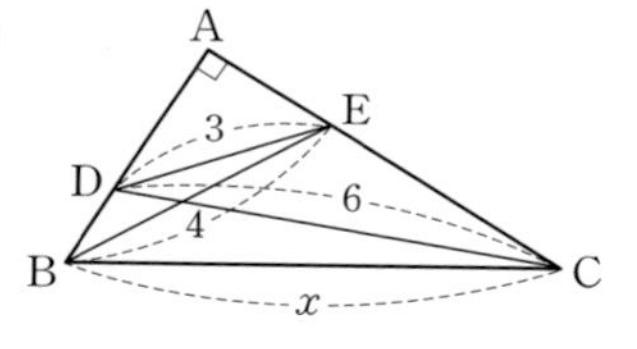

0951 학교 시험 맛보기

오른쪽 그림과 같이 $\angle A=90^\circ$인 삼각형 ABC에서 $\overline{BC}=10$이고 점 D, E는 각각 $\overline{AB}$, $\overline{AC}$의 중점이다. 이때 $\overline{BE}^2+\overline{CD}^2$의 값을 구하여라.

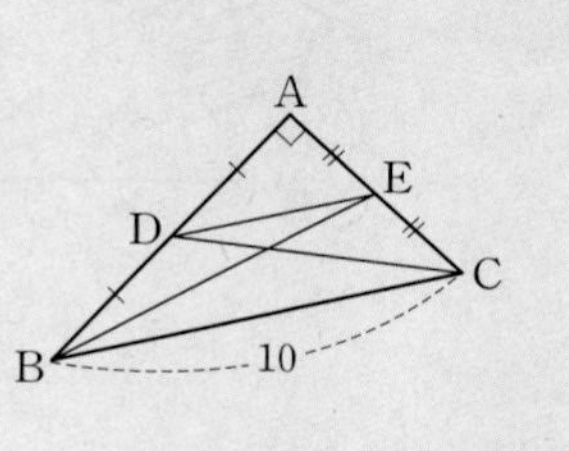

key 삼각형의 중점연결정리를 이용하여 $\overline{DE}$의 길이를 먼저 구한다.

핵심 14 두 대각선이 직교하는 사각형의 성질

날짜 : 월 일

Subnote ➔ 46쪽

이 성질은 □ABCD의 두 대각선이 직교할 때만 성립해!

사각형 ABCD에서 두 대각선이 직교할 때,

$\overline{AB}^2+\overline{CD}^2=\overline{AD}^2+\overline{BC}^2$

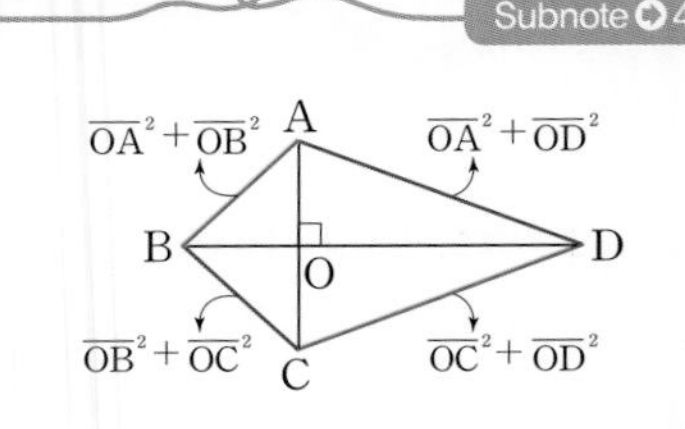

다음 사각형 ABCD에서 $\overline{AC}\perp\overline{BD}$일 때, x^2+y^2의 값을 구하여라.

0952

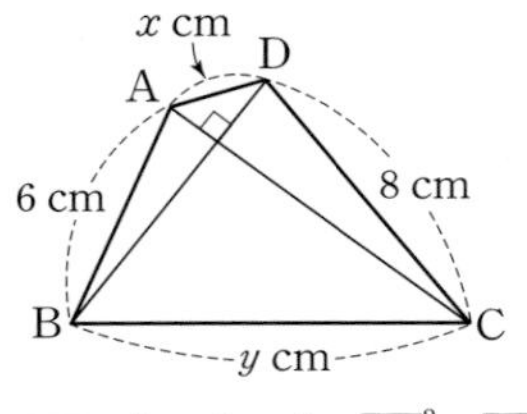

sol $x^2+y^2=6^2+\square^2=\square$

0953

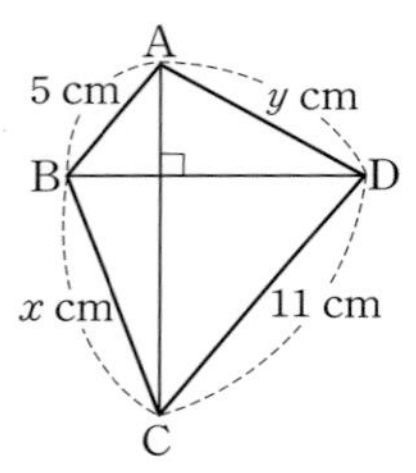

0954

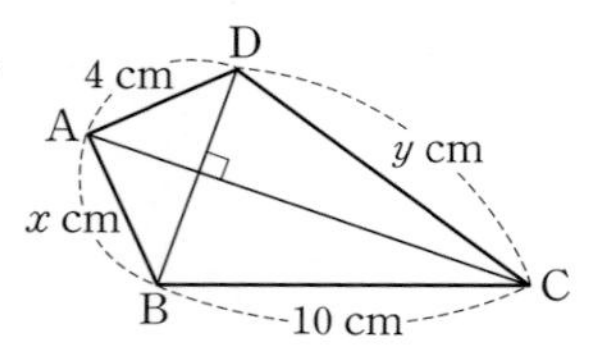

다음 사각형 ABCD에서 $\overline{AC}\perp\overline{BD}$일 때, x의 값을 구하여라.

0955

A, B, C, D, x cm, 7 cm, 6 cm, 9 cm

0956

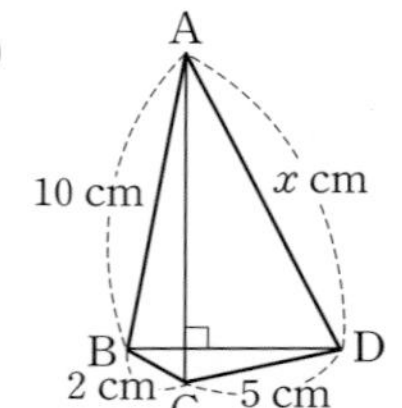

0957 학교 시험 맛보기

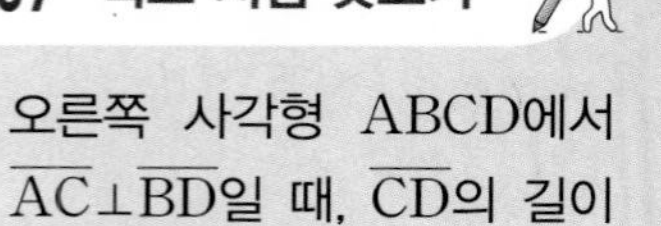

오른쪽 사각형 ABCD에서 $\overline{AC}\perp\overline{BD}$일 때, $\overline{CD}$의 길이를 구하여라.

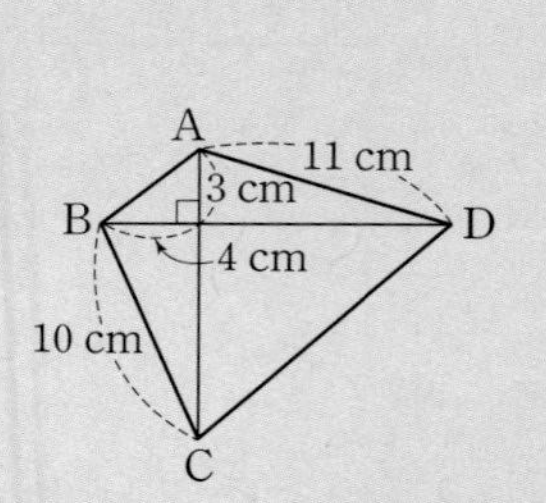

key 피타고라스 정리를 이용하여 $\overline{AB}$의 길이를 먼저 구한다.

내부에 한 점이 있는 직사각형의 성질

날짜 : 월 일

Subnote ➜ 46쪽

이 성질은 □ABCD가 직사각형일 때만 성립해!

직사각형 ABCD의 내부에 있는 임의의 점 P에 대하여

$\overline{AP}^2+\overline{CP}^2=\overline{BP}^2+\overline{DP}^2$

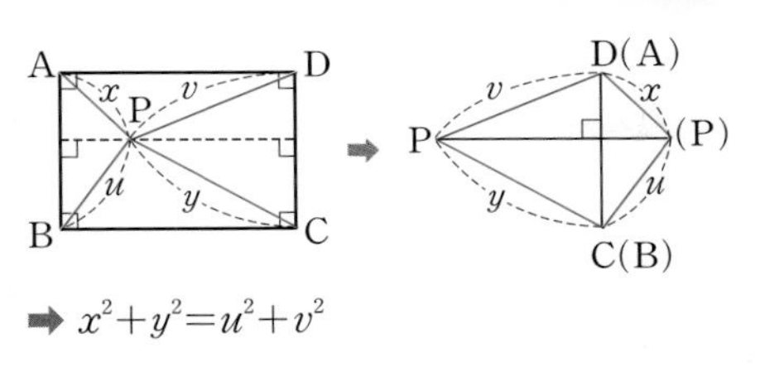

➡ $x^2+y^2=u^2+v^2$

다음 그림과 같이 직사각형 ABCD의 내부에 한 점 P가 있을 때, x^2+y^2의 값을 구하여라.

0958

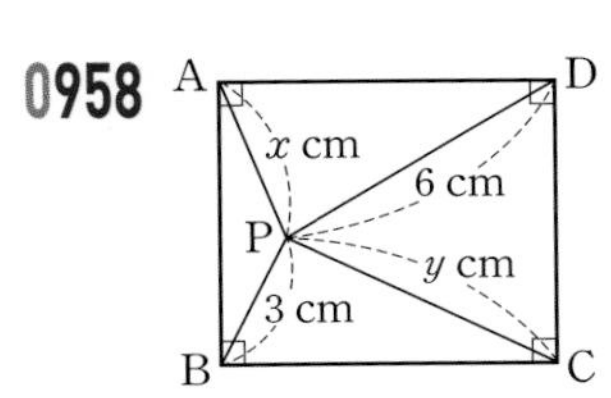

sol $x^2+y^2=3^2+\square^2=\square$

0959

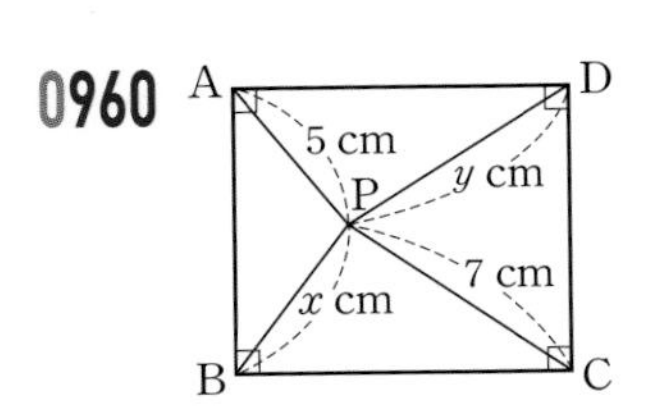

______

0960

A, D, B, C, P: 5 cm, y cm, x cm, 7 cm

______

다음 그림과 같이 직사각형 ABCD의 내부에 한 점 P가 있을 때, x의 값을 구하여라.

0961

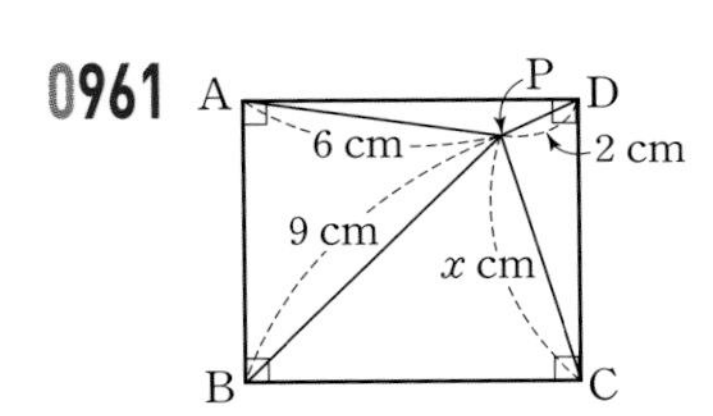

______

0962

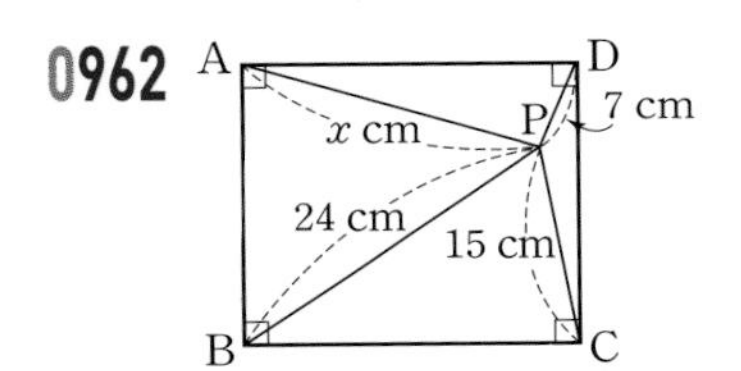

______

0963 학교 시험 맛보기

오른쪽 그림과 같이 직사각형 ABCD의 내부에 한 점 P가 있을 때, x^2-y^2의 값을 구하여라.

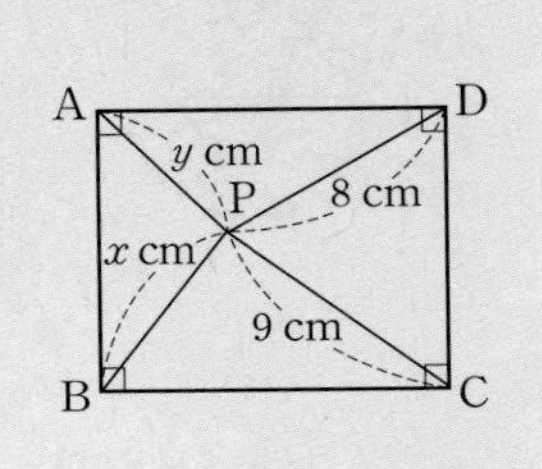

______

16 직각삼각형에서 세 반원 사이의 관계

날짜 :  월  일

Subnote ➡ 46쪽

가장 큰 반원의 넓이는 나머지 두 반원의 넓이의 합과 같다는 것을 기억해 둬.

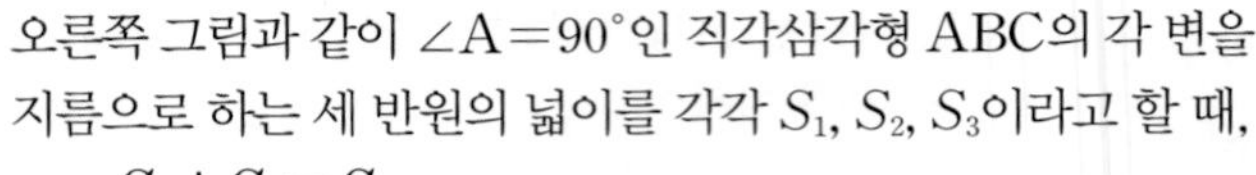

오른쪽 그림과 같이 $\angle A=90°$인 직각삼각형 ABC의 각 변을 지름으로 하는 세 반원의 넓이를 각각 S_1, S_2, S_3이라고 할 때,

$$\boldsymbol{S_1+S_2=S_3}$$

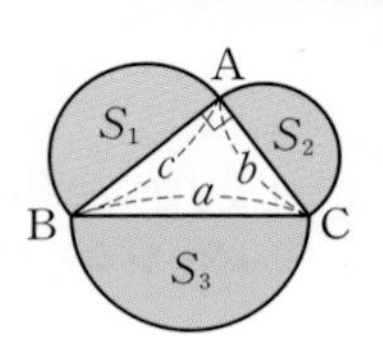

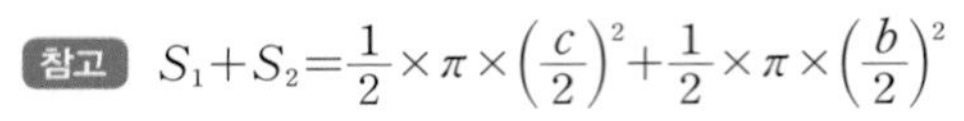

참고 $S_1+S_2=\frac{1}{2}\times\pi\times\left(\frac{c}{2}\right)^2+\frac{1}{2}\times\pi\times\left(\frac{b}{2}\right)^2$

$=\frac{1}{8}\pi(b^2+c^2)=\frac{1}{8}\pi a^2$ ← 피타고라스 정리에 의해 $b^2+c^2=a^2$

$S_3=\frac{1}{2}\times\pi\times\left(\frac{a}{2}\right)^2=\frac{1}{8}\pi a^2$

➡ $S_1+S_2=S_3$

다음은 직각삼각형 ABC의 각 변을 지름으로 하는 세 반원을 그린 것이다. 색칠한 부분의 넓이를 구하여라.

0964

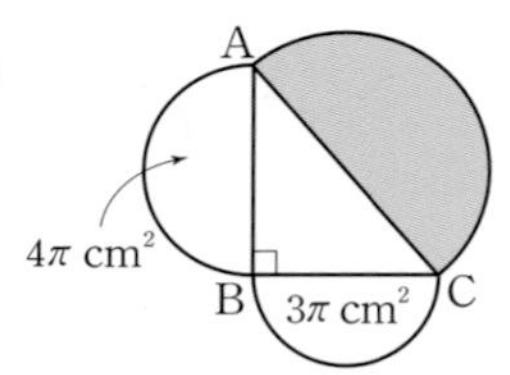

sol (색칠한 부분의 넓이)$=4\pi+3\pi=\square$ (cm^2)

0965

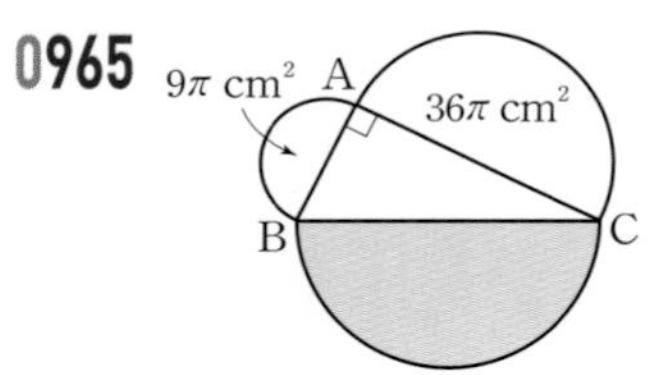

______

0966

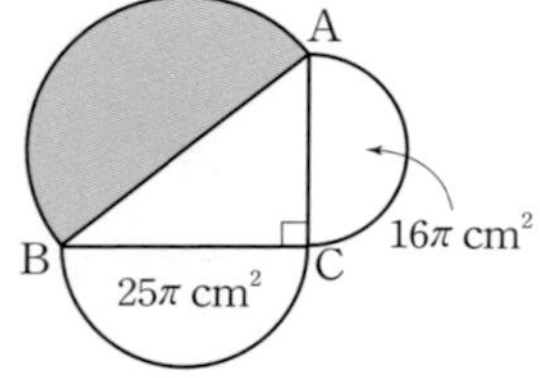

______

0967

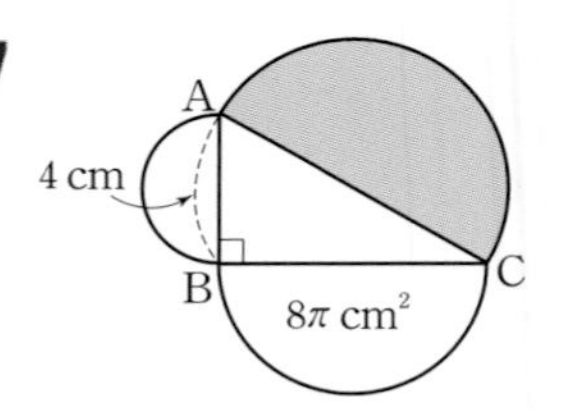

sol $\overline{AB}$를 지름으로 하는 반원의 넓이는

$\frac{1}{2}\times\pi\times\square^2=\square$ (cm^2)

$\therefore$ (색칠한 부분의 넓이)$=\square+8\pi=\square$ (cm^2)

0968

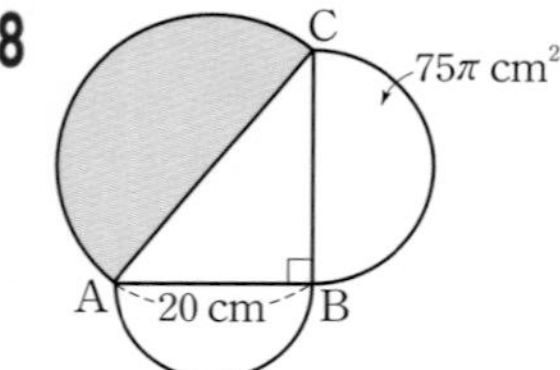

______

0969 학교 시험 맛보기 

오른쪽 그림과 같은 직각삼각형 ABC에서 $\overline{AB}$, $\overline{AC}$를 지름으로 하는 반원의 넓이를 각각 S_1, S_2라고 하자. $S_1=18\pi$ cm^2, $S_2=32\pi$ cm^{2}일 때, $\overline{BC}$의 길이를 구하여라.

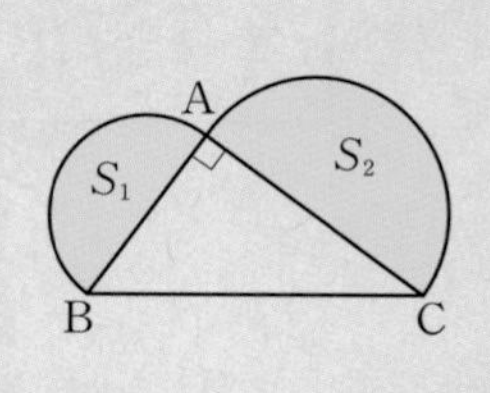

______

17 히포크라테스의 원의 넓이

날짜 : 월 일

Subnote ➡ 46쪽

오른쪽 그림에서 색칠한 부분을 히포크라테스의 원 또는 초승달이라고 부른다.

오른쪽 그림과 같이 직각삼각형 ABC의 각 변을 지름으로 하는 세 반원을 그렸을 때,

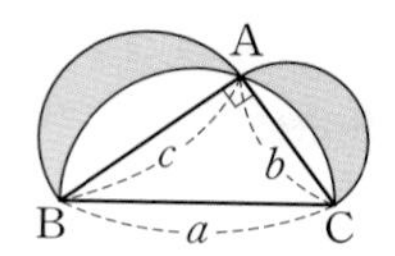

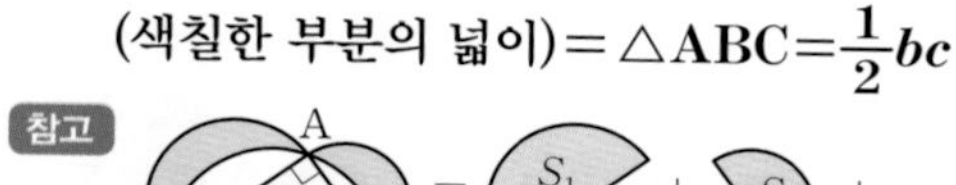

(색칠한 부분의 넓이)$=\triangle ABC=\frac{1}{2}bc$

참고

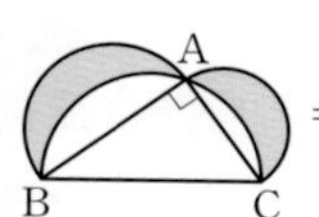

$=$

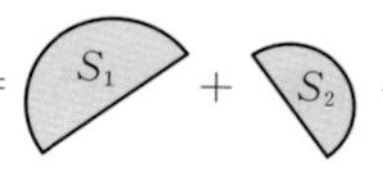

$+$

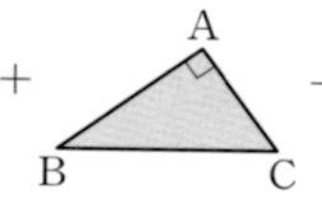

$-$

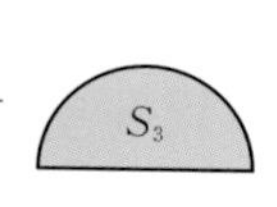

같다.

(색칠한 부분의 넓이)$=S_1+S_2+\triangle ABC-S_3$

$=S_3+\triangle ABC-S_3=\triangle ABC$

다음은 직각삼각형 ABC의 세 변을 지름으로 하는 세 반원을 그린 것이다. 색칠한 부분의 넓이를 구하여라.

0970

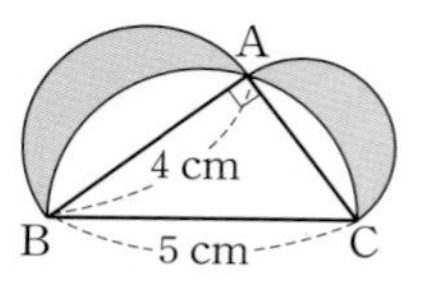

sol 직각삼각형 ABC에서

$\overline{AC}^2=5^2-4^2=\square$

$\therefore \overline{AC}=\square\,(\text{cm})\ (\because \overline{AC}>0)$

$\therefore$ (색칠한 부분의 넓이)$=\triangle ABC$

$=\frac{1}{2}\times\square\times4=\square\,(\text{cm}^2)$

0971

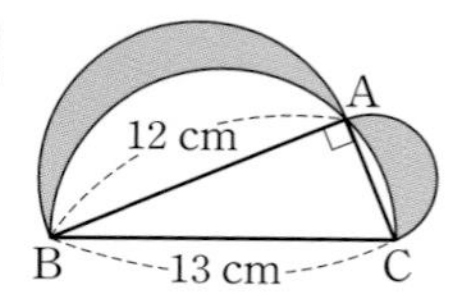

0972

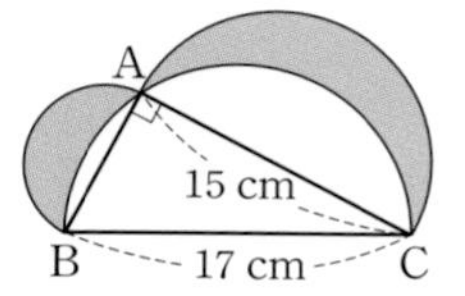

0973

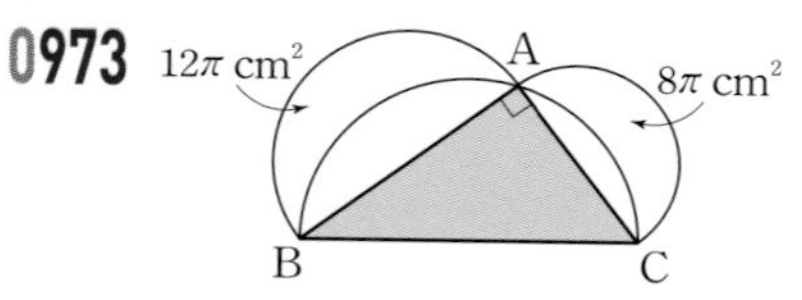

0974

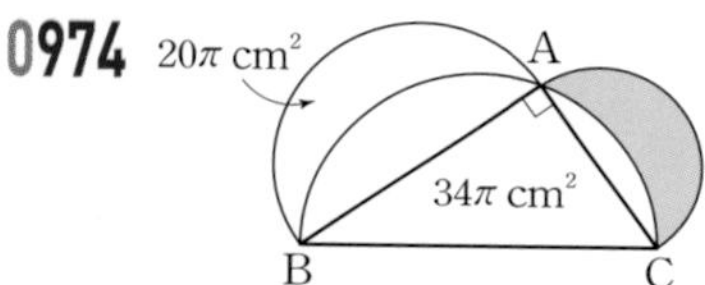

0975

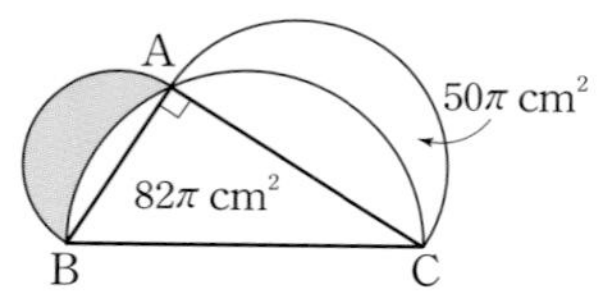

0976 학교 시험 맛보기

오른쪽 그림은 $\angle A=90°$인 직각삼각형 ABC의 세 변을 지름으로 하는 세 반원을 그린 것이다. $\overline{AB}=6\,\text{cm}$, $\overline{AC}=5\,\text{cm}$일 때, 색칠한 부분의 넓이를 구하여라.

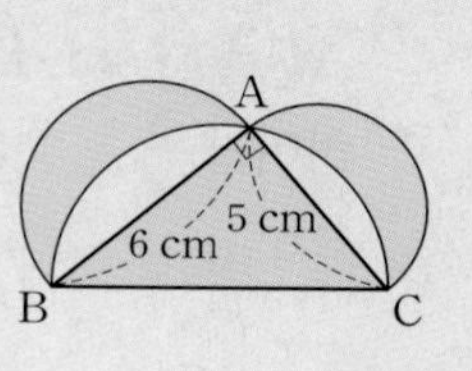

9 피타고라스 정리

핵심 09~17

Mini Review Test

날짜 : 월 일

Subnote ➡ 47쪽

핵심 10

0977 다음 중 세 변의 길이에 대한 삼각형의 종류가 바르게 연결되지 않은 것은?

① 2 cm, 3 cm, 4 cm – 둔각삼각형
② 3 cm, 3 cm, 4 cm – 예각삼각형
③ 4 cm, 6 cm, 7 cm – 둔각삼각형
④ 6 cm, 8 cm, 10 cm – 직각삼각형
⑤ 9 cm, 10 cm, 14 cm – 둔각삼각형

핵심 11

0978 오른쪽 그림과 같은 $\triangle ABC$가 둔각삼각형이 되도록 하는 모든 자연수 x의 값을 구하여라. (단, $x>12$)

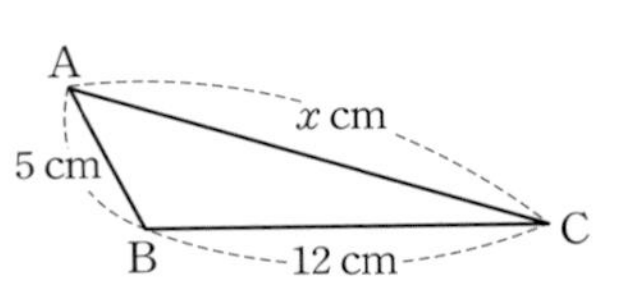

핵심 12

0979 오른쪽 그림과 같이 직각삼각형 ABC의 꼭짓점 A에서 $\overline{BC}$에 내린 수선의 발을 D라 하자.
$\overline{AB}=15$ cm, $\overline{BC}=25$ cm일 때, $\overline{AD}$의 길이를 구하여라.

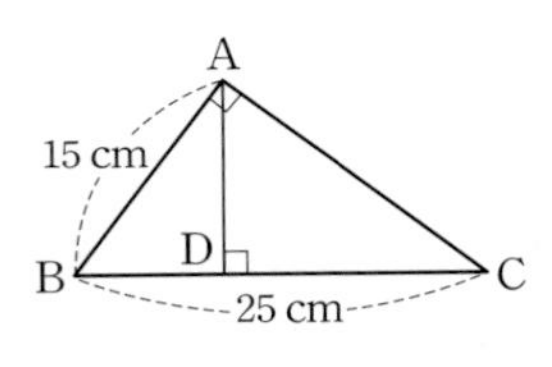

핵심 13

0980 오른쪽 그림의 직각삼각형 ABC에서 x의 값을 구하여라.

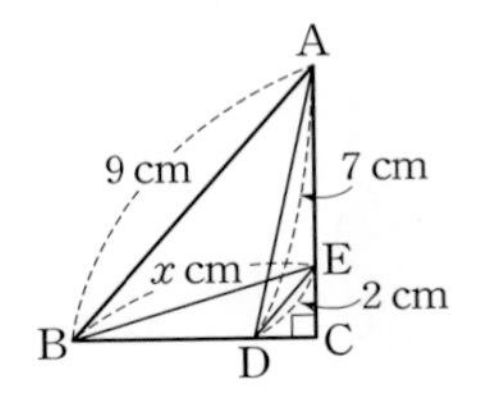

핵심 14

0981 오른쪽 그림의 사각형 ABCD에서 $\overline{AC}\perp\overline{BD}$일 때, $\overline{CD}$의 길이를 구하여라.

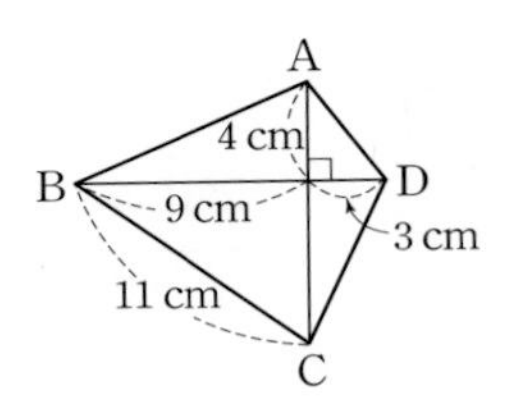

핵심 15

0982 오른쪽 그림과 같이 직사각형 ABCD의 내부에 한 점 P가 있을 때, $\overline{PD}$의 길이를 구하여라.

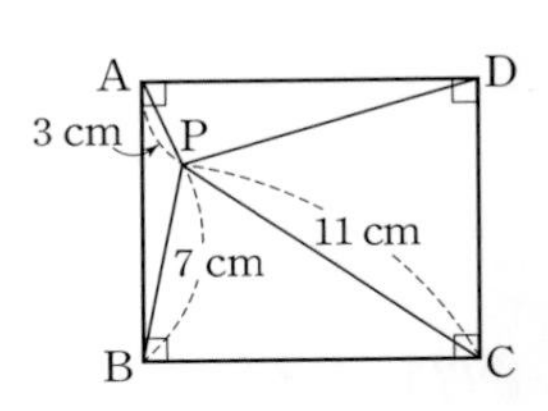

핵심 17

0983 오른쪽 그림과 같이 $\angle A=90°$인 직각삼각형 ABC의 각 변을 지름으로 하는 세 반원을 그렸다. $\overline{AB}=8$ cm, $\overline{BC}=10$ cm일 때, 색칠한 부분의 넓이를 구하여라.

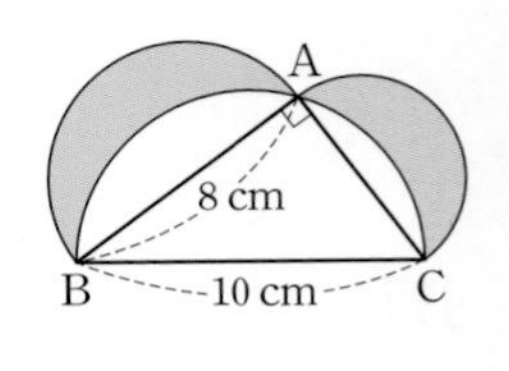

Review

Talk Talk

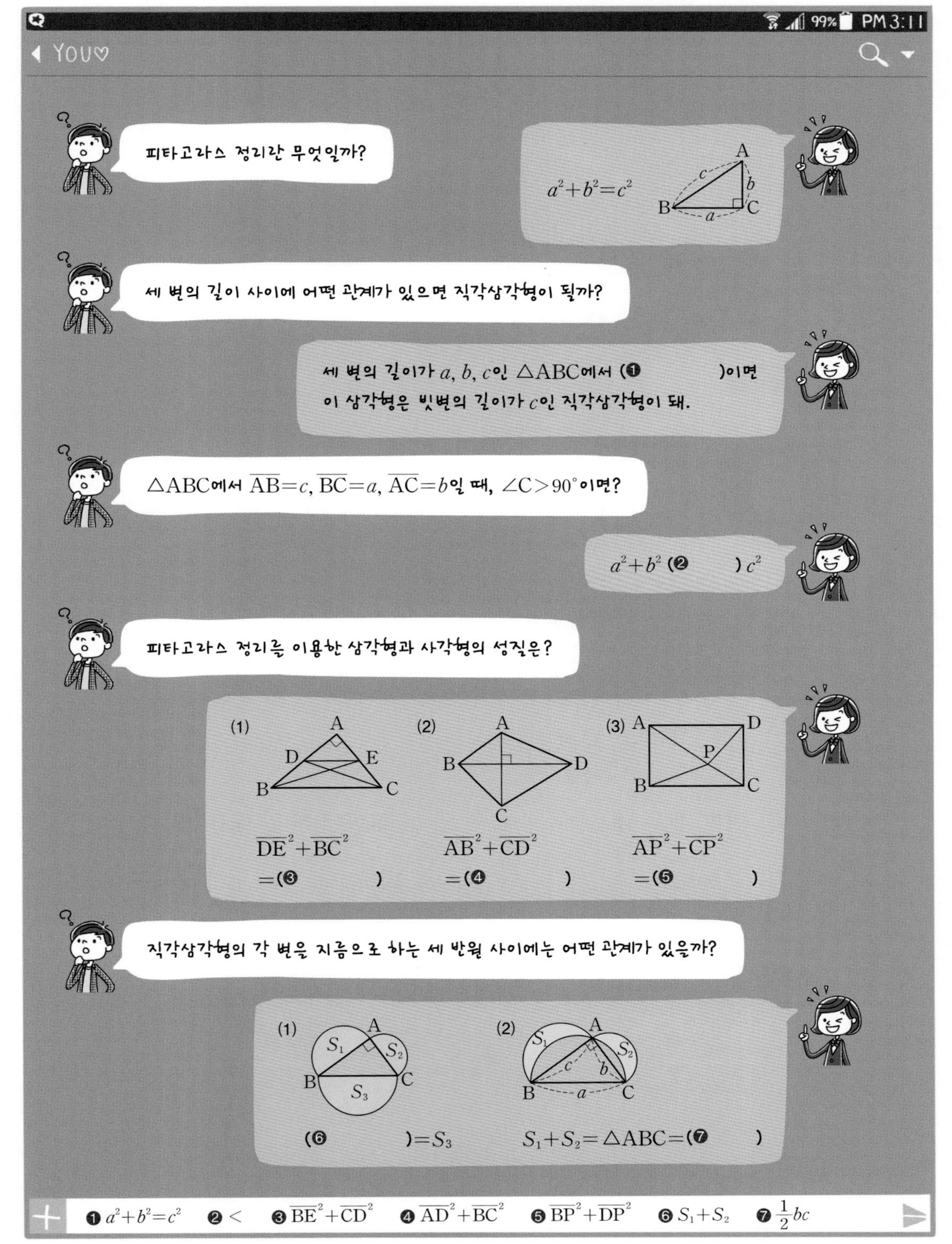
PM 3:11
YOU♡
피타고라스 정리란 무엇일까?
$a^2+b^2=c^2$
A
B
C
a
b
c
세 변의 길이 사이에 어떤 관계가 있으면 직각삼각형이 될까?
세 변의 길이가 a, b, c인 $\triangle ABC$에서 (❶)이면
이 삼각형은 빗변의 길이가 c인 직각삼각형이 돼.
$\triangle ABC$에서 $\overline{AB}=c, \overline{BC}=a, \overline{AC}=b$일 때, $\angle C>90°$이면?
a^2+b^2 (❷) c^2
피타고라스 정리를 이용한 삼각형과 사각형의 성질은?
(1)
$\overline{DE}^2+\overline{BC}^2$
$=$(❸)
(2)
$\overline{AB}^2+\overline{CD}^2$
$=$(❹)
(3)
$\overline{AP}^2+\overline{CP}^2$
$=$(❺)
직각삼각형의 각 변을 지름으로 하는 세 반원 사이에는 어떤 관계가 있을까?
(1)
S_1
S_2
S_3
(❻)$=S_3$
(2)
$S_1+S_2=\triangle ABC=$(❼)
❶ $a^2+b^2=c^2$ ❷ $<$ ❸ $\overline{BE}^2+\overline{CD}^2$ ❹ $\overline{AD}^2+\overline{BC}^2$ ❺ $\overline{BP}^2+\overline{DP}^2$ ❻ S_1+S_2 ❼ $\frac{1}{2}bc$

6 확률

이미 배운 내용

[초등학교 6학년]
- 가능성

[중학교 1학년]
- 도수분포표
- 상대도수

이번에 배울 내용

10. 경우의 수
- 경우의 수

11. 확률
- 확률의 뜻과 그 성질
- 확률의 계산

10 경우의 수

스스로 공부 계획 세우기

	학습 내용	공부한 날짜	반복하기
10. 경우의 수	**01.** 사건과 경우의 수(1)	월 일	□□
	02. 사건과 경우의 수(2)	월 일	□□
	03. 사건과 경우의 수(3)	월 일	□□
	04. 사건 A 또는 사건 B가 일어나는 경우의 수(1)	월 일	□□
	05. 사건 A 또는 사건 B가 일어나는 경우의 수(2)	월 일	□□
	06. 두 사건 A와 B가 동시에 일어나는 경우의 수(1)	월 일	□□
	07. 두 사건 A와 B가 동시에 일어나는 경우의 수(2)	월 일	□□
	08. 두 사건 A와 B가 동시에 일어나는 경우의 수(3)	월 일	□□
	Mini **Review** Test(**01**~**08**)	월 일	□□
	09. 한 줄로 세우는 경우의 수(1)	월 일	□□
	10. 한 줄로 세우는 경우의 수(2)	월 일	□□
	11. 이웃하게 세우는 경우의 수	월 일	□□
	12. 색칠하는 경우의 수	월 일	□□
	13. 카드를 뽑아 자연수를 만드는 경우의 수(1)	월 일	□□
	14. 카드를 뽑아 자연수를 만드는 경우의 수(2)	월 일	□□
	15. 자격이 다른 대표를 뽑는 경우의 수	월 일	□□
	16. 자격이 같은 대표를 뽑는 경우의 수	월 일	□□
	17. 선분 또는 삼각형의 개수	월 일	□□
	Mini **Review** Test(**09**~**17**)	월 일	□□

10 경우의 수

개념 NOTE

1 사건과 경우의 수 핵심 01 02 03

(1) 사건: 동일한 조건에서 반복할 수 있는 실험이나 관찰에 의하여 일어나는 결과
(2) 경우의 수: 어떤 사건이 일어나는 모든 가짓수

> 경우의 수를 구할 때에는 모든 경우를 빠짐없이, 중복되지 않게 세어 구한다.

2 사건 A 또는 사건 B가 일어나는 경우의 수 핵심 04 05

두 사건 A와 B가 동시에 일어나지 않을 때,
사건 A가 일어나는 경우의 수가 m, 사건 B가 일어나는 경우의 수가 n이면
(사건 A 또는 사건 B가 일어나는 경우의 수)$=m+n$

3 두 사건 A와 B가 동시에 일어나는 경우의 수 핵심 06 07 08

사건 A가 일어나는 경우의 수가 m, 그 각각의 경우에 대하여 사건 B가 일어나는 경우의 수가 n이면 **(두 사건 A와 B가 동시에 일어나는 경우의 수)$=m\times n$**

> (동전 두 개를 동시에 던진다.)
> =(동전 한 개를 두 번 던진다.)
> ➡ 모든 경우의 수는 $2\times2=4$

4 한 줄로 세우는 경우의 수 핵심 09 ~ 12

(1) n명을 한 줄로 세우는 경우의 수: $n\times(n-1)\times(n-2)\times\cdots\times2\times1$
(2) n명 중 2명을 뽑아 한 줄로 세우는 경우의 수: $n\times(n-1)$
(3) n명 중 3명을 뽑아 한 줄로 세우는 경우의 수: $n\times(n-1)\times(n-2)$
(4) 한 줄로 세울 때, 이웃하여 세우는 경우의 수:
(이웃하는 것을 하나로 묶어서 한 줄로 세우는 경우의 수)$\times$(묶음 안에서 자리를 바꾸는 경우의 수)

5 자연수를 만드는 경우의 수 핵심 13 14

(1) 0이 아닌 서로 다른 한 자리의 숫자가 각각 적힌 n장의 카드에서
① 2장을 뽑아 만들 수 있는 두 자리의 자연수의 개수: $n\times(n-1)$
② 3장을 뽑아 만들 수 있는 세 자리의 자연수의 개수: $n\times(n-1)\times(n-2)$
(2) 0을 포함한 서로 다른 한 자리의 숫자가 각각 적힌 n장의 카드에서
① 2장을 뽑아 만들 수 있는 두 자리의 자연수의 개수: $(n-1)\times(n-1)$
② 3장을 뽑아 만들 수 있는 세 자리의 자연수의 개수: $(n-1)\times(n-1)\times(n-2)$

> 맨 앞자리에는 0이 올 수 없다.

6 대표를 뽑는 경우의 수 핵심 15 16 17

(1) n명 중에서 자격이 다른 대표 2명을 뽑는 경우의 수: $n\times(n-1)$ ← 뽑는 순서와 상관이 있다.
(2) n명 중에서 자격이 같은 대표 2명을 뽑는 경우의 수: $\frac{n\times(n-1)}{2}$ ← 뽑는 순서와 상관이 없다.

> n명 중에서 자격이 같은 대표 3명을 뽑는 경우의 수는 $\frac{n\times(n-1)\times(n-2)}{6}$

핵심 **01**

사건과 경우의 수 (1)

날짜 : 월 일

Subnote ➡ 47쪽

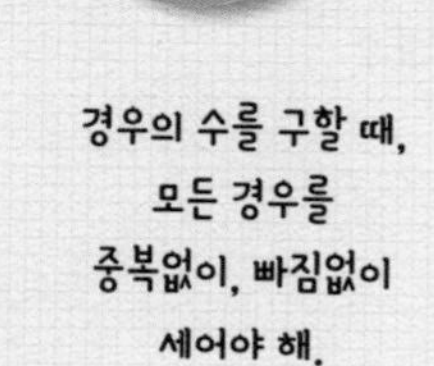

경우의 수를 구할 때, 모든 경우를 중복없이, 빠짐없이 세어야 해.

시행(실험, 관찰)	사건	경우	경우의 수
한 개의 동전을 던진다.	뒷면이 나온다.	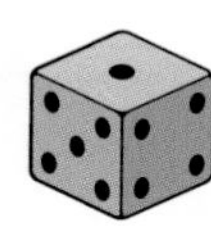	1
한 개의 주사위를 던진다.	2 이하의 눈이 나온다.	⚀ ⚁	2

한 개의 주사위를 던질 때, 다음 사건이 일어나는 경우의 수를 구하여라.

0984 3의 눈이 나온다. ______

0985 5 이상의 눈이 나온다. ______

0986 홀수의 눈이 나온다. ______

0987 2의 배수의 눈이 나온다. ______

0988 6의 약수의 눈이 나온다. ______

1부터 10까지의 자연수가 각각 적힌 10장의 카드가 있다. 이 중에서 한 장의 카드를 뽑을 때, 다음 사건이 일어나는 경우의 수를 구하여라.

0989 4 이상 8 이하의 수가 나온다. ______

주어진 조건에 맞는 수를 나열해 봐.

0990 8의 약수가 나온다. ______

0991 소수가 나온다. ______

0992 학교 시험 맛보기 

1부터 12까지의 자연수가 각각 적힌 정십이면체를 던져 윗면의 수를 읽을 때, 다음 사건이 일어나는 경우의 수를 구하여라.

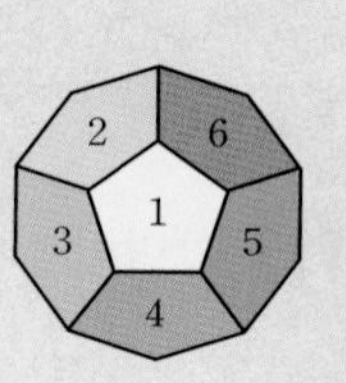

(1) 두 자리의 수가 나온다. ______

(2) 12의 약수가 나온다. ______

핵심 02 사건과 경우의 수 (2)

날짜 : 월 일

Subnote ✪ 47쪽

두 개의 동전을 던지거나
두 개의 주사위를 던질 때,
순서쌍을 이용하면 편리해!

(1) 서로 다른 두 개의 동전을 동시에 던질 때, 나오는 모든 경우
➡ (앞, 앞), (앞, 뒤), (뒤, 앞), (뒤, 뒤) ➡ 4

(2) 서로 다른 두 개의 주사위를 동시에 던질 때, 나오는 모든 경우

(1, 1), (1, 2), (1, 3), (1, 4), (1, 5), (1, 6)
(2, 1), (2, 2), (2, 3), (2, 4), (2, 5), (2, 6)
(3, 1), (3, 2), (3, 3), (3, 4), (3, 5), (3, 6)
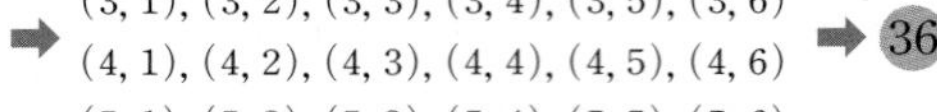
➡ (4, 1), (4, 2), (4, 3), (4, 4), (4, 5), (4, 6) ➡ 36
(5, 1), (5, 2), (5, 3), (5, 4), (5, 5), (5, 6)
(6, 1), (6, 2), (6, 3), (6, 4), (6, 5), (6, 6)

서로 다른 두 개의 동전을 동시에 던질 때, 다음 사건이 일어나는 경우의 수를 구하여라.

0993 뒷면이 1개만 나온다.

sol 뒷면이 1개만 나오는 경우는 (앞, □), (뒤, □)이므로 구하는 경우의 수는 □이다.

0994 뒷면이 2개 나온다. ________

0995 뒷면이 나오지 않는다. ________

0996 서로 같은 면이 나온다. ________

0997 앞면이 1개 이상 나온다. ________

서로 다른 두 개의 주사위를 동시에 던질 때, 다음 사건이 일어나는 경우의 수를 구하여라.

0998 두 눈의 수가 서로 같다.

sol 두 눈의 수가 서로 같은 경우는
(1, □), (2, □), (3, □), (4, □), (5, □), (6, □)
이므로 구하는 경우의 수는 □이다.

0999 두 눈의 수가 모두 홀수이다. ________

1000 두 눈의 수의 합이 8이다. ________

1001 두 눈의 수의 차가 4이다. ________

key (두 수의 차)=(큰 수)−(작은 수)

1002 두 눈의 수의 곱이 18 이상이다. ________

핵심

03 사건과 경우의 수 (3)

날짜 : 월 일

Subnote 48쪽

돈을 지불하는 경우의 수를 구할 때 표를 이용하면 편리해!

100원짜리, 50원짜리 동전이 각각 2개씩 있다. 이 동전을 가지고 지불할 수 있는 모든 금액의 경우의 수를 구해 보자.

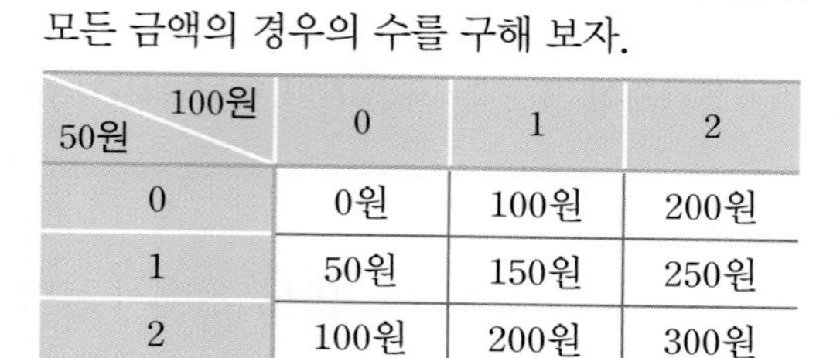

50원 \ 100원	0	1	2
0	0원	100원	200원
1	50원	150원	250원
2	100원	200원	300원

➡ 지불할 수 있는 모든 금액은 50원, 100원, 150원, 200원, 250원, 300원이므로 경우의 수는 6이다.

100원짜리, 50원짜리, 10원짜리 동전이 각각 5개씩 있을 때, 다음과 같은 물건의 값을 거스름돈 없이 지불하는 경우의 수를 구하여라.

1003 150원짜리 초콜릿

sol

100원짜리(개)	1	1	0	0
50원짜리(개)	□	0	□	□
10원짜리(개)	0	□	0	5

따라서 지불하는 경우의 수는 □이다.

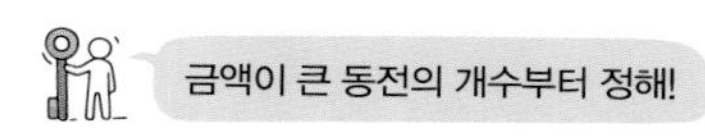

1004 200원짜리 사탕 ________

1005 300원짜리 지우개 ________

1006 450원짜리 껌 ________

100원짜리, 50원짜리, 10원짜리 동전이 각각 6개씩 있을 때, 다음 사건이 일어나는 경우의 수를 구하여라.

1007 250원을 지불한다. ________

1008 460원을 지불한다. ________

1009 510원을 지불한다. ________

1010 600원을 지불한다. ________

1011 750원을 지불한다. ________

핵심 04 사건 A 또는 사건 B가 일어나는 경우의 수 (1)

날짜 : 월 일

Subnote ➔ 49쪽

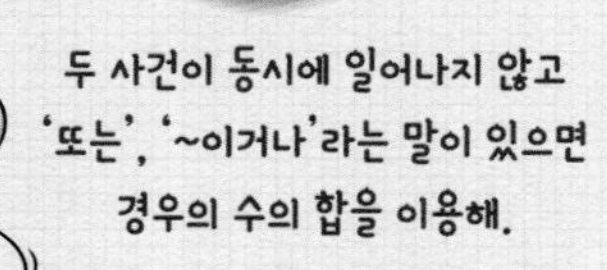

두 사건이 동시에 일어나지 않고 '또는', '~이거나'라는 말이 있으면 경우의 수의 합을 이용해.

두 사건 A와 B가 동시에 일어나지 않을 때,
사건 A가 일어나는 경우의 수가 m, 사건 B가 일어나는 경우의 수가 n이면

(사건 A 또는 사건 B가 일어나는 경우의 수)$=m+n$

다음을 구하여라.

1012 햄버거 5종류와 치킨 4종류가 있을 때, 햄버거 또는 치킨 중에서 하나를 고르는 경우의 수

sol 햄버거를 고르는 경우의 수는 □
치킨을 고르는 경우의 수는 □
따라서 구하는 경우의 수는 □+□=□

1013 책꽂이에 서로 다른 만화책 6권과 소설책 8권이 꽂혀 있을 때, 만화책 또는 소설책 중에서 한 권을 고르는 경우의 수

1014 운동화 3종류와 구두 4종류가 있을 때, 운동화 또는 구두 중에서 하나를 고르는 경우의 수

1015 연필 4종류와 볼펜 6종류가 있을 때, 연필 또는 볼펜 중에서 하나를 고르는 경우의 수

1016 집에서 놀이공원까지 버스 노선은 2가지, 지하철 노선은 3가지가 있을 때, 버스 또는 지하철을 타고 집에서 놀이공원까지 가는 방법의 수

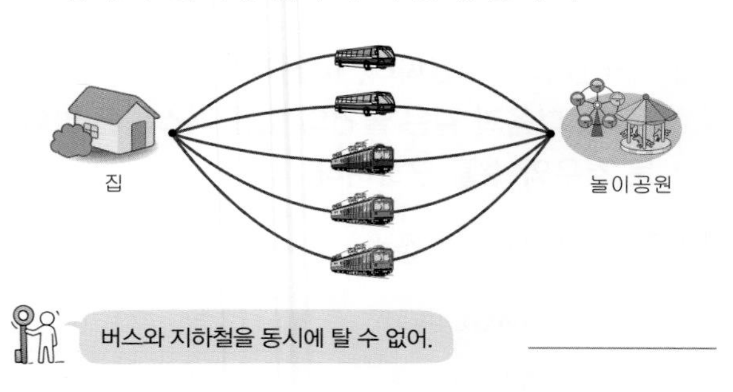

버스와 지하철을 동시에 탈 수 없어.

1017 서울에서 강릉까지 가는 버스는 하루에 15번, 기차는 9번 있을 때, 버스나 기차를 타고 서울에서 강릉까지 가는 방법의 수

1018 학교 시험 맛보기

은수가 서울에서 경주에 가려고 한다. 기차를 이용하는 방법은 KTX, SRT, 무궁화호의 3가지가 있고, 버스를 이용하는 방법은 고속버스, 시외버스의 2가지가 있다. 은수가 기차 또는 버스를 이용하여 경주에 가는 방법의 수를 구하여라.

사건 A 또는 사건 B가 일어나는 경우의 수 (2)

날짜 : 월 일

Subnote ➜ 49쪽

두 사건이 일어나는 경우의 수를 구할 때 중복되는 경우에 주의해야 해.

한 개의 주사위를 던질 때

(1) 2의 배수 또는 5의 배수인 눈이 나오는 경우의 수는

2의 배수 (2, 4, 6) + 5의 배수 (5) $=3+1=4$

(2) 2의 배수 또는 3의 배수인 눈이 나오는 경우의 수는

2의 배수 (2, 4, 6) + 3의 배수 (3, 6) − 6의 배수 (6(중복)) $=3+2-1=4$

서로 다른 두 개의 주사위를 동시에 던질 때, 다음을 구하여라.

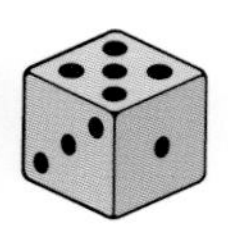

1019 두 눈의 수의 합이 4 또는 6인 경우의 수

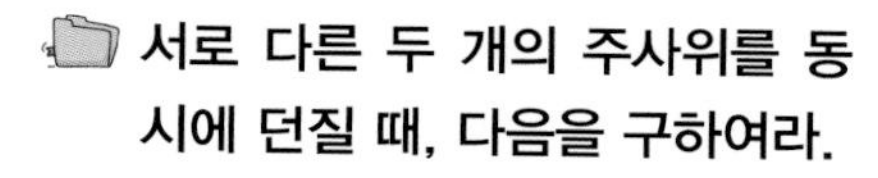

sol 두 눈의 수의 합이 4인 경우는
(1, 3), (□, □), (3, 1)의 □가지
두 눈의 수의 합이 6인 경우는
(1, 5), (2, 4), (□, □), (4, 2), (5, 1)의 □가지
따라서 구하는 경우의 수는 □+□=□

1020 두 눈의 수의 합이 5 또는 9인 경우의 수

1021 두 눈의 수의 차가 3 또는 5인 경우의 수

1022 두 눈의 수의 차가 2 또는 4인 경우의 수

1023 두 눈의 수의 합이 10 이상인 경우의 수

key (두 눈의 수의 합이 10 이상인 경우의 수)
=(합이 10인 경우의 수)+(합이 11인 경우의 수)
+(합이 12인 경우의 수)

1부터 20까지의 자연수가 각각 적힌 20개의 공이 들어 있는 주머니에서 한 개의 공을 꺼낼 때, 다음을 구하여라.

1024 5의 배수 또는 8의 배수가 나오는 경우의 수

1025 4의 배수 또는 7의 배수가 나오는 경우의 수

1026 6의 배수 또는 9의 배수가 나오는 경우의 수

sol (i) 6의 배수가 나오는 경우는 6, 12, 18의 □가지
(ii) 9의 배수가 나오는 경우는 9, 18의 □가지
(iii) 6의 배수이면서 9의 배수가 나오는 경우는
18의 □가지
따라서 구하는 경우의 수는 □+□−□=□

1027 3의 배수 또는 5의 배수가 나오는 경우의 수

1028 **학교 시험 맛보기** 

1부터 30까지의 자연수가 각각 적힌 30장의 카드 중에서 한 장을 뽑을 때, 18의 약수 또는 24의 약수가 나오는 경우의 수를 구하여라.

핵심 06 두 사건 A와 B가 동시에 일어나는 경우의 수 (1)

날짜 : 월 일

Subnote ➡ 49쪽

'동시에', '그리고', '~와', '~하고 나서'라는 말이 있으면 경우의 수의 곱을 떠올려!

사건 A가 일어나는 경우의 수가 m, 그 각각의 경우에 대하여 사건 B가 일어나는 경우의 수가 n이면

(두 사건 A와 B가 동시에 일어나는 경우의 수) $= m \times n$

다음을 구하여라.

1029 햄버거 5종류와 치킨 4종류가 있을 때, 햄버거와 치킨을 각각 하나씩 고르는 경우의 수

sol 햄버거를 고르는 경우의 수는 □

치킨을 고르는 경우의 수는 □

따라서 구하는 경우의 수는 □×□=□

1030 책꽂이에 서로 다른 만화책 6권과 소설책 8권이 꽂혀 있을 때, 만화책과 소설책을 각각 한 권씩 고르는 경우의 수 ________

1031 티셔츠 7종류와 바지 3종류가 있을 때, 티셔츠와 바지를 하나씩 짝지어 입는 경우의 수 ________

1032 5개의 자음 ㄱ, ㄴ, ㄷ, ㄹ, ㅁ과 3개의 모음 ㅏ, ㅓ, ㅗ 중에서 자음 1개와 모음 1개를 짝지어 만들 수 있는 글자의 수 ________

1033 집에서 놀이공원까지 버스 노선은 2가지, 지하철 노선은 3가지가 있다. 집에서 놀이공원까지 왕복하는데 갈 때는 버스를, 올 때는 지하철을 이용하는 방법의 수 ________

1034 다음 그림과 같은 길이 있을 때, A 지점에서 B 지점을 거쳐 C 지점으로 가는 방법의 수 (단, 한 번 지나간 지점은 다시 지나가지 않는다.)

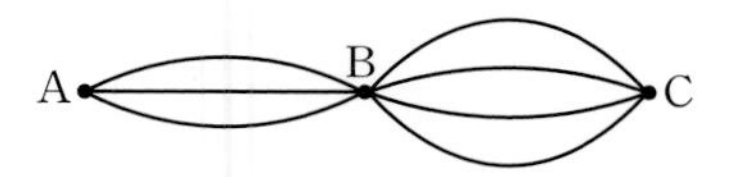

____

1035 오른쪽 그림과 같은 도로망이 있을 때, P 지점에서 Q 지점을 거쳐 R 지점까지 최단 거리로 가는 방법의 수

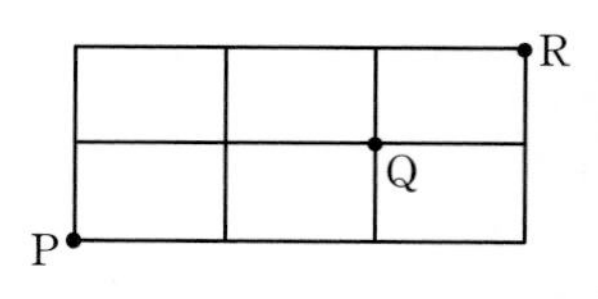

sol

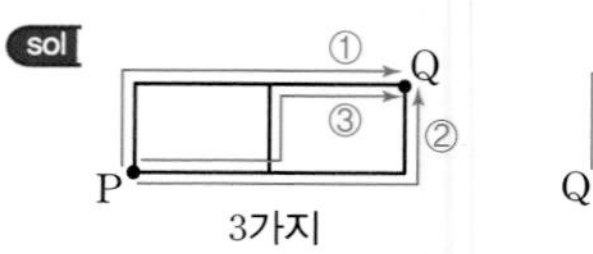

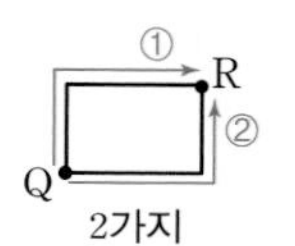

따라서 P 지점에서 Q 지점을 거쳐 R 지점까지 최단 거리로 가는 방법의 수는 □×□=□

두 사건 A와 B가 동시에 일어나는 경우의 수 (2)

날짜 :  월  일

Subnote ➡ 50쪽

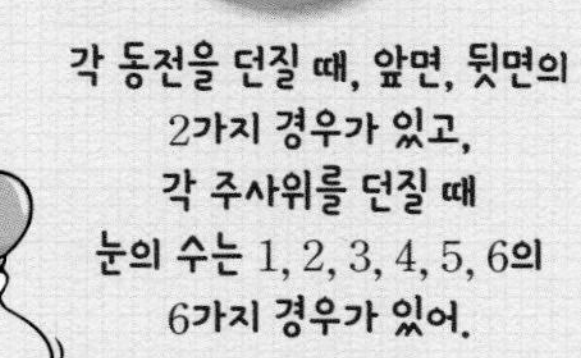

각 동전을 던질 때, 앞면, 뒷면의 2가지 경우가 있고, 각 주사위를 던질 때 눈의 수는 1, 2, 3, 4, 5, 6의 6가지 경우가 있어.

(1) 서로 다른 m개의 동전을 동시에 던질 때, 일어나는 모든 경우의 수는 ➡ 2^m
(2) 서로 다른 n개의 주사위를 동시에 던질 때, 일어나는 모든 경우의 수는 ➡ 6^n
(3) 서로 다른 m개의 동전과 서로 다른 n개의 주사위를 동시에 던질 때, 일어나는 모든 경우의 수는 ➡ $2^m \times 6^n$

다음과 같이 동전 여러 개를 동시에 던질 때, 일어나는 모든 경우의 수를 구하여라.

1036 서로 다른 동전 2개
sol $2\times\square=\square$

1037 서로 다른 동전 3개 ______

1038 서로 다른 동전 4개 ______

다음과 같이 주사위 여러 개를 동시에 던질 때, 일어나는 모든 경우의 수를 구하여라.

1039 서로 다른 주사위 2개 ______

1040 서로 다른 주사위 3개 ______

다음과 같이 동전과 주사위 여러 개를 동시에 던질 때, 일어나는 모든 경우의 수를 구하여라.

1041 동전 1개와 주사위 1개
sol $2\times\square=\square$

1042 서로 다른 동전 2개와 주사위 1개 ______

1043 서로 다른 동전 2개와 주사위 2개 ______

다음과 같은 수의 사람이 가위바위보를 할 때, 일어나는 모든 경우의 수를 구하여라.

1044 A, B 두 사람 ______

1045 A, B, C 세 사람 ______

핵심 08 두 사건 A와 B가 동시에 일어나는 경우의 수 (3)

날짜 : 월 일

Subnote 50쪽

경우의 수의 곱을 이용해!

주사위 A, B를 동시에 던질 때, 두 눈의 수가 모두 홀수인 경우의 수는

(주사위 A의 눈이 홀수인 경우의 수) × (주사위 B의 눈이 홀수인 경우의 수) $=3\times3=9$

⚀, ⚂, ⚄ → 3 ⚀, ⚂, ⚄ → 3

한 개의 주사위를 두 번 던질 때, 다음을 구하여라.

1046 처음 나온 눈의 수는 짝수이고, 나중에 나온 눈의 수는 3의 배수인 경우의 수

sol 짝수의 눈이 나오는 경우는 2, 4, 6의 □가지
3의 배수의 눈이 나오는 경우는 3, 6의 □가지
따라서 구하는 경우의 수는 □×□=□

1047 처음 나온 눈의 수는 6의 약수이고, 나중에 나온 눈의 수는 소수인 경우의 수 ________

서로 다른 두 개의 주사위를 동시에 던질 때, 다음을 구하여라.

1048 두 눈의 수가 모두 짝수인 경우의 수 ________

1049 두 눈의 수의 곱이 홀수인 경우의 수 ________

key 두 눈의 수의 곱이 홀수이려면 각각의 주사위에서 홀수의 눈이 나와야 한다.

동전 1개와 주사위 1개를 동시에 던질 때, 다음을 구하여라.

1050 동전은 앞면이 나오고, 주사위는 홀수의 눈이 나오는 경우의 수

sol 동전에서 앞면이 나오는 경우의 수는 □
주사위에서 홀수의 눈이 나오는 경우의 수는 □
따라서 구하는 경우의 수는 □×□=□

1051 동전은 앞면 또는 뒷면이 나오고, 주사위는 2의 배수의 눈이 나오는 경우의 수 ________

서로 다른 동전 2개와 주사위 1개를 동시에 던질 때, 다음을 구하여라.

1052 동전은 서로 다른 면이 나오고, 주사위는 3의 배수의 눈이 나오는 경우의 수 ________

1053 동전은 서로 같은 면이 나오고, 주사위는 소수의 눈이 나오는 경우의 수 ________

핵심 01~08

Mini Review Test

날짜 : 월 일

Subnote ➲ 50쪽

핵심 01

1054 1부터 20까지의 자연수가 각각 적힌 20장의 카드 중에서 한 장을 뽑을 때, 18의 약수가 나오는 경우의 수를 구하여라.

핵심 02

1055 서로 다른 두 개의 주사위를 동시에 던질 때, 두 눈의 수가 차가 3인 경우의 수를 구하여라.

핵심 03

1056 100원짜리, 50원짜리, 10원짜리 동전이 각각 6개씩 있을 때, 이 동전을 사용하여 560원을 지불하는 경우의 수를 구하여라.

핵심 04

1057 A 도시에서 B 도시로 가는 교통편으로 비행기는 하루에 12번, 배는 하루에 5번 있다. A 도시에서 B 도시까지 비행기 또는 배를 타고 가는 경우의 수를 구하여라.

핵심 05

1058 서로 다른 두 개의 주사위를 동시에 던질 때, 두 눈의 수의 합이 3 이하인 경우의 수를 구하여라.

핵심 05 서술형

1059 1부터 15까지의 자연수가 각각 적힌 15장의 카드 중에서 한 장을 뽑을 때, 2의 배수 또는 3의 배수가 나오는 경우의 수를 구하여라.

핵심 06

1060 오른쪽 그림과 같은 도로망이 있다. P 지점에서 Q 지점을 거쳐 R 지점까지 최단 거리로 가는 방법의 수를 구하여라.

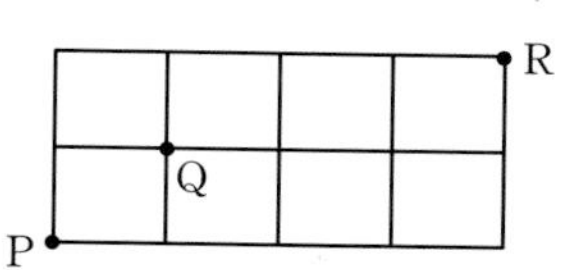

핵심 07

1061 3개의 전구를 켜거나 꺼서 신호를 만들 수 있는 경우의 수를 구하여라. (단, 전구가 모두 꺼진 경우도 신호로 생각한다.)

핵심 08

1062 주사위 한 개를 두 번 던질 때, 처음에는 소수, 나중에는 3 이상인 수의 눈이 나오는 경우의 수를 구하여라.

09 한 줄로 세우는 경우의 수 (1)

핵심

날짜 : 월 일

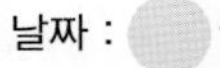

Subnote ➡ 51쪽

각 자리에 올 수 있는 사람 수를 생각해 봐.

(1) n명을 한 줄로 세우는 경우의 수는 ➡ $\boldsymbol{n\times(n-1)\times(n-2)\times\cdots\times2\times1}$

n부터 1씩 줄어든다.

(2) n명 중 2명을 뽑아 한 줄로 세우는 경우의 수는 ➡ $\boldsymbol{n\times(n-1)}$

(3) n명 중 3명을 뽑아 한 줄로 세우는 경우의 수는 ➡ $\boldsymbol{n\times(n-1)\times(n-2)}$

다음을 구하여라.

1063 A, B, C 3명을 한 줄로 세우는 경우의 수

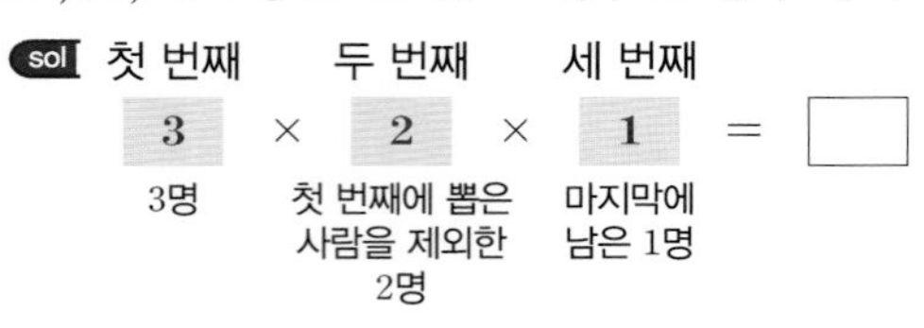

sol 첫 번째 / 두 번째 / 세 번째

3 × 2 × 1 = ☐

3명 / 첫 번째에 뽑은 사람을 제외한 2명 / 마지막에 남은 1명

1064 A, B, C, D 4명을 한 줄로 세우는 경우의 수

sol 첫 번째 / 두 번째 / 세 번째 / 네 번째

☐ × ☐ × ☐ × ☐ = ☐

1065 5개의 알파벳 K, O, R, E, A를 한 줄로 세우는 경우의 수 ________

1066 서로 다른 6권의 책을 책꽂이에 일렬로 꽂는 경우의 수 ________

다음을 구하여라.

1067 A, B, C 3명 중 2명을 뽑아 한 줄로 세우는 경우의 수

sol 첫 번째 / 두 번째

3 × 2 = ☐

3명 / 첫 번째에 뽑은 사람을 제외한 2명

1068 A, B, C, D 4명 중 2명을 뽑아 한 줄로 세우는 경우의 수 ________

1069 A, B, C, D, E 5명 중 3명을 뽑아 한 줄로 세우는 경우의 수 ________

1070 학교 시험 맛보기

혜진이네 반 학생 6명이 이어달리기를 하려고 한다. 다음을 구하여라.

(1) 6명이 달리는 순서를 정하는 경우의 수 ________

(2) 6명 중 3명을 뽑아서 달리는 순서를 정하는 경우의 수 ________

핵심

10 한 줄로 세우는 경우의 수 (2)

날짜 : 월 일

Subnote 51쪽

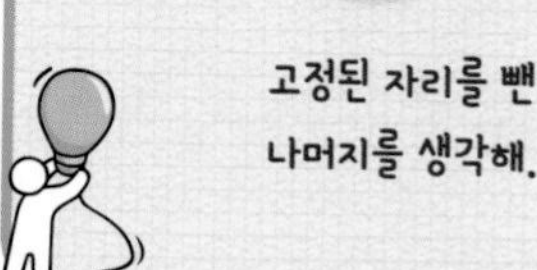

특정한 사람의 자리를 고정하여 한 줄로 세우는 경우의 수를 구할 때에는
❶ 특정한 사람을 고정된 자리에 세워 놓는다.
❷ 나머지 사람을 한 줄로 세우는 경우의 수를 구한다.

A, B, C, D 4명을 한 줄로 세울 때, 다음을 구하여라.

1071 A를 맨 앞에 세우는 경우의 수

sol

첫 번째	두 번째		세 번째		네 번째		
A	3	×	2	×	1	=	□
고정	B, C, D 3명		나머지 2명		마지막에 남은 1명		

A를 맨 앞에 고정시키고 나머지 B, C, D 3명을 한 줄로 세우는 경우의 수와 같아.

1072 B를 맨 뒤에 세우는 경우의 수 ______

1073 A가 맨 앞에 서고 B가 맨 뒤에 서는 경우의 수 ______

1074 A 또는 B를 맨 앞에 세우는 경우의 수 ______

1075 A, B를 양 끝에 세우는 경우의 수 ______

할아버지, 할머니, 아버지, 어머니, 은채 5명으로 이루어진 가족이 한 줄로 서서 가족 사진을 찍으려고 한다. 다음을 구하여라.

1076 할아버지를 가장 왼쪽에 세우는 경우의 수 ______

1077 은채를 가운데에 세우는 경우의 수 ______

1078 할아버지를 가장 왼쪽에, 할머니를 가장 오른쪽에 세우는 경우의 수 ______

1079 부모님을 양 끝에 세우는 경우의 수 ______

1080 **학교 시험 맛보기** 

남학생 2명과 여학생 4명을 한 줄로 세울 때, 남학생을 양 끝에 세우는 경우의 수를 구하여라. ______

핵심

11 이웃하게 세우는 경우의 수

날짜 : 월 일

Subnote 51쪽

이웃해야 하는 사람을 묶어서 1명으로 생각해!

한 줄로 세울 때, 이웃하여 세우는 경우의 수는
➡ (이웃하는 것을 하나로 묶어서 한 줄로 세우는 경우의 수) × (묶음 안에서 자리를 바꾸는 경우의 수)

A, B, C, D, E 5명을 한 줄로 세울 때, 다음을 구하여라.

1081 A, B가 이웃하여 서는 경우의 수

sol A, B를 하나로 묶어 (AB), C, D, E의 4명을 한 줄로 세우는 경우의 수는 $4\times3\times2\times1=$ ☐
A, B가 자리를 바꾸는 경우의 수는 ☐ ← (AB), (BA)
따라서 구하는 경우의 수는 ☐ × ☐ = ☐

1082 A, B, C가 이웃하여 서는 경우의 수

다음을 구하여라.

1083 R, E, D 3개의 문자를 일렬로 배열할 때, E와 D가 이웃하는 경우의 수

1084 초등학생 2명, 중학생 2명을 한 줄로 세울 때, 초등학생끼리 이웃하여 서는 경우의 수

남학생 2명과 여학생 4명을 한 줄로 세울 때, 다음을 구하여라.

1085 남학생끼리 이웃하여 서는 경우의 수

1086 여학생끼리 이웃하여 서는 경우의 수

여학생 4명이 자리를 바꾸는 경우의 수는 $4\times3\times2\times1=24$야.

1087 남학생은 남학생끼리, 여학생은 여학생끼리 이웃하여 서는 경우의 수

1088 학교 시험 맛보기

서로 다른 상의 3벌과 하의 3벌을 옷장에 한 줄로 걸 때, 상의는 상의끼리, 하의는 하의끼리 이웃하게 거는 경우의 수를 구하여라.

핵심 **12** # 색칠하는 경우의 수

날짜 : 월 일

Subnote ➡ 52쪽

각 부분에 모두 다른 색을 칠할 때와 이웃한 부분에만 서로 다른 색을 칠할 때는 경우의 수가 달라지므로 문제를 잘 읽고 경우의 수를 구해!

A, B, C 세 부분으로 나누어진 도형을 빨강, 노랑, 초록의 3가지 색으로 칠하는 경우의 수를 구해 보자.

(1) 각 부분에 모두 다른 색 칠하기

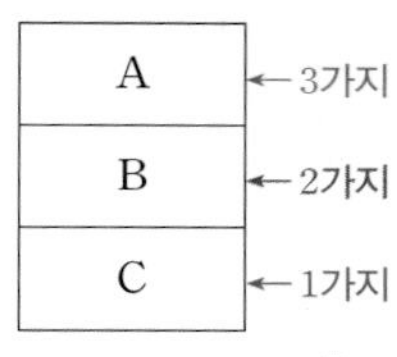

➡ $3\times2\times1=6$

(2) 이웃한 부분에만 서로 다른 색 칠하기

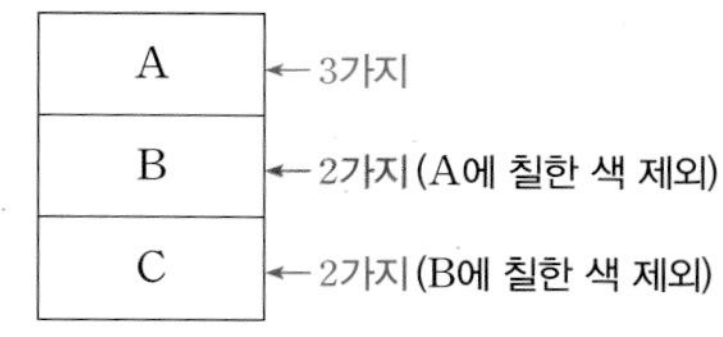

➡ $3\times2\times2=12$

다음 그림과 같이 나누어진 도형을 빨강, 노랑, 초록, 보라의 4가지 색으로 칠하려고 한다. 각 부분에 모두 다른 색을 칠하는 경우의 수를 구하여라.

1089

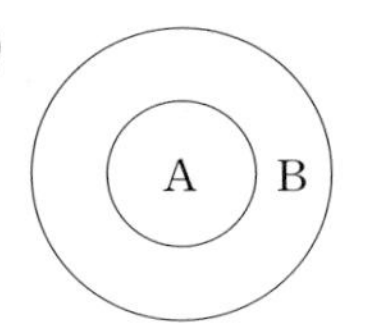

sol A에 칠할 수 있는 색은 □가지

B에 칠할 수 있는 색은 □가지 ← A에 칠한 색 제외

따라서 구하는 경우의 수는 □×□=□

1090

A	B	C

1091

A
B
C
D

다음 그림과 같이 나누어진 도형을 빨강, 노랑, 초록, 보라의 4가지 색으로 칠하려고 한다. 같은 색을 여러 번 사용할 수 있으나 이웃한 부분은 반드시 서로 다른 색으로 칠하는 경우의 수를 구하여라.

1092

A
B
C
D

1093

A		
B	C	D

sol A에 칠할 수 있는 색은 □가지

B에 칠할 수 있는 색은 □가지 ← A에 칠한 색 제외

C에 칠할 수 있는 색은 □가지 ← A, B에 칠한 색 제외

D에 칠할 수 있는 색은 □가지 ← A, C에 칠한 색 제외

따라서 구하는 경우의 수는 □×□×□×□=□

1094

A	
B	
C	D

핵심 **13**

카드를 뽑아 자연수를 만드는 경우의 수 (1)

Subnote ➲ 52쪽

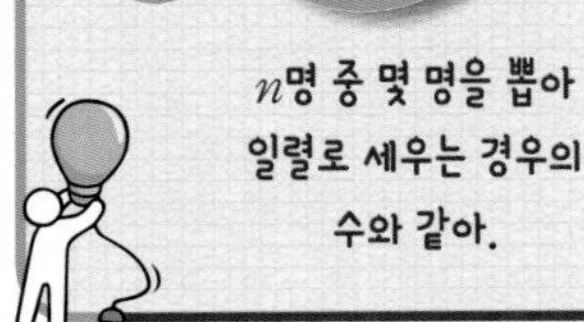

0이 아닌 서로 다른 한 자리의 숫자가 각각 적힌 n장의 카드에서

(1) 2장을 뽑아 만들 수 있는 두 자리의 자연수의 개수는 ➡ $n\times(n-1)$

(2) 3장을 뽑아 만들 수 있는 세 자리의 자연수의 개수는 ➡ $n\times(n-1)\times(n-2)$

1, 2, 3, 4의 숫자가 각각 적힌 4장의 카드가 있을 때, 다음을 구하여라.

1095 2장을 뽑아 만들 수 있는 두 자리의 자연수의 개수

sol 십의 자리 일의 자리

4 × 3 = ☐

모두 가능 / 십의 자리에 놓인 숫자를 제외한 나머지 숫자의 개수

1096 3장을 뽑아 만들 수 있는 세 자리의 자연수의 개수

______

아래 그림과 같은 숫자 카드가 한 장씩 있을 때, 다음을 구하여라.

1097 [2] [3] [4]

(1) 만들 수 있는 두 자리의 자연수의 개수

______

(2) 만들 수 있는 세 자리의 자연수의 개수

______

1098 [1] [3] [4] [6] [9]

(1) 만들 수 있는 두 자리의 자연수의 개수

______

(2) 만들 수 있는 세 자리의 자연수의 개수

______

1, 2, 3, 4, 5, 6의 숫자가 각각 적힌 6장의 카드 중에서 2장을 뽑아 두 자리의 자연수를 만들 때, 다음 조건을 만족시키는 자연수의 개수를 구하여라.

1099 짝수

sol 일의 자리에 올 수 있는 숫자는 2, 4, 6이므로

십의 자리 일의 자리

☐ × 3 = ☐

일의 자리에 놓인 숫자를 제외한 나머지 숫자의 개수 / 짝수의 개수

짝수나 홀수는 일의 자리에 올 수 있는 수부터 결정해야 해.

1100 홀수

______

1101 50보다 큰 수

______

key 십의 자리의 숫자가 5 이상이어야 한다.

1102 40보다 작은 수

______

1103 학교 시험 맛보기

1, 2, 4, 5, 7의 숫자가 각각 적혀 있는 5장의 카드 중에서 3장을 뽑아 세 자리의 자연수를 만들 때, 홀수의 개수를 구하여라.

______

핵심 **14**

카드를 뽑아 자연수를 만드는 경우의 수 (2)

날짜 :  월  일

Subnote ➲ 53쪽

맨 앞자리에는 0이 올 수 없어.

0을 포함한 서로 다른 한 자리의 숫자가 각각 적힌 n장의 카드에서

(1) 2장을 뽑아 만들 수 있는 두 자리의 자연수의 개수는

➡ $(n-1)\times(n-1)$

└ 0을 제외한 수

(2) 3장을 뽑아 만들 수 있는 세 자리의 자연수의 개수는

➡ $(n-1)\times(n-1)\times(n-2)$

0, 1, 2, 3의 숫자가 각각 적힌 4장의 카드가 있을 때, 다음을 구하여라.

1104 2장을 뽑아 만들 수 있는 두 자리의 자연수의 개수

sol 십의 자리 일의 자리

3 × 3 = □

(0을 제외한 나머지 숫자의 개수) (십의 자리에 놓인 숫자를 제외한 나머지 숫자의 개수)

1105 3장을 뽑아 만들 수 있는 세 자리의 자연수의 개수

sol 백의 자리 십의 자리 일의 자리

□ × □ × □ = □

(0을 제외한 나머지 숫자의 개수) (백의 자리에 놓인 숫자를 제외한 나머지 숫자의 개수) (백, 십의 자리에 놓인 숫자를 제외한 나머지 숫자의 개수)

0, 2, 4, 5, 7의 숫자가 각각 적힌 5장의 카드가 있을 때, 다음을 구하여라.

1106 2장을 뽑아 만들 수 있는 두 자리의 자연수의 개수 ________

1107 3장을 뽑아 만들 수 있는 세 자리의 자연수의 개수 ________

0, 1, 3, 4, 5의 숫자가 각각 적힌 5장의 카드 중에서 2장을 뽑아 두 자리의 자연수를 만들 때, 다음 조건을 만족시키는 자연수의 개수를 구하여라.

1108 홀수

sol 십의 자리 일의 자리

3 × 3 = □

(0과 일의 자리에 놓인 숫자를 제외한 나머지 숫자의 개수) (홀수의 개수)

1109 짝수 ________

일의 자리의 숫자가 0인 경우와 4인 경우로 나누어 생각해!

1110 40보다 작은 수 ________

1111 5의 배수 ________

1112 학교 시험 맛보기 

0, 1, 2, 3, 5, 7의 숫자가 각각 적힌 6장의 카드 중에서 2장을 뽑아 두 자리의 자연수를 만들 때, 다음 조건을 만족시키는 자연수의 개수를 구하여라.

(1) 짝수 ________

(2) 30보다 작은 수 ________

10 경우의 수

핵심 15 자격이 다른 대표를 뽑는 경우의 수

날짜 :  월  일

Subnote 53쪽

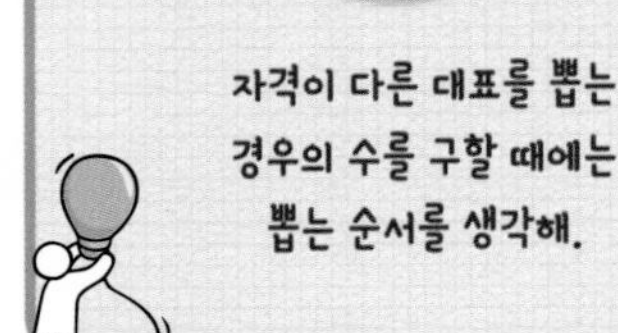

(1) n명 중에서 자격이 다른 대표 2명을 뽑는 경우의 수는
➡ $n\times(n-1)$ ← 2명을 뽑아 한 줄로 세우는 경우의 수와 같다.

(2) n명 중에서 자격이 다른 대표 3명을 뽑는 경우의 수는
➡ $n\times(n-1)\times(n-2)$

A, B, C, D 4**명 중에서 대표를 뽑을 때, 다음을 구하여라.**

1113 회장 1명, 부회장 1명을 뽑는 경우의 수

sol 회장 부회장
4 × 3 = ☐
4명 / 회장이 된 1명을 제외한 남은 3명

1114 회장 1명, 부회장 1명, 총무 1명을 뽑는 경우의 수

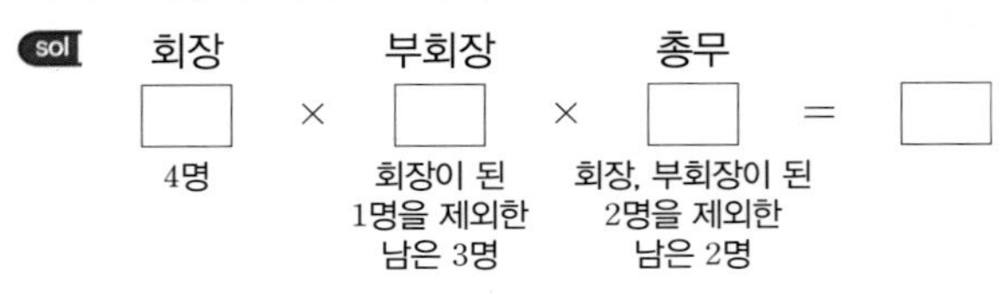

A, B, C, D, E 5**명 중에서 대표를 뽑을 때, 다음을 구하여라.**

1115 회장 1명, 부회장 1명을 뽑는 경우의 수 ______

1116 회장 1명, 부회장 1명, 총무 1명을 뽑는 경우의 수 ______

1117 회장 1명, 부회장 1명, 총무 1명, 서기 1명을 뽑는 경우의 수 ______

다음을 구하여라.

1118 3편의 영화 중에서 1관, 2관에서 상영할 서로 다른 영화 1편씩 정하는 경우의 수 ______

1119 6명의 학생 중에서 실로폰, 오카리나, 트라이앵글을 연주할 학생을 한 명씩 뽑는 경우의 수 ______

1120 7명이 출전한 미술 대회에서 대상과 우수상을 받을 학생을 각각 1명씩 뽑는 경우의 수 ______

1121 축구 대회에 출전한 8개국 중에서 금메달, 은메달, 동메달을 받게 될 국가를 1개국씩 뽑는 경우의 수 ______

1122 학교 시험 맛보기 

여학생 5명, 남학생 5명 중에서 대표를 뽑을 때, 다음을 구하여라.

(1) 회장 1명, 부회장 1명을 뽑는 경우의 수 ______

(2) 회장 1명, 남자 부회장 1명, 여자 부회장 1명을 뽑는 경우의 수 ______

핵심 16

자격이 같은 대표를 뽑는 경우의 수

날짜 : 월 일

Subnote ➲ 53쪽

자격이 같은 대표를 뽑는 경우의 수를 구할 때에는 뽑는 순서와 상관이 없어.

(1) n명 중에서 자격이 같은 대표 2명을 뽑는 경우의 수는

➡ $\dfrac{n\times(n-1)}{2}$ ← 2명이 자리를 바꾸는 2가지가 중복되므로 2로 나눈다.

(2) n명 중에서 자격이 같은 대표 3명을 뽑는 경우의 수는

➡ $\dfrac{n\times(n-1)\times(n-2)}{6}$ ← 3명이 자리를 바꾸는 6가지가 중복되므로 6으로 나눈다.

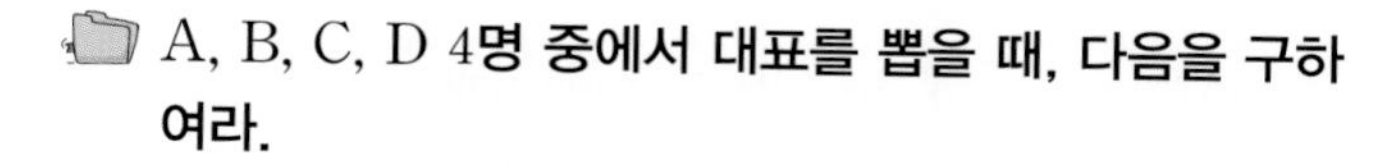

A, B, C, D 4명 중에서 대표를 뽑을 때, 다음을 구하여라.

1123 대표 2명을 뽑는 경우의 수

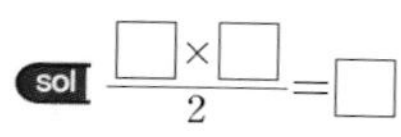

sol $\dfrac{\square\times\square}{2}=\square$

key 자격이 같은 대표 2명을 뽑을 때
(A, B)=(B, A)로 2가지씩 중복되므로 2로 나눈다.

1124 대표 3명을 뽑는 경우의 수 ________

key 자격이 같은 대표 3명을 뽑을 때
(A, B, C)=(A, C, B)=(B, A, C)=(B, C, A)
=(C, A, B)=(C, B, A)
로 6가지씩 중복되므로 6으로 나눈다.

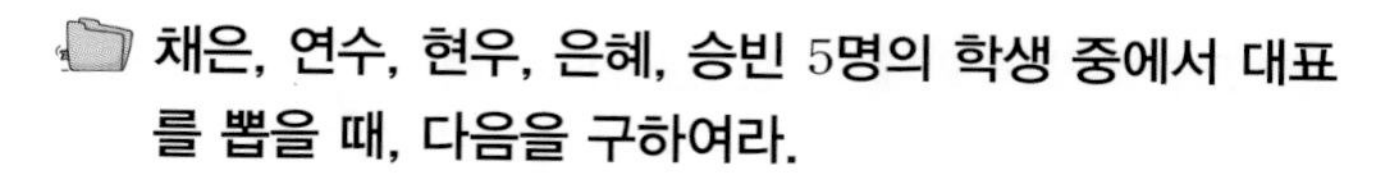

채은, 연수, 현우, 은혜, 승빈 5명의 학생 중에서 대표를 뽑을 때, 다음을 구하여라.

1125 대표 2명을 뽑는 경우의 수 ________

1126 대표 3명을 뽑는 경우의 수 ________

1127 대표 3명을 뽑을 때, 채은이가 반드시 뽑히는 경우의 수 ________

key 채은이를 제외한 4명 중에서 2명을 뽑는 경우의 수와 같다.

다음을 구하여라.

1128 6명의 후보 중에서 대표 2명을 뽑는 경우의 수 ________

1129 6명의 후보 중에서 대표 3명을 뽑는 경우의 수 ________

1130 7명의 테니스 선수 중에서 대회에 나갈 선수 2명을 뽑는 경우의 수 ________

1131 8명이 서로 한 번씩 빠짐없이 악수를 하는 총 횟수 ________

A와 B가 악수하는 것과 B와 A가 악수하는 것은 같으니까 두 사람을 뽑는 순서는 상관이 없어.

1132 학교 시험 맛보기

여학생 5명, 남학생 4명 중에서 대표를 뽑을 때, 다음을 구하여라.

(1) 여학생 대표 1명, 남학생 대표 1명을 뽑는 경우의 수 ________

(2) 여학생 대표 2명, 남학생 대표 1명을 뽑는 경우의 수 ________

핵심 17

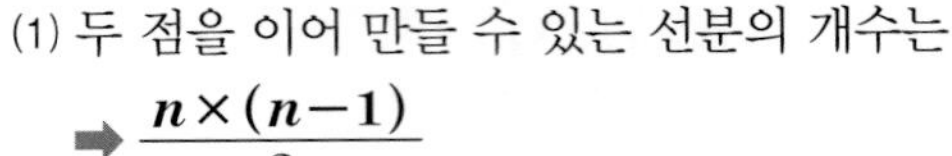

선분 또는 삼각형의 개수

날짜 : 월 일

Subnote 54쪽

선분 또는 삼각형의 개수는 자격이 같은 대표를 뽑는 경우의 수와 같아!

어느 세 점도 한 직선 위에 있지 않은 $n(n\geq 3)$개의 점 중에서

(1) 두 점을 이어 만들 수 있는 선분의 개수는

➡ $\dfrac{n\times(n-1)}{2}$

(2) 세 점을 이어 만들 수 있는 삼각형의 개수는

➡ $\dfrac{n\times(n-1)\times(n-2)}{6}$

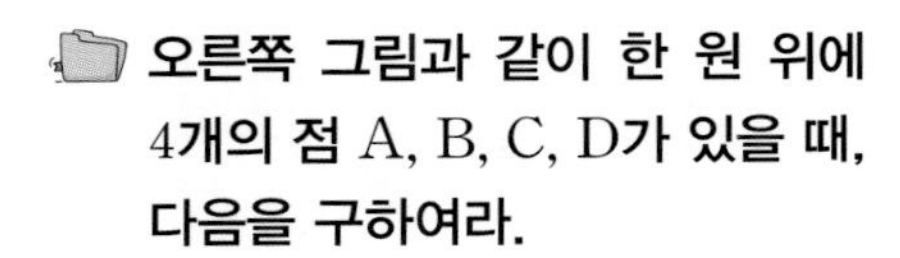

오른쪽 그림과 같이 한 원 위에 4개의 점 A, B, C, D가 있을 때, 다음을 구하여라.

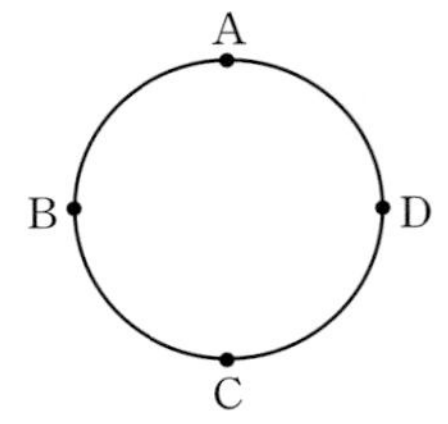

1133 두 점을 이어 만들 수 있는 선분의 개수

sol 4개의 점 중에서 2개의 점을 선택하면 되므로 두 점을 이어 만들 수 있는 선분의 개수는

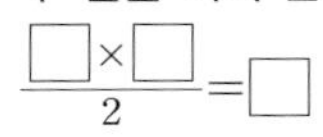

$\dfrac{\square\times\square}{2}=\square$

$\overline{AB}$와 $\overline{BA}$는 서로 같아.
즉, 두 점을 뽑는 순서는 상관이 없어.

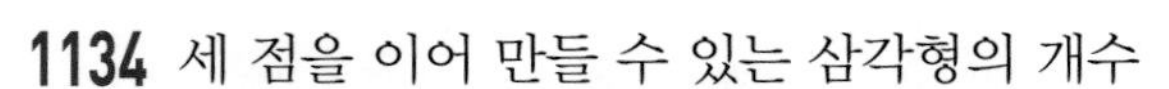

1134 세 점을 이어 만들 수 있는 삼각형의 개수

sol 4개의 점 중에서 3개의 점을 선택하면 되므로 세 점을 이어 만들 수 있는 삼각형의 개수는

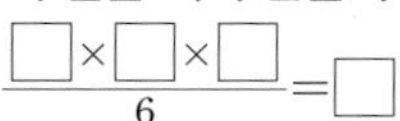

$\dfrac{\square\times\square\times\square}{6}=\square$

△ABC, △ACB, △BAC, △BCA, △CAB, △CBA는 모두 같은 삼각형이야.
즉, 세 점을 뽑는 순서는 상관이 없어.

오른쪽 그림과 같이 한 원 위에 5개의 점이 있을 때, 다음을 구하여라.

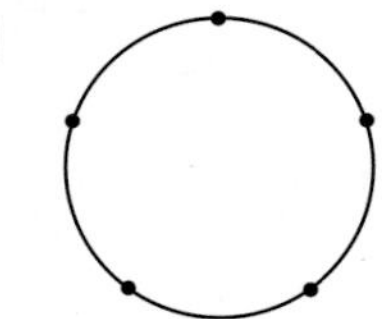

1135 두 점을 이어 만들 수 있는 선분의 개수

______

1136 세 점을 이어 만들 수 있는 삼각형의 개수

______

오른쪽 그림과 같이 한 원 위에 6개의 점이 있을 때, 다음을 구하여라.

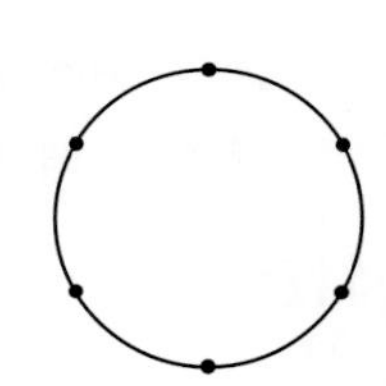

1137 두 점을 이어 만들 수 있는 선분의 개수

______

1138 세 점을 이어 만들 수 있는 삼각형의 개수

______

핵심 09~17

Mini Review Test

날짜 : 월 일

Subnote 54쪽

핵심 09

1139 서로 다른 소설책 1권, 위인전 2권, 만화책 2권을 책꽂이에 꽂을 때, 다음을 구하여라.

(1) 책 5권을 책꽂이에 일렬로 꽂는 경우의 수

(2) 책 5권 중 3권을 뽑아 책꽂이에 일렬로 꽂는 경우의 수

핵심 10 11

1140 부모님과 아이 2명을 일렬로 세울 때, 다음을 구하여라.

(1) 부모님이 양 끝에 서는 경우의 수

(2) 부모님이 이웃하게 서는 경우의 수

핵심 12

1141 오른쪽 그림과 같이 A, B, C, D 네 부분으로 나누어진 도형을 빨강, 주황, 노랑, 초록, 파랑의 5가지 색을 사용하여 칠하려고 한다. 다음을 구하여라.

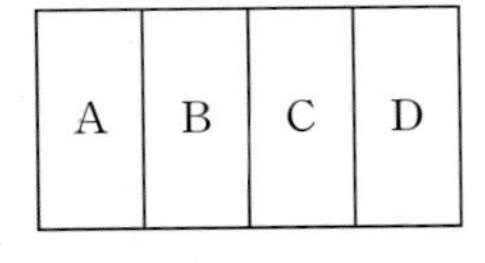

(1) 각 부분에 모두 다른 색을 칠하는 경우의 수

(2) 같은 색을 여러 번 사용하되 이웃한 부분은 서로 다른 색으로 칠하는 경우의 수

핵심 13

1142 1부터 8까지의 숫자 중에서 서로 다른 2개의 숫자를 택하여 두 자리의 자연수를 만들 때, 다음을 구하여라.

(1) 만들 수 있는 두 자리의 수의 개수

(2) 70보다 큰 수의 개수

핵심 14

1143 0, 1, 2, 3, 4, 5의 숫자가 각각 적힌 6장의 카드 중에서 2장을 뽑아 두 자리의 자연수를 만들 때, 다음 조건을 만족시키는 자연수의 개수를 구하여라.

(1) 홀수

(2) 5의 배수

(3) 40보다 큰 수

핵심 15 16

1144 여학생 3명, 남학생 4명이 있을 때, 다음을 구하여라.

(1) 회장 1명, 부회장 1명, 총무 1명을 뽑는 경우의 수

(2) 3명의 대표를 뽑는 경우의 수

(3) 여학생 중 대표 1명, 남학생 중 대표 2명을 뽑는 경우의 수

핵심 17

1145 오른쪽 그림과 같이 원 위에 서로 다른 7개의 점이 있다. 이 중에서 세 점을 이어 만들 수 있는 삼각형의 개수를 구하여라.

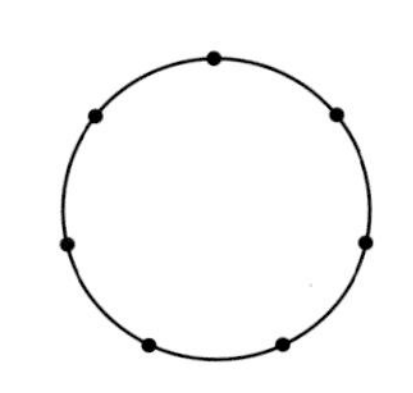

YOU♡

한 개의 주사위를 던질 때, 나오는 눈의 수가 2 이하 또는 4 이상인 경우의 수는?

$2+3=$(❶)

서로 다른 동전 3개를 동시에 던질 때, 나오는 모든 경우의 수는?

$2\times2\times2=$(❷)

4명을 한 줄로 세우는 경우의 수는?

$4\times3\times2\times1=$(❸)

0, 1, 2, 3, 4의 숫자가 각각 적힌 5장의 카드에서 3장을 뽑아 만들 수 있는 세 자리의 자연수의 개수는?

$4\times4\times3=$(❹)

4명의 학생 중 대표 2명을 뽑는 경우의 수는?

(1) 자격이 다르면 ➡ $4\times3=$(❺)

(2) 자격이 같으면 ➡ $\frac{4\times3}{2}=$(❻)

❶ 5 ❷ 8 ❸ 24 ❹ 48 ❺ 12 ❻ 6

11 확률

스스로 공부 계획 세우기

	학습 내용	공부한 날짜	반복하기
11. 확률	**01.** 확률의 뜻(1)	월 일	□□
	02. 확률의 뜻(2)	월 일	□□
	03. 확률의 성질	월 일	□□
	04. 어떤 사건이 일어나지 않을 확률(1)	월 일	□□
	05. 어떤 사건이 일어나지 않을 확률(2)	월 일	□□
	06. 도형에서의 확률	월 일	□□
	Mini **Review** Test(**01**~**06**)	월 일	□□
	07. 확률의 덧셈	월 일	□□
	08. 확률의 곱셈(1)	월 일	□□
	09. 확률의 곱셈(2)	월 일	□□
	10. 연속하여 꺼내는 경우의 확률(1)	월 일	□□
	11. 연속하여 꺼내는 경우의 확률(2)	월 일	□□
	Mini **Review** Test(**07**~**11**)	월 일	□□

11 확률

개념 NOTE

1 확률의 뜻 핵심 01 02

(1) **확률**: 같은 조건 아래에서 어떤 실험이나 관찰을 여러 번 반복할 때, 어떤 사건 A가 일어나는 상대도수가 일정한 값에 가까워지면 이 값을 사건 A가 일어날 확률이라고 한다.

(2) 어떤 실험이나 관찰에서 일어날 가능성이 모두 같을 때, 일어날 수 있는 모든 경우의 수가 n이고, 사건 A가 일어나는 경우의 수가 a이면 사건 A가 일어날 확률 p는

$$p=\frac{(\text{사건 }A\text{가 일어나는 경우의 수})}{(\text{모든 경우의 수})}=\frac{a}{n}$$

확률 p는 probability의 첫 글자를 나타낸다. 확률은 보통 분수, 소수, 백분율로 나타낸다.

2 확률의 성질 핵심 03

(1) 어떤 사건이 일어날 확률을 p라고 하면 $0\le p\le 1$이다.
(2) 반드시 일어나는 사건의 확률은 **1**이다.
(3) 절대로 일어나지 않는 사건의 확률은 **0**이다.

모든 경우의 수가 n일 때, 사건 A가 일어나는 경우의 수가 a이면 $0\le a\le n$이므로
$0\le\frac{a}{n}\le 1$ ➡ $0\le p\le 1$

3 어떤 사건이 일어나지 않을 확률 핵심 04 05

사건 A가 일어날 확률을 p라고 하면

(사건 A가 일어나지 않을 확률)$=1-p$

사건 A가 일어날 확률을 직접 계산하기 복잡할 때에는 사건 A가 일어나지 않을 확률을 이용한다. 일반적으로 문제에 '~이 아닐', '적어도' 등의 표현이 있을 때 이용한다.

4 도형에서의 확률 핵심 06

도형으로 제시된 조건을 이용하여 확률을 구할 때

$$(\text{확률})=\frac{(\text{해당하는 부분의 넓이})}{(\text{도형의 전체 넓이})}$$

5 확률의 덧셈 핵심 07

사건 A와 사건 B가 동시에 일어나지 않을 때,
사건 A가 일어날 확률을 p, 사건 B가 일어날 확률을 q라고 하면
(사건 A **또는** 사건 B가 일어날 확률)$=\boldsymbol{p+q}$

확률의 덧셈
두 사건이 동시에 일어나지 않으며 '또는', '~이거나'라는 말로 표현된다.

6 확률의 곱셈 핵심 08 09

두 사건 A와 B가 서로 영향을 주지 않을 때,
사건 A가 일어날 확률을 p, 사건 B가 일어날 확률을 q라고 하면
(두 사건 A와 B가 **동시에** 일어날 확률)$=\boldsymbol{p\times q}$

확률의 곱셈
두 사건이 서로 영향을 끼치지 않으며 '동시에', '그리고', '~와'라는 말로 표현된다.

7 연속하여 꺼내는 경우의 확률 핵심 10 11

(1) **꺼낸 것을 다시 넣고 뽑는 경우의 확률**: 처음과 나중에 뽑는 조건이 같다.
(2) **꺼낸 것을 다시 넣지 않고 뽑는 경우의 확률**: 처음과 나중에 뽑는 조건이 다르다.

꺼낸 것을 다시 넣을 때
처음의 전체 개수 $=$ 나중의 전체 개수

꺼낸 것을 다시 넣지 않을 때
처음의 전체 개수 $\neq$ 나중의 전체 개수

핵심

01 확률의 뜻 (1)

날짜 : 월 일

Subnote ➡ 55쪽

확률은 어떤 사건이 일어날 가능성을 수로 나타낸 것이야.

$$(\text{사건 } A\text{가 일어날 확률})=\frac{(\text{사건 } A\text{가 일어나는 경우의 수})}{(\text{모든 경우의 수})}$$

예 동전 한 개를 던질 때, 앞면이 나올 확률은

$$\frac{(\text{앞면이 나오는 경우의 수})}{(\text{모든 경우의 수})}=\frac{1}{2}$$

모양과 크기가 같은 빨간 공 2개, 초록 공 3개, 파란 공 5개가 들어 있는 주머니에서 공을 한 개 꺼낼 때, 다음을 구하여라.

1146 빨간 공이 나올 확률

sol 모든 경우의 수는 $2+3+5=\square$

빨간 공이 나오는 경우의 수는 $\square$

따라서 빨간 공이 나올 확률은 $\frac{\square}{10}=\square$

1147 초록 공이 나올 확률 ________

1148 파란 공이 나올 확률 ________

한 개의 주사위를 던질 때, 다음을 구하여라.

1149 홀수의 눈이 나올 확률 ________

1150 6의 약수의 눈이 나올 확률 ________

1부터 15까지의 자연수가 각각 적힌 15장의 카드 중에서 한 장을 뽑을 때, 다음을 구하여라.

1151 3 이하의 수가 나올 확률 ________

1152 11보다 큰 수가 나올 확률 ________

1153 3의 배수가 나올 확률 ________

1154 12의 약수가 나올 확률 ________

1155 소수가 나올 확률 ________

핵심 **02** ## 확률의 뜻 (2)

날짜 : 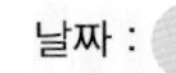 월  일 

Subnote ➡ 55쪽

확률을 구하려면 먼저 모든 경우의 수를 구해야 해. 전체를 알아야 특정한 경우를 생각할 수 있지.

서로 다른 두 개의 동전을 동시에 던질 때, 앞면이 1개 나올 확률을 구해 보자.

❶ 모든 경우의 수는 $2\times2=4$

❷ 앞면이 1개 나오는 경우는 (앞, 뒤), (뒤, 앞)의 2가지

❸ 따라서 앞면이 1개 나올 확률은 $\frac{2}{4}=\frac{1}{2}$

서로 다른 세 개의 동전을 동시에 던질 때, 다음을 구하여라.

1156 앞면이 1개 나올 확률

sol 모든 경우의 수는 $2\times2\times2=\square$
앞면이 1개 나오는 경우는
(앞, 뒤, 뒤), (뒤, 앞, 뒤), (뒤, 뒤, 앞)의 $\square$가지
따라서 구하는 확률은 $\square$

1157 앞면이 2개 나올 확률 ________

1158 앞면이 3개 나올 확률 ________

1159 앞면이 나오지 않을 확률 ________

1160 모두 같은 면이 나올 확률 ________

서로 다른 두 개의 주사위를 동시에 던질 때, 다음을 구하여라.

1161 두 눈의 수의 합이 10일 확률

sol 모든 경우의 수는 $6\times6=\square$
두 눈의 수의 합이 10인 경우는
$(4, 6)$, $(5, 5)$, $(6, 4)$의 $\square$가지
따라서 구하는 확률은 $\frac{3}{\square}=\square$

1162 두 눈의 수의 차가 3일 확률 ________

1163 두 눈의 수의 곱이 12일 확률 ________

1164 두 눈의 수가 서로 같을 확률 ________

1165 **학교 시험 맛보기**

1부터 6까지의 자연수가 각각 적힌 6장의 카드에서 두 장을 뽑아 두 자리의 자연수를 만들려고 한다. 만든 두 자리의 자연수가 짝수일 확률을 구하여라.

____

핵심 03 확률의 성질

날짜 : 월 일

Subnote 56쪽

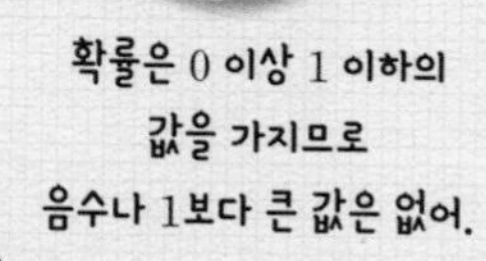

확률은 0 이상 1 이하의 값을 가지므로 음수나 1보다 큰 값은 없어.

(1) 어떤 사건이 일어날 확률을 p라고 하면 $0\leq p\leq 1$이다.
(2) 반드시 일어나는 사건의 확률은 **1**이다.
(3) 절대로 일어나지 않는 사건의 확률은 **0**이다.

상자에 들어 있는 제비 5개 중에 당첨 제비가 다음과 같이 들어 있다. 상자에서 제비 한 개를 뽑을 때, 당첨 제비를 뽑을 확률을 구하여라.

1166 당첨 제비가 하나도 없을 경우 ________

1167 당첨 제비가 2개일 경우 ________

1168 당첨 제비가 5개일 경우 ________

모양과 크기가 같은 흰 구슬 4개, 검은 구슬 6개가 들어 있는 주머니에서 구슬 1개를 꺼낼 때, 다음을 구하여라.

1169 흰 구슬 또는 검은 구슬이 나올 확률 ________

1170 노란 구슬이 나올 확률 ________

다음 □ 안에 알맞은 수를 써넣어라.

1171 주사위를 한 개 던질 때,
(1) 7의 눈이 나올 확률은 □이다.
(2) 6 이하의 눈이 나올 확률은 □이다.

1172 서로 다른 주사위 2개를 동시에 던질 때,
(1) 두 눈의 수의 합이 12 이하일 확률은 □이다.
(2) 두 눈의 수의 차가 6일 확률은 □이다.

1173 1부터 8까지의 자연수가 각각 적힌 8장의 카드 중에서 한 장을 뽑을 때,
(1) 8 이하의 자연수가 적힌 카드가 나올 확률은 □이다.
(2) 두 자리의 자연수가 적힌 카드가 나올 확률은 □이다.

1174 학교 시험 맛보기

사건 A가 일어날 확률을 p라고 할 때, 다음 중 항상 옳은 것은 ○표, 옳지 않은 것은 ×표를 하여라.

(1) $0<p<1$ (　　)
(2) $p=0$이면 사건 A는 절대로 일어나지 않는다. (　　)
(3) 사건 A가 반드시 일어나면 $p=\frac{1}{2}$이다. (　　)

핵심 04 어떤 사건이 일어나지 않을 확률 (1)

날짜 : 월 일

Subnote ➜ 56쪽

'~ 않을 확률', '~가 아닐 확률' 등의 표현이 있으면 반대의 확률을 이용해.

사건 A가 일어날 확률을 p라고 하면

(사건 A가 일어나지 않을 확률)$=1-p$

참고 사건 A가 일어날 확률을 p, 사건 A가 일어나지 않을 확률을 q라고 하면 $p+q=1$

다음을 구하여라.

1175 승환이가 시험에 합격할 확률이 $\frac{3}{4}$일 때, 불합격할 확률

sol $1-\square=\square$

1176 유진이가 약속 시간에 늦을 확률이 $\frac{1}{3}$일 때, 약속 시간에 늦지 않을 확률 ______

1177 내일 비가 올 확률이 $\frac{3}{5}$일 때, 비가 오지 않을 확률 ______

1178 15명의 학생 중에서 5명이 안경을 쓰고 있다. 이 중에서 한 명을 뽑을 때, 안경을 쓰지 않은 학생을 뽑을 확률 ______

1179 갑, 을, 병, 정 4명이 한 줄로 설 때, 병이 맨 뒤에 서지 않을 확률 ______

1180 주사위 한 개를 던질 때, 4 이하의 눈이 나오지 않을 확률

sol 주사위 한 개를 던질 때, 4 이하의 눈이 나오는 경우는 1, 2, 3, 4의 $\square$가지이므로 그 확률은 $\frac{\square}{6}=\square$

따라서 4 이하의 눈이 나오지 않을 확률은

$1-\square=\square$

1181 A, B 2개의 주사위를 동시에 던질 때, 두 눈의 수의 합이 8이 아닐 확률 ______

1182 A, B 2개의 주사위를 동시에 던질 때, 두 눈의 수가 서로 같지 않을 확률 ______

1183 1부터 18까지의 수가 각각 적힌 18장의 카드 중에서 한 장을 뽑을 때, 18의 약수가 아닌 카드를 뽑을 확률 ______

1184 학교 시험 맛보기 

2명이 가위바위보를 할 때, 승부가 날 확률을 구하여라.

______

어떤 사건이 일어나지 않을 확률 (2)

날짜 : 월 일

Subnote ▶ 56쪽

'적어도 ~일 확률'의 표현이 있으면 반대의 확률을 이용해.

(1) (적어도 하나는 ■일 확률)$=1-$(모두 ■가 아닐 확률)
(2) (★ 이상일 확률)$=1-$(★ 미만일 확률)
(★ 미만일 확률)$=1-$(★ 이상일 확률)

서로 다른 두 개의 동전을 동시에 던질 때, 다음을 구하여라.

1185 모두 뒷면이 나올 확률 ______

1186 적어도 한 개는 앞면이 나올 확률

sol (적어도 한 개는 앞면이 나올 확률)
$=1-$(모두 뒷면이 나올 확률)
$=1-\square=\square$

서로 다른 두 개의 주사위를 동시에 던질 때, 다음을 구하여라.

1187 모두 홀수의 눈이 나올 확률 ______

1188 적어도 한 개는 짝수의 눈이 나올 확률 ______

남학생 3명, 여학생 2명 중 대표 2명을 뽑을 때, 다음을 구하여라.

1189 2명 모두 여학생을 뽑을 확률 ______

1190 적어도 한 명은 남학생을 뽑을 확률 ______

다음을 구하여라.

1191 1, 2, 3, 4의 숫자가 각각 적힌 4장의 카드 중에서 2장을 뽑아 두 자리의 자연수를 만들 때, 20 이상일 확률 ______

key (20 이상일 확률)$=1-$(20 미만일 확률)

1192 1, 2, 3, 4, 5의 숫자가 각각 적힌 5장의 카드 중에서 2장을 뽑아 두 자리의 자연수를 만들 때, 50 미만일 확률 ______

1193 서로 다른 두 개의 주사위를 동시에 던질 때, 두 눈의 수의 합이 10 미만일 확률 ______

key (두 눈의 수의 합이 10 미만일 확률)
$=1-$(두 눈의 수의 합이 10 이상일 확률)

1194 학교 시험 맛보기 

다음을 구하여라.

(1) A, B, C 세 사람이 가위바위보를 할 때, 적어도 한 사람은 다른 것을 낼 확률 ______

(2) 예진이가 ○, ×로 답하는 3개의 문제를 풀 때, 적어도 한 문제는 맞힐 확률 ______

핵심 06 도형에서의 확률

날짜 : 월 일

Subnote ➡ 57쪽

도형에서의 확률은 차지하는 부분의 넓이의 비로 구해.

(1) (도형에서의 확률)$=\dfrac{(\text{주어진 사건에 해당하는 부분의 넓이})}{(\text{도형 전체의 넓이})}$

(2) 어떤 도형을 n등분했을 때,

(n등분한 도형에서의 확률)$=\dfrac{(\text{해당하는 조각의 개수})}{(\text{전체 조각의 개수})}$

오른쪽 그림과 같이 중심이 같고 반지름의 길이가 각각 $1, 2, 3$인 세 원으로 이루어진 원판이 있다. 이 원판에 화살을 한 발 쏠 때, 다음을 구하여라. (단, 화살이 원판을 벗어나거나 경계선을 맞히는 경우는 없다.)

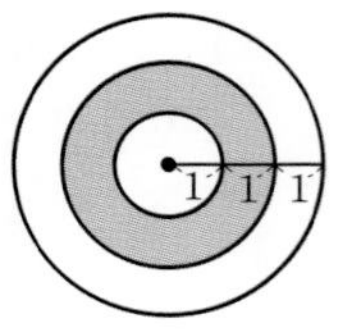
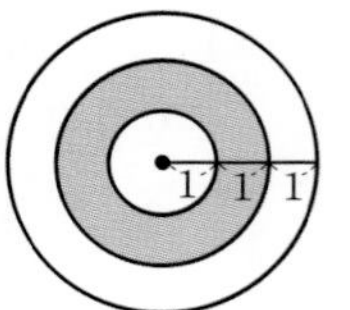

1195 원판 전체의 넓이 ________

1196 색칠한 부분의 넓이

sol (색칠한 부분의 넓이)
=(반지름의 길이가 2인 원의 넓이)
−(반지름의 길이가 1인 원의 넓이)
=□−□=□

1197 색칠한 부분을 맞힐 확률

sol $\dfrac{(\text{색칠한 부분의 넓이})}{(\text{원판 전체의 넓이})}=\dfrac{\square}{\square}=\square$

1198 색칠하지 않은 부분을 맞힐 확률

sol $1-$(색칠한 부분을 맞힐 확률)
$=1-\square=\square$

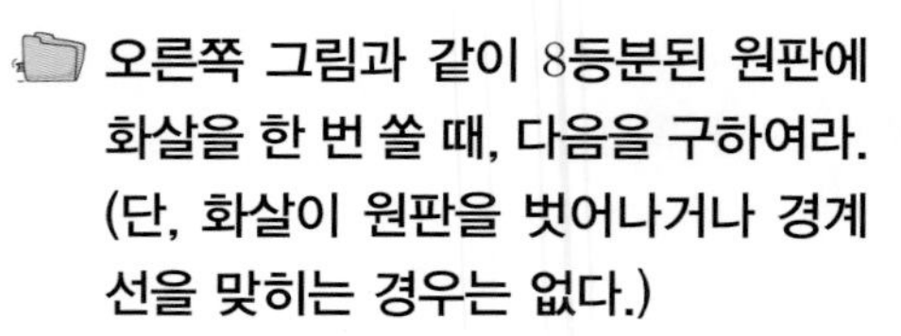

오른쪽 그림과 같이 8등분된 원판에 화살을 한 번 쏠 때, 다음을 구하여라. (단, 화살이 원판을 벗어나거나 경계선을 맞히는 경우는 없다.)

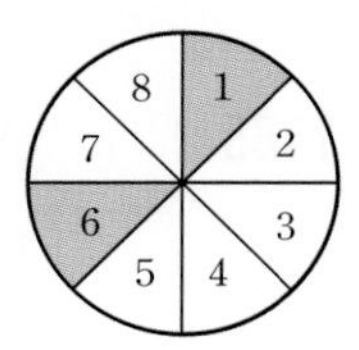

1199 색칠한 부분을 맞힐 확률

sol $\dfrac{(\text{해당하는 조각의 개수})}{(\text{전체 조각의 개수})}=\dfrac{\square}{8}=\square$

1200 소수가 적힌 부분을 맞힐 확률 ________

1201 홀수가 적힌 부분을 맞힐 확률 ________

1202 학교 시험 맛보기

오른쪽 그림과 같이 10등분된 원판을 돌려 바늘이 가리키는 숫자가 6의 약수가 나올 확률을 구하여라.
(단, 바늘이 경계선에 멈추는 경우는 없다.)

____

핵심 01~06

Mini Review Test

날짜 : 월 일

Subnote ➔ 57쪽

핵심 01

1203 1부터 12까지의 자연수가 각각 적힌 정십이면체를 던져 윗면의 수를 읽을 때, 소수가 나올 확률을 구하여라.

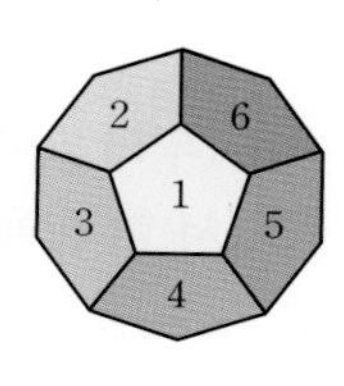

핵심 02

1204 1부터 5까지의 숫자가 각각 적힌 5장의 카드에서 두 장을 뽑아 두 자리의 자연수를 만들 때, 30 미만이 될 확률을 구하여라.

핵심 03

1205 사건 A가 일어날 확률을 p라고 할 때, 다음 설명 중 옳지 <u>않은</u> 것은?

① $0 \le p \le 1$
② $p=0$이면 사건 A는 절대로 일어나지 않는다.
③ $p=1$이면 사건 A는 반드시 일어난다.
④ 일어날 가능성이 많으면 $p>1$이다.
⑤ 사건 A가 일어나지 않을 확률은 $1-p$이다.

핵심 03

1206 서로 다른 두 개의 주사위를 동시에 던질 때, 두 눈의 수의 합이 1이 될 확률을 구하여라.

핵심 04

1207 1부터 24까지의 자연수가 적힌 24장의 카드에서 한 장의 카드를 뽑을 때, 24의 약수가 아닌 카드를 뽑을 확률을 구하여라.

핵심 05

1208 서로 다른 두 개의 주사위를 동시에 던질 때, 두 눈의 수의 합이 5 이상일 확률을 구하여라.

핵심 05 서술형

1209 남학생 3명, 여학생 4명 중 대표 2명을 뽑을 때, 적어도 한 명은 여학생을 뽑을 확률을 구하여라.

핵심 06

1210 오른쪽 그림과 같은 과녁에 화살을 한 번 쏠 때, 색칠한 부분을 맞힐 확률을 구하여라. (단, 화살이 과녁을 벗어나거나 경계선을 맞히는 경우는 없다.)

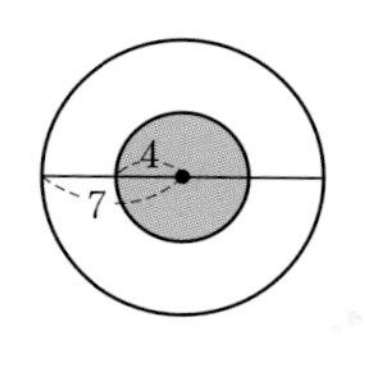

핵심 **07** 확률의 덧셈

날짜 : 월 일

Subnote 58쪽

두 사건 사이에 '또는', '~이거나' 등의 표현이 있으면 각 사건이 일어날 확률을 더해!

두 사건 A와 B가 동시에 일어나지 않을 때,
사건 A가 일어날 확률을 p, 사건 B가 일어날 확률을 q라고 하면
(사건 A 또는 사건 B가 일어날 확률)$=p+q$

모양과 크기가 같은 흰 공 5개, 검은 공 3개, 빨간 공 6개가 들어 있는 주머니에서 한 개의 공을 꺼낼 때, 다음을 구하여라.

1211 흰 공이 나올 확률 ______

1212 검은 공이 나올 확률 ______

1213 흰 공 또는 검은 공이 나올 확률

sol (흰 공이 나올 확률)+(검은 공이 나올 확률)
$=\square+\square=\square$

아래 표는 연지네 반 학생 30명의 혈액형을 조사한 것이다. 이 중에서 한 명을 선택할 때, 다음을 구하여라.

혈액형	A형	B형	O형	AB형
학생 수(명)	10	8	7	5

1214 A형을 선택할 확률 ______

1215 B형을 선택할 확률 ______

1216 A형 또는 B형을 선택할 확률 ______

1부터 20까지의 자연수가 각각 적힌 20장의 카드 중에서 한 장을 뽑을 때, 다음을 구하여라.

1217 5의 배수가 나올 확률 ______

1218 8의 배수가 나올 확률 ______

1219 5의 배수 또는 8의 배수가 나올 확률 ______

서로 다른 두 개의 주사위를 동시에 던질 때, 다음을 구하여라.

1220 두 눈의 수의 합이 6일 확률 ______

1221 두 눈의 수의 합이 7일 확률 ______

1222 두 눈의 수의 합이 6 또는 7일 확률 ______

1223 **학교 시험 맛보기**

한 개의 주사위를 두 번 던질 때, 나오는 두 눈의 수의 차가 2 이하일 확률을 구하여라.

______

핵심

08 확률의 곱셈 (1)

날짜 : 월 일

Subnote 58쪽

두 사건 사이에 '그리고', '~와' 등의 표현이 있으면 각 사건이 일어날 확률을 곱해.

두 사건 A와 B가 서로 영향을 주지 않을 때,
사건 A가 일어날 확률을 p, 사건 B가 일어날 확률을 q라고 하면
(두 사건 A와 B가 동시에 일어날 확률)$=p\times q$

동전 한 개와 주사위 한 개를 동시에 던질 때, 다음을 구하여라.

1224 동전은 앞면이 나올 확률 ______

1225 주사위는 짝수의 눈이 나올 확률 ______

1226 동전은 앞면이 나오고, 주사위는 짝수의 눈이 나올 확률 ______

두 개의 주사위 A, B를 동시에 던질 때, 다음을 구하여라.

1227 주사위 A는 3의 배수의 눈이 나오고, 주사위 B는 소수의 눈이 나올 확률 ______

1228 주사위 A는 3 이상의 눈이 나오고, 주사위 B는 4의 배수의 눈이 나올 확률 ______

다음을 구하여라.

1229 오늘 비가 올 확률은 $\frac{1}{5}$, 내일 비가 올 확률은 $\frac{1}{4}$일 때, 오늘과 내일 연속으로 비가 올 확률 ______

1230 두 사람 A, B가 약속 시간을 지킬 확률이 각각 $\frac{7}{8}$, $\frac{6}{7}$일 때, 두 사람이 약속 시간에 만날 확률 ______

1231 자유투 성공률이 $\frac{4}{5}$인 농구 선수가 자유투를 2번 던질 때, 2번 모두 성공할 확률 ______

1232 학교 시험 맛보기 

A, B, C 세 사람이 어떤 시험에서 합격할 확률이 각각 $\frac{3}{5}$, $\frac{5}{6}$, $\frac{4}{7}$일 때, 세 명 모두 합격할 확률을 구하여라.

______

11 확률

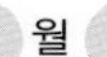

날짜 : 월 일

Subnote 59쪽

'적어도'가 나오면 반대의 확률을 떠올리자.

두 사건 A와 B가 서로 영향을 주지 않을 때,
사건 A가 일어날 확률을 p, 사건 B가 일어날 확률을 q라고 하면

(사건 A, B 중에서 적어도 하나가 일어날 확률)

$=1-$(사건 A가 일어나지 않을 확률)$\times$(사건 B가 일어나지 않을 확률)

$=\mathbf{1-(1-p)(1-q)}$

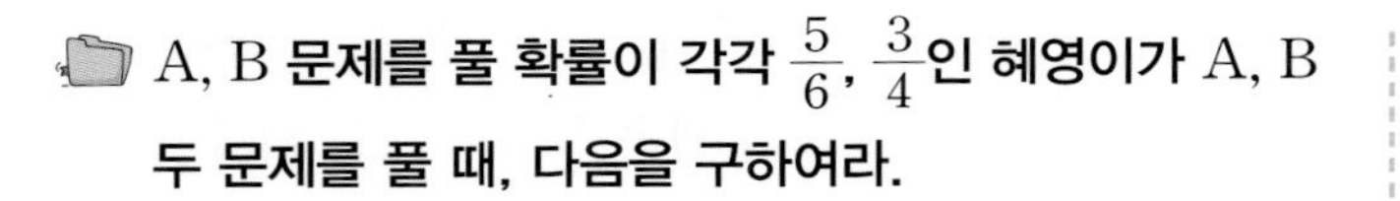

A, B 문제를 풀 확률이 각각 $\frac{5}{6}$, $\frac{3}{4}$인 혜영이가 A, B 두 문제를 풀 때, 다음을 구하여라.

1233 A, B 두 문제 중 A 문제만 풀 확률 ________

key A 문제는 풀고 B 문제는 못 풀 확률

1234 A, B 두 문제 중 B 문제만 풀 확률 ________

1235 A, B 두 문제 중 어느 한 문제만 풀 확률 ________

key (A 문제만 풀 확률)$+$(B 문제만 풀 확률)

1236 A, B 두 문제를 모두 못 풀 확률 ________

1237 A, B 두 문제 중 적어도 한 문제는 풀 확률

sol 1$-$(두 문제 모두 못 풀 확률)

$=1-\square=\square$

명중률이 각각 $\frac{4}{5}$, $\frac{5}{6}$인 두 양궁 선수 A, B가 화살을 한 번씩 쏠 때, 다음을 구하여라.

1238 A, B 모두 명중시키지 못할 확률 ________

1239 적어도 한 사람은 명중시킬 확률 ________

평소에 5개의 문제를 풀면 4개의 문제를 맞히는 예서가 두 문제를 풀 때, 다음을 구하여라.

1240 두 문제 모두 틀릴 확률 ________

1241 적어도 한 문제는 맞힐 확률 ________

1242 **학교 시험 맛보기** 

다음을 구하여라.

(1) 어떤 시험에서 A, B가 합격할 확률이 각각 $\frac{1}{3}$, $\frac{3}{4}$일 때, 적어도 한 사람은 합격할 확률 ________

(2) 안타를 칠 확률이 $\frac{4}{9}$인 야구 선수가 두 번의 타석에 설 때, 적어도 한 번은 안타를 칠 확률 ________

핵심

10 연속하여 꺼내는 경우의 확률 (1)

날짜 : 월 일

Subnote 59쪽

처음 일어난 사건이 나중에 일어나는 사건에 영향을 주지 않는다.

5개의 공이 들어 있는 주머니에서 한 개의 공을 꺼내 확인하고 다시 넣은 후 한 개의 공을 꺼낼 때

〈처음 꺼낼 때〉 〈나중에 꺼낼 때〉

전체 개수 : 5 전체 개수 : 5

같다.

오른쪽 그림과 같이 모양과 크기가 같은 흰 공 5개, 검은 공 3개가 들어 있는 주머니에서 공 1개를 꺼내 확인하고, 넣은 후 다시 1개를 꺼낼 때, 다음을 구하여라.

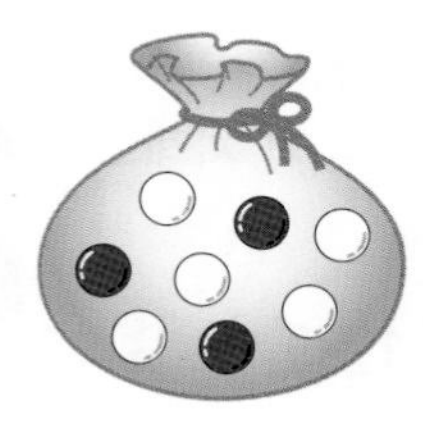

1243 두 번 모두 흰 공이 나올 확률

sol 처음에 흰 공이 나올 확률은 □

두 번째에 흰 공이 나올 확률은 □

따라서 두 번 모두 흰 공이 나올 확률은

□×□=□

1244 두 번 모두 검은 공이 나올 확률 ______

1245 같은 색의 공이 나올 확률 ______

1246 처음에는 흰 공, 두 번째는 검은 공이 나올 확률 ______

1247 적어도 한 개는 검은 공이 나올 확률 ______

9개의 제비 중에 3개의 당첨 제비가 들어 있다. A와 B가 차례로 제비를 한 개씩 뽑을 때, 다음을 구하여라. (단, 뽑은 제비는 다시 넣는다.)

1248 A, B 모두 당첨될 확률 ______

1249 A, B 모두 당첨되지 않을 확률 ______

1250 A만 당첨될 확률 ______

key A는 당첨되고 B는 당첨되지 않을 확률

1251 B만 당첨될 확률 ______

1252 한 명만 당첨될 확률 ______

1253 적어도 한 명은 당첨될 확률 ______

key 1−(A, B 모두 당첨되지 않을 확률)

11 연속하여 꺼내는 경우의 확률 (2)

핵심

날짜 : 월 일

Subnote 60쪽

처음 일어난 사건이 나중에 일어나는 사건에 영향을 준다.

5개의 공이 들어 있는 주머니에서 한 개의 공을 꺼내 확인하고 다시 넣지 않은 후 한 개의 공을 꺼낼 때

〈처음 꺼낼 때〉

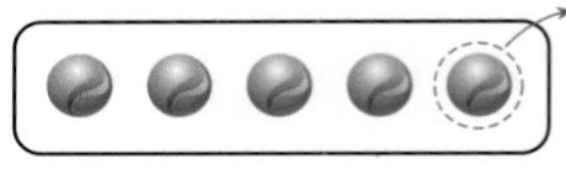

전체 개수 : 5

〈나중에 꺼낼 때〉

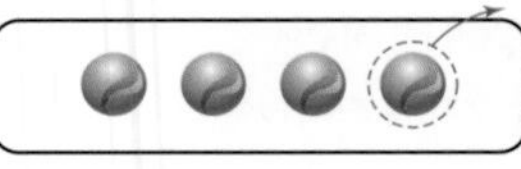

전체 개수 : 4

다르다.

오른쪽 그림과 같이 모양과 크기가 같은 흰 공 5개, 검은 공 3개가 들어 있는 주머니에서 공을 1개씩 2번 꺼낼 때, 다음을 구하여라. (단, 꺼낸 공은 다시 넣지 않는다.)

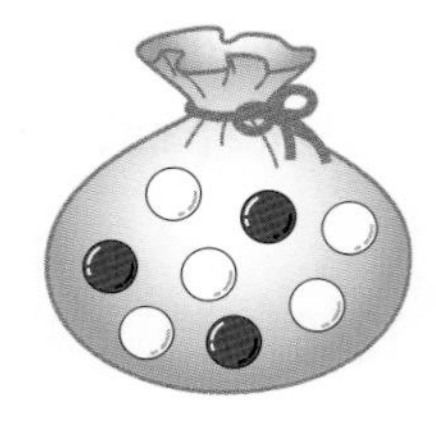

1254 두 번 모두 흰 공이 나올 확률

sol 처음에 흰 공이 나올 확률은 $\frac{5}{8}$

두 번째에 흰 공이 나올 확률은 $\square$

따라서 두 번 모두 흰 공이 나올 확률은

$\frac{5}{8}\times\square=\square$

1255 두 번 모두 검은 공이 나올 확률 ________

1256 같은 색의 공이 나올 확률 ________

1257 처음에는 흰 공, 두 번째는 검은 공이 나올 확률 ________

1258 적어도 한 개는 검은 공이 나올 확률 ________

9개의 제비 중에 3개의 당첨 제비가 들어 있다. A와 B가 차례로 제비를 한 개씩 뽑을 때, 다음을 구하여라. (단, 뽑은 제비는 다시 넣지 않는다.)

1259 A, B 모두 당첨될 확률 ________

1260 A만 당첨될 확률 ________

1261 B만 당첨될 확률 ________

1262 한 명만 당첨될 확률 ________

1263 A, B 모두 당첨되지 않을 확률 ________

1264 적어도 한 명은 당첨될 확률 ________

핵심 07~11

Mini Review Test

날짜 : 월 일

Subnote 60쪽

핵심 07

1265 서로 다른 주사위 두 개를 동시에 던질 때, 두 눈의 수의 곱이 4 또는 6일 확률은?

① $\frac{7}{15}$ ② $\frac{5}{12}$ ③ $\frac{3}{10}$
④ $\frac{1}{5}$ ⑤ $\frac{7}{36}$

핵심 07

1266 1, 2, 3, 4의 숫자가 각각 적힌 4장의 카드에서 2장을 뽑아 두 자리의 자연수를 만들 때, 두 자리의 자연수가 20 이하이거나 34 이상일 확률을 구하여라.

핵심 08

1267 오늘 비가 올 확률은 $\frac{1}{4}$이고, 내일 비가 올 확률은 $\frac{2}{5}$일 때, 오늘과 내일 모두 비가 올 확률은?

① $\frac{1}{10}$ ② $\frac{1}{4}$ ③ $\frac{2}{5}$
④ $\frac{3}{5}$ ⑤ 1

핵심 09 서술형

1268 호동이가 지각할 확률은 $\frac{1}{5}$, 승기가 지각할 확률은 $\frac{2}{7}$일 때, 어느 한 사람만 지각할 확률을 구하여라.

핵심 09

1269 명중률이 각각 $\frac{1}{4}$, $\frac{2}{3}$인 양궁 선수 A, B가 화살을 한 개씩 쏠 때, 적어도 한 사람은 명중할 확률은?

① $\frac{1}{2}$ ② $\frac{3}{4}$ ③ $\frac{5}{6}$
④ $\frac{7}{8}$ ⑤ $\frac{11}{12}$

핵심 09

1270 어떤 축구 선수가 평균 3경기에 한 골을 넣는다고 한다. 이 선수가 두 경기에서 적어도 한 골을 넣을 확률을 구하여라.

핵심 10 11

1271 검은 공이 3개, 흰 공이 4개 들어 있는 주머니에서 연속하여 2개의 공을 꺼낼 때, 2개 모두 흰 공이 나올 확률을 구하여라.

(1) 꺼낸 공을 다시 넣을 경우
(2) 꺼낸 공을 다시 넣지 않을 경우

핵심 11

1272 9개의 제비 중 당첨 제비가 2개 들어 있다. A와 B가 연속하여 한 개씩 제비를 뽑을 때, 두 사람 중 한 사람만 당첨될 확률을 구하여라. (단, 뽑은 제비는 다시 넣지 않는다.)

Review

Talk Talk

PM 3:11
YOU♡
사건 A가 일어날 확률은 어떻게 구할까?
(❶) / (모든 경우의 수)
어떤 사건이 일어날 확률을 p라고 할 때, p의 값의 범위는?
(❷)
어떤 사건 A가 일어날 확률이 p일 때, 사건 A가 일어나지 않을 확률은?
(❸)
사건 A 또는 사건 B가 일어날 확률은 어떻게 구할까?
더해! ➡ (사건 A 확률)+(사건 B 확률)
두 사건 A와 B가 동시에 일어날 확률은 어떻게 구할까?
곱해! ➡ (사건 A 확률)×(사건 B 확률)
먼저 꺼낸 공을 다시 넣지 않는다면 확률은 ...?
꺼낸 공을 다시 넣지 않으면 나중에 꺼낼 때 전체 공의 개수가 줄어 들어서 확률이 달라져.
❶ 사건 A가 일어나는 경우의 수 ❷ $0 \le p \le 1$ ❸ $1-p$

스타트업 중학 수학 2-하

SUB NOTE
정답 및 해설

❶ 삼각형의 성질 

1. 이등변삼각형과 직각삼각형

01 이등변삼각형
본문 ◎ 15쪽

0001 (1) $\angle A$ (2) $\overline{BC}$ (3) $\angle B$, $\angle C$
0002 (1) $\angle C$ (2) $\overline{AB}$ (3) $\angle A$, $\angle B$
0003 (1) $\angle B$ (2) $\overline{AC}$ (3) $\angle A$, $\angle C$
0004 7, 7 **0005** 5 **0006** 8 **0007** 36 cm

0005 $\angle A$가 꼭지각이므로 $\overline{AC}=\overline{AB}=5$ cm $\therefore x=5$

0006 $\angle A$가 꼭지각이므로 $\overline{AC}=\overline{AB}=8$ cm $\therefore x=8$

0007 $\angle A$가 꼭지각이므로 $\overline{AB}=\overline{AC}=10$ cm
따라서 $\triangle ABC$의 둘레의 길이는
$10+10+16=36$(cm)

02 이등변삼각형의 성질 (1)
본문 ◎ 16쪽

0008 $55°$ **0009** 80, 50 **0010** $75°$ **0011** $110°$
0012 $65°$ **0013** $100°$ **0014** $126°$
0015 $\angle x=45°$, $\angle y=90°$

0008 $\triangle ABC$가 $\overline{AB}=\overline{AC}$인 이등변삼각형이므로 $\angle B=\angle C$
$\therefore \angle x=55°$

0010 $\triangle ABC$에서 $\angle B=\angle C$이므로
$\therefore \angle x=\frac{1}{2}\times(180°-30°)=75°$

0011 $\triangle ABC$에서 $\angle B=\angle C=35°$이므로
$\angle x=180°-2\times 35°=110°$

0012 $\angle ACB=180°-115°=65°$
$\triangle ABC$에서 $\overline{AB}=\overline{AC}$이므로
$\angle x=\angle ACB=65°$

0013 $\angle ABC=180°-140°=40°$이므로
$\angle x=180°-2\times 40°=100°$

0014 $\angle ACB=\frac{1}{2}\times(180°-72°)=54°$이므로
$\angle x=180°-54°=126°$

0015 $\angle ACB=180°-135°=45°$이므로 $\angle x=\angle ACB=45°$
$\therefore \angle y=180°-2\times 45°=90°$

03 이등변삼각형의 성질 (2)
본문 ◎ 17쪽

0016 $90°$ **0017** $35°$ **0018** $45°$ **0019** $40°$
0020 6, 6 **0021** 8 **0022** 5 **0023** 74

0018 $\overline{AD}\perp\overline{BC}$이고, $\overline{BD}=\overline{CD}$이므로 $\angle BAD=\angle CAD=45°$
$\therefore \angle x=180°-(90°+45°)=45°$

0019 $\overline{BD}=\overline{CD}$이므로 $\overline{AD}\perp\overline{BC}$ $\therefore \angle ADB=90°$
또 $\angle B=\angle C=50°$이므로
$\angle x=180°-(90°+50°)=40°$

0021 $x=2\times 4=8$

0022 $x=\frac{1}{2}\times 10=5$

0023 $\angle A=2\times 30°=60°$
$\angle x=180°-(30°+90°)=60°$ $\therefore x=60$
$\therefore \angle C=\angle B=60°$
따라서 $\triangle ABC$는 정삼각형이므로
$\overline{AC}=\overline{BC}=2\times 7=14$ $\therefore y=14$
$\therefore x+y=60+14=74$

04 이등변삼각형이 되는 조건
본문 ◎ 18쪽

0024 3 **0025** 2 **0026** 5 **0027** 6
0028 35, 8, 8 **0029** 7 **0030** 100

0026 $\angle A=180°-(40°+70°)=70°$
즉, $\angle A=\angle C$이므로
$\overline{BC}=\overline{AB}=5$ cm $\therefore x=5$

0027 $\angle B=180°-(72°+36°)=72°$
즉, $\angle A=\angle B$이므로
$\overline{AC}=\overline{BC}=6$ cm $\therefore x=6$

0029 $\angle A+\angle B=110°$이므로
$55°+\angle B=110°$ $\therefore \angle B=55°$
즉, $\angle A=\angle B$이므로
$\overline{BC}=\overline{AC}=7$ cm $\therefore x=7$

0030 $\angle B=\angle C=65°$이므로 $\triangle ABC$는 이등변삼각형이다.
이등변삼각형의 꼭지각의 이등분선은 밑변을 수직이등분하므로
$\angle ADC=90°$ $\quad\therefore x=90$
$\overline{BC}=2\overline{BD}=2\times5=10(cm)$ $\quad\therefore y=10$
$\therefore x+y=90+10=100$

05 폭이 일정한 종이 접기

본문 ◎ 19쪽

0031 $\angle CBA$, $\overline{CB}$, 2 **0032** 8 **0033** 4
0034 56, 62 **0035** 56° **0036** 55

0032 $\angle BAC=\angle DAC$(접은 각), $\angle ACB=\angle DAC$(엇각)
$\therefore \angle BAC=\angle ACB$
따라서 $\triangle ABC$는 이등변삼각형이므로 $x=8$

0033 $\angle CAB=\angle BAD$(접은 각), $\angle CBA=\angle BAD$(엇각)
$\therefore \angle CAB=\angle CBA$
따라서 $\triangle ABC$는 이등변삼각형이므로 $x=4$

0035 $\angle CBD=\angle x$(엇각), $\angle ABC=\angle CBD=\angle x$(접은 각)
$\triangle ABC$에서 $112°=\angle ABC+\angle ACB=2\angle x$
$\therefore \angle x=56°$

0036 $\angle BAC=\angle DAC=65°$(접은 각)
$\angle BCA=\angle DAC=65°$(엇각)
따라서 $\triangle ABC$는 $\overline{BA}=\overline{BC}$인 이등변삼각형이므로 $x=5$
$\angle y=180°-2\times65°=50°$ $\quad\therefore y=50$
$\therefore x+y=5+50=55$

06 이등변삼각형의 성질의 활용 (1)

본문 ◎ 20쪽

0037 72, 36, 72, 36, 36 **0038** 110° **0039** 45°
0040 15° **0041** 27, 27, 81 **0042** 108°
0043 84° **0044** 22°

0038 $\triangle ABC$에서 $\angle C=\frac{1}{2}\times(180°-40°)=70°$
$\triangle BCD$에서 $\angle BDC=\angle C=70°$
$\therefore \angle x=180°-\angle BDC=180°-70°=110°$

0039 $\triangle ABC$에서 $\angle ABC=\angle C=75°$
$\triangle BCD$에서 $\angle DBC=180°-2\times75°=30°$
$\therefore \angle x=75°-30°=45°$

0040 $\triangle ABC$에서 $\angle B=\angle BCA=\frac{1}{2}\times(180°-50°)=65°$
$\triangle DBC$에서 $\angle BCD=180°-2\times65°=50°$
$\therefore \angle x=65°-50°=15°$

0042 $\triangle ABC$에서 $\angle ABC=\frac{1}{2}\times(180°-84°)=48°$
$\therefore \angle ABD=\frac{1}{2}\times48°=24°$
$\triangle ABD$에서 $\angle x=84°+24°=108°$

0043 $\triangle ABC$에서 $\angle BCA=\frac{1}{2}\times(180°-52°)=64°$
$\therefore \angle ACD=\frac{1}{2}\times64°=32°$
$\triangle ADC$에서 $\angle x=52°+32°=84°$

0044 $\triangle ABC$에서 $\angle ABC=\angle ACB=\frac{1}{2}\times(180°-44°)=68°$
$\therefore \angle DBC=\frac{1}{2}\angle ABC=\frac{1}{2}\times68°=34°$
$\angle ACE=180°-68°=112°$이므로
$\angle DCE=\frac{1}{2}\times112°=56°$
따라서 $\triangle DBC$에서 $56°=34°+\angle x$
$\therefore \angle x=22°$

07 이등변삼각형의 성질의 활용 (2)

본문 ◎ 21쪽

0045 110, 110, 35 **0046** 60° **0047** 65°
0048 20° **0049** 120° **0050** $2\angle x$, $2\angle x$, $3\angle x$, 20
0051 35° **0052** 36°

0046 $\triangle ABD$에서 $\angle BAD=\angle B=30°$
$\therefore \angle ADC=\angle B+\angle BAD=30°+30°=60°$
$\triangle ADC$에서 $\angle x=\frac{1}{2}\times(180°-60°)=60°$

0047 $\triangle ADC$에서 $\angle CAD=\angle C=25°$
$\therefore \angle ADB=\angle C+\angle CAD=25°+25°=50°$
$\triangle ABD$에서 $\angle x=\frac{1}{2}\times(180°-50°)=65°$

0048 $\triangle ABD$에서 $\angle DAB=\angle B=70°$
$\therefore \angle ADC=\angle DAB+\angle B=70°+70°=140°$
$\triangle ADC$에서 $\angle x=\frac{1}{2}\times(180°-140°)=20°$

0049 $\triangle ABC$에서 $\angle ACB=\angle B=15°$
$\therefore \angle DAC=15°+15°=30°$

$\triangle$DAC에서 $\angle D=\angle DAC=30^\circ$이므로
$\angle x=180^\circ-2\times30^\circ=120^\circ$

0051 $\triangle$ABC에서
$\angle ACB=\angle B=\angle x$
$\therefore \angle DAC=\angle B+\angle ACB$
$=\angle x+\angle x=2\angle x$
$\triangle$ACD에서 $\angle D=\angle DAC=2\angle x$
$\triangle$BCD에서 $\angle B+\angle D=105^\circ$이므로 $\angle x+2\angle x=105^\circ$
$3\angle x=105^\circ \qquad \therefore \angle x=35^\circ$

0052 $\triangle$ABD에서 $\angle ABD=\angle A=\angle x$이므로
$\angle BDC=\angle x+\angle x=2\angle x$
$\triangle$BCD에서 $\angle C=\angle BDC=2\angle x$
$\triangle$ABC에서 $\angle B=\angle C=2\angle x$
따라서 $\triangle$ABC에서
$\angle x+2\angle x+2\angle x=180^\circ$이므로
$5\angle x=180^\circ \qquad \therefore \angle x=36^\circ$

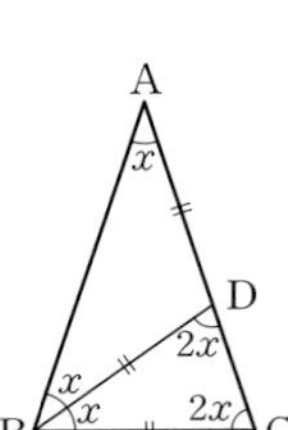

핵심 01~07 Mini Review Test 본문 ○ 22쪽

0053 16 cm	**0054** $\angle x=52^\circ$, $\angle y=76^\circ$		**0055** 64
0056 4	**0057** 71°	**0058** 30°	**0059** 42°
0060 36°			

0053 $\angle C$가 꼭지각이므로 $\overline{CB}=\overline{CA}=5$ cm
따라서 $\triangle$ABC의 둘레의 길이는 $5+6+5=16$(cm)

0054 $\angle x=\angle ABC=180^\circ-128^\circ=52^\circ$
$\angle y=180^\circ-2\times52^\circ=76^\circ$

0055 이등변삼각형의 꼭지각의 이등분선은 밑변을 수직이등분하므로
$\overline{AD}\perp\overline{BC}$, $\overline{CD}=\overline{BD}=6$ cm $\qquad \therefore x=6$
즉, $\angle y=180^\circ-(90^\circ+32^\circ)=58^\circ$이므로 $y=58$
$\therefore x+y=6+58=64$

0056 $\triangle$ABC에서 $\angle A=50^\circ-25^\circ=25^\circ$이므로 $\triangle$ABC는
$\overline{BA}=\overline{BC}$인 이등변삼각형이다. $\qquad \therefore x=4$

0057 $\angle BAC=\angle x$(접은 각), $\angle ACB=\angle x$(엇각)
$\therefore \angle BAC=\angle ACB$
$\therefore \angle x=\frac{1}{2}\times(180^\circ-38^\circ)=71^\circ$

0058 $\triangle$ABC에서 $\overline{AB}=\overline{AC}$이므로
$\angle ACB=\angle B=\frac{1}{2}\times(180^\circ-40^\circ)=70^\circ$ ······ ❶
$\triangle$CDB에서 $\overline{CD}=\overline{CB}$이므로 $\angle CDB=\angle B=70^\circ$
$\therefore \angle BCD=180^\circ-2\times70^\circ=40^\circ$ ······ ❷
$\therefore \angle x=70^\circ-40^\circ=30^\circ$ ······ ❸

채점 기준	배점
❶ $\angle ACB$의 크기 구하기	40 %
❷ $\angle BCD$의 크기 구하기	40 %
❸ $\angle x$의 크기 구하기	20 %

0059 $\angle ABC=\angle ACB=\frac{1}{2}\times(180^\circ-84^\circ)=48^\circ$이므로
$\angle DBC=\frac{1}{2}\times48^\circ=24^\circ$
또 $\angle ACE=180^\circ-48^\circ=132^\circ$이므로
$\angle DCE=\frac{1}{2}\times132^\circ=66^\circ$
$\triangle$DBC에서 $\angle DCE=\angle DBC+\angle D$이므로
$66^\circ=24^\circ+\angle x \qquad \therefore \angle x=42^\circ$

0060 $\triangle$ABD에서 $\overline{DB}=\overline{DA}$이므로 $\angle ABD=\angle x$
$\therefore \angle BDC=\angle x+\angle x=2\angle x$
$\triangle$BCD에서 $\angle C=\angle BDC=2\angle x$
$\triangle$ABC에서 $\angle x+2\angle x=108^\circ$
$3\angle x=108^\circ \qquad \therefore \angle x=36^\circ$

08 직각삼각형의 합동 조건 (1) – RHA 합동

본문 ○ 23쪽

0061 $\angle$E, $\angle$D, ASA
0062 $\angle$F, $\overline{DE}$, $\angle$D, RHA
0063 $\triangle ABC\equiv\triangle EFD$ (RHA 합동)
0064 $\triangle ABC\equiv\triangle DFE$ (RHA 합동)

0063 $\triangle$ABC와 $\triangle$EFD에서
$\angle B=\angle F=90^\circ$, $\overline{AC}=\overline{ED}=2$ cm, $\angle C=\angle D=30^\circ$
$\therefore \triangle ABC\equiv\triangle EFD$ (RHA 합동)

0064 $\triangle$ABC와 $\triangle$DFE에서
$\angle C=\angle E=90^\circ$, $\overline{AB}=\overline{DF}=10$ cm
$\angle F=180^\circ-(35^\circ+90^\circ)=55^\circ$이므로 $\angle B=\angle F=55^\circ$
$\therefore \triangle ABC\equiv\triangle DFE$ (RHA 합동)

09 직각삼각형의 합동 조건 (2) – RHS 합동

본문 ○ 24쪽

0065 180, $\overline{AB}$, $\angle$E, RHA **0066** $\angle$E, $\overline{DF}$, $\overline{EF}$, RHS
0067 $\triangle ABC\equiv\triangle EFD$ (RHS 합동)
0068 $\triangle ABC\equiv\triangle EFD$ (RHS 합동)

0067 △ABC와 △EFD에서
$\angle A=\angle E=90°$, $\overline{BC}=\overline{FD}=10$ cm, $\overline{AB}=\overline{EF}=6$ cm
∴ △ABC≡△EFD (RHS 합동)

0068 △ABC와 △EFD에서
$\angle C=\angle D=90°$, $\overline{AB}=\overline{EF}=17$ cm, $\overline{BC}=\overline{FD}=8$ cm
∴ △ABC≡△EFD (RHS 합동)

10 직각삼각형의 합동 조건

본문 ◎ 25쪽

0069 △ABC≡△KLJ (RHA 합동)
0070 △ABC≡△KJL (RHA 합동), △DEF≡△HIG (RHS 합동)
0071 4 **0072** 3 **0073** 5 **0074** 6 cm

0071 △ABC와 △FDE에서
$\angle C=\angle E=90°$, $\overline{AB}=\overline{FD}=8$ cm,
$\angle D=180°-(90°+30°)=60°=\angle B$
∴ △ABC≡△FDE (RHA 합동)
따라서 $\overline{BC}=\overline{DE}=4$ cm이므로 $x=4$

0072 △ABC와 △EFD에서
$\angle A=\angle E=90°$, $\overline{AC}=\overline{ED}=4$ cm, $\overline{BC}=\overline{FD}=5$ cm
∴ △ABC≡△EFD (RHS 합동)
따라서 $\overline{EF}=\overline{AB}=3$ cm이므로 $x=3$

0073 △ABC와 △EFD에서
$\angle C=\angle D=90°$, $\overline{AB}=\overline{EF}=13$ cm, $\overline{AC}=\overline{ED}=12$ cm
∴ △ABC≡△EFD (RHS 합동)
따라서 $\overline{CB}=\overline{DF}=5$ cm이므로 $x=5$

0074 △ABC와 △DFE에서
$\angle B=\angle F=90°$, $\overline{AC}=\overline{DE}$,
$\angle C=180°-(90°+25°)=65°=\angle E$
∴ △ABC≡△DFE (RHA 합동)
∴ $\overline{EF}=\overline{CB}=6$ cm

11 직각삼각형의 합동 조건의 활용 (1)

본문 ◎ 26쪽

0075 △EAC, 3, 4, 3, 4, 7, 7 **0076** 8
0077 2 **0078** △BEC, 12, 12, 42 **0079** 32 cm²
0080 (1) 50 cm² (2) 26 cm²

0076 △ADB≡△BEC (RHA 합동)이므로
$\overline{DB}=\overline{EC}=8$ cm ∴ $x=8$

0077 △DBA≡△EAC (RHA 합동)이므로
$\overline{AE}=\overline{BD}=4$ cm, $\overline{DA}=\overline{EC}=x$ cm
이때 $\overline{DA}+\overline{AE}=\overline{DE}$이므로
$x+4=6$ ∴ $x=2$

0079 △ADB≡△BEC (RHA 합동)이므로
$\overline{DB}=\overline{EC}=3$ cm, $\overline{BE}=\overline{AD}=5$ cm
∴ $\overline{DE}=\overline{DB}+\overline{BE}=3+5=8$ (cm)
∴ $\square ADEC=\frac{1}{2}\times(5+3)\times 8=32$ (cm²)

0080 (1) △DBA≡△EAC (RHA 합동)이므로
$\overline{AE}=\overline{BD}=6$ cm, $\overline{DA}=\overline{EC}=4$ cm
$\overline{DE}=\overline{DA}+\overline{AE}=6+4=10$ (cm)
∴ $\square DBCE=\frac{1}{2}\times(6+4)\times 10=50$ (cm²)

(2) $\triangle DBA=\triangle EAC=\frac{1}{2}\times 6\times 4=12$ (cm²)
∴ $\triangle ABC=\square DBCE-\triangle DBA-\triangle EAC$
$=50-2\times 12=26$ (cm²)

12 직각삼각형의 합동 조건의 활용 (2)

본문 ◎ 27쪽

0081 △ADE, ∠DAE, 50, 25 **0082** 46°
0083 72° **0084** 4, 4, 30 **0085** 18 cm² **0086** 58

0082 △ABE≡△ADE(RHS 합동)이므로
$\angle DAE=\angle BAE=22°$
∴ $\angle A=22°\times 2=44°$
∴ $\angle x=90°-44°=46°$

0083 △DEC≡△BEC (RHS 합동)이므로
$\angle ECD=\angle ECB=18°$
△DEC에서 $\angle x=180°-(90°+18°)=72°$

0085 △ABE≡△ADE (RHS 합동)이므로
$\overline{DE}=\overline{BE}=6$ cm
△DEC에서 $\angle DEC=\angle C=45°$이므로
$\overline{DC}=\overline{DE}=6$ cm
∴ $\triangle DEC=\frac{1}{2}\times 6\times 6=18$(cm²)

0086 $\triangle ACE \equiv \triangle ADE$ (RHS 합동)이므로
$\angle AED = \angle AEC = 90° - 28° = 62°$
$\therefore \angle x = 180° - 2 \times 62° = 56°$ $\therefore x = 56$
또 $\overline{CE} = \overline{DE} = 2$ cm이므로 $y = 2$
$\therefore x + y = 56 + 2 = 58$

13 각의 이등분선의 성질

본문 ○ 28쪽

0087 RHA, 2 **0088** 2 **0089** 12
0090 3 **0091** RHS, 25 **0092** 21°
0093 77° **0094** 66°

0088 $\angle DBE = \angle CBE$이므로 $\triangle DBE \equiv \triangle CBE$ (RHA 합동)
따라서 $\overline{BD} = \overline{BC} = 6$ cm이므로
$x = 8 - 6 = 2$

0089 $\angle DBE = \angle CBE$이므로 $\triangle DBE \equiv \triangle CBE$ (RHA 합동)
따라서 $\overline{BD} = \overline{BC} = 8$ cm이므로
$x = 8 + 4 = 12$

0090 $\angle DAE = \angle CAE$이므로 $\triangle ADE \equiv \triangle ACE$ (RHA 합동)
$\therefore \overline{DE} = \overline{CE} = 3$ cm
$\triangle DBE$에서 $\angle DBE = 180° - (90° + 45°) = 45°$
따라서 $\angle DBE = \angle DEB$이므로 $\overline{BD} = \overline{DE}$
$\therefore x = 3$

0092 $\overline{DE} = \overline{CE}$이므로 $\triangle DBE \equiv \triangle CBE$ (RHS 합동)
$\angle DBE = \angle CBE$이고
$\angle ABC = 90° - 48° = 42°$
$\therefore \angle x = \frac{1}{2} \times 42° = 21°$

0093 $\overline{BE} = \overline{DE}$이므로 $\triangle CBE \equiv \triangle CDE$ (RHS 합동)
$\angle BCE = \angle DCE$이고
$\angle C = 180° - (64° + 90°) = 26°$이므로
$\angle BCE = \frac{1}{2}\angle C = \frac{1}{2} \times 26° = 13°$
따라서 $\triangle EBC$에서
$\angle x = 180° - (90° + 13°) = 77°$

0094 $\overline{CE} = \overline{DE}$이므로 $\triangle ACE \equiv \triangle ADE$ (RHS 합동)
$\angle CAE = \angle DAE$이고
$\angle A = 90° - 42° = 48°$이므로
$\angle CAE = \frac{1}{2} \times 48° = 24°$
$\therefore \angle x = 90° - 24° = 66°$

핵심 08~13 Mini Review Test

본문 ○ 29쪽

0095 4 cm **0096** ③ **0097** ②, ⑤ **0098** 17 cm^2
0099 ④ **0100** ④

0095 $\triangle ABC$와 $\triangle EFD$에서
$\angle B = \angle F = 90°$, $\overline{CA} = \overline{DE} = 5$ cm,
$\angle D = 180° - (90° + 37°) = 53° = \angle C$
$\therefore \triangle ABC \equiv \triangle EFD$ (RHA 합동)
$\therefore \overline{EF} = \overline{AB} = 4$ cm

0096 ① RHA 합동
② RHS 합동
③ 세 각이 각각 같다고 합동이 될 수 없다.
④ SAS 합동
⑤ $\angle A = \angle D$, $\angle C = \angle F = 90°$이므로 $\angle B = \angle E$
$\therefore \triangle ABC \equiv \triangle DEF$ (ASA 합동)

0097 ② ㄱ과 ㅂ → RHA 합동
⑤ ㄷ과 ㄹ → RHS 합동

0098 $\triangle DBA \equiv \triangle EAC$ (RHA 합동)이므로
$\overline{AE} = \overline{BD} = 5$ cm, $\overline{DA} = \overline{EC} = 3$ cm
$\therefore \overline{DE} = \overline{DA} + \overline{AE} = 3 + 5 = 8$(cm)
이때 사다리꼴 DBCE의 넓이는
$\frac{1}{2} \times (5 + 3) \times 8 = 32$(cm^2) ······ ❶
$\triangle DBA = \triangle EAC = \frac{1}{2} \times 5 \times 3 = \frac{15}{2}$(cm^2) ······ ❷
$\therefore \triangle ABC = 32 - 2 \times \frac{15}{2} = 17$(cm^2) ······ ❸

채점 기준	배점
❶ □DBCE의 넓이 구하기	50 %
❷ $\triangle DBA$의 넓이 구하기	30 %
❸ $\triangle ABC$의 넓이 구하기	20 %

0099 $\triangle ABE$에서 $\angle BEA = 90° - 24° = 66°$
$\triangle ADE \equiv \triangle ABE$ (RHS 합동)이므로
$\angle AED = \angle AEB = 66°$
$\therefore \angle x = 180° - (66° + 66°) = 48°$ $\therefore x = 48$
또한 $\overline{AB} = \overline{AD}$이므로 $y = 3$
$\therefore x + y = 48 + 3 = 51$

0100 $\overline{CE} = \overline{DE}$이므로 $\triangle ACE \equiv \triangle ADE$ (RHS 합동)
$\angle CAE = \angle DAE$이고 $\angle A = 90° - 30° = 60°$이므로
$\angle CAE = \frac{1}{2} \times 60° = 30°$
$\therefore \angle x = 90° - 30° = 60°$

2. 삼각형의 외심과 내심

01 삼각형의 외심과 뜻과 성질

본문 ◎ 33쪽

0101 ㄱ	**0102** ㄹ	**0103** ○	**0104** ×
0105 ○	**0106** ×	**0107** ○	**0108** ○

0103 삼각형의 외심에서 세 꼭짓점에 이르는 거리는 같다.

0107 △OAB는 $\overline{OA}=\overline{OB}$인 이등변삼각형이므로
$\angle OAD=\angle OBD$

0108 △OAD와 △OBD에서
$\overline{AD}=\overline{BD}$, $\overline{OD}$는 공통, $\angle ODA=\angle ODB=90^\circ$
∴ △OAD≡△OBD (SAS 합동)

02 삼각형의 외심의 성질

본문 ◎ 34쪽

0109 5	**0110** 6	**0111** 4	**0112** 2
0113 124, 28	**0114** 140°	**0115** 54°	**0116** 30 cm

0110 $x=2\times3=6$

0111 $x=\frac{1}{2}\times8=4$

0114 △OAB는 $\overline{OA}=\overline{OB}$인 이등변삼각형이므로
$\angle x=180^\circ-2\times20^\circ=140^\circ$

0115 △OCA는 $\overline{OC}=\overline{OA}$인 이등변삼각형이므로
$\angle x=\frac{1}{2}\times(180^\circ-72^\circ)=54^\circ$

0116 $\overline{CE}=\overline{BE}=6$ cm, $\overline{BD}=\overline{AD}=5$ cm, $\overline{CF}=\overline{AF}=4$ cm
따라서 △ABC의 둘레의 길이는
$2\times(6+5+4)=30$(cm)

03 삼각형의 외심의 위치

본문 ◎ 35쪽

0117 6	**0118** 16	**0119** 5	**0120** 10
0121 36, 36, 54		**0122** 50°	**0123** 32°
0124 36π cm²			

0118 $x=2\times8=16$

0119 $x=\frac{1}{2}\times10=5$

0120 $x=2\times5=10$

0122 △OAB에서 $\overline{OA}=\overline{OB}$이므로 $\angle OAB=\angle OBA=25^\circ$
∴ $\angle x=25^\circ+25^\circ=50^\circ$

0123 △OBC에서 $\overline{OB}=\overline{OC}$이므로 $\angle OCB=\angle OBC=\angle x$
$64^\circ=\angle x+\angle x$ ∴ $\angle x=32^\circ$

0124 △ABC의 외접원의 반지름의 길이는
$\frac{1}{2}\times\overline{AB}=\frac{1}{2}\times12=6$(cm)
따라서 외접원의 넓이는
$\pi\times6^2=36\pi$(cm²)

04 삼각형의 외심을 이용하여 각의 크기 구하기 (1)

본문 ◎ 36쪽

0125 90, 15	**0126** 25°	**0127** 28°	**0128** 110°
0129 26°	**0130** 36°	**0131** 62°	**0132** 22°

0126 $\angle OAC=\angle OCA=45^\circ$이므로
$\angle x+20^\circ+45^\circ=90^\circ$
∴ $\angle x=25^\circ$

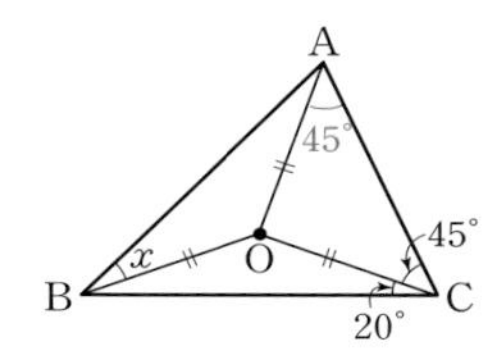

0127 $\angle OAC=\angle OCA=24^\circ$이므로
$38^\circ+\angle x+24^\circ=90^\circ$
∴ $\angle x=28^\circ$

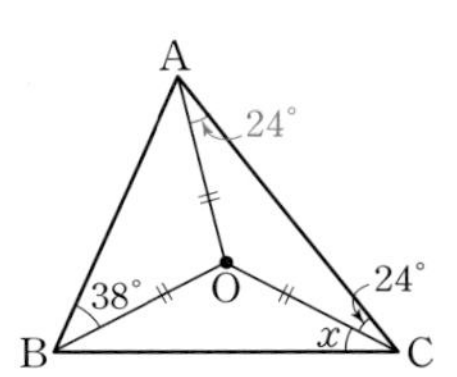

0128 $\angle OAC+21^\circ+34^\circ=90^\circ$이므로
$\angle OAC=35^\circ$
이때 △OCA에서
$\angle OCA=\angle OAC=35^\circ$이므로
$\angle x=180^\circ-(35^\circ+35^\circ)=110^\circ$

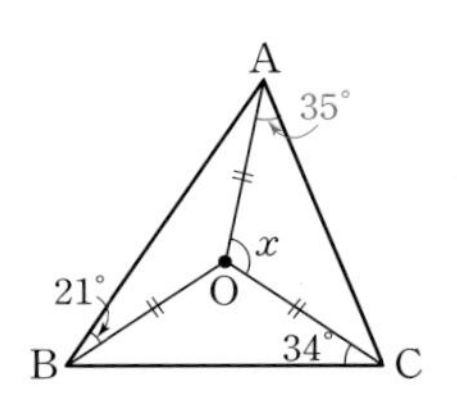

0129 $\overline{OA}$를 그으면 △OCA는 이등변삼각형이므로 $\angle OAC=\angle OCA=18^\circ$
즉, $46^\circ+\angle x+18^\circ=90^\circ$이므로
$\angle x=26^\circ$

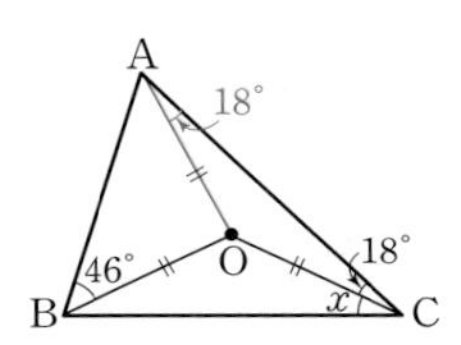

0130 $\overline{OC}$를 그으면 $\triangle OCA$는 이등변삼각형이므로 $\angle OCA=\angle OAC=\angle x$
즉, $30^\circ+24^\circ+\angle x=90^\circ$이므로
$\angle x=36^\circ$

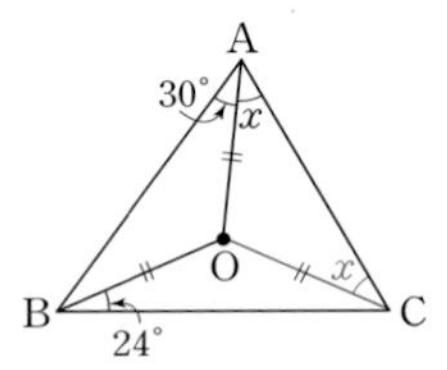

0131 $\overline{OA}$를 그으면 $\triangle OAB$는 이등변삼각형이므로 $\angle OAB=\angle OBA=42^\circ$
즉, $\angle OAC+42^\circ+28^\circ=90^\circ$이므로
$\angle OAC=20^\circ$
$\therefore \angle x=\angle OAB+\angle OAC$
$=42^\circ+20^\circ=62^\circ$

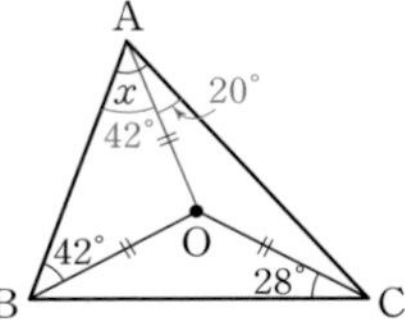

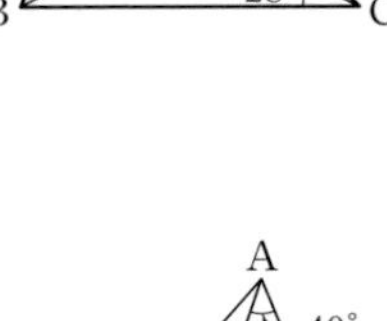

0132 $\overline{OC}$를 그으면 $\angle OCA=\angle OAC=40^\circ$
$\therefore \angle OCB=68^\circ-40^\circ=28^\circ$
즉, $\angle x+28^\circ+40^\circ=90^\circ$이므로
$\angle x=22^\circ$

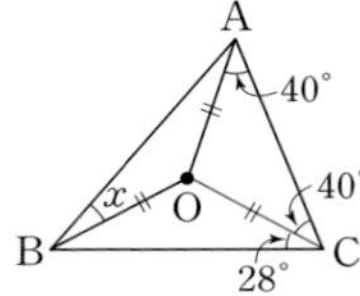

05 삼각형의 외심을 이용하여 각의 크기 구하기 (2)

본문 ➲ 37쪽

0133 60, 120 **0134** 70° **0135** 90° **0136** 108°
0137 55° **0138** 25° **0139** 100°
0140 $\angle x=100^\circ$, $\angle y=50^\circ$

0134 $\angle x=\frac{1}{2}\times 140^\circ=70^\circ$

0135 $\angle C=20^\circ+25^\circ=45^\circ$이므로 $\angle x=2\times 45^\circ=90^\circ$

0136 $\triangle OAB$는 이등변삼각형이므로 $\angle OBA=\angle OAB=30^\circ$
즉, $\angle ABC=30^\circ+24^\circ=54^\circ$이므로
$\angle x=2\angle ABC=2\times 54^\circ=108^\circ$

0137 $\triangle OBC$는 이등변삼각형이므로
$\angle BOC=180^\circ-2\times 35^\circ=110^\circ$
$\therefore \angle x=\frac{1}{2}\angle BOC=\frac{1}{2}\times 110^\circ=55^\circ$

0138 $\angle AOC=2\times 65^\circ=130^\circ$
$\therefore \angle x=\frac{1}{2}\times(180^\circ-130^\circ)=25^\circ$

0139 $\overline{OA}$를 그으면 $\triangle OAB$, $\triangle OCA$는 각각 이등변삼각형이므로
$\angle OAB=\angle OBA=24^\circ$,
$\angle OAC=\angle OCA=26^\circ$
즉, $\angle BAC=24^\circ+26^\circ=50^\circ$이므로
$\angle x=2\angle BAC=2\times 50^\circ=100^\circ$

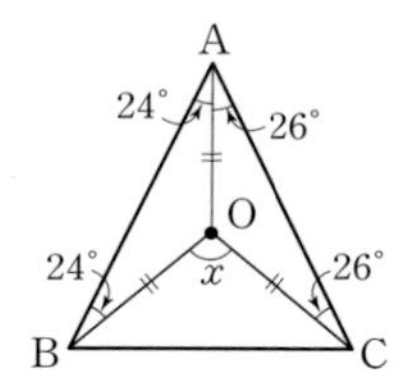

0140 $\angle OAC=\angle OCA=40^\circ$이므로
$\angle x=180^\circ-(40^\circ+40^\circ)=100^\circ$
$\therefore \angle y=\frac{1}{2}\angle x=\frac{1}{2}\times 100^\circ=50^\circ$

핵심 01~05 Mini Review Test

본문 ➲ 38쪽

0141 ④ **0142** $x=10$, $y=6$ **0143** 47°
0144 67 **0145** $100\pi\ \text{cm}^2$ **0146** 70°
0147 $\angle x=75^\circ$, $\angle y=150^\circ$

0142 $x=2\times 5=10$, $y=6$

0143 $\angle AOC=360^\circ-(130^\circ+144^\circ)=86^\circ$
$\triangle OCA$에서 $\overline{OC}=\overline{OA}$이므로
$\angle x=\frac{1}{2}\times(180^\circ-86^\circ)=47^\circ$

0144 $\angle A=180^\circ-(90^\circ+30^\circ)=60^\circ$
점 O는 직각삼각형 ABC의 외심이므로 $\overline{OA}=\overline{OB}=\overline{OC}$
이때 $\triangle OAB$에서 $\overline{OA}=\overline{OB}$이므로 $\angle OBA=\angle A=60^\circ$
즉, $\angle y=180^\circ-2\times 60^\circ=60^\circ$이므로 $y=60$ …… ❶
따라서 $\triangle OAB$는 정삼각형이므로
$\overline{AB}=\overline{OB}=\overline{OA}=\overline{OC}=\frac{1}{2}\overline{AC}=\frac{1}{2}\times 14=7(\text{cm})$
$\therefore x=7$ …… ❷
$\therefore x+y=7+60=67$ …… ❸

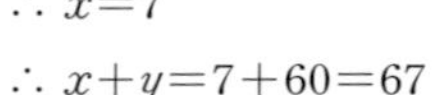

채점 기준	배점
❶ y의 값 구하기	40 %
❷ x의 값 구하기	40 %
❸ $x+y$의 값 구하기	20 %

0145 $\overline{OA}=\overline{OB}=\overline{OC}=10\ \text{cm}$이므로 $\triangle ABC$의 외접원 O의 넓이는
$\pi\times 10^2=100\pi(\text{cm}^2)$

0146 $\triangle OBC$는 이등변삼각형이므로
$\angle OBC=\angle OCB$
$=\frac{1}{2}\times(180^\circ-140^\circ)$
$=20^\circ$
이때 점 O가 $\triangle ABC$의 외심이므로
$\angle OBC+\angle x+\angle y=90^\circ$, $20^\circ+\angle x+\angle y=90^\circ$
$\therefore \angle x+\angle y=70^\circ$

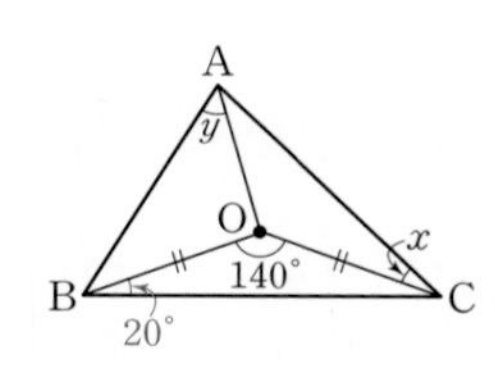

0147 $\overline{OC}$를 그으면 △OBC, △OCA는 이등변삼각형이므로

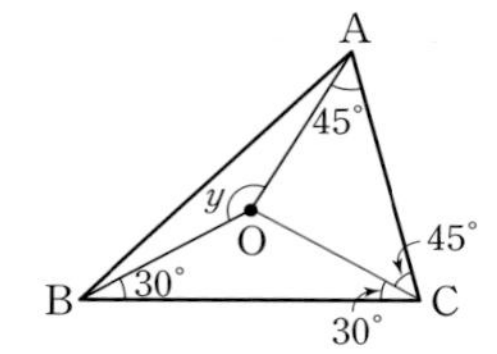

∠OCB=∠OBC=30°,
∠OCA=∠OAC=45°
∴ ∠x=30°+45°=75°
∴ ∠y=2∠x=2×75°=150°

06 삼각형의 내심의 뜻과 성질

본문 ◎ 39쪽

0148 ㄷ **0149** ㄴ **0150** ○ **0151** ×
0152 ○ **0153** ○ **0154** × **0155** ○

0150 삼각형의 내심에서 세 변에 이르는 거리는 같다.

0153 삼각형의 내심은 세 내각의 이등분선의 교점이다.

0154 ∠IAD=∠IAF, ∠IBD=∠IBE이지만
항상 ∠IAD=∠IBD인 것은 아니다.

0155 △IEC와 △IFC에서
∠ECI=∠FCI, $\overline{IC}$는 공통, ∠IEC=∠IFC=90°
∴ △IEC≡△IFC (RHA 합동)

07 삼각형의 내심의 성질

본문 ◎ 40쪽

0156 2 **0157** 3 **0158** 7 **0159** 10
0160 30° **0161** 40° **0162** 25°
0163 ∠x=24°, ∠y=48°

0158 △IBD≡△IBE이므로 $\overline{BD}=\overline{BE}$ ∴ x=7

0159 △IAF≡△IAD이므로 $\overline{AF}=\overline{AD}$ ∴ x=10

0162 ∠IBC=∠IBA=20°이므로 △IBC에서
∠x=180°−(135°+20°)=25°

0163 ∠x=∠IAC=24°이므로 △ABI에서
∠ABI=180°−(108°+24°)=48°
∴ ∠y=∠ABI=48°

08 삼각형의 내심을 이용하여 각의 크기 구하기 (1)

본문 ◎ 41쪽

0164 90, 30 **0165** 35° **0166** 40° **0167** 22°
0168 30° **0169** 33° **0170** 60°
0171 ∠x=45°, ∠y=25°

0165 ∠x+25°+30°=90° ∴ ∠x=35°

0166 ∠BAI=∠CAI=30°이므로
∠x+20°+30°=90° ∴ ∠x=40°

0167 ∠CBI=$\frac{1}{2}$∠B=26°이므로
42°+26°+∠x=90° ∴ ∠x=22°

0168 $\overline{IC}$를 그으면

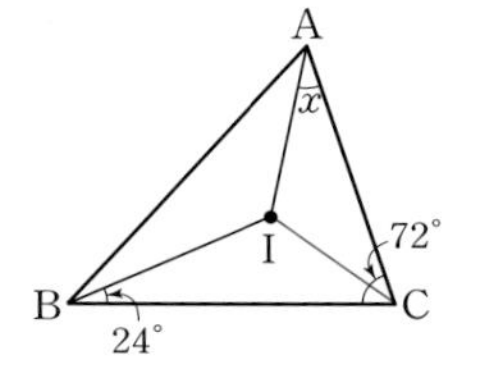

∠BCI=$\frac{1}{2}$∠C=36°이므로
∠x+24°+36°=90°
∴ ∠x=30°

0169 $\overline{IA}$를 그으면

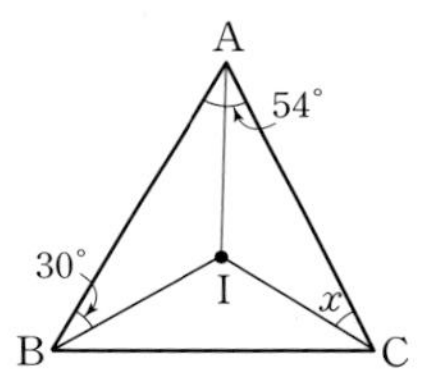

∠IAC=$\frac{1}{2}$∠A=27°이므로
27°+30°+∠x=90°
∴ ∠x=33°

0170 $\overline{IB}$를 그으면

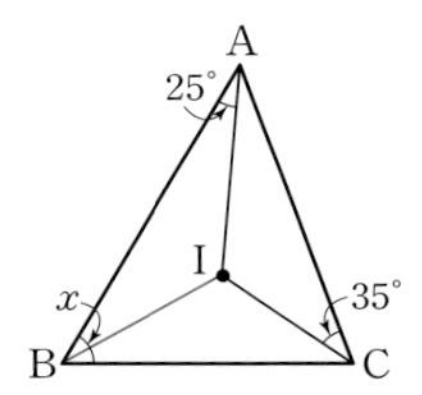

25°+35°+∠IBC=90°이므로
∠IBC=30°
∴ ∠x=2∠IBC=2×30°=60°

0171 ∠ICA=∠ICB=45°이므로 ∠x=45°

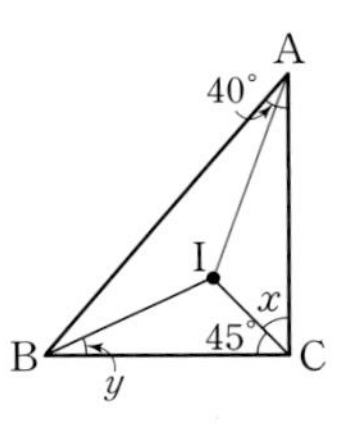

$\overline{IA}$를 그으면 ∠BAI=$\frac{1}{2}$∠A=20°이므로
20°+45°+∠y=90°
∴ ∠y=25°

09 삼각형의 내심을 이용하여 각의 크기 구하기 (2)

본문 ◎ 42쪽

0172 70, 125 **0173** 122° **0174** 30° **0175** 80°
0176 84, 132, 132, 22 **0177** ∠x=15°, ∠y=100°
0178 ∠x=120°, ∠y=60°

0173 $\angle x=90°+\frac{1}{2}\times 64°=122°$

0174 $105°=90°+\frac{1}{2}\angle x$, $\frac{1}{2}\angle x=15°$ $\quad\therefore \angle x=30°$

0175 $130°=90°+\frac{1}{2}\angle x$, $40°=\frac{1}{2}\angle x$ $\quad\therefore \angle x=80°$

0177 $\angle IAB=\angle IAC=25°$, $\angle IBA=\angle IBC=\angle x$이므로
$\triangle IAB$에서 $\angle x=180°-(140°+25°)=15°$
$140°=90°+\frac{1}{2}\angle y$ $\quad\therefore \angle y=100°$

0178 $\angle IAC=\angle IAB=45°$이므로 $\triangle AIC$에서
$\angle x=180°-(45°+15°)=120°$
$120°=90°+\frac{1}{2}\angle y$ $\quad\therefore \angle y=60°$

10 삼각형의 내심과 평행선

본문 ◎ 43쪽

0179 6, 4, 6, 4, 10, 10 **0180** 7 **0181** 3
0182 7, 12 **0183** 20 cm **0184** 25 cm

0180 $\overline{EI}=\overline{EC}=3$ cm이므로
$\overline{DB}=\overline{DI}=10-3=7$(cm)
$\therefore x=7$

0181 $\overline{DI}=\overline{DB}=4$ cm이므로
$\overline{EC}=\overline{EI}=7-4=3$(cm)
$\therefore x=3$

0183 ($\triangle ADE$의 둘레의 길이)$=\overline{AB}+\overline{AC}$
$=8+12=20$(cm)

0184 ($\triangle ABC$의 둘레의 길이)$=\overline{CA}+\overline{AB}+\overline{BC}$
$=(\overline{AD}+\overline{DE}+\overline{EA})+\overline{BC}$
$=(5+6+4)+10=25$(cm)

11 삼각형의 외심과 내심

본문 ◎ 44쪽

0185 42, 84, 42, 111 **0186** $\angle x=144°$, $\angle y=126°$
0187 $\angle x=128°$, $\angle y=122°$ **0188** 90, 70, 70, 140
0189 $\angle x=50°$, $\angle y=115°$ **0190** 240°

0186 $\angle x=2\angle A=2\times 72°=144°$
$\angle y=90°+\frac{1}{2}\angle A$
$=90°+\frac{1}{2}\times 72°=126°$

0187 $\angle x=2\angle A=2\times 64°=128°$
$\angle y=90°+\frac{1}{2}\angle A$
$=90°+\frac{1}{2}\times 64°=122°$

0189 $\angle x=\frac{1}{2}\angle BOC=\frac{1}{2}\times 100°=50°$
$\angle y=90°+\frac{1}{2}\angle x$
$=90°+\frac{1}{2}\times 50°=115°$

0190 $\angle A=180°-(48°+72°)=60°$
$\therefore \angle BOC=2\angle A=2\times 60°=120°$
$\angle BIC=90°+\frac{1}{2}\angle A$
$=90°+\frac{1}{2}\times 60°=120°$
$\therefore \angle BIC+\angle BOC=120°+120°=240°$

12 이등변삼각형의 외심과 내심

본문 ◎ 45쪽

0191 72, 72, 54, 36, 72, 72, 36, 54, 36, 18
0192 9° **0193** 30° **0194** 12° **0195** 15°

0192 점 O는 $\triangle ABC$의 외심이므로
$\angle BOC=2\times 48°=96°$
$\therefore \angle OCB=\frac{1}{2}\times(180°-96°)=42°$
$\triangle ABC$는 이등변삼각형이므로
$\angle C=\frac{1}{2}\times(180°-48°)=66°$
점 I는 $\triangle ABC$의 내심이므로
$\angle ICB=\frac{1}{2}\times 66°=33°$
$\therefore \angle x=\angle OCB-\angle ICB=42°-33°=9°$

0193 $\triangle ABC$는 이등변삼각형이므로
$\angle A=180°-2\times 80°=20°$
점 O는 $\triangle ABC$의 외심이므로
$\angle BOC=2\times 20°=40°$
$\therefore \angle OBC=\frac{1}{2}\times(180°-40°)=70°$
점 I는 $\triangle ABC$의 내심이므로

$\angle IBC=\frac{1}{2}\times 80^\circ=40^\circ$

$\therefore \angle x=\angle OBC-\angle IBC=70^\circ-40^\circ=30^\circ$

0194 △ABC는 이등변삼각형이므로

$\angle A=180^\circ-2\times 68^\circ=44^\circ$

점 O는 △ABC의 외심이므로

$\angle BOC=2\times 44^\circ=88^\circ$

$\therefore \angle OCB=\frac{1}{2}\times(180^\circ-88^\circ)=46^\circ$

점 I는 △ABC의 내심이므로

$\angle ICB=\frac{1}{2}\times 68^\circ=34^\circ$

$\therefore \angle x=\angle OCB-\angle ICB=46^\circ-34^\circ=12^\circ$

0195 △ABC는 이등변삼각형이므로 $\overline{AO}$는 꼭지각의 이등분선이다.

즉, $\angle A=2\times 20^\circ=40^\circ$이므로

$\angle C=\frac{1}{2}\times(180^\circ-40^\circ)=70^\circ$

점 O는 △ABC의 외심이므로

$\angle BOC=2\times 40^\circ=80^\circ$

$\therefore \angle OCB=\frac{1}{2}\times(180^\circ-80^\circ)=50^\circ$

점 I는 △ABC의 내심이므로

$\angle ICB=\frac{1}{2}\times 70^\circ=35^\circ$

$\therefore \angle x=\angle OCB-\angle ICB=50^\circ-35^\circ=15^\circ$

13 삼각형의 내심과 내접원 (1)

본문 ◎ 46쪽

0196 5 **0197** 6, 6, 4, 4 **0198** 4
0199 14 **0200** 12
0201 x, $6-x$, $7-x$, $6-x$, $7-x$, 2 **0202** 8
0203 5

0198 $\overline{AD}=\overline{AF}=3$ cm이므로

$\overline{BE}=\overline{BD}=7-3=4$(cm)

$\therefore x=4$

0199 $\overline{EC}=\overline{CF}=5$ cm, $\overline{BE}=\overline{BD}=9$ cm이므로

$\overline{BC}=\overline{BE}+\overline{EC}=9+5=14$(cm)

$\therefore x=14$

0200 $\overline{AD}=\overline{AF}=4$ cm이므로

$\overline{BE}=\overline{BD}=11-4=7$(cm)

이때 $\overline{CE}=\overline{CF}=5$ cm이므로

$\overline{BC}=\overline{BE}+\overline{CE}=7+5=12$(cm)

$\therefore x=12$

0202 $\overline{BD}=\overline{BE}=x$ cm이므로

$\overline{AF}=\overline{AD}=(12-x)$ cm, $\overline{CF}=\overline{CE}=(14-x)$ cm

이때 $\overline{CA}=\overline{CF}+\overline{AF}$이므로

$(14-x)+(12-x)=10$

$2x=16$ $\therefore x=8$

0203 $\overline{CE}=\overline{CF}=x$ cm이므로

$\overline{AD}=\overline{AF}=(8-x)$ cm, $\overline{BD}=\overline{BE}=(7-x)$ cm

이때 $\overline{AB}=\overline{AD}+\overline{BD}$이므로

$(8-x)+(7-x)=5$

$2x=10$ $\therefore x=5$

14 삼각형의 내심과 내접원 (2)

본문 ◎ 47쪽

0204 3, 12, 48 **0205** 60 cm^2
0206 84 cm^2 **0207** 2.6 cm **0208** 2 cm **0209** π cm^2

0205 $\triangle ABC=\frac{1}{2}\times 3\times(8+17+15)$

$=60$ (cm^2)

0206 $\triangle ABC=\frac{1}{2}\times 4\times(13+15+14)$

$=84$ (cm^2)

0207 내접원의 반지름의 길이를 r cm라고 하면

$\frac{1}{2}\times r\times(10+10+8)=36.4$

$14r=36.4$ $\therefore r=2.6$

따라서 내접원의 반지름의 길이는 2.6 cm이다.

0208 내접원의 반지름의 길이를 r cm라고 하면

$\frac{1}{2}\times 12\times 5=\frac{1}{2}\times r\times(5+12+13)$

$30=15r$ $\therefore r=2$

따라서 내접원의 반지름의 길이는 2 cm이다.

0209 $\triangle ABC=\frac{1}{2}\times 4\times 3=6$(cm^2)

이때 내접원의 반지름의 길이를 r cm라고 하면

$6=\frac{1}{2}\times r\times(4+3+5)$ $\therefore r=1$

$\therefore$ (내접원의 넓이)$=\pi\times 1^2=\pi$(cm^2)

핵심 06~14 Mini Review Test 본문 ◎ 48쪽

0210 ⑤ **0211** $40°$ **0212** $\angle x=127°$, $\angle y=23°$
0213 31.5 cm **0214** $60°$ **0215** $6°$
0216 24 **0217** 4π cm^2

0211 $\overline{AI}$를 그으면 $\angle IBC=\angle IBA=30°$이므로
$\angle IAB+30°+40°=90°$
$\therefore$ $\angle IAB=20°$
$\therefore$ $\angle A=2\times20°=40°$

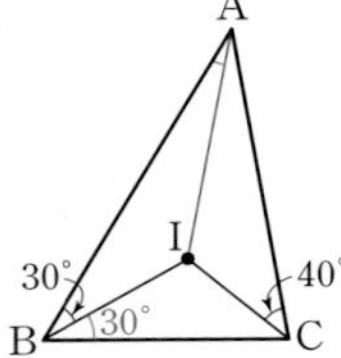

0212 $\angle x=90°+\frac{1}{2}\times74°=90°+37°=127°$
$\angle ICB=\angle ACI=30°$이므로 $\triangle IBC$에서
$\angle y=180°-(127°+30°)=23°$

0213 ($\triangle ABC$의 둘레의 길이)
$=\overline{CA}+\overline{AB}+\overline{BC}$
$=(\overline{AD}+\overline{DE}+\overline{EA})+\overline{BC}$
$=(6+7+8)+10.5$
$=31.5$ (cm)

0214 외심과 내심이 일치하므로
$\angle BIC=\angle BOC$에서
$2\angle x=90°+\frac{1}{2}\angle x$
$\therefore$ $\angle x=60°$
[참고] 정삼각형의 외심과 내심은 일치한다.

0215 점 O는 $\triangle ABC$의 외심이므로
$104°=2\angle A$ $\therefore$ $\angle A=52°$ …… ❶
$\angle OBC=\frac{1}{2}\times(180°-104°)=38°$ …… ❷
$\triangle ABC$는 이등변삼각형이므로
$\angle B=\frac{1}{2}\times(180°-52°)=64°$
$\therefore$ $\angle IBC=\frac{1}{2}\times64°=32°$ …… ❸
$\therefore$ $\angle OBI=\angle OBC-\angle IBC=38°-32°=6°$ …… ❹

채점 기준	배점
❶ $\angle A$의 크기 구하기	30 %
❷ $\angle OBC$의 크기 구하기	30 %
❸ $\angle IBC$의 크기 구하기	30 %
❹ $\angle OBI$의 크기 구하기	10 %

0216 $\overline{BD}=\overline{BF}=x$ cm이므로
$\overline{AE}=\overline{AF}=(5-x)$ cm, $\overline{CE}=\overline{CD}=(6-x)$ cm
$\therefore$ $\overline{AC}=\overline{AE}+\overline{CE}$
$=(5-x)+(6-x)=7$
$4=2x$ $\therefore$ $x=2$
따라서 $y=6-2=4$, $z=5-2=3$이므로
$xyz=2\times4\times3=24$

0217 $\triangle ABC=\frac{1}{2}\times6\times8=24$ (cm^2)
이때 내접원의 반지름의 길이를 r cm라고 하면
$\frac{1}{2}\times r\times(10+6+8)=24$, $12r=24$ $\therefore$ $r=2$
$\therefore$ (내접원의 넓이)$=\pi\times2^2=4\pi(cm^2)$

❷ 사각형의 성질

3. 평행사변형의 성질

01 평행사변형의 뜻

본문 ◎ 53쪽

0218 80, 40　**0219** $\angle x=38°$, $\angle y=65°$
0220 $\angle x=30°$, $\angle y=60°$　**0221** $\angle x=45°$, $\angle y=35°$
0222 $50°$　**0223** $60°$
0224 $110°$　**0225** $80°$

0219 $\overline{AB}/\!/\overline{DC}$이므로 $\angle x=\angle ACD=38°$(엇각)
$\overline{AD}/\!/\overline{BC}$이므로 $\angle y=\angle CAD=65°$(엇각)

0220 $\overline{AD}/\!/\overline{BC}$이므로 $\angle x=\angle ADB=30°$(엇각)
$\overline{AB}/\!/\overline{DC}$이므로 $\angle y=\angle BAC=60°$(엇각)

0221 $\overline{AD}/\!/\overline{BC}$이므로 $\angle x=\angle ACB=45°$(엇각)
$\overline{AB}/\!/\overline{DC}$이므로 $\angle y=\angle ABD=35°$(엇각)

0222 $\overline{AB}/\!/\overline{DC}$이므로 $\angle ABD=\angle BDC=70°$(엇각)
$\triangle ABD$에서 $60°+70°+\angle x=180°$
$\therefore \angle x=50°$

0223 $\overline{AB}/\!/\overline{DC}$이므로 $\angle BDC=\angle ABD=45°$(엇각)
$\triangle OCD$에서 $\angle x+75°+45°=180°$
$\therefore \angle x=60°$

0224 $\overline{AB}/\!/\overline{DC}$이므로 $\angle ACD=\angle BAC=30°$(엇각)
$\triangle OCD$에서 $\angle x=30°+80°=110°$

0225 $\overline{AD}/\!/\overline{BC}$이므로 $\angle BCA=\angle DAC=55°$(엇각)
$\triangle OBC$에서 $\angle x=25°+55°=80°$

02 평행사변형의 뜻의 활용

본문 ◎ 54쪽

0226 180, 72, 72, 78　**0227** $30°$　**0228** $140°$
0229 180, 60, 60　**0230** $72°$　**0231** $75°$

0227 $\angle A+\angle B=\angle A+75°=180°$이므로 $\angle A=105°$
$\triangle AED$에서 $\angle x=180°-(105°+45°)=30°$

0228 $\angle C=\angle A=100°$
$\angle A+\angle D=100°+\angle D=180°$이므로 $\angle D=80°$
$\therefore \angle ADE=\frac{1}{2}\times 80°=40°$
$\overline{AD}/\!/\overline{BC}$이므로 $\angle DEC=\angle ADE=40°$
$\therefore \angle x=180°-40°=140°$

0230 $\angle A+\angle B=180°$이고 $\angle A:\angle B=3:2$이므로
$\angle B=180°\times\frac{2}{3+2}=72°$
따라서 $\angle D=\angle B$이므로 $\angle x=72°$

0231 $\angle A+\angle B=180°$이고 $\angle A:\angle B=5:4$이므로
$\angle B=180°\times\frac{4}{5+4}=80°$
$\therefore \angle D=\angle B=80°$
따라서 $\triangle AED$에서 $\angle x=180°-(25°+80°)=75°$

03 평행사변형의 성질 (1)

본문 ◎ 55쪽

0232 3, 4　**0233** $x=10$, $y=8$
0234 $x=2$, $y=3$　**0235** $x=5$, $y=3$
0236 125, 125, 55　**0237** $\angle x=100°$, $\angle y=80°$
0238 $\angle x=115°$, $\angle y=35°$　**0239** $\angle x=70°$, $\angle y=50°$

0233 $\overline{AD}=\overline{BC}$이므로 $x=10$
$\overline{DC}=\overline{AB}$이므로 $y=8$

0234 $\overline{AB}=\overline{DC}$이므로 $5=2x+1$　$\therefore x=2$
$\overline{AD}=\overline{BC}$이므로 $9=3y$　$\therefore y=3$

0235 $\overline{AD}=\overline{BC}$이므로 $x+2=2x-3$　$\therefore x=5$
$\overline{AB}=\overline{DC}$이므로 $2y-1=3y-4$　$\therefore y=3$

0237 $\angle A=\angle C$이므로 $\angle x=100°$
$\angle B+\angle C=180°$이므로
$\angle B=180°-100°=80°$　$\therefore \angle y=80°$

0238 $\angle C=\angle A$이므로 $\angle x=115°$
$\angle A+\angle D=180°$이므로 $115°+(30°+\angle y)=180°$
$\therefore \angle y=35°$

0239 $\angle D=\angle B$이므로 $\angle x=70°$
$\angle B+\angle C=180°$이므로
$70°+(\angle y+60°)=180°$　$\therefore \angle y=50°$

04 평행사변형의 성질 (2)

본문 ◎ 56쪽

0240 6, 7 **0241** $x=3$, $y=4$
0242 $x=6$, $y=7$ **0243** $x=3$, $y=2$
0244 16 **0245** 9
0246 11 **0247** 36
0248 22 cm

0241 $\overline{OB}=\overline{OD}$이므로 $x=3$
$\overline{OC}=\overline{OA}$이므로 $y=4$

0242 $\overline{OA}=\frac{1}{2}\overline{AC}=\frac{1}{2}\times12=6$ $\therefore x=6$
$\overline{OB}=\frac{1}{2}\overline{BD}=\frac{1}{2}\times14=7$ $\therefore y=7$

0243 $\overline{OA}=\overline{OC}$이므로 $2x-1=5$ $\therefore x=3$
$\overline{OB}=\overline{OD}$이므로 $3y=6$ $\therefore y=2$

0244 $\overline{AD}=\overline{BC}=16$

0245 $\overline{OA}=\frac{1}{2}\overline{AC}=\frac{1}{2}\times18=9$

0246 $\overline{OD}=\frac{1}{2}\overline{BD}=\frac{1}{2}\times22=11$

0247 $\triangle$OAD의 둘레의 길이는
$9+16+11=36$

0248 $\overline{OC}=\frac{1}{2}\overline{AC}=\frac{1}{2}\times16=8\,(\text{cm})$
$\overline{OD}=\frac{1}{2}\overline{BD}=\frac{1}{2}\times12=6\,(\text{cm})$
이때 $\overline{AB}=\overline{DC}=8$ cm이므로
($\triangle$OCD의 둘레의 길이)$=8+6+8=22\,(\text{cm})$

05 평행사변형의 성질의 활용 (1)

본문 ◎ 57쪽

0249 8 **0250** 4, 7, 7, 3, 3 **0251** 7
0252 9 **0253** 12, 9, 12, 3, 3 **0254** 2
0255 3

0249 $\angle BEA=\angle DAE$(엇각)이고
$\angle DAE=\angle BAE$이므로 $\angle BEA=\angle BAE$
따라서 $\triangle$ABE는 이등변삼각형이므로 $\overline{BE}=\overline{BA}=8$ cm
$\therefore x=8$

0251 $\angle CED=\angle ADE$(엇각)이고
$\angle ADE=\angle CDE$이므로 $\angle CED=\angle CDE$
따라서 $\triangle$CDE는 이등변삼각형이므로
$\overline{EC}=\overline{CD}=x$ cm
이때 $\overline{BC}=\overline{AD}=11$ cm이므로
$\overline{BC}-\overline{EC}=\overline{BE}$에서 $11-x=4$
$\therefore x=7$

0252 $\angle BEA=\angle DAE$(엇각)이고
$\angle DAE=\angle BAE$이므로 $\angle BEA=\angle BAE$
따라서 $\triangle$ABE는 이등변삼각형이므로 $\overline{BE}=\overline{BA}=6$ cm
$\overline{AD}=\overline{BC}=\overline{BE}+\overline{EC}=6+3=9(\text{cm})$ $\therefore x=9$

0254 $\angle CFB=\angle ABF=\angle CBF$이므로 $\triangle$BCF는 이등변삼각형이다.
$\therefore \overline{FC}=\overline{BC}=8$ cm
$\overline{DC}=\overline{AB}=6$ cm이므로
$\overline{DF}=8-6=2(\text{cm})$ $\therefore x=2$

0255 $\angle BEA=\angle DAE=\angle BAE$이므로
$\triangle$ABE는 이등변삼각형이다.
$\therefore \overline{BE}=\overline{BA}=6$ cm
$\angle CFD=\angle ADF=\angle CDF$이므로
$\triangle$DFC는 이등변삼각형이다.
$\therefore \overline{FC}=\overline{DC}=6$ cm
즉, $\overline{BC}=\overline{BE}+\overline{FC}-\overline{EF}$이므로
$9=6+6-x$ $\therefore x=3$

06 평행사변형의 성질의 활용 (2)

본문 ◎ 58쪽

0256 $\triangle$FCE, 9, 9, 9, 18, 18 **0257** 12
0258 7 **0259** 4 **0260** 8 **0261** 6

0257 $\triangle ABE\equiv\triangle FCE$(ASA 합동)이므로
$\overline{CF}=\overline{AB}=6$ cm
이때 $\overline{DC}=\overline{AB}=6$ cm이므로
$\overline{DF}=\overline{DC}+\overline{CF}=6+6=12\,(\text{cm})$ $\therefore x=12$

0258 $\triangle ABE\equiv\triangle FCE$(ASA 합동)이므로
$\overline{CF}=\overline{AB}=x$ cm
이때 $\overline{DC}=\overline{AB}=x$ cm이므로
$\overline{DF}=\overline{DC}+\overline{CF}=x+x=14$
$\therefore x=7$

0259 $\triangle ABE \equiv \triangle DFE$(ASA 합동)이므로 $\overline{DF}=\overline{AB}=x$ cm
이때 $\overline{DC}=\overline{AB}=x$ cm이므로
$\overline{FC}=\overline{DF}+\overline{DC}=x+x=8$ $\therefore x=4$

0260 $\triangle AED \equiv \triangle FEC$(ASA 합동)이므로 $\overline{CF}=\overline{DA}=4$ cm
이때 $\overline{BC}=\overline{AD}=4$ cm이므로
$\overline{BF}=\overline{BC}+\overline{CF}=4+4=8$ (cm) $\therefore x=8$

0261 $\triangle AED \equiv \triangle FEC$(ASA 합동)이므로 $\overline{CF}=\overline{DA}=x$ cm
이때 $\overline{BC}=\overline{AD}=x$ cm이므로
$\overline{BF}=\overline{BC}+\overline{CF}=x+x=12$ $\therefore x=6$

핵심 01~06 Mini Review Test

본문 59쪽

0262 ③	**0263** $\angle x=55°$, $\angle y=95°$		**0264** 135°
0265 67	**0266** 15 cm	**0267** 6	**0268** 2
0269 4			

0263 $\overline{AB} /\!/ \overline{DC}$이므로 $\angle x=\angle ACD=55°$(엇각)
$\triangle ABO$에서 $\angle y=55°+40°=95°$

0264 $\angle A+\angle B=180°$이고, $\angle A : \angle B=3:1$이므로
$\angle A=180° \times \frac{3}{3+1}=135°$
$\therefore \angle C=\angle A=135°$

0265 $\angle A=\angle C=65°$
이때 $\triangle ABD$에서 $65°+55°+\angle x=180°$이므로
$\angle x=60°$ $\therefore x=60$
또 $\overline{BC}=\overline{AD}$이므로 $y=7$
$\therefore x+y=60+7=67$

0266 $\overline{AO}=\frac{1}{2}\overline{AC}=\frac{1}{2}\times 8=4$(cm)
$\overline{BO}=\frac{1}{2}\overline{BD}=\frac{1}{2}\times 12=6$(cm)
이때 $\overline{AB}=\overline{DC}=5$ cm이므로
($\triangle OAB$의 둘레의 길이)$=4+6+5=15$(cm)

0267 $\triangle BCF$는 이등변삼각형이므로 $\overline{BF}=\overline{BC}$
이때 $\overline{BC}=\overline{AD}=16$ cm이므로 $\overline{BF}=16$ cm
$\therefore \overline{FA}=\overline{BF}-\overline{AB}=16-10=6$ (cm) $\therefore x=6$

0268 $\angle DAE=\angle AEB=\angle BAE$이므로 $\triangle ABE$는 이등변삼각형이다.
$\therefore \overline{BE}=\overline{BA}=4$ cm
$\angle ADF=\angle CFD=\angle CDF$이므로 $\triangle DFC$는 이등변삼각형이다.
$\therefore \overline{FC}=\overline{DC}=4$ cm
$\overline{BC}=\overline{BE}+\overline{FC}-\overline{FE}$에서 $6=4+4-x$ $\therefore x=2$

0269 $\triangle ABE \equiv \triangle FCE$(ASA 합동)이므로 $\overline{CF}=\overline{AB}=2$ cm
이때 $\overline{DC}=\overline{AB}=2$ cm이므로
$\overline{DF}=\overline{DC}+\overline{CF}=2+2=4$ (cm) $\therefore x=4$

07 평행사변형이 되는 조건 (1)

본문 60쪽

0270 $\overline{DC}$, $\overline{BC}$		**0271** $\overline{DC}$, $\overline{BC}$	
0272 $\angle C$, $\angle D$		**0273** $\overline{OC}$, $\overline{OD}$	
0274 $\overline{BC}$, $\overline{BC}$		**0275** ○	
0276 ×	**0277** ○	**0278** ×	**0279** ○

0275 한 쌍의 대변이 평행하고, 그 길이가 같으므로 평행사변형이다.

0276 오른쪽 그림과 같이 □ABCD는 $\overline{AD} /\!/ \overline{BC}$이고, $\overline{AB}=\overline{DC}$이지만 평행사변형이 아니다.

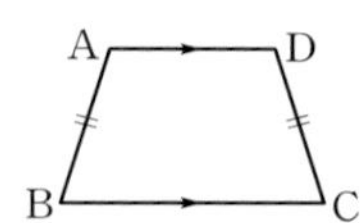

0277 두 대각선이 서로 다른 것을 이등분하므로 평행사변형이다.

0279 $\angle ADB=\angle DBC=25°$(엇각)이므로 $\overline{AD} /\!/ \overline{BC}$
$\angle BAC=\angle ACD=80°$(엇각)이므로 $\overline{AB} /\!/ \overline{DC}$
즉, 두 쌍의 대변이 각각 평행하므로 평행사변형이다.

08 평행사변형이 되는 조건 (2)

본문 61쪽

0280 ×	**0281** ○	**0282** ×	**0283** ○
0284 ×	**0285** ○	**0286** ×	**0287** ○
0288 ×	**0289** ○	**0290** ×	**0291** ○

0280 $\overline{AD}=\overline{BC}=6$의 조건이 추가되어야 평행사변형이 된다.

0281 $\angle ADB=\angle DBC=25°$(엇각)이므로 $\overline{AD} /\!/ \overline{BC}$
또 $\overline{AD}=\overline{BC}=8$ cm이므로 □ABCD는 평행사변형이다.

0282 $\overline{AO}=\overline{CO}=5$의 조건이 추가되어야 평행사변형이 된다.

0283 두 쌍의 대변의 길이가 각각 같으므로 평행사변형이다.

0284 $\angle A+\angle D=180°$이므로 $\overline{AB}/\!/\overline{DC}$
즉, $\overline{AB}=\overline{DC}$ 또는 $\overline{AD}/\!/\overline{BC}$의 조건이 추가되어야 평행사변형이 된다.

0285 $\angle C+\angle D=180°$이므로 $\overline{AD}/\!/\overline{BC}$
즉, $\overline{AD}/\!/\overline{BC}$, $\overline{AB}/\!/\overline{DC}$이므로 평행사변형이다.

0286 $\angle B+\angle C=180°$이므로 $\overline{AB}/\!/\overline{DC}$
즉, $\overline{AB}=\overline{DC}$ 또는 $\overline{AD}/\!/\overline{BC}$의 조건이 추가되어야 평행사변형이 된다.

0287 $\angle D=360°-(135°+45°+135°)=45°$
즉, $\angle A=\angle C=135°$, $\angle B=\angle D=45°$이므로 $\square ABCD$는 평행사변형이다.

0288 $\overline{AO}\neq\overline{CO}$, $\overline{BO}\neq\overline{DO}$이므로 평행사변형이 아니다.

0289 한 쌍의 대변이 평행하고, 그 길이가 같으므로 평행사변형이다.

0290 $\angle A+\angle B=180°$, $\angle C+\angle D=180°$이므로 $\overline{AD}/\!/\overline{BC}$
즉, $\overline{AB}/\!/\overline{DC}$ 또는 $\overline{AD}=\overline{BC}$의 조건이 추가되어야 평행사변형이 된다.

0291 $\angle A+\angle B=180°$, $\angle B+\angle C=180°$에서 $\angle A=\angle C$
$\therefore \angle D=360°-(\angle A+\angle B+\angle C)$
$=360°-(180°+\angle C)$
$=180°-\angle C=\angle B$
따라서 두 쌍의 대각의 크기가 각각 같으므로 평행사변형이다.

09 평행사변형이 되는 조건 (3)

본문 ○ 62쪽

0292 $\overline{NC}$, $\overline{NC}$, 한 쌍의 대변이 평행하고, 그 길이가 같다.
0293 $\overline{OC}$, $\overline{OF}$, 두 대각선이 서로 다른 것을 이등분한다.
0294 $\angle C$, $\angle D$, $\triangle CGF$, $\triangle DHG$, $\overline{GF}$, $\overline{GH}$, 두 쌍의 대변의 길이가 각각 같다.
0295 $\angle EDF$, $\angle DFB$, 두 쌍의 대각의 크기가 각각 같다.

10 평행사변형과 넓이

본문 ○ 63쪽

0296 8 cm^2 **0297** 4 cm^2 **0298** 8 cm^2 **0299** 8 cm^2
0300 18 cm^2 **0301** 10 cm^2 **0302** 12 cm^2 **0303** 18 cm^2

0296 $\triangle ACD=\frac{1}{2}\square ABCD=\frac{1}{2}\times16=8(\text{cm}^2)$

0297 $\triangle OBC=\frac{1}{4}\square ABCD=\frac{1}{4}\times16=4(\text{cm}^2)$

0298 $\triangle OAB+\triangle OCD=\frac{1}{2}\square ABCD=\frac{1}{2}\times16=8(\text{cm}^2)$

0299 $\triangle OBC+\triangle OAD=\frac{1}{2}\square ABCD=\frac{1}{2}\times16=8(\text{cm}^2)$

0300 $\triangle ABC=\triangle ACD=18(\text{cm}^2)$

0301 $\square ABCD=2\triangle ABD=2\times5=10(\text{cm}^2)$

0302 $\square ABCD=4\triangle OBC=4\times3=12(\text{cm}^2)$

0303 $\triangle ODA+\triangle ABO+\triangle OBC$
$=\frac{3}{4}\square ABCD=\frac{3}{4}\times24=18(\text{cm}^2)$

11 평행사변형과 넓이 (2)

본문 ○ 64쪽

0304 14 cm^2 **0305** 14 cm^2 **0306** 5 cm^2 **0307** 6 cm^2
0308 8 cm^2 **0309** 12 cm^2 **0310** 36 cm^2

0304 $\triangle PAB+\triangle PCD=\frac{1}{2}\square ABCD=\frac{1}{2}\times28=14(\text{cm}^2)$

0305 $\triangle PDA+\triangle PBC=\frac{1}{2}\square ABCD=\frac{1}{2}\times28=14(\text{cm}^2)$

0306 $\triangle PAB+\triangle PCD=\frac{1}{2}\square ABCD=\frac{1}{2}\times28=14(\text{cm}^2)$
$9+\triangle PCD=14$ $\quad\therefore \triangle PCD=5(\text{cm}^2)$

0307 $\triangle PDA+\triangle PBC=\frac{1}{2}\square ABCD=\frac{1}{2}\times28=14(\text{cm}^2)$
$\triangle PDA+8=14$ $\quad\therefore \triangle PDA=6(\text{cm}^2)$

0308 $\triangle PDA+\triangle PBC=\triangle PAB+\triangle PCD$
$=3+5=8(\text{cm}^2)$

0309 $\triangle PAB+\triangle PCD=\triangle PDA+\triangle PBC$이므로
$16+\triangle PCD=18+10$
$\therefore \triangle PCD=28-16=12(\text{cm}^2)$

0310 $\triangle PDA+\triangle PBC=\triangle PAB+\triangle PCD$
$=11+7=18(cm^2)$
$\therefore \square ABCD=2\times 18=36(cm^2)$

핵심 07~11 **Mini Review Test** 본문 ○ 65쪽

0311 ④ **0312** ③ **0313** ③ **0314** ⑤
0315 16 cm^2 **0316** ④

0311 ③ $\angle A+\angle B=180°$이므로 $\overline{AD}/\!/\overline{BC}$
또 $\overline{AD}=\overline{BC}$이므로 $\square ABCD$는 평행사변형이다.
④ 오른쪽 그림과 같이 $\square ABCD$는 $\overline{AD}/\!/\overline{BC}$이고 $\overline{AB}=\overline{DC}$이지만 평행사변형이 아니다. $\overline{AD}=\overline{BC}$ 또는 $\overline{AB}/\!/\overline{DC}$의 조건이 추가되어야 평행사변형이 된다.

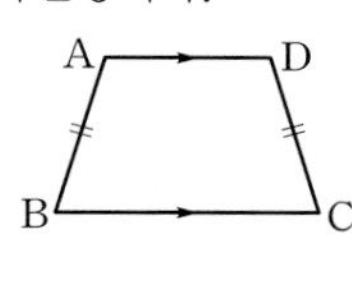

0312 ① $\angle A=115°$, $\angle B=65°$이므로 $\overline{AD}/\!/\overline{BC}$이고, 그 길이가 같으므로 평행사변형이다.
② $\angle D=360°-(110°+70°+110°)=70°$
즉, 두 쌍의 대각의 크기가 각각 같으므로 평행사변형이다.
③ $\overline{AB}\neq\overline{DC}$, $\overline{BC}\neq\overline{AD}$이므로 평행사변형이 아니다.
④ 두 대각선이 서로 다른 것을 이등분하므로 평행사변형이다.
⑤ 한 쌍의 대변이 평행하고, 그 길이가 같으므로 평행사변형이다.

0313 $\square ABCD$는 평행사변형이므로 $\angle BAP=\angle DCQ$, $\overline{AB}=\overline{CD}$
즉, $\triangle ABP\equiv\triangle CDQ$ (RHA 합동)이므로 $\overline{BP}=\overline{DQ}$
$\angle BPQ=\angle DQP$(엇각)이므로 $\overline{BP}/\!/\overline{DQ}$
따라서 $\square PBQD$는 평행사변형이다.
③ $\overline{BQ}=\overline{PQ}$인지 알 수 없다.

0314 $\square ABCD=4\triangle ABO=4\times 7=28(cm^2)$

0315 $\triangle APD+\triangle BCP=\frac{1}{2}\square ABCD$
$=\frac{1}{2}\times 56=28(cm^2)$ ······ ❶
$12+\triangle BCP=28$
$\therefore \triangle BCP=28-12=16(cm^2)$ ······ ❷

채점 기준	배점
❶ $\triangle APD+\triangle BCP$의 넓이 구하기	50 %
❷ $\triangle BCP$의 넓이 구하기	50 %

0316 $\triangle PAB+\triangle PCD=\triangle PDA+\triangle PBC$이므로
$24+20=\triangle PDA+18$
$\therefore \triangle PDA=26(cm^2)$

4. 여러 가지 사각형의 성질

01 직사각형의 뜻과 성질 본문 ○ 70쪽

0317 $x=4$, $y=7$ **0318** $x=10$, $y=6$
0319 $x=6$, $y=12$ **0320** $x=4$, $y=13$
0321 $\angle x=40°$, $\angle y=90°$ **0322** 35, 35, 70
0323 $\angle x=30°$, $\angle y=60°$ **0324** 67

0319 $\overline{OA}=\overline{OC}=6$이므로 $x=6$
$\overline{BD}=\overline{AC}=2\times 6=12$이므로 $y=12$

0320 $\overline{OD}=\overline{OC}$이므로 $3x+1=2x+5$ $\therefore x=4$
$y=3x+1=3\times 4+1=13$

0321 $\angle y=\angle A=90°$
$\triangle ABD$에서 $90°+50°+\angle x=180°$
$\therefore \angle x=40°$

0323 $\triangle AOD$에서 $\overline{OA}=\overline{OD}$이므로 $\angle ODA=\angle OAD=\angle x$
$\angle x+\angle x=60°$ $\therefore \angle x=30°$
$\triangle ABO$에서 $\overline{OA}=\overline{OB}$이고 $\angle A=90°$이므로
$\angle y=\angle OAB=90°-30°=60°$

0324 $\triangle OAD$에서 $\overline{OA}=\overline{OD}$이므로 $x=2$
$\triangle OAB$에서 $\overline{OA}=\overline{OB}$이므로
$\angle OAB=\angle OBC=\angle y$
즉, $\angle y+\angle y=130°$이므로 $\angle y=65°$ $\therefore y=65$
$\therefore x+y=2+65=67$

02 평행사변형이 직사각형이 되는 조건 본문 ○ 71쪽

0325 ○ **0326** × **0327** ○ **0328** ×
0329 ○ **0330** ○ **0331** ○ **0332** ×
0333 × **0334** ○ **0335** ○ **0336** ×

0326 평행사변형이 마름모가 되는 조건이다.

0328 평행사변형의 성질이다.

0331 $\angle A=\angle C$, $\angle B=\angle D$이므로
$\angle A=\angle B$이면 $\angle A=\angle B=\angle C=\angle D$
따라서 평행사변형 ABCD는 직사각형이 된다.

0332 평행사변형의 성질이다.

0333 평행사변형이 마름모가 되는 조건이다.

0335 $\overline{OA}=\overline{OC}$, $\overline{OB}=\overline{OD}$이므로 $\overline{OA}=\overline{OD}$이면
$\overline{OA}=\overline{OB}=\overline{OC}=\overline{OD}$ $\quad\therefore \overline{AC}=\overline{BD}$
따라서 평행사변형 ABCD는 직사각형이 된다.

0336 평행사변형의 성질이다.

03 마름모의 뜻과 성질

본문 ◎ 72쪽

0337 $x=2$, $y=2$ **0338** $x=3$, $y=2$
0339 $x=10$, $y=12$ **0340** $x=3$, $y=4$
0341 90, 30, 30 **0342** $\angle x=25°$, $\angle y=130°$
0343 $\angle x=50°$, $\angle y=40°$ **0344** 42

0339 $x=2\times5=10$, $y=2\times6=12$

0340 $\overline{AD}=\overline{BC}$이므로 $3x-4=5$ $\quad\therefore x=3$
$\overline{AB}=\overline{BC}$이므로 $y+1=5$ $\quad\therefore y=4$

0342 $\triangle$ABD에서 $\overline{AB}=\overline{AD}$이므로 $\angle x=\angle ABD=25°$
$\therefore \angle y=\angle A=180°-(25°+25°)=130°$

0343 $\overline{AD}/\!/\overline{BC}$이므로 $\angle y=\angle DAC=40°$
$\triangle$AOD에서 $\angle AOD=90°$이므로
$\angle x=180°-(40°+90°)=50°$

0344 $\overline{OC}=\overline{OA}$이므로 $x=7$
$\triangle$ABO에서 $\angle AOB=90°$이므로
$\angle ABO=180°-(55°+90°)=35°$
$\triangle$ABD에서 $\overline{AB}=\overline{AD}$이므로
$\angle ADO=\angle ABO=35°$ $\quad\therefore y=35$
$\therefore x+y=7+35=42$

04 평행사변형이 마름모가 되는 조건

본문 ◎ 73쪽

0345 ○ **0346** × **0347** × **0348** ○
0349 × **0350** ○ **0351** × **0352** ○
0353 ○ **0354** × **0355** × **0356** ○

0346 평행사변형의 성질이다.

0347 평행사변형이 직사각형이 되는 조건이다.

0349 $\angle A=\angle C$, $\angle B=\angle D$이므로 $\angle A=\angle B$이면
$\angle A=\angle B=\angle C=\angle D$
따라서 평행사변형 ABCD는 직사각형이 된다.

0351, 0354 평행사변형의 성질이다.

0355 $\angle OBC=\angle OCB$이면 $\overline{OB}=\overline{OC}$
이때 $\overline{OA}=\overline{OC}$, $\overline{OB}=\overline{OD}$이므로
$\overline{OA}=\overline{OB}=\overline{OC}=\overline{OD}$ $\quad\therefore \overline{AC}=\overline{BD}$
따라서 평행사변형 ABCD는 직사각형이 된다.

0356 $\overline{AD}/\!/\overline{BC}$이므로 $\angle DAC=\angle ACB$(엇각)
이때 $\angle ACB=\angle ACD$이면 $\angle DAC=\angle ACD$
$\therefore \overline{AD}=\overline{DC}$
따라서 평행사변형 ABCD는 마름모가 된다.

05 정사각형의 뜻과 성질 (1)

본문 ◎ 74쪽

0357 $x=9$, $y=90$ **0358** $x=3$, $y=90$
0359 $x=4$, $y=45$ **0360** $x=45$, $y=70$
0361 2 cm **0362** 90° **0363** 4 cm^2 **0364** 8 cm^2
0365 72 cm^2

0357 정사각형의 네 변의 길이는 같으므로 $\overline{AB}=\overline{AD}=9$ cm
$\therefore x=9$
정사각형의 네 내각의 크기가 모두 같으므로 $\angle BCD=90°$
$\therefore y=90$

0358 $\overline{OA}=\overline{OB}=3$ cm이므로 $x=3$
$\overline{AC}\perp\overline{BD}$이므로 $\angle COD=90°$ $\quad\therefore y=90$

0359 $\overline{BD}=\overline{AC}=8$ cm이므로
$\overline{OB}=\frac{1}{2}\overline{BD}=\frac{1}{2}\times8=4$(cm) $\quad\therefore x=4$
$\triangle$OBC에서 $\overline{OB}=\overline{OC}$이고
$\angle BOC=90°$이므로 $\angle OCB=45°$ $\quad\therefore y=45$

0360 $\angle ADB=45°$이므로 $x=45$
$\triangle$AED에서 $\angle y=25°+45°=70°$ $\quad\therefore y=70$

0361 $\overline{BD}=\overline{AC}=4$ cm이므로
$\overline{OB}=\frac{1}{2}\overline{BD}=\frac{1}{2}\times4=2$(cm)

0363 $\triangle ABC=\frac{1}{2}\times\overline{AC}\times\overline{OB}=\frac{1}{2}\times4\times2=4(cm^2)$

0364 $\square ABCD=\triangle ABC+\triangle ACD=2\triangle ABC$
$=2\times 4=8(cm^2)$

0365 $\overline{OA}=\overline{OB}=\overline{OC}=\overline{OD}=6$ cm이므로 $\overline{BD}=2\times 6=12(cm)$
$\therefore \square ABCD=\triangle ABD+\triangle BCD=2\triangle BCD$
$=2\times\left(\frac{1}{2}\times 12\times 6\right)=72(cm^2)$

06 정사각형의 뜻과 성질 (2)

본문 ○ 75쪽

0366 45, SAS, 65, 45, 65, 110 **0367** 75°
0368 55° **0369** SAS, 120, 90, 90, 30 **0370** 40°
0371 90°

0367 $\triangle ABP\equiv\triangle ADP$(SAS 합동)이므로
$\angle ABP=\angle ADP=30°$
$\triangle ABP$에서 $\angle BPC=\angle BAP+\angle ABP$이므로
$\angle x=45°+30°=75°$

0368 $\triangle ABP$에서 $\angle BPC=\angle BAP+\angle ABP$이므로
$100°=45°+\angle ABP$ $\therefore \angle ABP=55°$
한편 $\triangle ABP\equiv\triangle ADP$(SAS 합동)이므로
$\angle ADP=\angle ABP=55°$ $\therefore \angle x=55°$

0370 $\triangle ABE$에서
$\angle AEB=180°-130°=50°$이므로
$\angle EAB=180°-(50°+90°)=40°$
한편 $\triangle ABE\equiv\triangle BCF$ (SAS 합동)이므로
$\angle CBF=\angle BAE=40°$ $\therefore \angle x=40°$

0371 $\triangle ABE\equiv\triangle BCF$ (SAS 합동)이므로
$\angle BAE=\angle CBF$
이때 $\angle BAE+\angle AEB=90°$이므로
$\angle CBF+\angle AEB=90°$
$\triangle GBE$에서 $\angle x=\angle CBF+\angle AEB=90°$

07 정사각형이 되는 조건

본문 ○ 76쪽

0372 ○ **0373** × **0374** ○ **0375** ○
0376 × **0377** ○ **0378** × **0379** ○
0380 × **0381** ×

0373, 0376 직사각형의 성질이다.

0377 $\angle A=\angle C$, $\angle B=\angle D$이므로 $\angle A=\angle B$이면
$\angle A=\angle B=\angle C=\angle D$
따라서 마름모 ABCD는 정사각형이 된다.

0379 $\overline{OA}=\overline{OC}$, $\overline{OB}=\overline{OD}$이므로 $\overline{OA}=\overline{OB}$이면
$\overline{OA}=\overline{OB}=\overline{OC}=\overline{OD}$ $\therefore \overline{AC}=\overline{BD}$
따라서 마름모 ABCD는 정사각형이 된다.

0378, 0380, 0381 마름모의 성질이다.

08 평행사변형이 정사각형이 되는 조건

본문 ○ 77쪽

0382 ○ **0383** × **0384** ○ **0385** ×
0386 ○ **0387** × **0388** 마름모 **0389** 직사각형
0390 직사각형 **0391** 직사각형
0392 마름모 **0393** 정사각형

0382 $\overline{AB}=\overline{BC}$이면 평행사변형 ABCD는 마름모가 되고,
$\overline{AC}=\overline{BD}$이면 마름모 ABCD는 정사각형이 된다.

0383 $\angle A=90°$, $\overline{AC}=\overline{BD}$이면 평행사변형 ABCD는 직사각형이 된다.

0384 $\overline{AC}=\overline{BD}$이면 평행사변형 ABCD는 직사각형이 되고,
$\overline{AC}\perp\overline{BD}$이면 직사각형 ABCD는 정사각형이 된다.

0385 $\overline{AB}=\overline{BC}$, $\overline{AC}\perp\overline{BD}$이면 평행사변형 ABCD는 마름모가 된다.

0386 $\angle A=90°$이면 평행사변형 ABCD는 직사각형이 되고,
$\overline{AC}\perp\overline{BD}$이면 직사각형 ABCD는 정사각형이 된다.

0387 평행사변형 ABCD는 $\overline{OA}=\overline{OB}=\overline{OC}=\overline{OD}$이면
$\overline{AC}=\overline{BD}$이므로 직사각형이 된다.

0388 이웃하는 두 변의 길이가 같은 평행사변형은 마름모가 된다.

0389 한 내각의 크기가 직각인 평행사변형은 직사각형이 된다.

0390 평행사변형에서 이웃하는 두 내각의 크기의 합은 180°이고, 그 두 내각의 크기가 같으면 한 내각의 크기가 각각 90°이므로 직사각형이 된다.

0391 두 대각선의 길이가 같은 평행사변형은 직사각형이 된다.

0392 두 대각선이 직교하는 평행사변형은 마름모가 된다.

0393 $\angle A=90^\circ$이면 평행사변형 ABCD는 직사각형이 되고, $\overline{AB}=\overline{BC}$이면 직사각형 ABCD는 정사각형이 된다.

핵심 01~08 Mini Review Test

본문 ◎ 78쪽

0394 65	**0395** ①, ④	**0396** 90°	**0397** 75°
0398 20°	**0399** ①, ④	**0400** ②, ③	

0394 $\overline{BD}=2\overline{OA}=2\times 5=10(\text{cm})$ $\quad\therefore x=10$
$\overline{OC}=\overline{OD}$이므로 $\angle OCD=\angle ODC=\angle y$
$\triangle OCD$에서 $2\angle y=110^\circ$, $\angle y=55^\circ$ $\quad\therefore y=55$
$\therefore x+y=10+55=65$

0395 ① 평행사변형이 마름모가 되는 조건이다.
② $\angle A=\angle C$, $\angle B=\angle D$이므로 $\angle A=\angle B$이면
$\angle A=\angle B=\angle C=\angle D=90^\circ$
③ 두 대각선의 길이가 같은 평행사변형은 직사각형이 된다.
④ 평행사변형의 성질이다.
⑤ $\angle A+\angle B=180^\circ$, $\angle B+\angle C=180^\circ$이므로
$\angle A+\angle C=180^\circ$이면 $\angle A=\angle B=\angle C=\angle D=90^\circ$
따라서 □ABCD는 직사각형이 된다.

0396 $\overline{AB}=\overline{BC}$이므로 $\angle ACB=\angle y$
$\triangle BCO$에서 $\angle BOC=90^\circ$이므로 $\angle x+\angle y=90^\circ$

0397 $\angle ADB=45^\circ$이므로
$\triangle AED$에서 $\angle x=180^\circ-(60^\circ+45^\circ)=75^\circ$

0398 $\triangle ABE\equiv\triangle ADE$(SAS 합동)이므로
$\angle ADE=\angle ABE=\angle x$
$\triangle AED$에서 $45^\circ+\angle x=65^\circ$ $\quad\therefore \angle x=20^\circ$

0399 마름모가 정사각형이 되려면 두 대각선의 길이가 같거나 한 내각의 크기가 90°이어야 한다.
②, ③, ⑤ 마름모의 성질이다.

0400 ① 마름모가 된다.
④, ⑤ 직사각형이 된다.

09 등변사다리꼴의 뜻과 성질

본문 ◎ 79쪽

0401 $x=10$, $y=70$	**0402** $x=7$, $y=65$	
0403 $x=40$, $y=65$	**0404** $x=80$, $y=40$	
0405 30, 30, 30, 30, 60	**0406** 70°	**0407** 32°

0402 등변사다리꼴은 두 대각선의 길이가 같으므로 $x=7$
$\angle C+\angle D=180^\circ$이므로 $\angle C+115^\circ=180^\circ$ $\quad\therefore \angle C=65^\circ$
$\therefore y=65$

0403 $\overline{AD}/\!/\overline{BC}$이므로 $\angle DBC=\angle ADB=40^\circ$ $\quad\therefore x=40$
□ABCD는 등변사다리꼴이므로
$\angle C=\angle ABC=\angle ABD+\angle DBC=25^\circ+40^\circ=65^\circ$
$\therefore y=65$

0404 $\overline{AD}/\!/\overline{BC}$이므로 $\angle ADB=\angle DBC=40^\circ$
$\triangle OAD$와 $\triangle OBC$는 이등변삼각형이므로
$\angle OCB=\angle OBC=40^\circ$ $\quad\therefore \angle x=40^\circ+40^\circ=80^\circ$
$\therefore x=80$
$\angle OAD=\angle ODA=40^\circ$이므로 $\angle y=40^\circ$ $\quad\therefore y=40$

0406 $\overline{AD}/\!/\overline{BC}$이므로 $\angle ADB=\angle DBC=35^\circ$ (엇각)
$\overline{AB}=\overline{AD}$이므로 $\angle ABD=\angle ADB=35^\circ$
□ABCD는 등변사다리꼴이므로
$\angle x=\angle ABC=\angle ABD+\angle DBC$
$=35^\circ+35^\circ=70^\circ$

0407 $\overline{AD}/\!/\overline{BC}$이므로 $\angle ADB=\angle DBC=\angle x$ (엇각)
$\overline{AB}=\overline{AD}$이므로 $\angle ABD=\angle ADB=\angle x$
□ABCD는 등변사다리꼴이므로 $\angle ABC=\angle C=64^\circ$
즉, $2\angle x=64^\circ$이므로 $\angle x=32^\circ$

10 등변사다리꼴에서 보조선 사용하기

본문 ◎ 80쪽

0408 6, 5, 평행사변형, 5, 정삼각형, 6, 6, 5, 11, 11
0409 2 **0410** 15 **0411** 5, 3, 직사각형, 5, 3, 8, 8
0412 4 **0413** 7

0409 점 A를 지나고 $\overline{DC}$와 평행한 선을 그어 $\overline{BC}$와 만나는 점을 E라고 하자.
□AECD는 평행사변형이므로
$\overline{EC}=\overline{AD}=x\text{ cm}$
또 $\overline{AE}/\!/\overline{DC}$이므로 $\angle AEB=\angle DCE=\angle ABE=60^\circ$
따라서 $\triangle ABE$는 정삼각형이므로 $\overline{BE}=\overline{AB}=3\text{ cm}$
즉, $\overline{BC}=\overline{BE}+\overline{EC}$에서 $5=3+x$ $\quad\therefore x=2$

0410 점 D를 지나고 $\overline{AB}$와 평행한 선을 그어 $\overline{BC}$와 만나는 점을 E라고 하자.

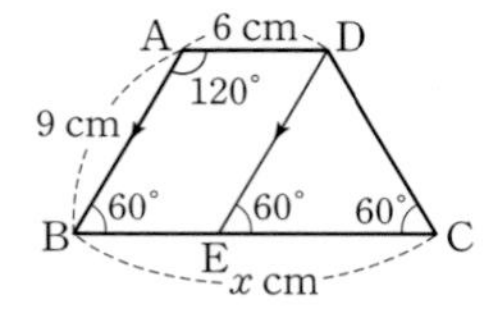

□ABED는 평행사변형이므로

$\overline{BE}=\overline{AD}=6\text{ cm}$

또 $\overline{AB}/\!/\overline{DE}$이므로

$\angle DEC=\angle ABE=\angle DCE=180^\circ-120^\circ=60^\circ$

따라서 △DEC는 정삼각형이므로

$\overline{EC}=\overline{DC}=\overline{AB}=9\text{ cm}$

즉, $\overline{BC}=\overline{BE}+\overline{EC}=6+9=15(\text{cm})$ $\quad\therefore x=15$

0412 점 D에서 $\overline{BC}$에 내린 수선의 발을 F라고 하면 □AEFD는 직사각형이므로 $\overline{EF}=\overline{AD}=9\text{ cm}$

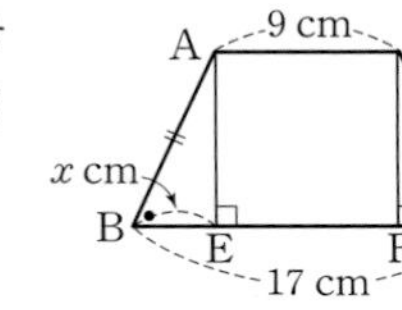

이때

△ABE≡△DCF(RHA 합동)

이므로

$\overline{CF}=\overline{BE}=x\text{ cm}$

따라서 $\overline{BC}=x+9+x=2x+9(\text{cm})$이므로

$2x+9=17 \quad \therefore x=4$

0413 점 A에서 $\overline{BC}$에 내린 수선의 발을 F라고 하면 □AFED는 직사각형이므로 $\overline{FE}=\overline{AD}=x\text{ cm}$

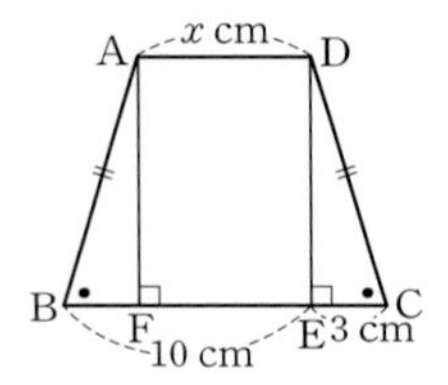

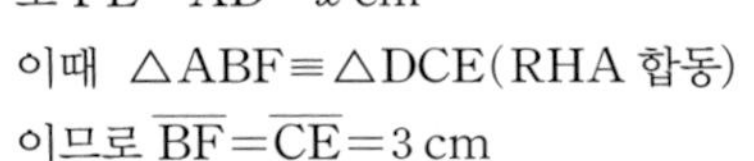

이때 △ABF≡△DCE(RHA 합동)이므로 $\overline{BF}=\overline{CE}=3\text{ cm}$

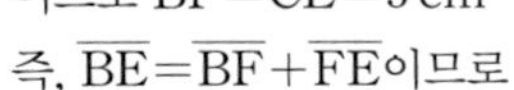

즉, $\overline{BE}=\overline{BF}+\overline{FE}$이므로

$3+x=10 \quad \therefore x=7$

11 여러 가지 사각형 사이의 관계 (1)

본문 ○ 81쪽

0414 ㄷ **0415** ㄱ **0416** ㄹ **0417** ㄴ
0418 ㄴ **0419** ㄹ **0420** ㄷ **0421** ㄱ
0422 ㄴ **0423** ㄴ **0424** ㄱ

12 여러 가지 사각형 사이의 관계 (2)

본문 ○ 82쪽

0425 ㄱ, ㄴ, ㄷ, ㄹ **0426** ㄷ, ㄹ
0427 ㄴ, ㄹ **0428** ㄴ, ㄹ, ㅁ
0429 ㄷ, ㄹ **0430** ㄱ, ㄴ, ㄷ, ㄹ
0431 ○ **0432** × **0433** × **0434** ○
0435 × **0436** ○ **0437** ○

0430 두 대각선이 서로 다른 것을 이등분하는 것은 평행사변형이므로 평행사변형의 성질을 가진 사각형을 모두 찾는다.

13 사각형의 각 변의 중점을 연결하여 만든 사각형

본문 ○ 83쪽

0438 마름모 **0439** 직사각형
0440 정사각형 **0441** 평행사변형
0442 평행사변형 **0443** 마름모
0444 평행사변형 **0445** 직사각형
0446 정사각형 **0447** (1) ○ (2) × (3) ○

0444 사다리꼴 ➡ 평행사변형

0445 마름모 ➡ 직사각형

0446 정사각형 ➡ 정사각형

0447 (2) □EFGH는 마름모이므로 네 내각의 크기가 모두 같지 않다.

14 평행선과 삼각형의 넓이 (1)

본문 ○ 84쪽

0448 △DBC **0449** △ABD
0450 △DOC **0451** △ABD, 12, 7
0452 26 cm^2 **0453** 25 cm^2

0450 $\overline{AD}/\!/\overline{BC}$이므로 △ABD=△ACD

$\therefore$ △ABO=△ABD−△AOD
=△ACD−△AOD
=△DOC

0452 △ACD=△AOD+△DOC=△AOD+△ABO
$=10+16=26(\text{cm}^2)$

0453 △DOC=△DBC−△OBC
=△ABC−△OBC
$=15-9=6(\text{cm}^2)$

$\therefore$ □ABCD=△ABC+△DOC+△AOD
$=15+6+4=25(\text{cm}^2)$

15 평행선과 삼각형의 넓이 (2)

본문 ○ 85쪽

0454 △ACE **0455** △DAE
0456 □ABCD **0457** △AFD
0458 30 cm^2 **0459** 4 cm^2 **0460** 12 cm^2 **0461** 9 cm^2

0456 $\overline{AC} /\!/ \overline{DE}$이므로 $\triangle ACE = \triangle ACD$

$\therefore \triangle ABE = \triangle ABC + \triangle ACE$
$= \triangle ABC + \triangle ACD$
$= \square ABCD$

0457 $\triangle FCE = \triangle DCE - \triangle DFE$
$= \triangle AED - \triangle DFE$
$= \triangle AFD$

0458 $\square ABCD = \triangle ABC + \triangle ACD$
$= \triangle ABC + \triangle ACE$
$= 18 + 12 = 30(cm^2)$

0459 $\triangle ACD = \triangle ACE$
$= \triangle ABE - \triangle ABC$
$= 10 - 6 = 4(cm^2)$

0460 $\triangle ABC = \square ABCD - \triangle ACD$
$= \square ABCD - \triangle ACE$
$= 20 - 8 = 12(cm^2)$

0461 $\overline{AE} /\!/ \overline{DB}$일 때 $\triangle ABD = \triangle DEB$

$\therefore \square ABCD = \triangle ABD + \triangle DBC$
$= \triangle DEB + \triangle DBC$
$= \triangle DEC = \frac{1}{2} \times 3 \times (2+4) = 9(cm^2)$

16 높이가 같은 삼각형의 넓이

본문 ◎ 86쪽

0462 2, 1, 1, $\frac{2}{3}$, 32 **0463** 12 cm^2
0464 21 cm^2 **0465** $\frac{1}{2}$, 45, $\frac{2}{3}$, 30
0466 18 cm^2 **0467** 15 cm^2

0463 $\overline{AP} : \overline{PB} = 2 : 3$이므로 $\triangle CAP : \triangle CPB = 2 : 3$

$\therefore \triangle CAP = \frac{2}{5} \triangle ABC = \frac{2}{5} \times 30 = 12(cm^2)$

0464 $\overline{BP} : \overline{PC} = 3 : 4$이므로 $\triangle ABP : \triangle APC = 3 : 4$

즉, $\triangle ABP : 12 = 3 : 4$이므로 $\triangle ABP = 9(cm^2)$

$\therefore \triangle ABC = \triangle ABP + \triangle APC = 9 + 12 = 21(cm^2)$

〈다른 풀이〉 $\overline{BP} : \overline{PC} = 3 : 4$이므로 $\overline{BC} : \overline{PC} = 7 : 4$

$\therefore \triangle ABC : \triangle APC = 7 : 4$

즉, $\triangle ABC : 12 = 7 : 4$이므로 $\triangle ABC = 21(cm^2)$

0466 $\overline{BD} : \overline{DC} = 2 : 1$이므로 $\triangle ABD : \triangle ADC = 2 : 1$

$\triangle ABD = \frac{2}{3} \triangle ABC = \frac{2}{3} \times 54 = 36(cm^2)$

$\overline{AE} : \overline{ED} = 1 : 1$이므로 $\triangle ABE : \triangle BDE = 1 : 1$

$\therefore \triangle ABE = \frac{1}{2} \triangle ABD = \frac{1}{2} \times 36 = 18(cm^2)$

0467 $\overline{AE} : \overline{ED} = 1 : 2$이므로 $\triangle ABE : \triangle BDE = 1 : 2$

즉, $\triangle ABE : 6 = 1 : 2$이므로

$2\triangle ABE = 6$ $\therefore \triangle ABE = 3(cm^2)$

$\therefore \triangle ABD = \triangle ABE + \triangle BDE = 3 + 6 = 9(cm^2)$

이때 $\overline{BD} : \overline{DC} = 3 : 2$이므로 $\triangle ABD : \triangle ADC = 3 : 2$

즉, $9 : \triangle ADC = 3 : 2$이므로

$3\triangle ADC = 18$ $\therefore \triangle ADC = 6(cm^2)$

$\therefore \triangle ABC = \triangle ABD + \triangle ADC = 9 + 6 = 15(cm^2)$

17 사각형에서 삼각형의 넓이의 비

본문 ◎ 87쪽

0468 60 cm^2 **0469** 3, 2, $\frac{3}{5}$, 21
0470 16 cm^2 **0471** 60, 30, 1, 2, $\frac{1}{3}$, 10
0472 18 cm^2 **0473** 98 cm^2

0468 $\triangle ABO : \triangle OBC = 1 : 3$이므로

$15 : \triangle OBC = 1 : 3$ $\therefore \triangle OBC = 45(cm^2)$

$\therefore \triangle ABC = \triangle ABO + \triangle OBC$
$= 15 + 45 = 60(cm^2)$

0470 $\triangle ABO : \triangle AOD = 4 : 3$이므로 $12 : \triangle AOD = 4 : 3$

즉, $4\triangle AOD = 36$이므로

$\triangle AOD = 9(cm^2)$

$\triangle DOC = \triangle ABO = 12(cm^2)$이고

$\triangle OBC : \triangle DOC = 4 : 3$이므로 $\triangle OBC : 12 = 4 : 3$

즉, $3\triangle OBC = 48$이므로

$\triangle OBC = 16(cm^2)$

0472 $\triangle PBC = \frac{1}{2} \square ABCD = \frac{1}{2} \times 60 = 30(cm^2)$

이때 $\triangle PBQ : \triangle PQC = 3 : 2$이므로

$\triangle PBQ = \frac{3}{5} \triangle PBC = \frac{3}{5} \times 30 = 18(cm^2)$

0473 $\overline{AO} : \overline{OC} = 2 : 5$이므로 $\triangle AOD : \triangle OCD = 2 : 5$

$\triangle AOD : 20 = 2 : 5$, $5\triangle AOD = 40$

$\therefore \triangle AOD = 8(cm^2)$

또 $\overline{AO} : \overline{OC} = 2 : 5$이므로 $\triangle ABO : \triangle OBC = 2 : 5$

이때 $\triangle OCD=\triangle ABO=20\ cm^2$이므로

$20:\triangle OBC=2:5$

$2\triangle OBC=100 \quad \therefore \triangle OBC=50(cm^2)$

$\therefore \square ABCD=\triangle AOD+\triangle ABO+\triangle OBC+\triangle OCD$

$=8+20+50+20=98(cm^2)$

핵심 09~17 Mini Review Test 본문 ◎ 88쪽

0474 ㄱ, ㄴ, ㄹ **0475** 10 cm **0476** ②, ⑤
0477 평행사변형 **0478** 48 cm² **0479** 33 cm²
0480 20 cm² **0481** 125 cm²

0474 ㄱ, ㄴ, ㄹ. $\triangle ABC\equiv\triangle DCB$(SAS 합동)이므로

$\angle B=\angle C$, $\angle DBC=\angle ACB$, $\overline{AC}=\overline{DB}$

ㄷ. $\overline{AB}=\overline{AD}$인지 알 수 없다.

0475 점 D를 지나고 $\overline{AB}$와 평행한 선을 그어 $\overline{BC}$와 만나는 점을 E라고 하자.

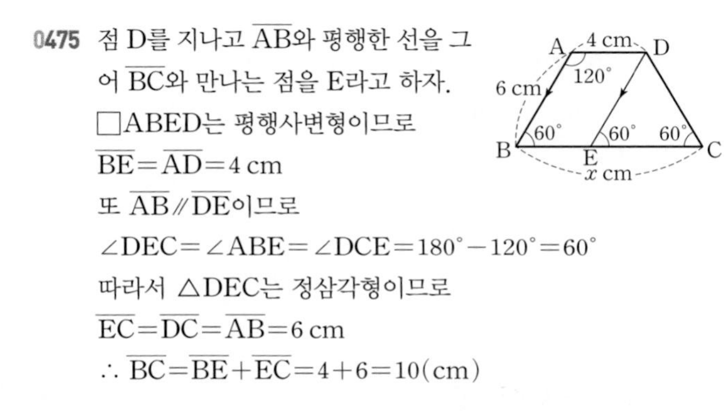

$\square ABED$는 평행사변형이므로

$\overline{BE}=\overline{AD}=4\ cm$

또 $\overline{AB}/\!/\overline{DE}$이므로

$\angle DEC=\angle ABE=\angle DCE=180°-120°=60°$

따라서 $\triangle DEC$는 정삼각형이므로

$\overline{EC}=\overline{DC}=\overline{AB}=6\ cm$

$\therefore \overline{BC}=\overline{BE}+\overline{EC}=4+6=10(cm)$

0478 $\triangle DOC=\triangle DBC-\triangle OBC$

$=\triangle ABC-\triangle OBC$

$=36-27=9\ (cm^2)$

$\therefore \square ABCD=\triangle AOD+\triangle ABO+\triangle OBC+\triangle OCD$

$=3+9+27+9=48(cm^2)$

0479 $\overline{AC}/\!/\overline{DE}$이므로 $\triangle ACD=\triangle ACE$

$\therefore \square ABCD=\triangle ABC+\triangle ACD$

$=\triangle ABC+\triangle ACE$

$=\triangle ABE$

$=\frac{1}{2}\times(8+3)\times6=33(cm^2)$

0480 $\overline{BD}=\overline{DC}$이므로

$\triangle ABD=\triangle ADC=\frac{1}{2}\triangle ABC$

$=\frac{1}{2}\times70=35(cm^2)$

이때 $\overline{AE}:\overline{ED}=3:4$이므로

$\triangle BDE=\frac{4}{7}\triangle ABD=\frac{4}{7}\times35=20(cm^2)$

0481 $\overline{BO}:\overline{OD}=3:2$이므로 $\triangle ABO:\triangle AOD=3:2$

즉, $\triangle ABO:20=3:2$이므로

$2\triangle ABO=60 \quad \therefore \triangle ABO=30(cm^2)$ ······ ❶

또 $\overline{BO}:\overline{OD}=3:2$이므로 $\triangle OBC:\triangle DOC=3:2$

이때 $\triangle DOC=\triangle ABO=30\ cm^2$이므로

$\triangle OBC:30=3:2$, $2\triangle OBC=90$

$\therefore \triangle OBC=45(cm^2)$ ······ ❷

$\therefore \square ABCD=\triangle AOD+\triangle ABO+\triangle OBC+\triangle OCD$

$=20+30+45+30$

$=125(cm^2)$ ······ ❸

채점 기준	배점
❶ $\triangle ABO$의 넓이 구하기	30 %
❷ $\triangle OBC$의 넓이 구하기	50 %
❸ $\square ABCD$의 넓이 구하기	20 %

5. 도형의 닮음

01 닮은 도형 (1)

본문 ○ 93쪽

0482 □EFGH		**0483** 점 E	**0484** 점 G
0485 $\overline{FG}$	**0486** $\overline{HE}$	**0487** ∠F	**0488** ∠H
0489 △DFE	**0490** 점 D	**0491** 점 F	**0492** $\overline{DF}$
0493 $\overline{ED}$	**0494** ∠F	**0495** ∠E	

02 닮은 도형 (2)

본문 ○ 94쪽

0496 ×	**0497** ×	**0498** ○	**0499** ○
0500 ×	**0501** ○	**0502** ○	**0503** ○
0504 ○	**0505** ×	**0506** ○	**0507** ×
0508 ×	**0509** ㄱ, ㄷ		

0505 닮은 두 도형에서 대응변의 길이의 비가 서로 같다.

0507 오른쪽 그림과 같은 두 삼각형은 닮음이지만 넓이가 다르다.

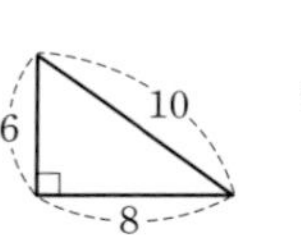

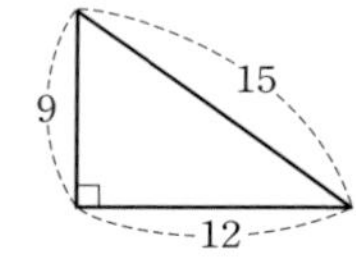

0508 오른쪽 그림과 같은 두 삼각형의 넓이는 $\frac{1}{2}\times3\times4=6$으로 같지만 닮음이 아니다.

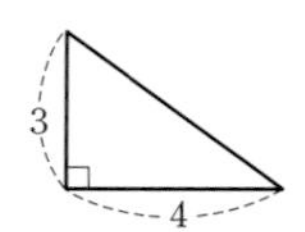

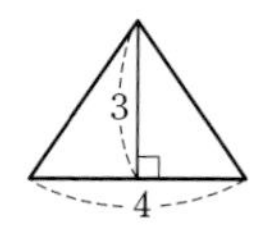

0509 ㄴ. 오른쪽 그림과 같은 두 이등변삼각형은 한 내각의 크기가 같지만 닮음은 아니다.

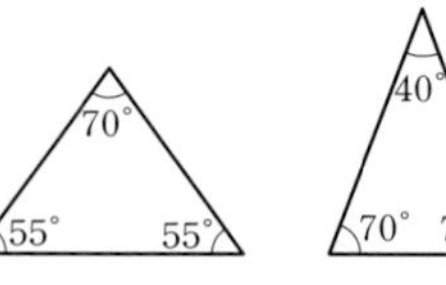

ㄷ. 마름모의 한 내각의 크기가 같으면 나머지 세 내각의 크기도 같게 되므로 네 각의 크기가 같게 되어 두 마름모는 닮음이 된다.

ㄹ. 오른쪽 그림과 같은 두 삼각기둥은 밑면이 정삼각형이어도 높이가 다르므로 닮은 도형이 아니다.

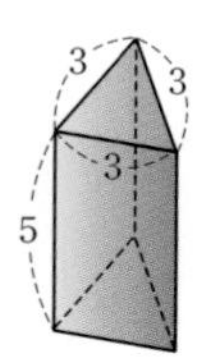

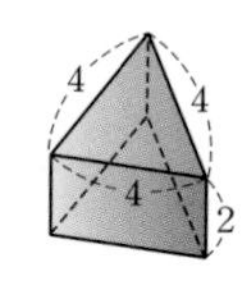

03 평면도형에서의 닮음의 성질

본문 ○ 95쪽

0510 4, 2, 1	**0511** 1, 1, 6, 3
0512 ∠C, 40	**0513** 180, 65
0514 2 : 3	**0515** 6 cm
0516 120°	**0517** (1) 2 cm (2) 18 cm

0514 $\overline{BC}:\overline{FG}=6:9=2:3$

0515 $\overline{AD}:\overline{EH}=2:3$이므로 $4:\overline{EH}=2:3$
$2\overline{EH}=12$ $\therefore \overline{EH}=6\,(cm)$

0516 ∠G의 대응각은 ∠C이므로 $\angle G=\angle C=65°$
$\therefore \angle E=360°-(90°+65°+85°)=120°$

0517 (1) $\overline{CA}:\overline{FD}=1:2$이므로 $\overline{CA}:4=1:2$
$2\overline{CA}=4$ $\therefore \overline{CA}=2\,(cm)$
(2) $\overline{AB}:\overline{DE}=1:2$이므로 $3:\overline{DE}=1:2$
$\therefore \overline{DE}=6\,(cm)$
$\overline{BC}:\overline{EF}=1:2$이므로 $4:\overline{EF}=1:2$
$\therefore \overline{EF}=8\,(cm)$
따라서 △DEF의 둘레의 길이는
$6+8+4=18\,(cm)$

04 입체도형에서의 닮음의 성질 (1)

본문 ○ 96쪽

0518 $\overline{GI}$, 8, 3, 2	**0519** 2, 2, 2, 6
0520 6 cm	**0521** 면 HKLI
0522 4 : 3	**0523** 6 cm
0524 12 cm	**0525** 12

0520 $\overline{BC}:\overline{HI}=3:2$이므로 $9:\overline{HI}=3:2$
$3\overline{HI}=18$ $\therefore \overline{HI}=6\,(cm)$

0522 $\overline{FG}:\overline{NO}=16:12=4:3$

0523 $\overline{AB}:\overline{IJ}=4:3$이므로 $8:\overline{IJ}=4:3$
$4\overline{IJ}=24$ $\therefore \overline{IJ}=6\,(cm)$

0524 $\overline{BF}:\overline{JN}=4:3$이므로 $\overline{BF}:9=4:3$
$3\overline{BF}=36$ $\therefore \overline{BF}=12\,(cm)$

0525 두 삼각기둥의 닮음비는 $\overline{DE}:\overline{JK}=4:8=1:2$
즉, $\overline{EF}:\overline{KL}=1:2$이므로 $x:4=1:2$
$2x=4$ $\therefore x=2$

또 $\overline{AD}:\overline{GJ}=1:2$이므로 $5:y=1:2$ $\quad\therefore y=10$
$\therefore x+y=2+10=12$

05 입체도형에서의 닮음의 성질 (2)

본문 97쪽

0526 10, 1, 2 **0527** 4 cm
0528 6 cm **0529** 6π cm
0530 12π cm **0531** 1 : 2
0532 8 **0533** 4
0534 10 **0535** 6 : 5

0527 원뿔 A의 높이를 x cm라고 하면
$x:8=1:2$, $2x=8$ $\quad\therefore x=4$

0528 원뿔 B의 밑면의 반지름의 길이를 y cm라고 하면
$3:y=1:2$ $\quad\therefore y=6$

0529 원뿔 A의 밑면의 둘레의 길이는 $2\pi\times3=6\pi$ (cm)

0530 원뿔 B의 밑면의 둘레의 길이는 $2\pi\times6=12\pi$ (cm)

0531 두 원뿔 A, B의 밑면의 둘레의 길이의 비는
$6\pi:12\pi=1:2$

0532 두 원뿔 A, B의 닮음비는 모선의 길이의 비와 같으므로
$15:12=5:4$
즉, $10:x=5:4$이므로 $5x=40$ $\quad\therefore x=8$

0533 두 원뿔 A, B의 닮음비는 높이의 비와 같으므로
$10:15=2:3$
즉, $x:6=2:3$이므로 $3x=12$ $\quad\therefore x=4$

0534 두 원기둥 A, B의 닮음비는 밑면의 반지름의 길이의 비와 같으므로 3 : 5이다.
즉, $6:x=3:5$이므로 $3x=30$ $\quad\therefore x=10$

0535 두 원기둥 A, B의 닮음비는 $12:10=6:5$이므로
두 원기둥 A, B의 밑면의 둘레의 길이의 비도 6 : 5이다.

핵심 01~05 Mini Review Test

본문 98쪽

0536 ②, ④ **0537** ⑤ **0538** 136 **0539** 51 cm
0540 14 **0541** 36π cm^2

0537 $\triangle ABC$와 $\triangle EFD$의 닮음비는 $\overline{BC}:\overline{FD}=12:8=3:2$
③, ④ $\angle F=\angle B=80^\circ$이므로
$\angle D=180^\circ-(80^\circ+60^\circ)=40^\circ$
⑤ $\overline{CA}:\overline{DE}=3:2$이므로
$15:\overline{DE}=3:2$, $3\overline{DE}=30$
$\therefore \overline{DE}=10$ (cm)

0538 □ABCD와 □HGFE의 닮음비는
$\overline{BC}:\overline{GF}=14:8=7:4$
즉, $\overline{AB}:\overline{HG}=7:4$이므로 $x:12=7:4$
$4x=84$ $\quad\therefore x=21$
또 $\angle H=\angle A=110^\circ$, $\angle G=\angle B=70^\circ$이므로
$\angle y=360^\circ-(110^\circ+70^\circ+65^\circ)=115^\circ$
$\therefore y=115$
$\therefore x+y=21+115=136$

0539 $\overline{BC}:\overline{FG}=2:3$에서 $8:\overline{FG}=2:3$ $\quad\therefore \overline{FG}=12$ (cm)
$\overline{CD}:\overline{GH}=2:3$에서 $12:\overline{GH}=2:3$ $\quad\therefore \overline{GH}=18$ (cm)
$\overline{DA}:\overline{HE}=2:3$에서 $6:\overline{HE}=2:3$ $\quad\therefore \overline{HE}=9$ (cm)
따라서 □EFGH의 둘레의 길이는
$9+12+12+18=51$(cm)
〈다른 풀이〉 $\overline{AB}:\overline{EF}=2:3$에서 $\overline{AB}:12=2:3$
$\therefore \overline{AB}=8$ (cm)
□ABCD의 둘레의 길이는 $6+8+8+12=34$(cm)
두 도형의 둘레의 길이의 비도 2 : 3이므로
□EFGH의 둘레의 길이를 l cm라고 하면
$34:l=2:3$에서 $2l=102$
$\therefore l=51$
따라서 □EFGH의 둘레의 길이는 51 cm이다.

0540 두 직육면체의 닮음비는 $\overline{AB}:\overline{IJ}=3:6=1:2$이므로
$x:8=1:2$, $2x=8$ $\quad\therefore x=4$ …… ❶
$5:y=1:2$ $\quad\therefore y=10$ …… ❷
$\therefore x+y=4+10=14$ …… ❸

채점 기준	배점
❶ x의 값 구하기	40 %
❷ y의 값 구하기	40 %
❸ $x+y$의 값 구하기	20 %

0541 두 원뿔 A, B의 닮음비는 $15:9=5:3$
이때 원뿔 B의 반지름의 길이를 x cm라고 하면
$10:x=5:3$, $5x=30$ $\quad\therefore x=6$
따라서 원뿔 B의 밑면의 넓이는
$\pi\times6^2=36\pi$ (cm^2)

06 삼각형의 닮음 조건 (1)

본문 ◎ 99쪽

0542 2, 1, 4, 2, 1, 2, 2, 1, SSS

0543 40, 6, 2, 3, 9, 2, 3, SAS

0544 $\angle F$, 10, 3, 2, 12, 3, 2, SAS

0545 $\angle F$, $\angle D$, $\triangle FDE$, AA

07 삼각형의 닮음 조건 (2)

본문 ◎ 100쪽

0546 $\triangle FED$, SAS　**0547** $\triangle BCA$, SSS

0548 $\triangle LKJ$, AA

0549 $\triangle CBD$, 12, 4, 16, 4, $\overline{DC}$, 8, 4, $\triangle CBD$, SSS

0550 $\triangle CAE \backsim \triangle DBE$(SAS 닮음)

0551 (1) ○ (2) × (3) × (4) ○

0546 $\triangle MNO$와 $\triangle FED$에서
$\overline{MN} : \overline{FE} = 9 : 6 = 3 : 2$
$\angle N = \angle E = 40°$
$\overline{ON} : \overline{DE} = 6 : 4 = 3 : 2$
$\therefore \triangle MNO \backsim \triangle FED$(SAS 닮음)

0547 $\triangle PQR$와 $\triangle BCA$에서
$\overline{PQ} : \overline{BC} = 6 : 3 = 2 : 1$
$\overline{QR} : \overline{CA} = 10 : 5 = 2 : 1$
$\overline{RP} : \overline{AB} = 8 : 4 = 2 : 1$
$\therefore \triangle PQR \backsim \triangle BCA$(SSS 닮음)

0548 $\triangle STU$에서 $\angle S = 180° - (60° + 40°) = 80°$
즉, $\triangle STU$와 $\triangle LKJ$에서
$\angle S = \angle L = 80°$, $\angle T = \angle K = 60°$
$\therefore \triangle STU \backsim \triangle LKJ$(AA 닮음)

0550 $\triangle CAE$와 $\triangle DBE$에서
$\overline{AE} : \overline{BE} = 4 : 8 = 1 : 2$, $\angle AEC = \angle BED$(맞꼭지각)
$\overline{CE} : \overline{DE} = 3 : 6 = 1 : 2$
$\therefore \triangle CAE \backsim \triangle DBE$(SAS 닮음)

0551 (1) $\overline{AB} : \overline{DE} = 6 : 9 = 2 : 3$, $\angle B = \angle E = 50°$
$\overline{BC} : \overline{EF} = 10 : 15 = 2 : 3$
$\therefore \triangle ABC \backsim \triangle DEF$ (SAS 닮음)
(2) $\overline{AC} : \overline{DF} = 8 : 12 = 2 : 3$
$\overline{BC} : \overline{EF} = 10 : 15 = 2 : 3$
그런데 $\angle B$, $\angle E$가 끼인각이 아니다.
(4) $\triangle DEF$에서 $\angle D = 180° - (50° + 25°) = 105°$
즉, $\triangle ABC$와 $\triangle DEF$에서
$\angle A = \angle D = 105°$, $\angle B = \angle E = 50°$
$\therefore \triangle ABC \backsim \triangle DEF$ (AA 닮음)

08 닮음인 삼각형 찾기 - SAS닮음

본문 ◎ 101쪽

0552 $\triangle BDC$, 2, 1, 8, 2, 1, $\triangle BDC$, SAS

0553 2, 1, 2, 1, 2, 1, $\frac{9}{2}$

0554 $\triangle AED$　**0555** 6 cm

0556 18　**0557** 10

0558 20

0554 $\triangle ABC$와 $\triangle AED$에서
$\overline{AB} : \overline{AE} = 6 : 3 = 2 : 1$
$\angle A$는 공통
$\overline{AC} : \overline{AD} = 8 : 4 = 2 : 1$
$\therefore \triangle ABC \backsim \triangle AED$(SAS 닮음)

0555 $\triangle ABC$와 $\triangle AED$의 닮음비는 2 : 1이므로
$\overline{BC} : \overline{ED} = 2 : 1$에서 $\overline{BC} : 3 = 2 : 1$　$\therefore \overline{BC} = 6$ (cm)

0556 $\triangle ABC$와 $\triangle EBD$에서
$\overline{AB} : \overline{EB} = 21 : 14 = 3 : 2$
$\angle B$는 공통
$\overline{BC} : \overline{BD} = 18 : 12 = 3 : 2$
$\therefore \triangle ABC \backsim \triangle EBD$(SAS 닮음)
따라서 $\triangle ABC$와 $\triangle EBD$의 닮음비는 3 : 2이므로
$\overline{AC} : \overline{ED} = 3 : 2$에서 $x : 12 = 3 : 2$
$2x = 36$　$\therefore x = 18$

0557 $\triangle ABC$와 $\triangle EDC$에서
$\overline{AC} : \overline{EC} = 12 : 6 = 2 : 1$
$\angle C$는 공통
$\overline{BC} : \overline{DC} = 8 : 4 = 2 : 1$
$\therefore \triangle ABC \backsim \triangle EDC$(SAS 닮음)
따라서 $\triangle ABC$와 $\triangle EDC$의 닮음비는 2 : 1이므로
$\overline{AB} : \overline{ED} = 2 : 1$에서 $x : 5 = 2 : 1$　$\therefore x = 10$

0558 $\triangle ABC$와 $\triangle ACD$에서
$\overline{AB} : \overline{AC} = 16 : 12 = 4 : 3$
$\angle A$는 공통
$\overline{CA} : \overline{DA} = 12 : 9 = 4 : 3$
$\therefore \triangle ABC \backsim \triangle ACD$(SAS 닮음)
따라서 $\triangle ABC$와 $\triangle ACD$의 닮음비는 4 : 3이므로
$\overline{BC} : \overline{CD} = 4 : 3$에서 $x : 15 = 4 : 3$
$3x = 60$　$\therefore x = 20$

09 닮음인 삼각형 찾기 - AA 닮음

본문 ○ 102쪽

0559 $\triangle$AED, $\angle$A, $\triangle$AED
0560 3, 1, 3, 1, 3, 1, 9 **0561** $\triangle$DAC
0562 8 cm **0563** 6
0564 12 **0565** 3

0561 $\triangle$ABC와 $\triangle$DAC에서
$\angle$C는 공통, $\angle$ABC$=\angle$DAC
$\therefore$ $\triangle$ABC$\backsim\triangle$DAC(AA 닮음)

0562 $\triangle$ABC와 $\triangle$DAC의 닮음비는
$\overline{BC}:\overline{AC}=18:12=3:2$이므로
$\overline{AC}:\overline{DC}=3:2$에서 $12:\overline{DC}=3:2$
$3\overline{DC}=24$ $\therefore$ $\overline{DC}=8$ (cm)

0563 $\triangle$ABC와 $\triangle$EBD에서
$\angle$CAB$=\angle$DEB(엇각), $\angle$ABC$=\angle$EBD(맞꼭지각)
$\therefore$ $\triangle$ABC$\backsim\triangle$EBD(AA 닮음)
따라서 $\triangle$ABC와 $\triangle$EBD의 닮음비는
$\overline{BC}:\overline{BD}=9:12=3:4$이므로
$\overline{AB}:\overline{EB}=3:4$에서 $x:8=3:4$, $4x=24$ $\therefore$ $x=6$

0564 $\triangle$ABC와 $\triangle$CBD에서
$\angle$B는 공통, $\angle$BAC$=\angle$BCD
$\therefore$ $\triangle$ABC$\backsim\triangle$CBD(AA 닮음)
따라서 $\triangle$ABC와 $\triangle$CBD의 닮음비는
$\overline{AC}:\overline{CD}=8:4=2:1$이므로
$\overline{AB}:\overline{CB}=2:1$에서 $x:6=2:1$ $\therefore$ $x=12$

0564 $\triangle$ABC와 $\triangle$EDC에서
$\angle$C는 공통, $\angle$CAB$=\angle$CED
$\therefore$ $\triangle$ABC$\backsim\triangle$EDC(AA 닮음)
따라서 $\triangle$ABC와 $\triangle$EDC의 닮음비는
$\overline{BC}:\overline{DC}=10:5=2:1$이므로
$\overline{AC}:\overline{EC}=2:1$에서 $(x+5):4=2:1$
$x+5=8$ $\therefore$ $x=3$

10 직각삼각형의 닮음

본문 ○ 103쪽

0566 $\triangle$EBD, 90, $\triangle$EBD, $\overline{BC}$, 12, 4
0567 11 **0568** 6
0569 ○ **0570** ×
0571 ○ **0572** ○
0573 6 cm

0567 $\triangle$ABC와 $\triangle$EBD에서
$\angle$B는 공통, $\angle$BCA$=\angle$BDE$=90°$
$\therefore$ $\triangle$ABC$\backsim\triangle$EBD(AA 닮음)
$\overline{AB}:\overline{EB}=\overline{BC}:\overline{BD}$에서 $10:(4+x)=4:6$
$4(4+x)=60$, $4+x=15$ $\therefore$ $x=11$

0568 $\triangle$ADB와 $\triangle$BEC에서 $\angle$ADB$=\angle$BEC$=90°$
$\triangle$DAB$+\triangle$ABD$=90°$, $\angle$ABD$+\angle$EBC$=90°$이므로
$\angle$DAB$=\angle$EBC
$\therefore$ $\triangle$ADB$\backsim\triangle$BEC(AA 닮음)
$\overline{AD}:\overline{BE}=\overline{BD}:\overline{CE}$에서 $3:x=4:8$
$4x=24$ $\therefore$ $x=6$

0569 $\triangle$ABD와 $\triangle$ACE에서
$\angle$A는 공통, $\angle$ADB$=\angle$AEC$=90°$
$\therefore$ $\triangle$ABD$\backsim\triangle$ACE(AA 닮음)

0571 $\triangle$ABD와 $\triangle$FBE에서
$\angle$ABD$=\angle$FBE, $\angle$ADB$=\angle$FEB$=90°$
$\therefore$ $\triangle$ABD$\backsim\triangle$FBE(AA 닮음)

0572 $\triangle$ABD$\backsim\triangle$FBE이므로
$\angle$DAB$=\angle$EFB
$\therefore$ $\angle$DAB$=\angle$EFB$=\angle$DFC(맞꼭지각)
$\triangle$ABD와 $\triangle$FCD에서
$\angle$ADB$=\angle$FDC$=90°$, $\angle$DAB$=\angle$DFC
$\therefore$ $\triangle$ABD$\backsim\triangle$FCD(AA 닮음)

0573 $\triangle$ABD$\backsim\triangle$ACE(AA 닮음)이므로
$\overline{AB}:\overline{AC}=\overline{AD}:\overline{AE}$에서 $16:(8+\overline{CD})=8:7$
$64+8\overline{CD}=112$ $\therefore$ $\overline{CD}=6$ (cm)

11 직각삼각형의 닮음의 활용 (1)

본문 ○ 104쪽

0574 25, 10 **0575** 12 **0576** 20, 10 **0577** 7
0578 3, 6 **0579** 4

0575 $6^2=3\times x$, $36=3\times x$ $\therefore$ $x=12$

0577 $12^2=9\times(9+x)$, $144=81+9x$
$63=9x$ $\therefore$ $x=7$

0579 $6^2=x\times 9$, $36=x\times 9$ $\therefore$ $x=4$

12 직각삼각형의 닮음의 활용 (2)

본문 ○ 105쪽

0580 $x=9$, $y=20$ **0581** $x=\frac{9}{2}$, $y=6$
0582 $x=3$, $y=5$ **0583** $x=16$, $y=9$
0584 2, 8, 10, 10, 20 **0585** 39 cm^2
0586 45 cm^2 **0587** 150 cm^2

0580 $\overline{AD}^2=\overline{BD}\times\overline{CD}$이므로 $12^2=x\times16$
$144=x\times16$ $\therefore x=9$
$\overline{AC}^2=\overline{CD}\times\overline{BC}$이므로 $y^2=16\times(9+16)=400$
$\therefore y=20(\because y>0)$

0581 $\overline{AB}^2=\overline{BD}\times\overline{BC}$이므로 $10^2=8\times(8+x)$
$100=64+8x$ $\therefore x=\frac{9}{2}$
$\overline{AD}^2=\overline{BD}\times\overline{CD}$이므로
$y^2=8\times\frac{9}{2}=36$ $\therefore y=6(\because y>0)$

0582 $\overline{AD}^2=\overline{BD}\times\overline{CD}$이므로 $4^2=\frac{16}{3}\times x$
$16=\frac{16}{3}\times x$ $\therefore x=3$
$\overline{AC}^2=\overline{CD}\times\overline{BC}$이므로
$y^2=3\times\left(3+\frac{16}{3}\right)=25$ $\therefore y=5(\because y>0)$

0583 $20\times15=12\times(x+y)$이므로 $x+y=25$
$\overline{AB}^2=\overline{BD}\times\overline{BC}$이므로 $20^2=x\times25$
$400=x\times25$ $\therefore x=16$
$x+y=25$에서 $x=16$이므로 $y=9$

0585 $\overline{AD}^2=\overline{BD}\times\overline{CD}$이므로 $\overline{AD}^2=4\times9=36$
$\therefore \overline{AD}=6\,(cm)(\because \overline{AD}>0)$
$\therefore \triangle ABC=\frac{1}{2}\times(4+9)\times6=39\,(cm^2)$

0586 $\overline{AD}^2=\overline{BD}\times\overline{CD}$이므로 $6^2=3\times\overline{CD}$
$36=3\times\overline{CD}$ $\therefore \overline{CD}=12\,(cm)$
$\therefore \triangle ABC=\frac{1}{2}\times(3+12)\times6=45\,(cm^2)$

0587 $\overline{AB}^2=\overline{BD}\times\overline{BC}$이므로 $15^2=\overline{BD}\times25$ $\therefore \overline{BD}=9\,(cm)$
$\therefore \overline{CD}=25-9=16\,(cm)$
이때 $\overline{AD}^2=\overline{BD}\times\overline{CD}$이므로
$\overline{AD}^2=9\times16=144$ $\therefore \overline{AD}=12\,(cm)(\because \overline{AD}>0)$
$\therefore \triangle ABC=\frac{1}{2}\times25\times12=150\,(cm^2)$

핵심 06~12 Mini Review Test

본문 ○ 106쪽

0588 ③ **0589** ②, ④ **0590** ④ **0591** 4 cm
0592 5 **0593** 28 **0594** 145 cm^2

0589 ② $\triangle ABC$에서 $\angle A=75°$이면
$\angle C=180°-(75°+45°)=60°$
$\triangle DEF$에서 $\angle E=45°$이면
$\angle B=\angle E$, $\angle C=\angle F$이므로
$\triangle ABC\sim\triangle DEF$ (AA 닮음)
④ $\angle C=60°$, $\overline{AC}=6$ cm, $\overline{EF}=15$ cm이면
$\overline{BC}:\overline{EF}=9:15=3:5$
$\overline{AC}:\overline{DF}=6:10=3:5$, $\angle C=\angle F$
$\therefore \triangle ABC\sim\triangle DEF$ (SAS 닮음)

0590 $\triangle ABC$와 $\triangle CBD$에서
$\overline{AB}:\overline{CB}=12:6=2:1$, $\angle B$는 공통
$\overline{BC}:\overline{BD}=6:3=2:1$
$\therefore \triangle ABC\sim\triangle CBD$ (SAS 닮음)
따라서 $\overline{CA}:\overline{DC}=2:1$이므로 $x:5=2:1$ $\therefore x=10$

0591 $\triangle ABC\sim\triangle EDC$ (AA 닮음)이므로
$\overline{AC}:\overline{EC}=\overline{BC}:\overline{DC}$에서 $(8+\overline{AD}):6=16:8$
$8(8+\overline{AD})=96$ $\therefore \overline{AD}=4\,(cm)$

0592 $\triangle ABC\sim\triangle DBP$ (AA 닮음)이므로
$\overline{AB}:\overline{DB}=\overline{BC}:\overline{BP}$에서 $(x+4):6=6:4$
$4(x+4)=36$ $\therefore x=5$

0593 $\overline{AC}^2=\overline{AD}\times\overline{AB}$이므로 $15^2=9\times(9+x)$
$225=81+9x$ $\therefore x=16$
$\overline{CD}^2=\overline{AD}\times\overline{BD}$이므로
$y^2=9\times16=144$ $\therefore y=12(\because y>0)$
$\therefore x+y=16+12=28$

0594 $\overline{AD}^2=\overline{BD}\times\overline{CD}$이므로
$10^2=4\times\overline{CD}$ $\therefore \overline{CD}=25\,(cm)$ ······ ❶
$\therefore \overline{BC}=4+25=29\,(cm)$ ······ ❷
$\therefore \triangle ABC=\frac{1}{2}\times29\times10=145\,(cm^2)$ ······ ❸

채점 기준	배점
❶ $\overline{CD}$의 길이 구하기	40 %
❷ $\overline{BC}$의 길이 구하기	30 %
❸ $\triangle ABC$의 넓이 구하기	30 %

6. 평행선과 선분의 길이의 비

01 삼각형에서 평행선과 선분의 길이의 비 (1)

본문 ○ 111쪽

0595 $\overline{AD}$, $\overline{AC}$, 2, x, 18, 9 **0596** 20 **0597** 15
0598 $\overline{AC}$, $\overline{AD}$, 8, 3, 24, 6 **0599** 9 **0600** 37

0596 $\overline{AC}:\overline{AE}=\overline{BC}:\overline{DE}$이므로
$16:12=x:15$, $12x=240$ $\therefore x=20$

0597 $\overline{AB}:\overline{AD}=\overline{BC}:\overline{DE}$이므로
$6:(6+4)=9:x$, $6x=90$ $\therefore x=15$

0599 $\overline{AB}:\overline{AD}=\overline{BC}:\overline{DE}$이므로
$4:6=6:x$, $4x=36$ $\therefore x=9$

0600 $8:20=x:(x+18)$이므로
$20x=8(x+18)$, $12x=144$ $\therefore x=12$
$8:20=10:y$이므로
$8y=200$ $\therefore y=25$
$\therefore x+y=12+25=37$

02 삼각형에서 평행선과 선분의 길이의 비 (2)

본문 ○ 112쪽

0601 $\overline{EC}$, 3, 24, 6 **0602** 9 **0603** 12
0604 12 **0605** $\overline{AE}$, 9, 90, 15 **0606** 9
0607 12 **0608** 29

0602 $\overline{AD}:\overline{DB}=\overline{AE}:\overline{EC}$이므로
$6:2=x:3$, $2x=18$ $\therefore x=9$

0603 $\overline{AD}:\overline{DB}=\overline{AE}:\overline{EC}$이므로
$9:6=x:8$
$6x=72$ $\therefore x=12$

0604 $\overline{AD}:\overline{DB}=\overline{AE}:\overline{EC}$이므로
$18:x=21:14$, $21x=252$ $\therefore x=12$

0606 $\overline{AB}:\overline{BD}=\overline{AC}:\overline{CE}$이므로
$6:x=8:(8+4)$, $8x=72$ $\therefore x=9$

0607 $\overline{AB}:\overline{BD}=\overline{AC}:\overline{CE}$이므로
$x:27=(18-10):18$, $18x=216$ $\therefore x=12$

0608 $5:x=(16-12):16$이므로
$4x=80$ $\therefore x=20$
$(16-12):3=12:y$이므로
$4y=36$ $\therefore y=9$
$\therefore x+y=20+9=29$

03 삼각형에서 평행선과 선분의 길이의 비 (3)

본문 ○ 113쪽

0609 15, 5, 15, 6 **0610** $x=3$, $y=10$
0611 $x=3$, $y=12$ **0612** 2, 2
0613 $x=6$, $y=3$ **0614** $x=8$, $y=6$

0610 $12:(12+x)=4:5$이므로
$4(12+x)=60$ $\therefore x=3$
$4:5=8:y$이므로
$4y=40$ $\therefore y=10$

0611 $6:(6+3)=2:x$이므로
$6x=18$ $\therefore x=3$
$6:(6+3)=8:y$이므로
$6y=72$ $\therefore y=12$

0613 $x:8=9:12$이므로 $12x=72$ $\therefore x=6$
$12:y=8:2$이므로 $8y=24$ $\therefore y=3$

0614 $4:x=6:12$이므로 $6x=48$ $\therefore x=8$
$8:4=12:y$이므로 $8y=48$ $\therefore y=6$

04 삼각형에서 평행선과 선분의 길이의 비 (4)

본문 ○ 114쪽

0615 6, 3, 2, 6, 3, 2, 이다 / ○ **0616** ×
0617 ○ **0618** × **0619** × **0620** ○
0621 ○ **0622** ×

0616 $\overline{AB}:\overline{AD}=(4+6):4=5:2$
$\overline{BC}:\overline{DE}=15:5=3:1$
즉, $\overline{AB}:\overline{AD}\neq\overline{BC}:\overline{DE}$이므로 $\overline{BC}\not\parallel\overline{DE}$가 아니다.

0617 $\overline{AD}:\overline{DB}=8:4=2:1$
$\overline{AE}:\overline{EC}=10:5=2:1$
즉, $\overline{AD}:\overline{DB}=\overline{AE}:\overline{EC}$이므로 $\overline{BC}\,/\!/\,\overline{DE}$이다.

0618 $\overline{AD}:\overline{DB}=12:4=3:1$

$\overline{AE}:\overline{EC}=(9+6):6=5:2$

즉, $\overline{AD}:\overline{DB}\neq\overline{AE}:\overline{EC}$이므로 $\overline{BC}/\!/\overline{DE}$가 아니다.

0619 $\overline{AD}:\overline{DB}=12:4=3:1$

$\overline{AE}:\overline{EC}=10:(13-10)=10:3$

즉, $\overline{AD}:\overline{DB}\neq\overline{AE}:\overline{EC}$이므로 $\overline{BC}/\!/\overline{DE}$가 아니다.

0620 $\overline{AD}:\overline{AB}=3:(3+2)=3:5$

$\overline{DE}:\overline{BC}=2:\frac{10}{3}=6:10=3:5$

즉, $\overline{AD}:\overline{AB}=\overline{DE}:\overline{BC}$이므로 $\overline{BC}/\!/\overline{DE}$이다.

0621 $\overline{AB}:\overline{AD}=6:3=2:1$

$\overline{AC}:\overline{AE}=8:4=2:1$

즉, $\overline{AB}:\overline{AD}=\overline{AC}:\overline{AE}$이므로 $\overline{BC}/\!/\overline{DE}$이다.

0622 $\overline{AD}:\overline{DB}=8:24=1:3$

$\overline{AE}:\overline{EC}=(15-9):15=2:5$

즉, $\overline{AD}:\overline{DB}\neq\overline{AE}:\overline{EC}$이므로 $\overline{BC}/\!/\overline{DE}$가 아니다.

05 삼각형의 내각의 이등분선

본문 ○ 115쪽

0623 9, 9, 72, 6 **0624** 3 **0625** 9
0626 10 **0627** 3 **0628** 6 **0629** 6

0624 $6:4=x:2$이므로

$4x=12 \quad \therefore x=3$

0625 $6:x=4:6$이므로

$4x=36 \quad \therefore x=9$

0626 $12:8=6:(x-6)$이므로 $12(x-6)=48$

$x-6=4 \quad \therefore x=10$

0627 $6:12=x:(9-x)$이므로 $12x=6(9-x)$

$18x=54 \quad \therefore x=3$

0628 $6:9=(10-x):x$이므로 $9(10-x)=6x$

$15x=90 \quad \therefore x=6$

0629 점 I가 $\triangle ABC$의 내심이므로 $\overline{AD}$는 $\angle A$의 이등분선이다.

즉, $10:\overline{AC}=5:3$이므로

$5\overline{AC}=30 \quad \therefore \overline{AC}=6$

06 내각의 이등분선과 삼각형의 넓이의 비

본문 ○ 116쪽

0630 $\overline{AC}$, 8, 5, 4, $\overline{CD}$, 5, 4 **0631** 3 : 2
0632 3, $\frac{2}{5}$, $\frac{2}{5}$, 40 **0633** 75 cm^2
0634 25 cm^2 **0635** 35 cm^2
0636 60 cm^2

0631 $\triangle ABD:\triangle ACD=\overline{AB}:\overline{AC}=12:8=3:2$

0633 $\triangle ABD:\triangle ACD=8:10=4:5$이므로

$60:\triangle ACD=4:5$, $4\triangle ACD=300$

$\therefore \triangle ACD=75(cm^2)$

0634 $\triangle ABD:\triangle ACD=10:12=5:6$이므로

$\triangle ABD:30=5:6$

$6\triangle ABD=150$

$\therefore \triangle ABD=25(cm^2)$

0635 $\triangle ABD:\triangle ACD=8:6=4:3$이므로

$\triangle ABD:15=4:3$, $3\triangle ABD=60$

$\therefore \triangle ABD=20(cm^2)$

$\therefore \triangle ABC=\triangle ABD+\triangle ACD$

$=20+15=35(cm^2)$

0636 $\triangle ABC=\frac{1}{2}\times16\times12=96(cm^2)$

이때 $\triangle ABD:\triangle ACD=20:12=5:3$이므로

$\triangle ABD=\frac{5}{8}\times96=60(cm^2)$

07 삼각형의 외각의 이등분선

본문 ○ 117쪽

0637 3, 3, 24, 6 **0638** 4 **0639** 10
0640 4 **0641** 16 **0642** 7 **0643** 5 cm^2

0638 $6:x=12:(12-4)$이므로

$12x=48 \quad \therefore x=4$

0639 $x:8=(4+16):16$이므로

$16x=160 \quad \therefore x=10$

0640 $5:3=(x+6):6$이므로

$3(x+6)=30 \quad \therefore x=4$

0641 $8:5=x:(x-6)$이므로
$5x=8(x-6)$, $5x=8x-48$
$3x=48$ $\therefore x=16$

0642 $x:4=(8+6):8$이므로
$8x=56$ $\therefore x=7$

0643 $\overline{AD}$는 $\angle A$의 외각의 이등분선이므로
$\overline{BD}:\overline{CD}=\overline{AB}:\overline{AC}=15:12=5:4$
$\therefore \overline{BC}:\overline{CD}=1:4$
따라서 $\triangle ABC:\triangle ACD=\overline{BC}:\overline{CD}=1:4$이므로
$\triangle ABC:20=1:4$, $4\triangle ABC=20$
$\therefore \triangle ABC=5(cm^2)$

08 평행선 사이의 선분의 길이의 비 (1)

본문 ◎ 118쪽

0644 3, 24, 6	**0645** 8
0646 15	**0647** 10, 60, 15
0648 7	**0649** 20

0645 $6:9=x:12$이므로
$9x=72$ $\therefore x=8$

0646 $4:6=(x-9):9$이므로
$6(x-9)=36$, $x-9=6$ $\therefore x=15$

0648 $6:12=x:14$이므로
$12x=84$ $\therefore x=7$

0649 $9:3=(x-5):5$이므로
$3(x-5)=45$, $x-5=15$
$\therefore x=20$

09 평행선 사이의 선분의 길이의 비 (2)

본문 ◎ 119쪽

0650 6, 12	**0651** $x=3$, $y=6$
0652 $x=15$, $y=20$	**0653** $x=4$, $y=8$
0654 $x=12$, $y=20$	**0655** $x=12$, $y=8$

0651 $4:6=2:x$이므로 $4x=12$ $\therefore x=3$
$4:6=y:9$이므로 $6y=36$ $\therefore y=6$

0652 $6:9=(25-x):x$이므로 $6x=9(25-x)$
$15x=225$ $\therefore x=15$
$6:9=(y-12):12$이므로 $9(y-12)=72$
$9y=180$ $\therefore y=20$

0653 $2:3=x:6$이므로 $3x=12$ $\therefore x=4$
$3:4=6:y$이므로 $3y=24$ $\therefore y=8$

0654 $9:x=12:16$이므로 $12x=144$ $\therefore x=12$
$9:15=12:y$이므로 $9y=180$ $\therefore y=20$

0655 $4:x=5:15$이므로 $5x=60$ $\therefore x=12$
$4:y=5:10$이므로 $5y=40$ $\therefore y=8$

10 사다리꼴에서 평행선과 선분의 길이의 비 (1)

본문 ◎ 120쪽

0656 10	**0657** 10, 10
0658 10, 10, 4	**0659** 4, 10, 14
0660 6 cm	**0661** 7 cm
0662 12 cm	

0660 □AHCD가 평행사변형이므로
$\overline{HC}=\overline{GF}=\overline{AD}=5$ cm
$\therefore \overline{BH}=\overline{BC}-\overline{HC}=8-5=3(cm)$
$\triangle ABH$에서 $\overline{EG}\,/\!/\,\overline{BH}$이므로 $3:9=\overline{EG}:3$
$9\overline{EG}=9$ $\therefore \overline{EG}=1(cm)$
$\therefore \overline{EF}=\overline{EG}+\overline{GF}=1+5=6(cm)$

0661 □AHCD가 평행사변형이므로
$\overline{HC}=\overline{GF}=\overline{AD}=4$ cm
$\therefore \overline{BH}=\overline{BC}-\overline{HC}=9-4=5(cm)$
$\triangle ABH$에서 $\overline{EG}\,/\!/\,\overline{BH}$이므로 $3:5=\overline{EG}:5$
$5\overline{EG}=15$ $\therefore \overline{EG}=3(cm)$
$\therefore \overline{EF}=\overline{EG}+\overline{GF}=3+4=7(cm)$

0662 □AHCD가 평행사변형이므로
$\overline{HC}=\overline{GF}=\overline{AD}=10$ cm
$\therefore \overline{BH}=\overline{BC}-\overline{HC}=14-10=4(cm)$
$\triangle ABH$에서 $\overline{EG}\,/\!/\,\overline{BH}$이므로 $4:8=\overline{EG}:4$
$8\overline{EG}=16$ $\therefore \overline{EG}=2(cm)$
$\therefore \overline{EF}=\overline{EG}+\overline{GF}=2+10=12(cm)$

11 사다리꼴에서 평행선과 선분의 길이의 비 (2)

본문 ○ 121쪽

0663 15, 9 **0664** 10, 4 **0665** 9, 4, 13 **0666** 8 cm
0667 11 cm **0668** 13 cm

0666 $\triangle$ABC에서 $\overline{EG} /\!/ \overline{BC}$이므로
$3:(3+6)=\overline{EG}:12$
$9\overline{EG}=36 \quad \therefore \overline{EG}=4(\text{cm})$
$\triangle$ACD에서 $\overline{GF} /\!/ \overline{AD}$이므로
$\overline{GF}:6=6:(6+3)$
$9\overline{GF}=36 \quad \therefore \overline{GF}=4(\text{cm})$
$\therefore \overline{EF}=\overline{EG}+\overline{GF}=4+4=8(\text{cm})$

0667 $\triangle$ABD에서 $\overline{EG} /\!/ \overline{AD}$이므로
$3:(3+4)=\overline{EG}:7$
$7\overline{EG}=21 \quad \therefore \overline{EG}=3(\text{cm})$
$\triangle$DBC에서 $\overline{GF} /\!/ \overline{BC}$이므로
$\overline{GF}:14=4:7$
$7\overline{GF}=56 \quad \therefore \overline{GF}=8(\text{cm})$
$\therefore \overline{EF}=\overline{EG}+\overline{GF}=3+8=11(\text{cm})$

0668 [방법 1] 오른쪽 그림과 같이 점 A를 지나고 $\overline{DC}$에 평행한 $\overline{AH}$를 그으면 □AHCD가 평행사변형이므로 $\overline{HC}=\overline{GF}=\overline{AD}=9$ cm
$\therefore \overline{BH}=\overline{BC}-\overline{HC}=15-9=6(\text{cm})$
$\triangle$ABH에서 $\overline{EG} /\!/ \overline{BH}$이므로
$8:(8+4)=\overline{EG}:6$
$12\overline{EG}=48 \quad \therefore \overline{EG}=4(\text{cm})$
$\therefore \overline{EF}=\overline{EG}+\overline{GF}=4+9=13(\text{cm})$
[방법 2] 오른쪽 그림과 같이 대각선 AC를 그으면 $\triangle$ABC에서 $\overline{EG} /\!/ \overline{BC}$이므로

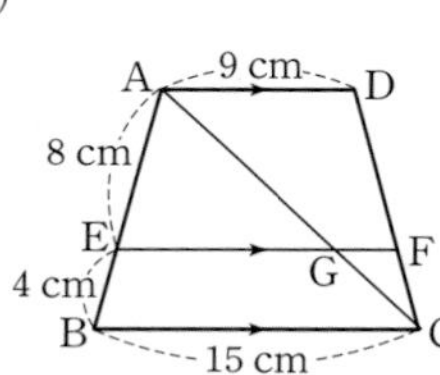

$8:12=\overline{EG}:15$
$12\overline{EG}=120 \quad \therefore \overline{EG}=10(\text{cm})$
$\triangle$ACD에서 $\overline{GF} /\!/ \overline{AD}$이므로
$\overline{GF}:9=4:12,\ 12\overline{GF}=36 \quad \therefore \overline{GF}=3(\text{cm})$
$\therefore \overline{EF}=\overline{EG}+\overline{GF}=10+3=13(\text{cm})$

12 평행선 사이의 선분의 길이의 비의 활용

본문 ○ 122쪽

0669 2 **0670** 3 **0671** 3, 6, 2 **0672** 3
0673 24 **0674** $x=12,\ y=35$

0672 $\triangle ABE \backsim \triangle CDE$ (AA 닮음)이므로
$\overline{BE}:\overline{ED}=\overline{AB}:\overline{CD}=4:12=1:3$
$\triangle BFE \backsim \triangle BCD$ (AA 닮음)이므로
$\overline{EF}:\overline{DC}=\overline{BE}:\overline{BD}$
$x:12=1:(1+3)$
$4x=12 \quad \therefore x=3$

0673 $\triangle CEF \backsim \triangle CAB$ (AA 닮음)이므로
$\overline{CF}:\overline{CB}=\overline{EF}:\overline{AB}=6:8=3:4$
$\triangle BFE \backsim \triangle BCD$ (AA 닮음)이므로
$\overline{EF}:\overline{DC}=\overline{BF}:\overline{BC}$
$6:x=1:4 \quad \therefore x=24$

0674 $\triangle ABE \backsim \triangle CDE$ (AA 닮음)이므로
$\overline{AE}:\overline{CE}=\overline{AB}:\overline{CD}=21:28=3:4$
$\triangle CEF \backsim \triangle CAB$ (AA 닮음)이므로
$\overline{EF}:\overline{AB}=\overline{CE}:\overline{CA}$에서
$x:21=4:(3+4)$
$7x=84 \quad \therefore x=12$
$\overline{CF}:\overline{CB}=\overline{CE}:\overline{CA}$에서
$20:y=4:7$
$4y=140 \quad \therefore y=35$

핵심 01~12 Mini Review Test

본문 ○ 123쪽

0675 21 **0676** ①, ⑤ **0677** 27 cm^2 **0678** 12 cm
0679 29 **0680** 35 **0681** 18

0675 $\overline{AD}:\overline{DB}=\overline{AE}:\overline{EC}$이므로
$x:15=12:20,\ 20x=180 \quad \therefore x=9$
$\overline{AC}:\overline{AE}=\overline{BC}:\overline{DE}$이므로
$(20-12):12=y:18$
$12y=144 \quad \therefore y=12$
$\therefore x+y=9+12=21$

0676 ① $\overline{AD}:\overline{DB}=12:6=2:1,\ \overline{AE}:\overline{EC}=10:5=2:1$
따라서 $\overline{AD}:\overline{DB}=\overline{AE}:\overline{EC}$이므로 $\overline{BC} /\!/ \overline{DE}$이다.
② $\overline{AD}:\overline{DB}=6:3=2:1,\ \overline{AE}:\overline{EC}=6:2=3:1$
따라서 $\overline{AD}:\overline{DB}\neq\overline{AE}:\overline{EC}$이므로 $\overline{BC} /\!/ \overline{DE}$가 아니다.
③ $\overline{AD}:\overline{DB}=6:4=3:2,\ \overline{AE}:\overline{EC}=8:6=4:3$
따라서 $\overline{AD}:\overline{DB}\neq\overline{AE}:\overline{EC}$이므로 $\overline{BC} /\!/ \overline{DE}$가 아니다.
④ $\overline{AB}:\overline{BD}=6:9=2:3,\ \overline{AC}:\overline{CE}=9:12=3:4$
따라서 $\overline{AB}:\overline{BD}\neq\overline{AC}:\overline{CE}$이므로 $\overline{BC} /\!/ \overline{DE}$가 아니다.
⑤ $\overline{AB}:\overline{AD}=10:5=2:1,\ \overline{AC}:\overline{AE}=6:3=2:1$
따라서 $\overline{AB}:\overline{AD}=\overline{AC}:\overline{AE}$이므로 $\overline{BC} /\!/ \overline{DE}$이다.

0677 $\triangle ABD : \triangle ADC = \overline{BD} : \overline{CD} = 12 : 20 = 3 : 5$이므로

$\triangle ABD = \frac{3}{8}\triangle ABC = \frac{3}{8} \times 72 = 27(\text{cm}^2)$

0678 $\overline{CD} = x$ cm라고 하면 $\overline{AB} : \overline{AC} = \overline{BD} : \overline{CD}$이므로

$12 : 9 = (4+x) : x$

$12x = 9(4+x)$, $3x = 36$ $\quad \therefore x = 12$

$\therefore \overline{CD} = 12(\text{cm})$

0679 $6 : 12 = 1 : 2$이므로 $x : 16 = 1 : 2$

$2x = 16 \quad \therefore x = 8$

$(y-14) : 14 = 1 : 2$이므로 $2(y-14) = 14$

$y - 14 = 7 \quad \therefore y = 21$

$\therefore x + y = 8 + 21 = 29$

0680 [방법 1] 오른쪽 그림과 같이 점 A를 지나고 $\overline{DC}$에 평행한 $\overline{AH}$를 그으면 $\square AHCD$가 평행사변형이므로 $\overline{HC} = \overline{GF} = \overline{AD} = 20$

$\therefore \overline{BH} = \overline{BC} - \overline{HC} = 45 - 20 = 25$

$\triangle ABH$에서 $\overline{EG} /\!/ \overline{BH}$이므로

$18 : (18+12) = \overline{EG} : 25$

$30\overline{EG} = 450 \quad \therefore \overline{EG} = 15$

$\therefore \overline{EF} = \overline{EG} + \overline{GF} = 15 + 20 = 35$

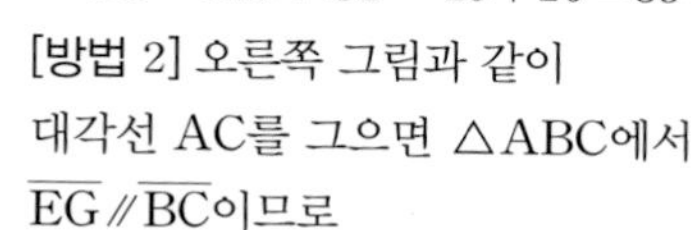

[방법 2] 오른쪽 그림과 같이 대각선 AC를 그으면 $\triangle ABC$에서 $\overline{EG} /\!/ \overline{BC}$이므로

$18 : 30 = \overline{EG} : 45$

$30\overline{EG} = 810 \quad \therefore \overline{EG} = 27$

$\triangle ACD$에서 $\overline{GF} /\!/ \overline{AD}$이므로

$\overline{GF} : 20 = 12 : 30$, $30\overline{GF} = 240 \quad \therefore \overline{GF} = 8$

$\therefore \overline{EF} = \overline{EG} + \overline{GF} = 27 + 8 = 35$

0681 $\triangle ABE \backsim \triangle CDE$ (AA 닮음)이므로

$\overline{AE} : \overline{CE} = \overline{AB} : \overline{CD} = 10 : 15 = 2 : 3$

$\triangle CEF \backsim \triangle CAB$ (AA 닮음)이므로

$\overline{EF} : \overline{AB} = \overline{CE} : \overline{CA}$에서 $x : 10 = 3 : (2+3)$

$5x = 30 \quad \therefore x = 6$ …… ❶

$\overline{CF} : \overline{CB} = \overline{CE} : \overline{CA}$에서

$y : 20 = 3 : (2+3)$

$5y = 60 \quad \therefore y = 12$ …… ❷

$\therefore x + y = 6 + 12 = 18$ …… ❸

채점 기준	배점
❶ x의 값 구하기	40 %
❷ y의 값 구하기	40 %
❸ $x+y$의 값 구하기	20 %

7. 삼각형의 무게중심

01 삼각형의 중점연결정리 (1)

본문 ◎ 127쪽

0682 4, 2, 2 **0683** 6 **0684** 4 **0685** 14
0686 6 **0687** 20 **0688** $x=40$, $y=10$

0683 $\overline{MN} = \frac{1}{2}\overline{BC} = \frac{1}{2} \times 12 = 6(\text{cm}) \quad \therefore x = 6$

0684 $\overline{MN} = \frac{1}{2}\overline{BC} = \frac{1}{2} \times 8 = 4(\text{cm}) \quad \therefore x = 4$

0685 $\overline{BC} = 2\overline{MN} = 2 \times 7 = 14(\text{cm}) \quad \therefore x = 14$

0686 $\overline{BC} = 2\overline{MN} = 2 \times 3 = 6(\text{cm}) \quad \therefore x = 6$

0687 $\overline{BC} = 2\overline{MN} = 2 \times 10 = 20(\text{cm}) \quad \therefore x = 20$

0688 $\triangle ABC$에서 $\angle B = 180° - (80° + 60°) = 40°$

이때 $\overline{MN} /\!/ \overline{BC}$이므로

$\angle AMN = \angle B = 40°$(동위각) $\quad \therefore x = 40$

$\overline{BC} = 2\overline{MN} = 2 \times 5 = 10(\text{cm}) \quad \therefore y = 10$

02 삼각형의 중점연결정리 (2)

본문 ◎ 128쪽

0689 2 **0690** 10, 5, 5 **0691** 12 **0692** 8
0693 $x=16$, $y=7$ **0694** $x=4$, $y=6$
0695 $x=9$, $y=20$ **0696** $x=22$, $y=16$

0689 $\overline{NC} = \overline{AN} = 2(\text{cm}) \quad \therefore x = 2$

0691 $\overline{BC} = 2\overline{MN} = 2 \times 6 = 12(\text{cm}) \quad \therefore x = 12$

0692 $\overline{NC} = \frac{1}{2}\overline{AC} = \frac{1}{2} \times 16 = 8(\text{cm}) \quad \therefore x = 8$

0693 $\overline{AC} = 2\overline{AN} = 2 \times 8 = 16(\text{cm}) \quad \therefore x = 16$

$\overline{MN} = \frac{1}{2}\overline{BC} = \frac{1}{2} \times 14 = 7(\text{cm}) \quad \therefore y = 7$

0694 $\overline{NC} = \overline{AN} = 4(\text{cm}) \quad \therefore x = 4$

$\overline{MN} = \frac{1}{2}\overline{BC} = \frac{1}{2} \times 12 = 6(\text{cm}) \quad \therefore y = 6$

0695 $\overline{AN}=\frac{1}{2}\overline{AC}=\frac{1}{2}\times18=9(cm)$ $\quad\therefore x=9$

$\overline{BC}=2\overline{MN}=2\times10=20(cm)$ $\quad\therefore y=20$

0696 $\overline{BC}=2\overline{MN}=2\times11=22(cm)$ $\quad\therefore x=22$

$\overline{AB}=2\overline{AM}=2\times8=16(cm)$ $\quad\therefore y=16$

03 삼각형의 중점연결정리를 이용한 삼각형의 둘레의 길이

본문 ◎ 129쪽

0697 10, 5 **0698** 6, 3 **0699** 14, 7
0700 5, 3, 7, 15 **0701** 19 cm **0702** 23 cm
0703 30 cm

0701 $\overline{DE}=\frac{1}{2}\overline{AC}=\frac{1}{2}\times12=6(cm)$

$\overline{EF}=\frac{1}{2}\overline{AB}=\frac{1}{2}\times10=5(cm)$

$\overline{FD}=\frac{1}{2}\overline{BC}=\frac{1}{2}\times16=8(cm)$

$\therefore$ ($\triangle$DEF의 둘레의 길이)$=6+5+8=19(cm)$

0702 $\overline{DE}=\frac{1}{2}\overline{AC}=\frac{1}{2}\times14=7(cm)$

$\overline{EF}=\frac{1}{2}\overline{AB}=\frac{1}{2}\times17=\frac{17}{2}(cm)$

$\overline{FD}=\frac{1}{2}\overline{BC}=\frac{1}{2}\times15=\frac{15}{2}(cm)$

$\therefore$ ($\triangle$DEF의 둘레의 길이)$=7+\frac{17}{2}+\frac{15}{2}=23(cm)$

0703 ($\triangle$ABC의 둘레의 길이)$=2\times(4+5+6)=30(cm)$

04 삼각형의 중점연결정리를 이용한 사각형의 둘레의 길이

본문 ◎ 130쪽

0704 $\overline{HG}$, $\overline{EF}$, $\overline{HG}$, $\overline{EF}$ **0705** $\overline{EH}$, $\overline{FG}$
0706 16, 8 **0707** $\overline{EH}=10$ cm, $\overline{FG}=10$ cm
0708 16, 20, 36 **0709** 22 cm
0710 24 cm **0711** 36 cm

0709 (□EFGH의 둘레의 길이)$=\overline{AC}+\overline{BD}$
$=10+12=22(cm)$

0710 (□EFGH의 둘레의 길이)$=\overline{AC}+\overline{BD}$
$=14+10=24(cm)$

0711 (□EFGH의 둘레의 길이)$=\overline{AC}+\overline{BD}$
$=18+18=36(cm)$

05 삼각형의 중점연결정리의 활용

본문 ◎ 131쪽

0712 5, 10 **0713** 10, 20 **0714** 20, 5, 15
0715 9 **0716** 12 **0717** 12

0715 $\triangle$BFD에서 $\overline{DF}=2\overline{EG}=2\times3=6(cm)$

$\triangle$AEC에서 $\overline{EC}=2\overline{DF}=2\times6=12(cm)$

$\therefore \overline{GC}=\overline{EC}-\overline{EG}=12-3=9(cm)$

$\therefore x=9$

0716 삼각형의 중점연결정리에 의하여

$\triangle$BCE에서 $\overline{BD}=\overline{DC}$, $\overline{DF}\,/\!/\,\overline{CE}$이므로 $\overline{BF}=\overline{FE}$

$\triangle$EBC에서 $\overline{FD}=\frac{1}{2}\overline{EC}=\frac{1}{2}\times16=8(cm)$

$\triangle$AFD에서 $\overline{EG}=\frac{1}{2}\overline{FD}=\frac{1}{2}\times8=4(cm)$

$\therefore \overline{GC}=\overline{EC}-\overline{EG}=16-4=12(cm)$

$\therefore x=12$

0717 $\triangle$CDE에서 $\overline{GF}=\frac{1}{2}\overline{DE}=\frac{1}{2}x(cm)$

$\triangle$ABF에서 $\overline{BF}=2\overline{DE}=2x(cm)$

이때 $\overline{BF}=\overline{BG}+\overline{GF}$이므로

$2x=18+\frac{1}{2}x$, $\frac{3}{2}x=18$

$\therefore x=12$

06 사다리꼴에서 중점연결정리 (1)

본문 ◎ 132쪽

0718 6, 3 **0719** 10, 5 **0720** 3, 5, 8 **0721** 10
0722 4 **0723** 17 cm

0721 $\triangle$ABC에서 $\overline{MP}=\frac{1}{2}\overline{BC}=\frac{1}{2}\times12=6(cm)$

$\triangle$ACD에서 $\overline{PN}=\frac{1}{2}\overline{AD}=\frac{1}{2}\times8=4(cm)$

$\therefore \overline{MN}=\overline{MP}+\overline{PN}=6+4=10(cm)$

$\therefore x=10$

0722 $\triangle$DBC에서 $\overline{PN}=\frac{1}{2}\overline{BC}=\frac{1}{2}\times6=3(cm)$

$\therefore \overline{MP}=\overline{MN}-\overline{PN}=5-3=2(cm)$

$\triangle$ABD에서 $\overline{AD}=2\overline{MP}=2\times2=4(cm)$

$\therefore x=4$

0723 오른쪽 그림과 같이 대각선 AC를 그으면 △ABC에서

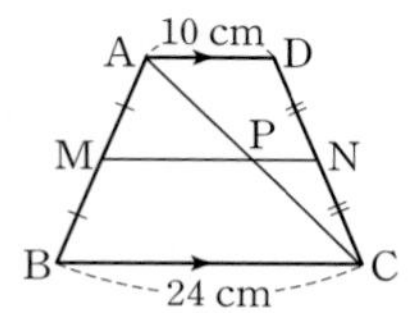

$\overline{MP}=\frac{1}{2}\overline{BC}=\frac{1}{2}\times 24=12(\text{cm})$

△ACD에서

$\overline{PN}=\frac{1}{2}\overline{AD}=\frac{1}{2}\times 10=5(\text{cm})$

$\therefore \overline{MN}=\overline{MP}+\overline{PN}=12+5=17(\text{cm})$

07 사다리꼴에서 중점연결정리 (2)

본문 ◎ 133쪽

0724 18, 9 **0725** 12, 6 **0726** 9, 6, 3 **0727** 5
0728 8 **0729** 14

0727 △ABC에서 $\overline{MQ}=\frac{1}{2}\overline{BC}=\frac{1}{2}\times 22=11(\text{cm})$

△ABD에서 $\overline{MP}=\frac{1}{2}\overline{AD}=\frac{1}{2}\times 12=6(\text{cm})$

$\therefore \overline{PQ}=\overline{MQ}-\overline{MP}=11-6=5(\text{cm})$

$\therefore x=5$

0728 △ABC에서 $\overline{MQ}=\frac{1}{2}\overline{BC}=\frac{1}{2}\times 18=9(\text{cm})$

$\therefore \overline{MP}=\overline{MQ}-\overline{PQ}=9-5=4(\text{cm})$

△ABD에서 $\overline{AD}=2\overline{MP}=2\times 4=8(\text{cm})$

$\therefore x=8$

0729 △ABD에서 $\overline{MP}=\frac{1}{2}\overline{AD}=\frac{1}{2}\times 6=3(\text{cm})$

$\therefore \overline{MQ}=\overline{MP}+\overline{PQ}=3+4=7(\text{cm})$

△ABC에서 $\overline{BC}=2\overline{MQ}=2\times 7=14(\text{cm})$

$\therefore x=14$

핵심 01~07 Mini Review Test

본문 ◎ 134쪽

0730 ④ **0731** 10 cm, 40 cm **0732** 38 cm
0733 ③ **0734** 10 cm **0735** 3 cm

0730 $\overline{AN}=\frac{1}{2}\overline{AC}=\frac{1}{2}\times 20=10(\text{cm})$ $\quad\therefore x=10$

$\overline{BC}=2\overline{MN}=2\times 12=24(\text{cm})$ $\quad\therefore y=24$

$\therefore x+y=10+24=34$

0731 (△GHI의 둘레의 길이) $=\frac{1}{2}\times$(△DEF의 둘레의 길이)

$=\frac{1}{2}\times 20=10(\text{cm})$

(△ABC의 둘레의 길이) $=2\times$(△DEF의 둘레의 길이)

$=2\times 20=40(\text{cm})$

0732 (□EFGH의 둘레의 길이) $=\overline{AC}+\overline{BD}$

$=20+18=38(\text{cm})$

0733 △ADF에서 $\overline{GE}=\frac{1}{2}\overline{DF}=\frac{1}{2}x(\text{cm})$

△BCE에서 $\overline{BE}=2\overline{DF}=2x(\text{cm})$

따라서 $\overline{BE}=\overline{BG}+\overline{GE}$이므로

$2x=21+\frac{1}{2}x,\ \frac{3}{2}x=21 \qquad \therefore x=14$

0734 오른쪽 그림과 같이 대각선 AC를 그으면 △ABC에서

$\overline{MP}=\frac{1}{2}\overline{BC}=\frac{1}{2}\times 13=\frac{13}{2}(\text{cm})$ ⋯ ❶

$\overline{PN}=\frac{1}{2}\overline{AD}=\frac{1}{2}\times 7=\frac{7}{2}(\text{cm})$ ⋯ ❷

$\therefore \overline{MN}=\overline{MP}+\overline{PN}=\frac{13}{2}+\frac{7}{2}=10(\text{cm})$ ⋯⋯ ❸

채점 기준	배점
❶ $\overline{MP}$의 길이 구하기	40 %
❷ $\overline{PN}$의 길이 구하기	40 %
❸ $\overline{MN}$의 길이 구하기	20 %

0735 △ABD에서 $\overline{MP}=\frac{1}{2}\overline{AD}=\frac{1}{2}\times 8=4(\text{cm})$

△ABC에서 $\overline{MQ}=\frac{1}{2}\overline{BC}=\frac{1}{2}\times 14=7(\text{cm})$

$\therefore \overline{PQ}=\overline{MQ}-\overline{MP}=7-4=3(\text{cm})$

08 삼각형의 중선

본문 ◎ 135쪽

0736 60, 30 **0737** 15 cm^2 **0738** 10 cm^2 **0739** 6, 12
0740 16 cm^2 **0741** 6 cm

0737 $\triangle ABD=\frac{1}{2}\triangle ABC=\frac{1}{2}\times 60=30(\text{cm}^2)$이므로

$\triangle BDE=\frac{1}{2}\triangle ABD=\frac{1}{2}\times 30=15(\text{cm}^2)$

0738 $\triangle ABD=\frac{1}{2}\triangle ABC=\frac{1}{2}\times 60=30(\text{cm}^2)$이므로

$\triangle BDF=\frac{1}{3}\triangle ABD=\frac{1}{3}\times 30=10(\text{cm}^2)$

0740 $\triangle ADC=2\triangle AEC=2\times 4=8(\text{cm}^2)$이므로

$\triangle ABC=2\triangle ADC=2\times 8=16(\text{cm}^2)$

0741 $\overline{AD}$가 $\triangle ABC$의 중선이므로
$\overline{BC}=2\overline{BD}=2\times4=8(cm)$
이때 $\triangle ABC=\frac{1}{2}\times\overline{BC}\times\overline{AH}=24(cm^2)$이므로
$\frac{1}{2}\times8\times\overline{AH}=24\quad\therefore\ \overline{AH}=6(cm)$

09 삼각형의 무게중심

본문 ◎ 136쪽

0742 5 **0743** 1, 1, 8 **0744** 9 **0745** 8
0746 9, 9, 3, 3 **0747** 4 **0748** 42
0749 $x=8$, $y=24$

0744 $\overline{AG}:\overline{AD}=2:3$이므로
$6:x=2:3$, $2x=18\quad\therefore\ x=9$

0745 $\overline{AD}:\overline{GD}=3:1$이므로
$24:x=3:1$, $3x=24\quad\therefore\ x=8$

0747 직각삼각형의 외심은 빗변의 중점이므로
$\overline{BD}=\overline{AD}=\overline{CD}=\frac{1}{2}\overline{AC}=\frac{1}{2}\times12=6$
$x:6=2:3$이므로
$3x=12\quad\therefore\ x=4$

0748 $14:\overline{GD}=2:1$이므로
$2\overline{GD}=14\quad\therefore\ \overline{GD}=7$
$\therefore\ \overline{BD}=\overline{CD}=\overline{AD}=14+7=21$
$\therefore\ x=2\overline{BD}=2\times21=42$

0749 $x:4=2:1\quad\therefore\ x=8$
직각삼각형의 외심은 빗변의 중점이므로
$\overline{AD}=\overline{CD}=\overline{BD}=8+4=12$
$\therefore\ \overline{AC}=2\overline{AD}=2\times12=24\quad\therefore\ y=24$

10 삼각형의 무게중심의 활용

본문 ◎ 137쪽

0750 ❶ 6 ❷ 2, 2, 8, 3, 3, 4
0751 $x=4$, $y=14$ **0752** $x=8$, $y=15$
0753 ❶ 3, 3, 4 ❷ 8 **0754** $x=2$, $y=3$
0755 40

0751 $\triangle ADC$에서 $\overline{AF}:\overline{FC}=2:1$이므로
$x=\frac{1}{3}\overline{AC}=\frac{1}{3}\times12=4$
$y=2\overline{BD}=2\times7=14$

0752 $\triangle ADC$에서 $\overline{AF}:\overline{FC}=2:1$이므로
$16:x=2:1$, $2x=16\quad\therefore\ x=8$
이때 $\triangle ABD$에서 $\overline{BD}=\overline{DC}=y$이고
$\overline{EG}:\overline{BD}=2:3$이므로
$10:y=2:3$, $2y=30\quad\therefore\ y=15$

0754 $x=\frac{1}{2}\overline{BG}=\frac{1}{2}\times4=2$
$\triangle CFD$에서 $\overline{GE}:\overline{DF}=2:3$이므로
$2:y=2:3\quad\therefore\ y=3$

0755 $\triangle ADF$에서 $\overline{GE}:\overline{DF}=2:3$이므로
$\overline{GE}:12=2:3$
$3\overline{GE}=24\quad\therefore\ \overline{GE}=8$
$\therefore\ x=2\overline{GE}=2\times8=16$
$\triangle BCE$에서 $\overline{BE}\,/\!/\,\overline{DF}$, $\overline{BD}=\overline{DC}$이므로
$\overline{FC}=\overline{EF}=6\quad\therefore\ \overline{EC}=2\times6=12$
$\therefore\ y=2\overline{EC}=2\times12=24$
$\therefore\ x+y=16+24=40$

11 삼각형의 무게중심과 넓이

본문 ◎ 138쪽

0756 42, 14 **0757** 7 cm^2 **0758** 14 cm^2 **0759** 21 cm^2
0760 30 cm^2 **0761** 48 cm^2 **0762** 54 cm^2 **0763** 4 cm^2

0757 $\triangle GAE=\frac{1}{6}\triangle ABC=\frac{1}{6}\times42=7(cm^2)$

0758 $\square GFBD=\triangle GBF+\triangle GBD=2\times\frac{1}{6}\triangle ABC$
$=\frac{1}{3}\times42=14(cm^2)$

0759 $\triangle GAE+\triangle GBF+\triangle GCD=3\times\frac{1}{6}\triangle ABC$
$=\frac{1}{2}\times42=21(cm^2)$

0760 $\triangle ABC=3\triangle GCA=3\times10=30(cm^2)$

0761 $\triangle ABC=6\triangle GAF=6\times8=48(cm^2)$

0762 $\square\text{GDCE}=2\times\frac{1}{6}\triangle\text{ABC}=\frac{1}{3}\triangle\text{ABC}=18(\text{cm}^2)$

$\therefore\ \triangle\text{ABC}=3\times18=54(\text{cm}^2)$

0763 $\triangle\text{GDM}=\frac{1}{2}\triangle\text{GDC}=\frac{1}{2}\times\frac{1}{6}\triangle\text{ABC}$

$=\frac{1}{12}\triangle\text{ABC}=\frac{1}{12}\times48=4(\text{cm}^2)$

12 평행사변형에서 삼각형의 무게중심의 활용 (1) 본문 ◎ 139쪽

0764 30, 15 **0765** 15, 10 **0766** 15, 5 **0767** 5, 10
0768 7 **0769** 18 **0770** 6 **0771** 20

0768 $\overline{\text{QD}}=\frac{1}{3}\overline{\text{BD}}=\frac{1}{3}\times21=7(\text{cm})\qquad\therefore\ x=7$

0769 $\overline{\text{OQ}}=\frac{1}{2}\overline{\text{PQ}}=\frac{1}{2}\times12=6(\text{cm})$

$\therefore\ \overline{\text{DO}}=3\overline{\text{OQ}}=3\times6=18(\text{cm})\qquad\therefore\ x=18$

0770 $\overline{\text{PO}}=\frac{1}{3}\overline{\text{BO}}=\frac{1}{3}\times9=3(\text{cm})$이므로

$\overline{\text{PQ}}=2\overline{\text{PO}}=2\times3=6(\text{cm})\qquad\therefore\ x=6$

0771 $\overline{\text{PD}}=4\overline{\text{PO}}=4\times5=20(\text{cm})\qquad\therefore\ x=20$

13 평행사변형에서 삼각형의 무게중심의 활용 (2) 본문 ◎ 140쪽

0772 2, 6, 2 **0773** 2 cm^2 **0774** 6 cm^2 **0775** $\frac{3}{2}\text{ cm}^2$
0776 4 cm^2 **0777** 1 cm^2 **0778** $\frac{9}{2}\text{ cm}^2$ **0779** $\frac{5}{2}\text{ cm}^2$

0773 $\triangle\text{APQ}=\frac{1}{3}\triangle\text{ABD}=\frac{1}{3}\times\frac{1}{2}\square\text{ABCD}$

$=\frac{1}{6}\square\text{ABCD}=\frac{1}{6}\times12=2(\text{cm}^2)$

0774 $\square\text{AMCN}=\triangle\text{AMC}+\triangle\text{ACN}$

$=\frac{1}{2}\triangle\text{ABC}+\frac{1}{2}\triangle\text{ACD}$

$=\frac{1}{2}\times\frac{1}{2}\square\text{ABCD}+\frac{1}{2}\times\frac{1}{2}\square\text{ABCD}$

$=\frac{1}{2}\square\text{ABCD}=\frac{1}{2}\times12=6(\text{cm}^2)$

0775 오른쪽 그림과 같이 $\overline{\text{DM}}$을 그으면

$\triangle\text{NMC}=\frac{1}{2}\triangle\text{DMC}$

$=\frac{1}{2}\times\frac{1}{2}\triangle\text{BCD}$

$=\frac{1}{4}\times\frac{1}{2}\square\text{ABCD}=\frac{1}{8}\square\text{ABCD}$

$=\frac{1}{8}\times12=\frac{3}{2}(\text{cm}^2)$

0776 (색칠한 부분의 넓이)

$=\square\text{AMCN}-\triangle\text{APQ}$

$=6-2=4(\text{cm}^2)$

0777 점 Q는 $\triangle\text{ACD}$의 무게중심이므로

$\triangle\text{DQN}=\frac{1}{6}\triangle\text{ACD}=\frac{1}{6}\times\frac{1}{2}\square\text{ABCD}$

$=\frac{1}{12}\square\text{ABCD}=\frac{1}{12}\times12=1(\text{cm}^2)$

0778 $\triangle\text{AMN}=\square\text{AMCN}-\triangle\text{NMC}$

$=6-\frac{3}{2}=\frac{9}{2}(\text{cm}^2)$

0779 $\square\text{PMNQ}=\triangle\text{AMN}-\triangle\text{APQ}$

$=\frac{9}{2}-2=\frac{5}{2}(\text{cm}^2)$

핵심 08~13 Mini Review Test 본문 ◎ 141쪽

0780 ④ **0781** (1) $x=9,\ y=12$ (2) $x=5,\ y=30$
0782 19 **0783** ③ **0784** ② **0785** ②

0780 $\triangle\text{ABD}=3\triangle\text{AED}=3\times5=15(\text{cm}^2)$

$\therefore\ \triangle\text{ABC}=2\triangle\text{ABD}=2\times15=30(\text{cm}^2)$

0781 (1) $x=\frac{1}{2}\overline{\text{BC}}=\frac{1}{2}\times18=9$

$\overline{\text{BG}}:\overline{\text{BE}}=2:3$이므로 $8:y=2:3$

$2y=24\qquad\therefore\ y=12$

(2) $10:x=2:1$이므로 $2x=10\qquad\therefore\ x=5$

직각삼각형의 외심은 빗변의 중점이므로

$\overline{\text{AD}}=\overline{\text{DC}}=\overline{\text{BD}}=10+5=15$

$\therefore\ y=\overline{\text{AD}}+\overline{\text{DC}}=15+15=30$

0782 $\overline{BE}/\!/\overline{DF}$, $\overline{BD}=\overline{DC}$이므로
$\triangle$BCE에서 $\overline{BE}=2\overline{DF}=2\times9=18$
$\overline{BG}:\overline{BE}=2:3$이므로
$x:18=2:3$
$3x=36 \quad \therefore x=12$ ······ ❶
$y=\frac{1}{2}\overline{EC}=\frac{1}{2}\times\frac{1}{2}\overline{AC}=\frac{1}{4}\times28=7$ ······ ❷
$\therefore x+y=12+7=19$ ······ ❸

채점 기준	배점
❶ x의 값 구하기	40 %
❷ y의 값 구하기	40 %
❸ $x+y$의 값 구하기	20 %

0783 $\triangle AMG=\frac{1}{2}\triangle ABG$
$=\frac{1}{2}\times\frac{1}{3}\triangle ABC$
$=\frac{1}{6}\triangle ABC$
$=\frac{1}{6}\times60=10(cm^2)$

0784 $x=\frac{1}{3}\overline{BD}=\frac{1}{3}\times18=6$

0785 점 Q는 $\triangle$ACD의 무게중심이므로
$\square QOCN=\frac{1}{3}\triangle ACD=\frac{1}{3}\times\frac{1}{2}\square ABCD$
$=\frac{1}{6}\square ABCD=\frac{1}{6}\times36=6(cm^2)$

8. 닮은 도형의 넓이와 부피

01 평면도형에서의 넓이의 비 (1)

본문 145쪽

0786 1 : 2 **0787** 1 : 2 **0788** 1 : 4 **0789** 2 : 3
0790 2 : 3 **0791** 4 : 9 **0792** 24 cm **0793** 32 cm^2
0794 27π cm **0795** 9π cm^2 **0796** 25 cm

0786 $\overline{AB}:\overline{EF}=2:4=1:2$

0788 $\square ABCD:\square EFGH=1^2:2^2=1:4$

0789 $\overline{BC}:\overline{EF}=4:6=2:3$

0791 $\triangle ABC:\triangle DEF=2^2:3^2=4:9$

0792 $\square$EFGH의 둘레의 길이를 x cm라고 하면
$18:x=3:4$, $3x=72 \quad \therefore x=24$
따라서 $\square$EFGH의 둘레의 길이는 24 cm이다.

0793 $\square$EFGH의 넓이를 x cm^{2}라고 하면
$18:x=9:16$, $9x=288 \quad \therefore x=32$
따라서 $\square$EFGH의 넓이는 32 cm^{2}이다.

0794 원 O′의 둘레의 길이를 x cm라고 하면
$9\pi:x=1:3 \quad \therefore x=27\pi$
따라서 원 O′의 둘레의 길이는 27π cm이다.

0795 원 O의 넓이를 x cm^{2}라고 하면
$x:81\pi=1:9$, $9x=81\pi \quad \therefore x=9\pi$
따라서 원 O의 넓이는 9π cm^{2}이다.

0796 $\triangle ABC:\triangle DEF=9:25=3^2:5^2$이므로 닮음비는 3 : 5이다. 즉, $\triangle$DEF의 둘레의 길이를 x cm라고 하면
$15:x=3:5$, $3x=75 \quad \therefore x=25$
따라서 $\triangle$DEF의 둘레의 길이는 25 cm이다.

02 평면도형에서의 넓이의 비 (2)

본문 146쪽

0797 6, 3 **0798** 9 **0799** 9, 9, 12 **0800** 12, 15
0801 9 cm^2 **0802** 48 cm^2 **0803** 14 cm^2

0801 $\triangle ABC \backsim \triangle ADE$ (AA 닮음)이고, $\triangle$ABC와 $\triangle$ADE의 닮음비는 $\overline{AB}:\overline{AD}=4:2=2:1$이므로 넓이의 비는
$2^2:1^2=4:1$

즉, $12:x=4:1$이므로 $4x=12$ $\quad\therefore x=3$

$\therefore \square DBCE=\triangle ABC-\triangle ADE=12-3=9\,(cm^2)$

0802 $\triangle ABC \backsim \triangle ADE$ (AA 닮음)이고, $\triangle ABC$와 $\triangle ADE$의 닮음비는 $\overline{AC}:\overline{AE}=15:9=5:3$이므로

넓이의 비는 $5^2:3^2=25:9$

즉, $x:27=25:9$이므로 $x=75$

$\therefore \square DBCE=\triangle ABC-\triangle ADE=75-27=48\,(cm^2)$

0803 $\triangle ABC \backsim \triangle ADE$ (AA 닮음)이고, $\triangle ABC$와 $\triangle ADE$의 닮음비는 $8:6=4:3$이므로 넓이의 비는 $4^2:3^2=16:9$

즉, $x:18=16:9$이므로 $x=32$

$\therefore \square DBCE=\triangle ABC-\triangle ADE=32-18=14\,(cm^2)$

03 평면도형에서의 넓이의 비 (3)

본문 ◯ 147쪽

0804 3 **0805** 9 **0806** 9, 12, 9, 27

0807 12, 18 **0808** 32 cm^2 **0809** 60 cm^2 **0810** 54 cm^2

0808 $\triangle AOD \backsim \triangle COB$ (AA 닮음)이고, $\triangle AOD$와 $\triangle COB$의 닮음비는 $\overline{AD}:\overline{BC}=6:8=3:4$이므로 넓이의 비는

$3^2:4^2=9:16$

즉, $18:\triangle COB=9:16$이므로

$9\triangle COB=288$ $\quad\therefore \triangle COB=32\,(cm^2)$

0809 $\triangle AOD \backsim \triangle COB$ (AA 닮음)이고, $\triangle AOD$와 $\triangle COB$의 닮음비는 $\overline{AD}:\overline{CB}=3:9=1:3$이므로

$\overline{AO}:\overline{CO}=\overline{AD}:\overline{CB}=1:3$

즉, $\triangle ABO:\triangle COB=1:3$에서 $18:\triangle COB=1:3$

$\therefore \triangle COB=54\,(cm^2)$

또한 $\triangle AOD$와 $\triangle COB$의 넓이의 비는 $1^2:3^2=1:9$

즉, $\triangle AOD:\triangle COB=1:9$이므로 $\triangle AOD:54=1:9$

$9\triangle AOD=54$ $\quad\therefore \triangle AOD=6\,(cm^2)$

$\therefore \triangle AOD+\triangle COB=6+54=60\,(cm^2)$

0810 $\triangle AOD \backsim \triangle COB$ (AA 닮음)이고, $\triangle AOD$와 $\triangle COB$의 닮음비는 $\overline{AD}:\overline{BC}=5:10=1:2$이므로 넓이의 비는

$1^2:2^2=1:4$

즉, $\triangle AOD:24=1:4$이므로 $4\triangle AOD=24$

$\therefore \triangle AOD=6\,(cm^2)$

$\triangle ABO$와 $\triangle AOD$는 높이가 같으므로

$\triangle ABO:\triangle AOD=\overline{BO}:\overline{OD}=2:1$

즉, $\triangle ABO:6=2:1$ $\quad\therefore \triangle ABO=12\,(cm^2)$

이때 $\triangle DOC=\triangle ABO=12\,cm^2$이므로

$\square ABCD=\triangle AOD+\triangle COB+\triangle ABO+\triangle DOC$
$=6+24+12+12=54\,(cm^2)$

04 입체도형에서의 겉넓이와 부피의 비 (1)

본문 ◯ 148쪽

0811 1 : 2 **0812** 1 : 2 **0813** 1 : 4 **0814** 1 : 8

0815 2 : 3 **0816** 4 : 9 **0817** 8 : 27

0818 (1) 9 : 25 (2) 27 : 125 **0819** (1) 4 : 9 (2) 8 : 27

0820 (1) 9 : 16 (2) 27 : 64

0811 두 원기둥 A, B의 닮음비는 $2:4=1:2$

0813 두 원기둥 A, B의 겉넓이의 비는 $1^2:2^2=1:4$

0814 두 원기둥 A, B의 부피의 비는 $1^3:2^3=1:8$

0815 두 구 A, B의 닮음비는 $4:6=2:3$

0816 두 구 A, B의 겉넓이의 비는 $2^2:3^2=4:9$

0817 두 구 A, B의 부피의 비는 $2^3:3^3=8:27$

0818 두 직육면체 A, B의 닮음비가 $3:5$이므로

(1) 겉넓이의 비는 $3^2:5^2=9:25$

(2) 부피의 비는 $3^3:5^3=27:125$

0819 두 사각뿔 A, B의 닮음비가 $6:9=2:3$이므로

(1) 겉넓이의 비는 $2^2:3^2=4:9$

(2) 부피의 비는 $2^3:3^3=8:27$

0820 두 원기둥 A, B의 닮음비가 $9:12=3:4$이므로

(1) 겉넓이의 비는 $3^2:4^2=9:16$

(2) 부피의 비는 $3^3:4^3=27:64$

05 입체도형에서의 겉넓이와 부피의 비 (2)

본문 ◯ 149쪽

0821 1 : 2 **0822** 1 : 4 **0823** 40 cm^2 **0824** 4 : 5

0825 64 : 125 **0826** 128 cm^3 **0827** 96 cm^2 **0828** 320 cm^3

0829 20π cm^2 **0829** 135π cm^3 **0831** 128π cm^3

0821 두 직육면체 A, B의 닮음비는 $4:8=1:2$

0822 두 직육면체 A, B의 겉넓이의 비는 $1^2:2^2=1:4$

0823 $10:(\text{B의 겉넓이})=1:4$

$\therefore (\text{B의 겉넓이})=40\,(cm^2)$

0825 두 사각뿔 A, B의 부피의 비는 $4^3:5^3=64:125$

0826 (사각뿔 A의 부피) : 250=64 : 125

$\therefore$ (사각뿔 A의 부피)=128 (cm^3)

0827 삼각기둥 A, B의 닮음비가 6 : 12=1 : 2이므로

겉넓이의 비는 $1^2 : 2^2=1 : 4$

24 : (B의 겉넓이)=1 : 4

$\therefore$ (B의 겉넓이)=96 (cm^2)

0828 부피의 비는 $1^3 : 2^3=1 : 8$

40 : (B의 부피)=1 : 8

$\therefore$ (B의 부피)=320 (cm^3)

0829 원뿔 A, B의 닮음비가 6 : 4=3 : 2이므로

겉넓이의 비는 $3^2 : 2^2=9 : 4$

45π : (B의 겉넓이)=9 : 4

$\therefore$ (B의 겉넓이)=20π (cm^2)

0830 부피의 비는 $3^3 : 2^3=27 : 8$

(A의 부피) : 40π=27 : 8

$\therefore$ (A의 부피)=135π (cm^3)

0831 원기둥 A, B의 겉넓이의 비가

$18\pi : 32\pi=9 : 16=3^2 : 4^2$이므로 닮음비는 3 : 4이다.

따라서 A, B의 부피의 비는 $3^3 : 4^3=27 : 64$이므로

54π : (B의 부피)=27 : 64

$\therefore$ (B의 부피)=128π (cm^3)

06 닮음의 활용 (1)

본문 ○ 150쪽

0832 $\triangle ABC \backsim \triangle ADE$ **0833** $\triangle ADE$, 3, 2
0834 2, 2, 3 **0835** 4 m **0836** 8 m

0835 $\triangle ABC \backsim \triangle ADE$ (AA 닮음)이고, 닮음비는

$\overline{AB} : \overline{AD}=1.8 : (1.8+7.2)=1.8 : 9=1 : 5$

따라서 $\overline{BC} : \overline{DE}=1 : 5$이므로 $0.8 : \overline{DE}=1 : 5$

$\therefore \overline{DE}=4$ (m)

0836 $\triangle ABC \backsim \triangle DEC$ (AA 닮음)이고, 닮음비는

$\overline{AB} : \overline{DE}=\overline{BC} : \overline{EC}$이므로

$1.6 : \overline{DE}=2 : 10$, $2\overline{DE}=16$

$\therefore \overline{DE}=8$ (m)

07 닮음의 활용 (2)

본문 ○ 151쪽

0837 30, 3000, $\frac{1}{500}$ **0838** $\frac{1}{12500}$
0839 $\frac{1}{20000}$ **0840** $\frac{1}{500000}$
0841 $\frac{1}{10000}$, 40000, 0.4 **0842** 20 cm
0843 0.6 km **0844** 4 cm

0838 (축척)$=\frac{4\text{ cm}}{500\text{ m}}=\frac{4\text{ cm}}{50000\text{ cm}}=\frac{1}{12500}$

0839 (축척)$=\frac{5\text{ cm}}{1\text{ km}}=\frac{5\text{ cm}}{100000\text{ cm}}=\frac{1}{20000}$

0840 (축척)$=\frac{5\text{ cm}}{25\text{ km}}=\frac{5\text{ cm}}{2500000\text{ cm}}=\frac{1}{500000}$

0842 (지도에서의 거리)$=2\text{ km}\times\frac{1}{10000}$

$=200000\text{ cm}\times\frac{1}{10000}=20\text{ cm}$

0843 (실제 거리)$=12\text{ cm}\div\frac{1}{5000}$

$=60000\text{ cm}=0.6\text{ km}$

0844 (지도에서의 거리)$=0.2\text{ km}\times\frac{1}{5000}$

$=20000\text{ cm}\times\frac{1}{5000}=4\text{ cm}$

핵심 01~07 Mini Review Test

본문 ○ 152쪽

0845 ④ **0846** ③ **0847** 80 cm^2 **0848** 96 cm^2
0849 128 cm^2 **0850** ② **0851** ① **0852** 2 km

0845 $\overline{AB} : \overline{DE}=5 : 4$이므로 $10 : \overline{DE}=5 : 4$

$5\overline{DE}=40$ $\therefore \overline{DE}=8$ (cm)

$\overline{BC} : \overline{EF}=5 : 4$이므로 $15 : \overline{EF}=5 : 4$

$5\overline{EF}=60$ $\therefore \overline{EF}=12$ (cm)

따라서 $\triangle DEF$의 둘레의 길이는

8+12+6=26(cm)

0846 □ABCD : □EFGH$=9 : 16=3^2 : 4^2$이므로 닮음비는 3 : 4이다.

따라서 □EFGH의 둘레의 길이를 x cm라고 하면

$18 : x=3 : 4$, $3x=72$ $\therefore x=24$

따라서 □EFGH의 둘레의 길이는 24 cm이다.

0847 $\triangle ABC \backsim \triangle DBE$ (AA 닮음)이고, $\triangle ABC$와 $\triangle DBE$의 닮음비는 $9:3=3:1$이므로 넓이의 비는 $3^2:1^2=9:1$
즉, $\triangle ABC:10=9:1$이므로 $\triangle ABC=90(cm^2)$
$\therefore \square ADEC=\triangle ABC-\triangle DBE$
$=90-10=80(cm^2)$

0848 $\triangle AOD \backsim \triangle COB$ (AA 닮음)이고, 닮음비는
$\overline{AD}:\overline{BC}=4:12=1:3$이므로
$\triangle AOD:\triangle COB=1^2:3^2=1:9$
즉, $\triangle AOD:54=1:9$이므로 $9\triangle AOD=54$
$\therefore \triangle AOD=6\ (cm^2)$ ······ ❶
$\triangle ABO$와 $\triangle AOD$는 높이가 같으므로
$\triangle ABO:\triangle AOD=\overline{BC}:\overline{OD}=3:1$
즉, $\triangle ABO:6=3:1$ $\therefore \triangle ABO=18\ (cm^2)$ ······ ❷
이때 $\triangle DOC=\triangle ABO=18\ cm^2$이므로
$\square ABCD=\triangle AOD+\triangle COB+\triangle AOB+\triangle DOC$
$=6+54+18+18=96\ (cm^2)$ ······ ❸

채점 기준	배점
❶ $\triangle AOD$의 넓이 구하기	40 %
❷ $\triangle ABO$의 넓이 구하기	30 %
❸ $\square ABCD$의 넓이 구하기	30 %

0849 두 사면체의 밑면의 둘레의 길이의 비가 $4:5$이므로 닮음비는 $4:5$이다.
두 사면체의 옆넓이의 비는 $4^2:5^2=16:25$이므로
작은 사면체의 옆넓이를 $x\ cm^2$라고 하면
$x:200=16:25$, $25x=3200$ $\therefore x=128$
따라서 작은 사면체의 옆넓이는 $128\ cm^2$이다.

0850 두 직육면체 A, B의 부피의 비가 $27:125=3^3:5^3$이므로 닮음비는 $3:5$이다.
따라서 두 직육면체 A, B의 겉넓이의 비는
$3^2:5^2=9:25$이므로 $18:(\text{B의 겉넓이})=9:25$
$\therefore (\text{B의 겉넓이})=50\ (cm^2)$

0851 두 직각삼각형 ABE와 DCE는 서로 닮은 도형이므로
$40:2=\overline{AB}:2.6$ $\therefore \overline{AB}=52\ (m)$

0852 $(\text{축척})=\dfrac{12\ cm}{600\ m}=\dfrac{12\ cm}{60000\ cm}=\dfrac{1}{5000}$
$\therefore (\text{실제 거리})=40\ cm \div \dfrac{1}{5000}=40\ cm\times 5000$
$=200000\ cm=2\ km$

❺ 피타고라스 정리

9. 피타고라스 정리

01 삼각형의 변의 길이 구하기 (1)

본문 ○ 158쪽

0853 25, 5 **0854** 13 **0855** 15 **0856** 25
0857 6 **0858** 16 **0859** 10 **0860** 60 cm^2

0854 $x^2=5^2+12^2=169=13^2$
$\therefore x=13\ (\because x>0)$

0855 $x^2=12^2+9^2=225=15^2$
$\therefore x=15\ (\because x>0)$

0856 $x^2=20^2+15^2=625=25^2$
$\therefore x=25\ (\because x>0)$

0857 $x^2=10^2-8^2=36=6^2$
$\therefore x=6\ (\because x>0)$

0858 $x^2=20^2-12^2=256=16^2$
$\therefore x=16\ (\because x>0)$

0859 $x^2=26^2-24^2=100=10^2$
$\therefore x=10\ (\because x>0)$

0860 $\overline{BC}^2=17^2-15^2=64=8^2$
$\therefore \overline{BC}=8\ (cm)\ (\because \overline{BC}>0)$
$\therefore \triangle ABC=\dfrac{1}{2}\times 8\times 15=60(cm^2)$

02 삼각형의 변의 길이 구하기 (2)

본문 ○ 159쪽

0861 64, 8, 289, 17 **0862** $x=15$, $y=20$
0863 $x=12$, $y=13$ **0864** 36, 6, 15, 289, 17
0865 $x=12$, $y=20$ **0866** 7 cm

0862 $\triangle ADC$에서 $x^2=17^2-8^2=225=15^2$
$\therefore x=15\ (\because x>0)$
$\triangle ABD$에서 $y^2=25^2-15^2=400=20^2$
$\therefore y=20\ (\because y>0)$

0863 $\triangle ABD$에서 $x^2=20^2-16^2=144=12^2$
$\therefore x=12\ (\because x>0)$

$\triangle$ADC에서 $y^2=12^2+5^2=169=13^2$
$\therefore y=13$ ($\because y>0$)

0865 $\triangle$ABD에서 $x^2=13^2-5^2=144=12^2$
$\therefore x=12$ ($\because x>0$)
$\triangle$ABC에서 $\overline{BC}=5+11=16$ (cm)이므로
$y^2=12^2+16^2=400=20^2$
$\therefore y=20$ ($\because y>0$)

0866 $\triangle$ADC에서 $\overline{DC}^2=15^2-12^2=81=9^2$
$\therefore \overline{DC}=9$ (cm) ($\because \overline{DC}>0$)
$\triangle$ABC에서 $\overline{BC}^2=20^2-12^2=256=16^2$
$\therefore \overline{BC}=16$ (cm) ($\because \overline{BC}>0$)
$\therefore \overline{BD}=\overline{BC}-\overline{DC}=16-9=7$ (cm)

03 사각형의 변의 길이 구하기

본문 ◎ 160쪽

0867 65, 65, 49, 7 **0868** 24 **0869** 20
0870 3, 4, 25, 5 **0871** 12 **0872** 144 cm^2

0868 오른쪽 그림과 같이 $\overline{BD}$를 그으면

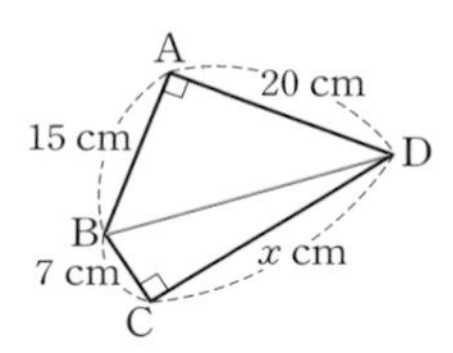

$\triangle$ABD에서
$\overline{BD}^2=15^2+20^2=625=25^2$
$\therefore \overline{BD}=25$ (cm) ($\because \overline{BD}>0$)
$\triangle$BCD에서
$x^2=25^2-7^2=576=24^2$
$\therefore x=24$ ($\because x>0$)

0869 오른쪽 그림과 같이 $\overline{AC}$를 그으면

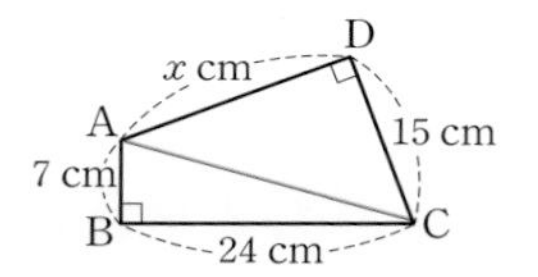

$\triangle$ABC에서
$\overline{AC}^2=7^2+24^2=625=25^2$
$\therefore \overline{AC}=25$ (cm) ($\because \overline{AC}>0$)
$\triangle$ACD에서
$x^2=25^2-15^2=400=20^2$
$\therefore x=20$ ($\because x>0$)

0871 오른쪽 그림과 같이 꼭짓점 D에서 $\overline{BC}$에 내린 수선의 발을 H라고 하면

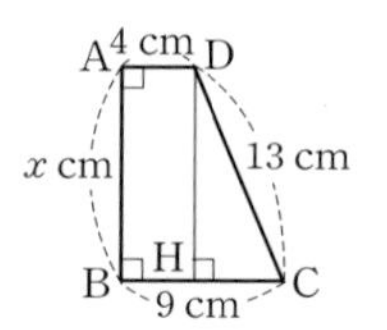

$\overline{BH}=\overline{AD}=4$ cm이므로
$\overline{CH}=\overline{BC}-\overline{BH}=9-4=5$ (cm)
$\triangle$DHC에서 $\overline{DH}=x$ cm이므로
$x^2=13^2-5^2=144=12^2$
$\therefore x=12$ ($\because x>0$)

0872 오른쪽 그림과 같이 두 점 A, D에서 $\overline{BC}$에 내린 수선의 발을 각각 H, H′이라고 하면
$\overline{HH'}=\overline{AD}=12$ cm
$\overline{BH}=\overline{CH'}=\frac{1}{2}(\overline{BC}-\overline{HH'})$
$=\frac{1}{2}\times(24-12)=6$ (cm)
$\triangle$ABH에서 $\overline{AH}^2=10^2-6^2=64=8^2$
$\therefore \overline{AH}=8$ (cm) ($\because \overline{AH}>0$)
$\therefore \square ABCD=\frac{1}{2}\times(12+24)\times 8=144$ (cm^2)

04 대각선의 길이 구하기

본문 ◎ 161쪽

0873 169, 13, 13 **0874** 15 cm **0875** 20 cm
0876 17 cm **0877** 25, 5 **0878** 10 **0879** 3, 25, 5
0880 13

0874 $\overline{BD}^2=12^2+9^2=225=15^2$
$\therefore \overline{BD}=15$ (cm) ($\because \overline{BD}>0$)

0875 $\overline{BD}^2=16^2+12^2=400=20^2$
$\therefore \overline{BD}=20$ (cm) ($\because \overline{BD}>0$)

0876 $\overline{BD}^2=15^2+8^2=289=17^2$
$\therefore \overline{BD}=17$ (cm) ($\because \overline{BD}>0$)

0878 $\overline{OP}^2=8^2+6^2=100=10^2$
$\therefore \overline{OP}=10$ ($\because \overline{OP}>0$)

0880 $\overline{PQ}^2=\{4-(-1)\}^2+\{9-(-3)\}^2=25+144=169=13^2$
$\therefore \overline{PQ}=13$ ($\because \overline{PQ}>0$)

05 피타고라스 정리의 이해－유클리드의 방법 (1)

본문 ◎ 162쪽

0881 16, 9, 25 **0882** 64 cm^2
0883 144 cm^2 **0884** 48 cm^2
0885 144 cm^2 **0886** 169 cm^2

0882 $\square$CBHI$=100-36=64$ (cm^2)

0883 $\square$AFGB$=169-25=144$ (cm^2)

0884 $\square$JKGB$=\square$CBHI$=48$ cm^2

0885 $\square$AFKJ$=\square$ACDE$=12^2=144$ (cm^2)

0886 $\overline{AC}$와 $\overline{BC}$를 각각 한 변으로 하는 정사각형의 넓이의 합은 $\overline{AB}$를 한 변으로 하는 정사각형의 넓이와 같으므로 두 정사각형의 넓이의 합은 $13^2=169\ (cm^2)$이다.

06 피타고라스 정리의 이해—유클리드의 방법 (2)

본문 163쪽

0887 $8\ cm^2$ **0888** $8\ cm^2$ **0889** $8\ cm^2$ **0890** $8\ cm^2$
0891 $\frac{9}{2}\ cm^2$ **0892** $\frac{9}{2}\ cm^2$ **0893** $\frac{9}{2}\ cm^2$ **0894** $\frac{9}{2}\ cm^2$
0895 $32\ cm^2$

0887 $\triangle ACE=\frac{1}{2}\square ACDE=\frac{1}{2}\times 4^2=8\ (cm^2)$

0888 $\overline{AE}/\!/\overline{BD}$이므로 $\triangle ABE=\triangle ACE=8\ (cm^2)$

0889 $\triangle AFC\equiv\triangle ABE$ (SAS 합동)이므로
$\triangle AFC=\triangle ABE=8\ (cm^2)$

0890 $\overline{AF}/\!/\overline{CK}$이므로 $\triangle AFJ=\triangle AFC=8\ (cm^2)$

0891 $\triangle CBH=\frac{1}{2}\square BHIC=\frac{1}{2}\times 3^2=\frac{9}{2}\ (cm^2)$

0892 $\overline{AI}/\!/\overline{BH}$이므로 $\triangle ABH=\triangle CBH=\frac{9}{2}\ (cm^2)$

0893 $\triangle GBC\equiv\triangle ABH$ (SAS 합동)이므로
$\triangle GBC=\triangle ABH=\frac{9}{2}\ (cm^2)$

0894 $\overline{BG}/\!/\overline{CK}$이므로 $\triangle GBJ=\triangle GBC=\frac{9}{2}\ (cm^2)$

0895 $\triangle AFC=\frac{1}{2}\square ACDE=\frac{1}{2}\times 8^2=32\ (cm^2)$

07 피타고라스 정리의 이해—피타고라스의 방법

본문 164쪽

0896 25, 5, 25 **0897** (1) 15 cm (2) $225\ cm^2$
0898 (1) 13 cm (2) $169\ cm^2$ **0899** 10, 36, 6
0900 (1) 17 cm (2) 15 cm **0901** $441\ cm^2$

0897 (1) $\overline{EH}^2=12^2+9^2=225=15^2$
$\therefore \overline{EH}=15\ (cm)\ (\because \overline{EH}>0)$
(2) $\square EFGH=\overline{EH}^2=15^2=225\ (cm^2)$

0898 (1) $\overline{EH}^2=12^2+5^2=169=13^2$
$\therefore \overline{EH}=13\ (cm)\ (\because \overline{EH}>0)$
(2) $\square EFGH=\overline{EH}^2=13^2=169\ (cm^2)$

0900 (1) $\overline{EH}^2=289=17^2$ $\therefore \overline{EH}=17\ (cm)\ (\because \overline{EH}>0)$
(2) $\overline{AE}^2=17^2-8^2=225=15^2$
$\therefore \overline{AE}=15\ (cm)\ (\because \overline{AE}>0)$

0901 $\overline{EH}^2=225=15^2$이므로 $\overline{EH}=15\ (cm)\ (\because \overline{EH}>0)$
$\overline{AH}^2=15^2-9^2=144=12^2$
$\therefore \overline{AH}=12\ (cm)\ (\because \overline{AH}>0)$
$\overline{AD}=12+9=21(cm)$이므로
$\square ABCD=21^2=441\ (cm^2)$

08 피타고라스 정리의 이해

본문 165쪽

0902 9, 3, 3, 1, 1 **0903** $49\ cm^2$
0904 $4\ cm^2$ **0905** 3, 25, 5, 5, $\frac{25}{2}$
0906 $\frac{169}{2}\ cm^2$ **0907** $98\ cm^2$

0903 $\overline{AE}=\overline{DH}=5\ cm$이므로 $\triangle AED$에서
$\overline{ED}=13^2-5^2=144=12^2$
$\therefore \overline{ED}=12\ (cm)\ (\because \overline{ED}>0)$
이때 $\overline{EH}=12-5=7(cm)$이므로
$\square EFGH=\overline{EH}^2=7^2=49\ (cm^2)$

0904 $\triangle BCE$에서 $\overline{CE}^2=10^2-6^2=64=8^2$
$\therefore \overline{CE}=8\ (cm)\ (\because \overline{CE}>0)$
이때 $\overline{CF}=\overline{BE}=6\ cm$이므로 $\overline{EF}=8-6=2\ (cm)$
$\therefore \square EFGH=\overline{EF}^2=2^2=4\ (cm^2)$

0906 $\triangle ABC\equiv\triangle CDE$이므로 $\overline{BC}=\overline{DE}=12\ cm$
$\triangle ABC$에서 $\overline{AC}^2=5^2+12^2=169=13^2$
$\therefore \overline{AC}=13\ (cm)\ (\because \overline{AC}>0)$
이때 $\angle ACE=90^\circ$이므로 $\triangle ACE$는 $\overline{AC}=\overline{CE}$인 직각이등변삼각형이다.
$\therefore \triangle ACE=\frac{1}{2}\times 13^2=\frac{169}{2}\ (cm^2)$

0907 $\triangle ABC\equiv\triangle CDE$이므로 $\triangle ACE$는 $\overline{AC}=\overline{CE}$인 직각이등변삼각형이다. 즉, $\triangle ACE=\frac{1}{2}\times\overline{AC}^2=50$이므로 $\overline{AC}^2=100$
$\therefore \overline{AC}=10\ (cm)\ (\because \overline{AC}>0)$
$\triangle ABC$에서 $\overline{AB}^2=10^2-8^2=36=6^2$
$\therefore \overline{AB}=6\ (cm)\ (\because \overline{AB}>0)$
따라서 $\overline{AB}=\overline{CD}=6\ cm$, $\overline{DE}=\overline{BC}=8\ cm$이므로
$\square ABDE=\frac{1}{2}\times(6+8)^2=98\ (cm^2)$

핵심 01~08 Mini Review Test 본문 166쪽

0908 54 cm^2 **0909** 25 cm **0910** ② **0911** 10

0912 ③ **0913** 4 cm **0914** 9 cm^2 **0915** $\frac{289}{2}\text{ cm}^2$

0908 $\triangle ABC$에서 $\overline{BC}^2=15^2-12^2=81=9^2$

$\therefore \overline{BC}=9\ (\text{cm})\ (\because \overline{BC}>0)$

$\therefore \triangle ABC=\frac{1}{2}\times 9\times 12=54\ (\text{cm}^2)$

0909 $\triangle ABD$에서 $\overline{BD}^2=17^2-15^2=64=8^2$

$\therefore \overline{BD}=8\ (\text{cm})\ (\because \overline{BD}>0)$

이때 $\overline{BC}=8+12=20\ (\text{cm})$이므로 $\triangle ABC$에서

$\overline{AC}^2=15^2+20^2=625=25^2$

$\therefore \overline{AC}=25\ (\text{cm})\ (\because \overline{AC}>0)$

0910 점 A에서 $\overline{BC}$에 내린 수선의 발을 H라고 하면

$\overline{HC}=\overline{AD}=4\text{ cm}$

$\therefore \overline{BH}=\overline{BC}-\overline{HC}=7-4=3(\text{cm})$

$\triangle ABH$에서 $\overline{AH}^2=5^2-3^2=16=4^2$

$\therefore \overline{AH}=4\ (\text{cm})\ (\because \overline{AH}>0)$

$\therefore \overline{CD}=\overline{AH}=4\text{ cm}$

0911 $\overline{PQ}^2=\{4-(-2)\}^2+\{6-(-2)\}^2$

$=6^2+8^2=100=10^2$

$\therefore \overline{PQ}=10\ (\because \overline{PQ}>0)$

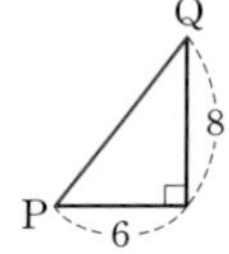

0912 ③ $\triangle JCG=\frac{1}{2}\square JKGC=\frac{1}{2}\square ACHI$

$=\frac{1}{2}\times 8^2=32\ (\text{cm}^2)$

0913 $\triangle AEH\equiv\triangle BFE\equiv\triangle CGF\equiv\triangle DHG$ (SAS 합동)

이므로 $\square EFGH$는 정사각형이다.

즉, $\square EFGH=\overline{EH}^2=25$ $\quad\therefore \overline{EH}=5\ (\text{cm})\ (\because \overline{EH}>0)$

$\triangle AEH$에서 $\overline{AE}^2=5^2-3^2=16=4^2$

$\therefore \overline{AE}=4\ (\text{cm})\ (\because \overline{AE}>0)$

0914 $\overline{AH}=\overline{BE}=\overline{CF}=9\text{ cm}$이므로

$\triangle ABH$에서 $\overline{BH}^2=15^2-9^2=144=12^2$

$\therefore \overline{BH}=12\ (\text{cm})\ (\because \overline{BH}>0)$

따라서 $\overline{EH}=12-9=3(\text{cm})$이므로

$\square EFGH=\overline{EH}^2=3^2=9\ (\text{cm}^2)$

0915 $\triangle ABC\equiv\triangle CDE$이므로 $\triangle ACE$는 $\overline{AC}=\overline{CE}$인 직각이등변삼각형이다.

즉, $\triangle ACE=\frac{1}{2}\times\overline{AC}^2=\frac{169}{2}(\text{cm}^2)$이므로 $\overline{AC}^2=169$

$\therefore \overline{AC}=13\ (\text{cm})\ (\because \overline{AC}>0)$ …… ❶

$\triangle ABC$에서 $\overline{BC}^2=13^2-5^2=144=12^2$

$\therefore \overline{BC}=12\ (\text{cm})\ (\because \overline{BC}>0)$ …… ❷

따라서 $\overline{AB}=\overline{CD}=5\text{ cm}$, $\overline{BC}=\overline{DE}=12\text{ cm}$이므로

$\square ABDE=\frac{1}{2}\times(5+12)^2=\frac{289}{2}\ (\text{cm}^2)$ …… ❸

채점 기준	배점
❶ $\overline{AC}$의 길이 구하기	30 %
❷ $\overline{BC}$의 길이 구하기	30 %
❸ $\square ABDE$의 넓이 구하기	40 %

09 직각삼각형이 되기 위한 조건 본문 167쪽

0916 =, 이다 **0917** ≠, 이 아니다

0918 × **0919** ○ **0920** ×

0921 5, 4, 9, 41, 9, 41 **0922** 144, 194

0923 161, 289 **0924** 15

0918 $2^2+3^2\neq4^2$이므로 직각삼각형이 아니다.

0919 $9^2+12^2=15^2$이므로 직각삼각형이다.

0920 $4^2+5^2\neq7^2$이므로 직각삼각형이 아니다.

0922 (i) 가장 긴 변의 길이가 13 cm일 때

$13^2=5^2+x^2 \quad \therefore x^2=169-25=144$

(ii) 가장 긴 변의 길이가 x cm일 때

$x^2=5^2+13^2=194$

(i), (ii)에 의하여 구하는 x^2의 값은 144, 194이다.

0923 (i) 가장 긴 변의 길이가 15 cm일 때

$15^2=8^2+x^2 \quad \therefore x^2=225-64=161$

(ii) 가장 긴 변의 길이가 x cm일 때

$x^2=8^2+15^2=289$

(i), (ii)에 의하여 구하는 x^2의 값은 161, 289이다.

0924 (i) 가장 긴 변의 길이가 17 cm일 때

$17^2=8^2+x^2 \quad \therefore x^2=17^2-8^2=225=15^2$

$\therefore x=15\ (\because x>0)$

(ii) 가장 긴 변의 길이가 x cm일 때

$x^2=17^2+8^2=353$

그런데 제곱하여 353이 되는 자연수는 존재하지 않는다.

(i), (ii)에 의하여 $x=15$

10 삼각형의 변의 길이에 대한 각의 크기

본문 ○ 168쪽

0925 4, >, 둔　**0926** 예　**0927** 둔
0928 직　**0929** 둔　**0930** 예　**0931** 둔
0932 직　**0933** 예

0926 $6^2<4^2+5^2$이므로 예각삼각형이다.

0927 $9^2>5^2+7^2$이므로 둔각삼각형이다.

0928 $10^2=6^2+8^2$이므로 직각삼각형이다.

0929 $13^2>5^2+11^2$이므로 둔각삼각형이다.

0930 $8^2<6^2+7^2$이므로 예각삼각형이다.

0931 $13^2>6^2+11^2$이므로 둔각삼각형이다.

0932 $15^2=9^2+12^2$이므로 직각삼각형이다.

0933 $17^2<12^2+13^2$이므로 예각삼각형이다.

11 삼각형의 각의 크기에 대한 변의 길이

본문 ○ 169쪽

0934 14, 100, 9　**0935** 16
0936 13, 14　**0937** 14, 100, 11, 12, 13
0938 17, 18, 19, 20　**0939** 3

0935 (i) 삼각형의 세 변의 길이 사이의 관계에 의하여
$15<x<8+15$　$\therefore 15<x<23$
(ii) 예각삼각형이므로 $x^2<8^2+15^2$　$\therefore x^2<289$
(i), (ii)를 모두 만족시키는 자연수 x의 값은 16이다.

0936 (i) 삼각형의 세 변의 길이 사이의 관계에 의하여
$12<x<9+12$　$\therefore 12<x<21$
(ii) 예각삼각형이므로 $x^2<9^2+12^2$　$\therefore x^2<225$
(i), (ii)를 모두 만족시키는 자연수 x의 값은 13, 14이다.

0938 (i) 삼각형의 세 변의 길이 사이의 관계에 의하여
$15<x<6+15$　$\therefore 15<x<21$
(ii) 둔각삼각형이므로 $x^2>6^2+15^2$　$\therefore x^2>261$
(i), (ii)를 모두 만족시키는 자연수 x의 값은 17, 18, 19, 20이다.

0939 (i) 삼각형의 세 변의 길이 사이의 관계에 의하여
$5-3<x<5$　$\therefore 2<x<5$
(ii) 둔각삼각형이므로 $5^2>3^2+x^2$　$\therefore x^2<16$
(i), (ii)를 모두 만족시키는 자연수 x의 값은 3이다.

12 직각삼각형의 닮음을 이용한 성질

본문 ○ 170쪽

0940 25, 5, 5, $\frac{9}{5}$　**0941** $\frac{225}{8}$　**0942** 15
0943 100, 10, 6, 10, $\frac{24}{5}$　**0944** $\frac{60}{13}$　**0945** $\frac{36}{5}$ cm

0941 $\triangle$ACD에서 $\overline{CD}^2=17^2-15^2=64=8^2$
$\therefore \overline{CD}=8\,(cm)$ ($\because \overline{CD}>0$)
$\triangle$ABC에서 $15^2=x\times 8$
$\therefore x=\frac{225}{8}$

0942 $\triangle$ABC에서 $12^2=\overline{BD}\times 16$　$\therefore \overline{BD}=9\,(cm)$
$\triangle$ABD에서 $x^2=9^2+12^2=225=15^2$
$\therefore x=15$ ($\because x>0$)

0944 $\triangle$ABC에서 $\overline{BC}^2=12^2+5^2=169=13^2$
$\therefore \overline{BC}=13\,(cm)$ ($\because \overline{BC}>0$)
$\overline{AB}\times\overline{AC}=\overline{AD}\times\overline{BC}$이므로
$12\times 5=x\times 13$　$\therefore x=\frac{60}{13}$

0945 $\triangle$ABC에서 $\overline{AC}^2=15^2-9^2=144=12^2$
$\therefore \overline{AC}=12\,(cm)$ ($\because \overline{AC}>0$)
$\overline{AB}\times\overline{AC}=\overline{AD}\times\overline{BC}$이므로
$9\times 12=\overline{AD}\times 15$　$\therefore \overline{AD}=\frac{36}{5}\,(cm)$

13 피타고라스 정리를 이용한 직각삼각형의 성질

본문 ○ 171쪽

0946 $\overline{CD}$, 6, 61　**0947** 225　**0948** 130
0949 19　**0950** 43　**0951** 125

0947 $\overline{DE}^2+\overline{BC}^2=\overline{BE}^2+\overline{CD}^2=12^2+9^2=225$

0948 $\overline{DE}^2+\overline{BC}^2=\overline{BE}^2+\overline{CD}^2=7^2+9^2=130$

0949 $\overline{DE}^2+\overline{BC}^2=\overline{BE}^2+\overline{CD}^2$이므로
$x^2+9^2=6^2+8^2$　$\therefore x^2=19$

0950 $\overline{DE}^2+\overline{BC}^2=\overline{BE}^2+\overline{CD}^2$이므로
$3^2+x^2=4^2+6^2 \quad \therefore x^2=43$

0951 $\triangle ABC$에서 삼각형의 두 변의 중점을 연결한 선분의 성질에 의해 $\overline{DE}=\frac{1}{2}\overline{BC}=5$
이때 $\overline{DE}^2+\overline{BC}^2=\overline{BE}^2+\overline{CD}^2$이므로
$\overline{BE}^2+\overline{CD}^2=5^2+10^2=125$

14 두 대각선이 직교하는 사각형의 성질

본문 ○ 172쪽

0952 8, 100 **0953** 146 **0954** 116 **0955** 2
0956 11 **0957** 14 cm

0953 $x^2+y^2=5^2+11^2=146$

0954 $x^2+y^2=4^2+10^2=116$

0955 $x^2+9^2=7^2+6^2$, $x^2=4 \quad \therefore x=2\ (\because x>0)$

0956 $10^2+5^2=x^2+2^2$, $x^2=121 \quad \therefore x=11\ (\because x>0)$

0957 피타고라스 정리에 의해 $\overline{AB}^2=3^2+4^2=25=5^2$
$\therefore \overline{AB}=5\ (cm)\ (\because \overline{AB}>0)$
$\overline{AB}^2+\overline{CD}^2=\overline{AD}^2+\overline{BC}^2$이므로
$5^2+\overline{CD}^2=11^2+10^2$, $\overline{CD}^2=196$
$\therefore \overline{CD}=14\ (cm)\ (\because \overline{CD}>0)$

15 내부에 한 점이 있는 직사각형의 성질

본문 ○ 173쪽

0958 6, 45 **0959** 41 **0960** 74 **0961** 7
0962 20 **0963** 17

0959 $x^2+y^2=5^2+4^2=41$

0960 $x^2+y^2=5^2+7^2=74$

0961 $6^2+x^2=9^2+2^2$이므로
$x^2=49 \quad \therefore x=7\ (\because x>0)$

0962 $x^2+15^2=24^2+7^2$이므로
$x^2=400 \quad \therefore x=20\ (\because x>0)$

0963 $x^2+8^2=y^2+9^2$이므로
$x^2-y^2=9^2-8^2=81-64=17$

16 직각삼각형에서 세 반원 사이의 관계

본문 ○ 174쪽

0964 7π **0965** $45\pi\ cm^2$
0966 $41\pi\ cm^2$ **0967** 2, 2π, 2π, 10π
0968 $125\pi\ cm^2$ **0969** 20 cm

0965 (색칠한 부분의 넓이)$=9\pi+36\pi=45\pi\ (cm^2)$

0966 (색칠한 부분의 넓이)$=25\pi+16\pi=41\pi\ (cm^2)$

0968 $\overline{AB}$를 지름으로 하는 반원의 넓이는
$\frac{1}{2}\times\pi\times10^2=50\pi\ (cm^2)$
$\therefore$ (색칠한 부분의 넓이)$=50\pi+75\pi=125\pi\ (cm^2)$

0969 $\overline{BC}$를 지름으로 하는 반원의 넓이를 S_3이라고 하면
$S_3=S_1+S_2=18\pi+32\pi=50\pi\ (cm^2)$
즉, $S_3=\frac{1}{2}\times\pi\times\left(\frac{\overline{BC}}{2}\right)^2=50\pi$이므로
$\overline{BC}^2=400 \quad \therefore \overline{BC}=20\ (cm)\ (\because \overline{BC}>0)$

17 히포크라테스의 원의 넓이

본문 ○ 175쪽

0970 9, 3, 3, 6 **0971** $30\ cm^2$
0972 $60\ cm^2$ **0973** $20\pi\ cm^2$
0974 $14\pi\ cm^2$ **0975** $32\pi\ cm^2$
0976 $30\ cm^2$

0971 $\triangle ABC$에서 $\overline{AC}^2=13^2-12^2=25=5^2$
$\therefore \overline{AC}=5\ (cm)\ (\because \overline{AC}>0)$
$\therefore$ (색칠한 부분의 넓이)$=\triangle ABC$
$=\frac{1}{2}\times12\times5=30(cm^2)$

0972 $\triangle ABC$에서 $\overline{AB}^2=17^2-15^2=64=8^2$
$\therefore \overline{AB}=8\ (cm)\ (\because \overline{AB}>0)$
$\therefore$ (색칠한 부분의 넓이)$=\frac{1}{2}\times8\times15=60(cm^2)$

0973 $\triangle ABC=12\pi+8\pi=20\pi(cm^2)$

0974 (색칠한 부분의 넓이)$=34\pi-20\pi=14\pi(cm^2)$

0975 (색칠한 부분의 넓이)$=82\pi-50\pi=32\pi(cm^2)$

0976 (색칠한 부분의 넓이)$=2\times\triangle ABC$
$=2\times\left(\frac{1}{2}\times6\times5\right)=30(cm^2)$

핵심 09~17 Mini Review Test		본문 ◎ 176쪽
0977 ③	**0978** 14, 15, 16	**0979** 12 cm
0980 6	**0981** 7 cm　**0982** 9 cm	**0983** 24 cm^2

0977 ① $4^2>2^2+3^2$이므로 둔각삼각형
② $4^2<3^2+3^2$이므로 예각삼각형
③ $7^2<4^2+6^2$이므로 예각삼각형
④ $10^2=6^2+8^2$이므로 직각삼각형
⑤ $14^2>9^2+10^2$이므로 둔각삼각형

0978 (i) 삼각형의 세 변의 길이 사이의 관계에 의하여
$12<x<12+5$　　$\therefore 12<x<17$
(ii) 둔각삼각형이므로
$x^2>5^2+12^2$　　$\therefore x^2>169$
(i), (ii)를 모두 만족시키는 자연수 x의 값은 14, 15, 16이다.

0979 $\triangle ABC$에서 $\overline{AC}^2=25^2-15^2=400=20^2$
$\therefore \overline{AC}=20\,(cm)\ (\because \overline{AC}>0)$
$\overline{AB}\times\overline{AC}=\overline{BC}\times\overline{AD}$이므로 $15\times20=25\times\overline{AD}$
$\therefore \overline{AD}=12\,(cm)$

0980 $\overline{DE}^2+\overline{AB}^2=\overline{BE}^2+\overline{AD}^2$이므로
$2^2+9^2=x^2+7^2$
$x^2=36$　　$\therefore x=6\ (\because x>0)$

0981 $\overline{AB}^2=4^2+9^2=97$
$\overline{AD}^2=4^2+3^2=25$
이때 $\overline{AB}^2+\overline{CD}^2=\overline{AD}^2+\overline{BC}^2$이므로
$97+\overline{CD}^2=25+11^2$, $\overline{CD}^2=49$
$\therefore \overline{CD}=7\,(cm)\ (\because \overline{CD}>0)$

0982 $3^2+11^2=7^2+\overline{PD}^2$
$\overline{PD}^2=81$　　$\therefore \overline{PD}=9\,(cm)\ (\because \overline{PD}>0)$

0983 $\triangle ABC$에서 $\overline{AC}^2=10^2-8^2=36=6^2$
$\therefore \overline{AC}=6\,(cm)\ (\because \overline{AC}>0)$
$\therefore$ (색칠한 부분의 넓이)$=\triangle ABC$
$=\frac{1}{2}\times8\times6=24(cm^2)$

⑥ 확률

10. 경우의 수

01 사건과 경우의 수 (1)　　본문 ◎ 181쪽

0984 1	**0985** 2	**0986** 3	**0987** 3
0988 4	**0989** 5	**0990** 4	**0991** 4
0992 (1) 3 (2) 6			

0985 5 이상의 눈이 나오는 경우는 5, 6이므로 구하는 경우의 수는 2이다.

0986 홀수의 눈이 나오는 경우는 1, 3, 5이므로 구하는 경우의 수는 3이다.

0987 2의 배수의 눈이 나오는 경우는 2, 4, 6이므로 구하는 경우의 수는 3이다.

0988 6의 약수의 눈이 나오는 경우는 1, 2, 3, 6이므로 구하는 경우의 수는 4이다.

0989 4 이상 8 이하의 수가 나오는 경우는 4, 5, 6, 7, 8이므로 구하는 경우의 수는 5이다.

0990 8의 약수가 나오는 경우는 1, 2, 4, 8이므로 구하는 경우의 수는 4이다.

0991 1부터 10까지의 자연수 중 소수가 나오는 경우는 2, 3, 5, 7이므로 구하는 경우의 수는 4이다.

0992 (1) 1부터 12까지의 자연수 중 두 자리의 수가 나오는 경우는 10, 11, 12이므로 구하는 경우의 수는 3이다.
(2) 12의 약수가 나오는 경우는 1, 2, 3, 4, 6, 12이므로 구하는 경우의 수는 6이다.

02 사건과 경우의 수 (2)　　본문 ◎ 182쪽

0993 뒤, 앞, 2	**0994** 1	**0995** 1	**0996** 2
0997 3	**0998** 1, 2, 3, 4, 5, 6, 6		**0999** 9
1000 5	**1001** 4	**1002** 10	

0994 뒷면이 2개 나오는 경우는 (뒤, 뒤)이므로 구하는 경우의 수는 1이다.

0995 뒷면이 나오지 않는 경우는 (앞, 앞)이므로 구하는 경우의 수는 1이다.

0996 서로 같은 면이 나오는 경우는 (앞, 앞), (뒤, 뒤)이므로 구하는 경우의 수는 2이다.

0997 앞면이 1개 이상 나오는 경우는 (앞, 뒤), (뒤, 앞), (앞, 앞)이므로 구하는 경우의 수는 3이다.

0999 두 눈의 수가 모두 홀수인 경우는 (1, 1), (1, 3), (1, 5), (3, 1), (3, 3), (3, 5), (5, 1), (5, 3), (5, 5)이므로 구하는 경우의 수는 9이다.

1000 두 눈의 수의 합이 8인 경우는 (2, 6), (3, 5), (4, 4), (5, 3), (6, 2)이므로 구하는 경우의 수는 5이다.

1001 두 눈의 수의 차가 4인 경우는 (1, 5), (2, 6), (5, 1), (6, 2)이므로 구하는 경우의 수는 4이다.

1002 두 눈의 수의 곱이 18 이상인 경우는 (3, 6), (4, 5), (4, 6), (5, 4), (5, 5), (5, 6), (6, 3), (6, 4), (6, 5), (6, 6)이므로 구하는 경우의 수는 10이다.

03 사건과 경우의 수 (3)

본문 183쪽

1003 풀이 참조 **1004** 5 **1005** 6
1006 6 **1007** 6 **1008** 7 **1009** 7
1010 7 **1011** 5

1003

100원짜리(개)	1	1	0	0
50원짜리(개)	1	0	3	2
10원짜리(개)	0	5	0	5

따라서 지불하는 경우의 수는 4이다.

1004

100원짜리(개)	2	1	1	0	0
50원짜리(개)	0	2	1	4	3
10원짜리(개)	0	0	5	0	5

따라서 지불하는 경우의 수는 5이다.

1005

100원짜리(개)	3	2	2	1	1	0
50원짜리(개)	0	2	1	4	3	5
10원짜리(개)	0	0	5	0	5	5

따라서 지불하는 경우의 수는 6이다.

1006

100원짜리(개)	4	4	3	3	2	2
50원짜리(개)	1	0	3	2	5	4
10원짜리(개)	0	5	0	5	0	5

따라서 지불하는 경우의 수는 6이다.

1007

100원짜리(개)	2	2	1	1	0	0
50원짜리(개)	1	0	3	2	5	4
10원짜리(개)	0	5	0	5	0	5

따라서 지불하는 경우의 수는 6이다.

1008

100원짜리(개)	4	4	3	3	2	2	1
50원짜리(개)	1	0	3	2	5	4	6
10원짜리(개)	1	6	1	6	1	6	6

따라서 지불하는 경우의 수는 7이다.

1009

100원짜리(개)	5	4	4	3	3	2	2
50원짜리(개)	0	2	1	4	3	6	5
10원짜리(개)	1	1	6	1	6	1	6

따라서 지불하는 경우의 수는 7이다.

1010

100원짜리(개)	6	5	5	4	4	3	3
50원짜리(개)	0	2	1	4	3	6	5
10원짜리(개)	0	0	5	0	5	0	5

따라서 지불하는 경우의 수는 7이다.

1011

100원짜리(개)	6	6	5	5	4
50원짜리(개)	3	2	5	4	6
10원짜리(개)	0	5	0	5	5

따라서 지불하는 경우의 수는 5이다.

04 사건 A 또는 사건 B가 일어나는 경우의 수 (1)

본문 ○ 184쪽

1012 5, 4, 5, 4, 9 **1013** 14 **1014** 7
1015 10 **1016** 5 **1017** 24 **1018** 5

1013 $6+8=14$

1014 $3+4=7$

1015 $4+6=10$

1016 $2+3=5$

1017 $15+9=24$

1018 $3+2=5$

05 사건 A 또는 사건 B가 일어나는 경우의 수 (2)

본문 ○ 185쪽

1019 2, 2, 3, 3, 3, 5, 3, 5, 8 **1020** 8 **1021** 8
1022 12 **1023** 6 **1024** 6 **1025** 7
1026 3, 2, 1, 3, 2, 1, 4 **1027** 9 **1028** 10

1020 두 눈의 수의 합이 5인 경우는
(1, 4), (2, 3), (3, 2), (4, 1)의 4가지
두 눈의 수의 합이 9인 경우는
(3, 6), (4, 5), (5, 4), (6, 3)의 4가지
따라서 구하는 경우의 수는 $4+4=8$

1021 두 눈의 수의 차가 3인 경우는
(1, 4), (2, 5), (3, 6), (4, 1), (5, 2), (6, 3)의 6가지
두 눈의 수의 차가 5인 경우는 (1, 6), (6, 1)의 2가지
따라서 구하는 경우의 수는 $6+2=8$

1022 두 눈의 수의 차가 2인 경우는 (1, 3), (2, 4), (3, 5), (4, 6), (6, 4), (5, 3), (4, 2), (3, 1)의 8가지
두 눈의 수의 차가 4인 경우는
(1, 5), (2, 6), (5, 1), (6, 2)의 4가지
따라서 구하는 경우의 수는 $8+4=12$

1023 두 눈의 수의 합이 10인 경우는
(6, 4), (5, 5), (4, 6)의 3가지,
합이 11인 경우는 (6, 5), (5, 6)의 2가지,
합이 12인 경우는 (6, 6)의 1가지이므로
(두 눈의 수의 합이 10 이상인 경우의 수)
=(합이 10인 경우의 수)+(합이 11인 경우의 수)
+(합이 12인 경우의 수)
$=3+2+1=6$

1024 5의 배수가 나오는 경우는 5, 10, 15, 20의 4가지
8의 배수가 나오는 경우는 8, 16의 2가지
따라서 구하는 경우의 수는 $4+2=6$

1025 4의 배수가 나오는 경우는
4, 8, 12, 16, 20의 5가지
7의 배수가 나오는 경우는 7, 14의 2가지
따라서 구하는 경우의 수는 $5+2=7$

1027 (i) 3의 배수가 나오는 경우는
3, 6, 9, 12, 15, 18의 6가지
(ii) 5의 배수가 나오는 경우는
5, 10, 15, 20의 4가지
(iii) 3의 배수이면서 5의 배수인 수가 나오는 경우는 15의 1가지
따라서 구하는 경우의 수는 $6+4-1=9$

1028 (i) 18의 약수가 나오는 경우는
1, 2, 3, 6, 9, 18의 6가지
(ii) 24의 약수가 나오는 경우는
1, 2, 3, 4, 6, 8, 12, 24의 8가지
(iii) 18의 약수이면서 24의 약수인 수가 나오는 경우는
1, 2, 3, 6의 4가지
따라서 구하는 경우의 수는 $6+8-4=10$

06 두 사건 A와 B가 동시에 일어나는 경우의 수 (1)

본문 ○ 186쪽

1029 5, 4, 5, 4, 20 **1030** 48 **1031** 21
1032 15 **1033** 6 **1034** 12 **1035** 3, 2, 6

1030 $6\times8=48$

1031 $7\times3=21$

1032 $5\times3=15$

1033 $2\times3=6$

1034 A 지점에서 B 지점으로 가는 방법의 수는 3
B 지점에서 C 지점으로 가는 방법의 수는 4
따라서 구하는 방법의 수는 $3\times4=12$

07 두 사건 A와 B가 동시에 일어나는 경우의 수 (2)

본문 ○ 187쪽

1036 2, 4 **1037** 8 **1038** 16 **1039** 36
1040 216 **1041** 6, 12 **1042** 24 **1043** 144
1044 9 **1045** 27

1037 $2\times2\times2=8$

1038 $2\times2\times2\times2=16$

1039 $6\times6=36$

1040 $6\times6\times6=216$

1042 $2\times2\times6=24$

1043 $2\times2\times6\times6=144$

1044 한 사람이 낼 수 있는 경우는 가위, 바위, 보의 3가지이므로 모든 경우의 수는 $3\times3=9$

1045 $3\times3\times3=27$

08 두 사건 A와 B가 동시에 일어나는 경우의 수 (3)

본문 ○ 188쪽

1046 3, 2, 3, 2, 6 **1047** 12 **1048** 9
1049 9 **1050** 1, 3, 1, 3, 3 **1051** 6
1052 4 **1053** 6

1047 6의 약수의 눈이 나오는 경우는 1, 2, 3, 6의 4가지
소수의 눈이 나오는 경우는 2, 3, 5의 3가지
따라서 구하는 경우의 수는 $4\times3=12$

1048 짝수의 눈이 나오는 경우는 2, 4, 6의 3가지이므로 구하는 경우의 수는 $3\times3=9$

1049 두 수의 곱이 홀수가 되는 경우는 (홀수)×(홀수)이다.
홀수의 눈이 나오는 경우는 1, 3, 5의 3가지이므로 구하는 경우의 수는 $3\times3=9$

1051 동전에서 앞면 또는 뒷면이 나오는 경우는 2가지
주사위에서 2의 배수의 눈이 나오는 경우는 2, 4, 6의 3가지
따라서 구하는 경우의 수는 $2\times3=6$

1052 동전 2개를 던졌을 때 서로 다른 면이 나오는 경우는 (앞, 뒤), (뒤, 앞)의 2가지
주사위에서 3의 배수의 눈이 나오는 경우는 3, 6의 2가지
따라서 구하는 경우의 수는 $2\times2=4$

1053 동전 2개를 던졌을 때 서로 같은 면이 나오는 경우는 (앞, 앞), (뒤, 뒤)의 2가지
주사위에서 소수의 눈이 나오는 경우는 2, 3, 5의 3가지
따라서 구하는 경우의 수는 $2\times3=6$

핵심 01~08 Mini Review Test

본문 ○ 189쪽

1054 6 **1055** 6 **1056** 7 **1057** 17
1058 3 **1059** 10 **1060** 8 **1061** 8
1062 12

1054 1부터 20까지의 자연수 중 18의 약수는 1, 2, 3, 6, 9, 18이므로 구하는 경우의 수는 6이다.

1055 두 눈의 수의 차가 3인 경우는 (1, 4), (2, 5), (3, 6), (6, 3), (5, 2), (4, 1)이므로 구하는 경우의 수는 6이다.

1056

100원짜리(개)	5	5	4	4	3	3	2
50원짜리(개)	1	0	3	2	5	4	6
10원짜리(개)	1	6	1	6	1	6	6

따라서 지불하는 경우의 수는 7이다.

1057 $12+5=17$

1058 두 눈의 수의 합이 2가 되는 경우는 (1, 1)의 1가지
두 눈의 수의 합이 3이 되는 경우는 (1, 2), (2, 1)의 2가지
따라서 구하는 경우의 수는 $1+2=3$

1059 1부터 15까지의 자연수 중에서
(i) 2의 배수가 나오는 경우는 2, 4, 6, 8, 10, 12, 14의 7가지 ······ ❶
(ii) 3의 배수가 나오는 경우는 3, 6, 9, 12, 15의 5가지 ······ ❷
(iii) 2의 배수이면서 3의 배수인 수가 나오는 경우는 6, 12의 2가지 ······ ❸
따라서 구하는 경우의 수는 $7+5-2=10$ ······ ❹

채점 기준	배점
❶ 2의 배수가 나오는 경우의 수 구하기	30 %
❷ 3의 배수가 나오는 경우의 수 구하기	30 %
❸ 6의 배수가 나오는 경우의 수 구하기	30 %
❹ 답 구하기	10 %

1060 P 지점에서 Q 지점까지 최단 거리로 가는 방법의 수는 2
Q 지점에서 R 지점까지 최단 거리로 가는 방법의 수는 4
따라서 구하는 방법의 수는 $2\times4=8$

1061 전구 1개가 만들 수 있는 신호는 2가지이므로 구하는 경우의 수는 $2\times2\times2=8$

1062 소수의 눈이 나오는 경우는 2, 3, 5의 3가지
3 이상인 수의 눈이 나오는 경우는 3, 4, 5, 6의 4가지
따라서 구하는 경우의 수는 $3\times4=12$

09 한 줄로 세우는 경우의 수 (1)

본문 ◎ 190쪽

1063 6 **1064** 4, 3, 2, 1, 24 **1065** 120
1066 720 **1067** 6 **1068** 12 **1069** 60
1070 (1) 720 (2) 120

1065 $5\times4\times3\times2\times1=120$

1066 $6\times5\times4\times3\times2\times1=720$

1068 $4\times3=12$

1069 $5\times4\times3=60$

1070 (1) $6\times5\times4\times3\times2\times1=720$
(2) $6\times5\times4=120$

10 한 줄로 세우는 경우의 수 (2)

본문 ◎ 191쪽

1071 6 **1072** 6 **1073** 2 **1074** 12
1075 4 **1076** 24 **1077** 24 **1078** 6
1079 12 **1080** 48

1072 B를 맨 뒤에 고정시키고, 나머지 A, C, D 3명을 한 줄로 세우는 경우의 수와 같으므로 $3\times2\times1=6$

1073 A와 B를 고정시키고, C와 D를 한 줄로 세우는 경우의 수와 같으므로 $2\times1=2$

1074 A를 맨 앞에 세우는 경우의 수는 $3\times2\times1=6$
B를 맨 앞에 세우는 경우의 수는 $3\times2\times1=6$
따라서 구하는 경우의 수는 $6+6=12$

1075 A, B를 양 끝에 세우는 경우는 A□□B, B□□A의 2가지이고, 각각의 경우마다 C, D 2명을 한 줄로 세우는 경우의 수는 $2\times1=2$
따라서 구하는 경우의 수는 $2\times2=4$

1076 할아버지를 가장 왼쪽에 고정시키고, 나머지 4명을 한 줄로 세우는 경우의 수와 같으므로
$4\times3\times2\times1=24$

1077 은채를 가운데에 고정시키고, 나머지 4명을 한 줄로 세우는 경우의 수와 같으므로
$4\times3\times2\times1=24$

1078 할아버지와 할머니를 고정시키고, 나머지 3명을 한 줄로 세우는 경우의 수와 같으므로
$3\times2\times1=6$

1079 부모님을 양 끝에 세우는 경우는 부□□□모, 모□□□부의 2가지이고, 각각의 경우마다 부, 모를 제외한 3명을 한 줄로 세우는 경우의 수는 $3\times2\times1=6$
따라서 구하는 경우의 수는 $2\times6=12$

1080 남학생 2명을 양 끝에 세우는 경우는 2가지이고, 남학생 사이에 여학생 4명을 한 줄로 세우는 경우의 수는 $4\times3\times2\times1=24$
따라서 구하는 경우의 수는 $2\times24=48$

11 이웃하게 세우는 경우의 수

본문 ◎ 192쪽

1081 24, 2, 24, 2, 48 **1082** 36 **1083** 4
1084 12 **1085** 240 **1086** 144 **1087** 96
1088 72

1082 A, B, C를 하나로 묶어 (ABC), D, E의 3명을 한 줄로 세우는 경우의 수는 $3\times2\times1=6$
A, B, C가 자리를 바꾸는 경우의 수는 $3\times2\times1=6$
따라서 구하는 경우의 수는 $6\times6=36$

1083 E, D를 하나로 묶어 R, (ED)의 2개의 문자를 일렬로 배열하는 경우의 수는 2
E, D가 자리를 바꾸는 경우의 수는 2
따라서 구하는 경우의 수는 $2\times2=4$

1084 초등학생 2명을 하나로 묶어 3명을 한 줄로 세우는 경우의 수는 $3\times2\times1=6$
초등학생끼리 자리를 바꾸는 경우의 수는 2
따라서 구하는 경우의 수는 $6\times2=12$

1085 남학생 2명을 하나로 묶어 5명을 한 줄로 세우는 경우의 수는 $5\times4\times3\times2\times1=120$
남학생끼리 자리를 바꾸는 경우의 수는 2
따라서 구하는 경우의 수는 $120\times2=240$

1086 여학생 4명을 하나로 묶어 3명을 한 줄로 세우는 경우의 수는 $3\times2\times1=6$
여학생끼리 자리를 바꾸는 경우의 수는 $4\times3\times2\times1=24$
따라서 구하는 경우의 수는 $6\times24=144$

1087 남학생 2명과 여학생 4명을 각각 하나로 묶어 2명을 한 줄로 세우는 경우의 수는 2
남학생끼리 자리를 바꾸는 경우의 수는 2
여학생끼리 자리를 바꾸는 경우의 수는 $4\times3\times2\times1=24$
따라서 구하는 경우의 수는 $2\times2\times24=96$

1088 상의 3벌과 하의 3벌을 각각 하나로 묶어 2벌을 한 줄로 세우는 경우의 수는 2
상의끼리 자리를 바꾸는 경우의 수는 $3\times2\times1=6$
하의끼리 자리를 바꾸는 경우의 수는 $3\times2\times1=6$
따라서 구하는 경우의 수는 $2\times6\times6=72$

12 색칠하는 경우의 수

본문 ○ 193쪽

1089 4, 3, 4, 3, 12 **1090** 24 **1091** 24
1092 108 **1093** 4, 3, 2, 2, 4, 3, 2, 2, 48
1094 72

1090 A에 칠할 수 있는 색은 4가지
B에 칠할 수 있는 색은 3가지 ← A에 칠한 색 제외
C에 칠할 수 있는 색은 2가지 ← A, B에 칠한 색 제외
따라서 구하는 경우의 수는 $4\times3\times2=24$

1091 A에 칠할 수 있는 색은 4가지
B에 칠할 수 있는 색은 3가지 ← A에 칠한 색 제외
C에 칠할 수 있는 색은 2가지 ← A, B에 칠한 색 제외
D에 칠할 수 있는 색은 1가지 ← A, B, C에 칠한 색 제외
따라서 구하는 경우의 수는 $4\times3\times2\times1=24$

1092 (i) A에 칠할 수 있는 색은 4가지
(ii) B에 칠할 수 있는 색은 3가지 ← A에 칠한 색 제외
(iii) C에 칠할 수 있는 색은 3가지 ← B에 칠한 색 제외
(iv) D에 칠할 수 있는 색은 3가지 ← C에 칠한 색 제외
따라서 구하는 경우의 수는 $4\times3\times3\times3=108$

1094 (i) A에 칠할 수 있는 색은 4가지
(ii) B에 칠할 수 있는 색은 3가지 ← A에 칠한 색 제외
(iii) C에 칠할 수 있는 색은 3가지 ← B에 칠한 색 제외
(iv) D에 칠할 수 있는 색은 2가지 ← B, C에 칠한 색 제외
따라서 구하는 경우의 수는 $4\times3\times3\times2=72$

13 카드를 뽑아 자연수를 만드는 경우의 수 (1)

본문 ○ 194쪽

1095 12 **1096** 24 **1097** (1) 6 (2) 6
1098 (1) 20 (2) 60 **1099** 5, 15 **1100** 15
1101 10 **1102** 15 **1103** 36

1096 $4\times3\times2=24$

1097 (1) $3\times2=6$
(2) $3\times2\times1=6$

1098 (1) $5\times4=20$
(2) $5\times4\times3=60$

1100 일의 자리에 올 수 있는 숫자는 1, 3, 5의 3개
십의 자리에 올 수 있는 숫자는 일의 자리에 놓인 숫자를 제외한 5개
따라서 만들 수 있는 홀수의 개수는 $3\times5=15$

1101 십의 자리에 올 수 있는 숫자는 5, 6의 2개
일의 자리에 올 수 있는 숫자는 십의 자리에 놓인 숫자를 제외한 5개
따라서 만들 수 있는 50보다 큰 수의 개수는 $2\times5=10$

1102 십의 자리에 올 수 있는 숫자는 1, 2, 3의 3개
일의 자리에 올 수 있는 숫자는 십의 자리에 놓인 숫자를 제외한 5개
따라서 만들 수 있는 40보다 작은 수의 개수는 $3\times5=15$

1103 일의 자리에 올 수 있는 숫자는 1, 5, 7의 3개
십의 자리에 올 수 있는 숫자는 일의 자리에 놓인 숫자를 제외한 4개

백의 자리에 올 수 있는 숫자는 일의 자리와 십의 자리에 놓인 숫자를 제외한 3개
따라서 만들 수 있는 홀수의 개수는 $3\times4\times3=36$

14 카드를 뽑아 자연수를 만드는 경우의 수 (2)

본문 195쪽

1104 9 **1105** 3, 3, 2, 18 **1106** 16
1107 48 **1108** 9 **1109** 7 **1110** 8
1111 7 **1112** (1) 9 (2) 10

1106 $4\times4=16$

1107 $4\times4\times3=48$

1109 (i) 일의 자리의 숫자가 0인 경우
십의 자리에 올 수 있는 숫자는 1, 3, 4, 5의 4개
(ii) 일의 자리의 숫자가 4인 경우
십의 자리에 올 수 있는 숫자는 1, 3, 5의 3개
따라서 만들 수 있는 두 자리 자연수 중 짝수의 개수는
$4+3=7$

1110 40보다 작은 수가 되려면 십의 자리에 올 수 있는 숫자는 1, 3의 2개이고, 일의 자리에 올 수 있는 숫자는 십의 자리에 놓인 숫자를 제외한 4개
따라서 만들 수 있는 40보다 작은 수의 개수는 $2\times4=8$

1111 5의 배수는 일의 자리의 숫자가 0 또는 5이다.
(i) 일의 자리의 숫자가 0인 경우
십의 자리에 올 수 있는 숫자는 1, 3, 4, 5의 4개
(ii) 일의 자리의 숫자가 5인 경우
십의 자리에 올 수 있는 숫자는 1, 3, 4의 3개
따라서 만들 수 있는 5의 배수의 개수는 $4+3=7$

1112 (1) (i) 일의 자리의 숫자가 0인 경우
십의 자리에 올 수 있는 숫자는 1, 2, 3, 5, 7의 5개
(ii) 일의 자리의 숫자가 2인 경우
십의 자리에 올 수 있는 숫자는 1, 3, 5, 7의 4개
따라서 만들 수 있는 두 자리의 자연수 중 짝수의 개수는
$5+4=9$
(2) 십의 자리에 올 수 있는 숫자는 1, 2의 2개
일의 자리에 올 수 있는 숫자는 십의 자리에 놓인 숫자를 제외한 5개
따라서 30보다 작은 두 자리의 자연수의 개수는 $2\times5=10$

15 자격이 다른 대표를 뽑는 경우의 수

본문 196쪽

1113 12 **1114** 4, 3, 2, 24 **1115** 20
1116 60 **1117** 120 **1118** 6 **1119** 120
1120 42 **1121** 336 **1122** (1) 90 (2) 200

1115 $5\times4=20$

1116 $5\times4\times3=60$

1117 $5\times4\times3\times2=120$

1118 $3\times2=6$

1119 $6\times5\times4=120$

1120 $7\times6=42$

1121 $8\times7\times6=336$

1122 (1) $10\times9=90$
(2) 남자 부회장 1명, 여자 부회장 1명을 뽑는 경우의 수는
$5\times5=25$
부회장 2명을 제외한 8명 중 회장 1명을 뽑는 경우의 수는 8
따라서 구하는 경우의 수는 $25\times8=200$

16 자격이 같은 대표를 뽑는 경우의 수

본문 197쪽

1123 4, 3, 6 **1124** 4 **1125** 10 **1126** 10
1127 6 **1128** 15 **1129** 20 **1130** 21
1131 28 **1132** (1) 20 (2) 40

1124 $\frac{4\times3\times2}{6}=4$

1125 $\frac{5\times4}{2}=10$

1126 $\frac{5\times4\times3}{6}=10$

1127 채은이가 반드시 뽑히는 경우의 수는 채은이를 대표로 뽑아 놓고, 채은이를 제외한 4명 중 대표 2명을 뽑는 경우의 수이므로
$\frac{4\times3}{2}=6$이다.

1128 $\frac{6\times5}{2}=15$

1129 $\frac{6\times5\times4}{6}=20$

1130 $\frac{7\times6}{2}=21$

1131 $\frac{8\times7}{2}=28$

1132 (1) 여학생 5명 중 대표 1명을 뽑는 경우의 수는 5
남학생 4명 중 대표 1명을 뽑는 경우의 수는 4
따라서 구하는 경우의 수는 $5\times4=20$
(2) 여학생 5명 중 대표 2명을 뽑는 경우의 수는 $\frac{5\times4}{2}=10$
남학생 4명 중 대표 1명을 뽑는 경우의 수는 4
따라서 구하는 경우의 수는 $10\times4=40$

17 선분 또는 삼각형의 개수

본문 ➡ 198쪽

1133 4, 3, 6 **1134** 4, 3, 2, 4 **1135** 10
1136 10 **1137** 15 **1138** 20

1135 $\frac{5\times4}{2}=10$

1136 $\frac{5\times4\times3}{6}=10$

1137 $\frac{6\times5}{2}=15$

1138 $\frac{6\times5\times4}{6}=20$

핵심 09~17 Mini Review Test

본문 ➡ 199쪽

1139 (1) 120 (2) 60 **1140** (1) 4 (2) 12
1141 (1) 120 (2) 320 **1142** (1) 56 (2) 14
1143 (1) 12 (2) 9 (3) 9 **1144** (1) 210 (2) 35 (3) 18
1145 35

1139 (1) $5\times4\times3\times2\times1=120$
(2) $5\times4\times3=60$

1140 (1) 부모님이 양 끝에 서는 경우는 부□□모, 모□□부의 2가지이고, 각각의 경우마다 부, 모를 제외한 2명을 한 줄로 세우는 경우의 수는 $2\times1=2$
따라서 구하는 경우의 수는 $2\times2=4$
(2) 부모를 하나로 묶어 부모□□의 3명을 한 줄로 세우는 경우의 수는 $3\times2\times1=6$
부모가 자리를 바꾸는 경우의 수는 $2\times1=2$
따라서 구하는 경우의 수는 $6\times2=12$

1141 (1) $5\times4\times3\times2=120$
(2) $5\times4\times4\times4=320$

1142 (1) $8\times7=56$
(2) 십의 자리에 올 수 있는 숫자는 7, 8의 2개
일의 자리에 올 수 있는 숫자는 십의 자리에 놓인 숫자를 제외한 7개
따라서 70보다 큰 수의 개수는 $2\times7=14$

1143 (1) 일의 자리에 올 수 있는 숫자는 1, 3, 5의 3개
십의 자리에 올 수 있는 숫자는 0과 일의 자리에 놓인 숫자를 제외한 4개
따라서 만들 수 있는 두 자리의 홀수의 개수는 $3\times4=12$
(2) (i) 일의 자리의 숫자가 0인 경우
십의 자리에 올 수 있는 숫자는 1, 2, 3, 4, 5의 5개
(ii) 일의 자리의 숫자가 5인 경우
십의 자리에 올 수 있는 숫자는 1, 2, 3, 4의 4개
따라서 만들 수 있는 두 자리의 자연수 중 5의 배수의 개수는 $5+4=9$
(3) (i) 십의 자리의 숫자가 4인 경우
일의 자리에 올 수 있는 숫자는 1, 2, 3, 5의 4개
(ii) 십의 자리의 숫자가 5인 경우
일의 자리에 올 수 있는 숫자는 0, 1, 2, 3, 4의 5개
따라서 40보다 큰 수의 개수는 $4+5=9$

1144 (1) $7\times6\times5=210$
(2) $\frac{7\times6\times5}{6}=35$
(3) 여학생 3명 중 대표 1명을 뽑는 경우의 수는 3
남학생 4명 중 대표 2명을 뽑는 경우의 수는
$\frac{4\times3}{2}=6$
따라서 구하는 경우의 수는 $3\times6=18$

1145 $\frac{7\times6\times5}{6}=35$

11. 확률

01 확률의 뜻 (1)

본문 ◎ 203쪽

1146 10, 2, 2, $\frac{1}{5}$ **1147** $\frac{3}{10}$ **1148** $\frac{1}{2}$
1149 $\frac{1}{2}$ **1150** $\frac{2}{3}$ **1151** $\frac{1}{5}$ **1152** $\frac{4}{15}$
1153 $\frac{1}{3}$ **1154** $\frac{2}{5}$ **1155** $\frac{2}{5}$

1149 모든 경우의 수는 6
홀수의 눈이 나오는 경우는 1, 3, 5의 3가지
따라서 홀수의 눈이 나올 확률은
$\frac{(\text{홀수의 눈이 나오는 경우의 수})}{(\text{모든 경우의 수})}=\frac{3}{6}=\frac{1}{2}$

1150 모든 경우의 수는 6
6의 약수의 눈이 나오는 경우는 1, 2, 3, 6의 4가지
따라서 구하는 확률은 $\frac{4}{6}=\frac{2}{3}$

1151 모든 경우의 수는 15
3 이하의 눈이 나오는 경우는 1, 2, 3의 3가지
따라서 구하는 확률은 $\frac{3}{15}=\frac{1}{5}$

1152 모든 경우의 수는 15
11보다 큰 수가 나오는 경우는 12, 13, 14, 15의 4가지
따라서 구하는 확률은 $\frac{4}{15}$

1153 모든 경우의 수는 15
3의 배수가 나오는 경우는 3, 6, 9, 12, 15의 5가지
따라서 구하는 확률은 $\frac{5}{15}=\frac{1}{3}$

1154 모든 경우의 수는 15
12의 약수가 나오는 경우는 1, 2, 3, 4, 6, 12의 6가지
따라서 구하는 확률은 $\frac{6}{15}=\frac{2}{5}$

1155 모든 경우의 수는 15
소수가 나오는 경우는 2, 3, 5, 7, 11, 13의 6가지
따라서 구하는 확률은 $\frac{6}{15}=\frac{2}{5}$

02 확률의 뜻 (2)

본문 ◎ 204쪽

1156 8, 3, $\frac{3}{8}$ **1157** $\frac{3}{8}$ **1158** $\frac{1}{8}$ **1159** $\frac{1}{8}$
1160 $\frac{1}{4}$ **1161** 36, 3, 36, $\frac{1}{12}$ **1162** $\frac{1}{6}$
1163 $\frac{1}{9}$ **1164** $\frac{1}{6}$ **1165** $\frac{1}{2}$

1157 모든 경우의 수는 $2\times2\times2=8$
앞면이 2개 나오는 경우는
(앞, 앞, 뒤), (앞, 뒤, 앞), (뒤, 앞, 앞)의 3가지
따라서 구하는 확률은 $\frac{3}{8}$

1158 모든 경우의 수는 $2\times2\times2=8$
앞면이 3개 나오는 경우는 (앞, 앞, 앞)의 1가지
따라서 구하는 확률은 $\frac{1}{8}$

1159 모든 경우의 수는 $2\times2\times2=8$
앞면이 나오지 않는 경우는 (뒤, 뒤, 뒤)의 1가지
따라서 구하는 확률은 $\frac{1}{8}$

1160 모든 경우의 수는 $2\times2\times2=8$
모두 같은 면이 나오는 경우는 (앞, 앞, 앞), (뒤, 뒤, 뒤)의 2가지
따라서 구하는 확률은 $\frac{2}{8}=\frac{1}{4}$

1162 모든 경우의 수는 $6\times6=36$
두 눈의 수의 차가 3인 경우는 (1, 4), (2, 5), (3, 6), (4, 1), (5, 2), (6, 3)의 6가지
따라서 구하는 확률은 $\frac{6}{36}=\frac{1}{6}$

1163 모든 경우의 수는 $6\times6=36$
두 눈의 수의 곱이 12인 경우는 (2, 6), (3, 4), (4, 3), (6, 2)의 4가지
따라서 구하는 확률은 $\frac{4}{36}=\frac{1}{9}$

1164 모든 경우의 수는 $6\times6=36$
두 눈의 수가 같은 경우는 (1, 1), (2, 2), (3, 3), (4, 4), (5, 5), (6, 6)의 6가지
따라서 구하는 확률은 $\frac{6}{36}=\frac{1}{6}$

1165 두 자리의 자연수의 개수는 $6\times5=30$
두 자리의 짝수의 개수는 $5\times3=15$
따라서 두 자리의 자연수가 짝수일 확률은 $\frac{15}{30}=\frac{1}{2}$

03 확률의 성질

본문 ◎ 205쪽

1166 0　**1167** $\frac{2}{5}$　**1168** 1　**1169** 1
1170 0　**1171** (1) 0　(2) 1
1172 (1) 1　(2) 0　**1173** (1) 1　(2) 0
1174 (1) ×　(2) ○　(3) ×

1174 (1) $0 \le p \le 1$
(3) 사건 A가 반드시 일어나면 $p=1$이다.

04 어떤 사건이 일어나지 않을 확률 (1)

본문 ◎ 206쪽

1175 $\frac{3}{4}$, $\frac{1}{4}$　**1176** $\frac{2}{3}$　**1177** $\frac{2}{5}$　**1178** $\frac{2}{3}$
1179 $\frac{3}{4}$　**1180** 4, 4, $\frac{2}{3}$, $\frac{2}{3}$, $\frac{1}{3}$　**1181** $\frac{31}{36}$
1182 $\frac{5}{6}$　**1183** $\frac{2}{3}$　**1184** $\frac{2}{3}$

1176 $1-\frac{1}{3}=\frac{2}{3}$

1177 $1-\frac{3}{5}=\frac{2}{5}$

1178 $1-\frac{5}{15}=\frac{10}{15}=\frac{2}{3}$

1179 4명이 한 줄로 서는 경우의 수는 $4\times3\times2\times1=24$
병이 맨 뒤에 서는 경우의 수는 $3\times2\times1=6$이므로
그 확률은 $\frac{6}{24}=\frac{1}{4}$
따라서 구하는 확률은 $1-\frac{1}{4}=\frac{3}{4}$

1181 모든 경우의 수는 $6\times6=36$
두 눈의 수의 합이 8인 경우는 $(2, 6)$, $(3, 5)$, $(4, 4)$, $(5, 3)$, $(6, 2)$의 5가지이므로 그 확률은 $\frac{5}{36}$
따라서 구하는 확률은 $1-\frac{5}{36}=\frac{31}{36}$

1182 모든 경우의 수는 $6\times6=36$
두 눈의 수가 같은 경우는 $(1, 1)$, $(2, 2)$, $(3, 3)$, $(4, 4)$, $(5, 5)$, $(6, 6)$의 6가지이므로 그 확률은 $\frac{6}{36}=\frac{1}{6}$
따라서 구하는 확률은 $1-\frac{1}{6}=\frac{5}{6}$

1183 18의 약수는 1, 2, 3, 6, 9, 18의 6가지이므로 그 확률은
$\frac{6}{18}=\frac{1}{3}$
따라서 구하는 확률은 $1-\frac{1}{3}=\frac{2}{3}$

1184 모든 경우의 수는 $3\times3=9$
승부가 나지 않는 경우, 즉 비기는 경우는
(가위, 가위), (바위, 바위), (보, 보)의 3가지이므로 그 확률은
$\frac{3}{9}=\frac{1}{3}$
따라서 구하는 확률은 $1-\frac{1}{3}=\frac{2}{3}$

05 어떤 사건이 일어나지 않을 확률 (2)

본문 ◎ 207쪽

1185 $\frac{1}{4}$　**1186** $\frac{1}{4}$, $\frac{3}{4}$　**1187** $\frac{1}{4}$　**1188** $\frac{3}{4}$
1189 $\frac{1}{10}$　**1190** $\frac{9}{10}$　**1191** $\frac{3}{4}$　**1192** $\frac{4}{5}$
1193 $\frac{5}{6}$　**1194** (1) $\frac{8}{9}$　(2) $\frac{7}{8}$

1187 모든 경우의 수는 $6\times6=36$
두 눈의 수가 모두 홀수인 경우의 수는 $3\times3=9$
따라서 구하는 확률은 $\frac{9}{36}=\frac{1}{4}$

1188 $1-\frac{1}{4}=\frac{3}{4}$

1189 남학생 3명, 여학생 2명 중 대표 2명을 뽑는 경우의 수는
$\frac{5\times4}{2}=10$
여학생 2명 중 대표 2명을 뽑는 경우의 수는 1
따라서 구하는 확률은 $\frac{1}{10}$

1190 $1-\frac{1}{10}=\frac{9}{10}$

1191 두 자리의 자연수의 개수는 $4\times3=12$
20 미만인 경우는 12, 13, 14의 3가지이므로 그 확률은
$\frac{3}{12}=\frac{1}{4}$
따라서 구하는 확률은 $1-\frac{1}{4}=\frac{3}{4}$

1192 두 자리의 자연수의 개수는 $5\times4=20$
50 이상인 경우는 51, 52, 53, 54의 4가지이므로 그 확률은
$\frac{4}{20}=\frac{1}{5}$
따라서 구하는 확률은 $1-\frac{1}{5}=\frac{4}{5}$

1193 모든 경우의 수는 $6\times6=36$
두 눈의 수의 합이 10 이상인 경우는
$\underbrace{(4, 6), (5, 5), (6, 4)}_{\text{합이 10}}, \underbrace{(5, 6), (6, 5)}_{\text{합이 11}}, \underbrace{(6, 6)}_{\text{합이 12}}$
의 6가지이므로 그 확률은 $\frac{6}{36}=\frac{1}{6}$
따라서 구하는 확률은 $1-\frac{1}{6}=\frac{5}{6}$

1194 (1) 모든 경우의 수는 $3\times3\times3=27$
세 사람 모두 같은 것을 내는 경우는 (가위, 가위, 가위), (바위, 바위, 바위), (보, 보, 보)의 3가지이므로 그 확률은
$\frac{3}{27}=\frac{1}{9}$
따라서 구하는 확률은 $1-\frac{1}{9}=\frac{8}{9}$
(2) 모든 경우의 수는 $2\times2\times2=8$
3개의 문제를 모두 틀리는 경우는 1가지이므로 그 확률은
$\frac{1}{8}$
따라서 구하는 확률은 $1-\frac{1}{8}=\frac{7}{8}$

06 도형에서의 확률

본문 ◎ 208쪽

1195 9π **1196** 4π, π, 3π
1197 3π, 9π, $\frac{1}{3}$ **1198** $\frac{1}{3}$, $\frac{2}{3}$ **1199** 2, $\frac{1}{4}$
1200 $\frac{1}{2}$ **1201** $\frac{1}{2}$ **1202** $\frac{2}{5}$

1195 (전체의 넓이)$=\pi\times3^2=9\pi$

1200 소수는 2, 3, 5, 7의 4가지이므로 구하는 확률은
$\frac{4}{8}=\frac{1}{2}$

1201 홀수는 1, 3, 5, 7의 4가지이므로 구하는 확률은
$\frac{4}{8}=\frac{1}{2}$

1202 6의 약수는 1, 2, 3, 6의 4가지이므로 구하는 확률은
$\frac{4}{10}=\frac{2}{5}$

핵심 01~06 Mini Review Test

본문 ◎ 209쪽

1203 $\frac{5}{12}$ **1204** $\frac{2}{5}$ **1205** ④ **1206** 0
1207 $\frac{2}{3}$ **1208** $\frac{5}{6}$ **1209** $\frac{6}{7}$ **1210** $\frac{16}{49}$

1203 소수가 나오는 경우는 2, 3, 5, 7, 11의 5가지이므로 구하는 확률은 $\frac{5}{12}$

1204 두 자리의 자연수의 개수는 $5\times4=20$
30 미만인 두 자리의 자연수의 개수는 $2\times4=8$
따라서 두 자리의 자연수가 30 미만일 확률은
$\frac{8}{20}=\frac{2}{5}$

1205 ④ 확률은 1보다 클 수 없다.

1207 24의 약수는 1, 2, 3, 4, 6, 8, 12, 24의 8가지이므로 그 확률은
$\frac{8}{24}=\frac{1}{3}$
따라서 구하는 확률은 $1-\frac{1}{3}=\frac{2}{3}$

1208 모든 경우의 수는 $6\times6=36$
두 눈의 수의 합이 5 미만인 경우는
(1, 1), (1, 2), (1, 3), (2, 1), (2, 2), (3, 1)의 6가지이므로
그 확률은 $\frac{6}{36}=\frac{1}{6}$
따라서 구하는 확률은 $1-\frac{1}{6}=\frac{5}{6}$

1209 남학생 3명, 여학생 4명 중에서 대표 2명을 뽑는 경우의 수는
$\frac{7\times6}{2}=21$ ······ ❶
남학생 3명 중 대표 2명을 뽑는 경우의 수는
$\frac{3\times2}{2}=3$이므로 그 확률은 $\frac{3}{21}=\frac{1}{7}$ ······ ❷
따라서 구하는 확률은 $1-\frac{1}{7}=\frac{6}{7}$ ······ ❸

채점 기준	배점
❶ 모든 경우의 수 구하기	30 %
❷ 대표 2명 모두 남학생일 확률 구하기	40 %
❸ 적어도 한 명은 여학생을 뽑을 확률 구하기	30 %

1210 (색칠한 부분을 맞힐 확률)
$=\frac{(\text{색칠한 부분의 넓이})}{(\text{과녁 전체의 넓이})}=\frac{16\pi}{49\pi}=\frac{16}{49}$

07 확률의 덧셈

본문 ○ 210쪽

1211 $\frac{5}{14}$ 1212 $\frac{3}{14}$ 1213 $\frac{5}{14}$, $\frac{3}{14}$, $\frac{4}{7}$

1214 $\frac{1}{3}$ 1215 $\frac{4}{15}$ 1216 $\frac{3}{5}$ 1217 $\frac{1}{5}$

1218 $\frac{1}{10}$ 1219 $\frac{3}{10}$ 1220 $\frac{5}{36}$ 1221 $\frac{1}{6}$

1222 $\frac{11}{36}$ 1223 $\frac{2}{3}$

1214 (A형을 선택할 확률)$=\frac{10}{30}=\frac{1}{3}$

1215 (B형을 선택할 확률)$=\frac{8}{30}=\frac{4}{15}$

1216 (A형 또는 B형을 선택할 확률)
=(A형을 선택할 확률)+(B형을 선택할 확률)
$=\frac{1}{3}+\frac{4}{15}=\frac{18}{30}=\frac{3}{5}$

1217 5의 배수는 5, 10, 15, 20의 4개이므로
(5의 배수가 나올 확률)$=\frac{4}{20}=\frac{1}{5}$

1218 8의 배수는 8, 16의 2개이므로
(8의 배수가 나올 확률)$=\frac{2}{20}=\frac{1}{10}$

1219 (5의 배수 또는 8의 배수가 나올 확률)
=(5의 배수가 나올 확률)+(8의 배수가 나올 확률)
$=\frac{1}{5}+\frac{1}{10}=\frac{3}{10}$

1220 모든 경우의 수는 $6\times6=36$
두 눈의 수의 합이 6인 경우는 (1, 5), (2, 4), (3, 3), (4, 2), (5, 1)의 5가지이므로 그 확률은 $\frac{5}{36}$

1221 모든 경우의 수는 $6\times6=36$
두 눈의 수의 합이 7인 경우는 (1, 6), (2, 5), (3, 4), (4, 3), (5, 2), (6, 1)의 6가지이므로 그 확률은 $\frac{6}{36}=\frac{1}{6}$

1222 (두 눈의 수의 합이 6 또는 7일 확률)$=\frac{5}{36}+\frac{1}{6}=\frac{11}{36}$

1223 모든 경우의 수는 $6\times6=36$
두 눈의 수의 차가 2 이하인 경우는 두 눈의 수의 차가 0 또는 1 또는 2인 경우이다.
두 눈의 수의 차가 0인 경우는 (1, 1), (2, 2), (3, 3), (4, 4), (5, 5), (6, 6)의 6가지이므로 그 확률은 $\frac{6}{36}=\frac{1}{6}$
두 눈의 수의 차가 1인 경우는 (1, 2), (2, 3), (3, 4), (4, 5), (5, 6), (6, 5), (5, 4), (4, 3), (3, 2), (2, 1)의 10가지이므로 그 확률은 $\frac{10}{36}=\frac{5}{18}$
두 눈의 수의 차가 2인 경우는 (1, 3), (2, 4), (3, 5), (4, 6), (6, 4), (5, 3), (4, 2), (3, 1)의 8가지이므로 그 확률은 $\frac{8}{36}=\frac{2}{9}$
따라서 구하는 확률은 $\frac{1}{6}+\frac{5}{18}+\frac{2}{9}=\frac{12}{18}=\frac{2}{3}$

08 확률의 곱셈 (1)

본문 ○ 211쪽

1224 $\frac{1}{2}$ 1225 $\frac{1}{2}$ 1226 $\frac{1}{4}$ 1227 $\frac{1}{6}$

1228 $\frac{1}{9}$ 1229 $\frac{1}{20}$ 1230 $\frac{3}{4}$ 1231 $\frac{16}{25}$

1232 $\frac{2}{7}$

1225 짝수의 눈이 나오는 경우는 2, 4, 6의 3가지이므로
그 확률은 $\frac{3}{6}=\frac{1}{2}$

1226 $\frac{1}{2}\times\frac{1}{2}=\frac{1}{4}$

1227 3의 배수의 눈이 나오는 경우는 3, 6의 2가지이므로
그 확률은 $\frac{2}{6}=\frac{1}{3}$
소수의 눈이 나오는 경우는 2, 3, 5의 3가지이므로
그 확률은 $\frac{3}{6}=\frac{1}{2}$
따라서 구하는 확률은 $\frac{1}{3}\times\frac{1}{2}=\frac{1}{6}$

1228 3 이상의 눈이 나오는 경우는 3, 4, 5, 6의 4가지이므로
그 확률은 $\frac{4}{6}=\frac{2}{3}$
4의 배수의 눈이 나오는 경우는 4의 1가지이므로
그 확률은 $\frac{1}{6}$
따라서 구하는 확률은 $\frac{2}{3}\times\frac{1}{6}=\frac{1}{9}$

1229 $\frac{1}{5}\times\frac{1}{4}=\frac{1}{20}$

1230 $\frac{7}{8}\times\frac{6}{7}=\frac{3}{4}$

1231 $\frac{4}{5}\times\frac{4}{5}=\frac{16}{25}$

1232 $\frac{3}{5}\times\frac{5}{6}\times\frac{4}{7}=\frac{2}{7}$

09 확률의 곱셈 (2)

본문 ◎ 212쪽

1233 $\frac{5}{24}$ **1234** $\frac{1}{8}$ **1235** $\frac{1}{3}$ **1236** $\frac{1}{24}$
1237 $\frac{1}{24}$, $\frac{23}{24}$ **1238** $\frac{1}{30}$ **1239** $\frac{29}{30}$ **1240** $\frac{1}{25}$
1241 $\frac{24}{25}$ **1242** (1) $\frac{5}{6}$ (2) $\frac{56}{81}$

1233 (A 문제만 풀 확률)
$=$(A 문제는 풀 확률)$\times$(B 문제는 못 풀 확률)
$=\frac{5}{6}\times\left(1-\frac{3}{4}\right)=\frac{5}{6}\times\frac{1}{4}=\frac{5}{24}$

1234 (B 문제만 풀 확률)
$=$(A 문제는 못 풀 확률)$\times$(B 문제는 풀 확률)
$=\left(1-\frac{5}{6}\right)\times\frac{3}{4}=\frac{1}{6}\times\frac{3}{4}=\frac{1}{8}$

1235 (A, B 두 문제 중 어느 한 문제만 풀 확률)
$=$(A 문제만 풀 확률)$+$(B 문제만 풀 확률)
$=\frac{5}{24}+\frac{1}{8}=\frac{1}{3}$

1236 (A, B 두 문제를 모두 못 풀 확률)
$=\left(1-\frac{5}{6}\right)\times\left(1-\frac{3}{4}\right)=\frac{1}{6}\times\frac{1}{4}=\frac{1}{24}$

1238 $\left(1-\frac{4}{5}\right)\times\left(1-\frac{5}{6}\right)=\frac{1}{5}\times\frac{1}{6}=\frac{1}{30}$

1239 (적어도 한 사람은 명중시킬 확률)
$=1-$(A, B 모두 명중시키지 못할 확률)
$=1-\frac{1}{30}=\frac{29}{30}$

1240 한 문제를 맞힐 확률은 $\frac{4}{5}$이므로
한 문제를 틀릴 확률은 $1-\frac{4}{5}=\frac{1}{5}$
따라서 두 문제 모두 틀릴 확률은 $\frac{1}{5}\times\frac{1}{5}=\frac{1}{25}$

1241 (적어도 한 문제는 맞힐 확률)
$=1-$(두 문제 모두 틀릴 확률)
$=1-\frac{1}{25}=\frac{24}{25}$

1242 (1) (적어도 한 사람은 합격할 확률)
$=1-$(두 사람 모두 불합격할 확률)
$=1-\left(1-\frac{1}{3}\right)\times\left(1-\frac{3}{4}\right)$
$=1-\frac{2}{3}\times\frac{1}{4}=1-\frac{1}{6}=\frac{5}{6}$
(2) (적어도 한 번은 안타를 칠 확률)
$=1-$(두 번 모두 안타를 치지 못할 확률)
$=1-\left(1-\frac{4}{9}\right)\times\left(1-\frac{4}{9}\right)$
$=1-\frac{5}{9}\times\frac{5}{9}=1-\frac{25}{81}=\frac{56}{81}$

10 연속하여 꺼내는 경우의 확률 (1)

본문 ◎ 213쪽

1243 $\frac{5}{8}$, $\frac{5}{8}$, $\frac{5}{8}$, $\frac{5}{8}$, $\frac{25}{64}$ **1244** $\frac{9}{64}$ **1245** $\frac{17}{32}$
1246 $\frac{15}{64}$ **1247** $\frac{39}{64}$ **1248** $\frac{1}{9}$ **1249** $\frac{4}{9}$
1250 $\frac{2}{9}$ **1251** $\frac{2}{9}$ **1252** $\frac{4}{9}$ **1253** $\frac{5}{9}$

1244 처음에 검은 공이 나올 확률은 $\frac{3}{8}$
두 번째에 검은 공이 나올 확률은 $\frac{3}{8}$
따라서 두 번 모두 검은 공이 나올 확률은
$\frac{3}{8}\times\frac{3}{8}=\frac{9}{64}$

1245 (같은 색의 공이 나올 확률)
$=$(모두 흰 공이 나올 확률)$+$(모두 검은 공이 나올 확률)
$=\frac{5}{8}\times\frac{5}{8}+\frac{3}{8}\times\frac{3}{8}=\frac{25}{64}+\frac{9}{64}=\frac{34}{64}=\frac{17}{32}$

1246 $\frac{5}{8}\times\frac{3}{8}=\frac{15}{64}$

1247 (적어도 한 개는 검은 공이 나올 확률)
$=1-$(모두 흰 공이 나올 확률)
$=1-\frac{5}{8}\times\frac{5}{8}=1-\frac{25}{64}=\frac{39}{64}$

1248 당첨 제비를 뽑을 확률은 $\frac{3}{9}=\frac{1}{3}$

따라서 A, B 모두 당첨될 확률은 $\frac{1}{3}\times\frac{1}{3}=\frac{1}{9}$

1249 $\left(1-\frac{1}{3}\right)\times\left(1-\frac{1}{3}\right)=\frac{2}{3}\times\frac{2}{3}=\frac{4}{9}$

1250 $\frac{1}{3}\times\left(1-\frac{1}{3}\right)=\frac{1}{3}\times\frac{2}{3}=\frac{2}{9}$

1251 $\left(1-\frac{1}{3}\right)\times\frac{1}{3}=\frac{2}{3}\times\frac{1}{3}=\frac{2}{9}$

1252 (한 명만 당첨될 확률)

=(A만 당첨될 확률)+(B만 당첨될 확률)

$=\frac{1}{3}\times\left(1-\frac{1}{3}\right)+\left(1-\frac{1}{3}\right)\times\frac{1}{3}$

$=\frac{2}{9}+\frac{2}{9}=\frac{4}{9}$

1253 (적어도 한 명은 당첨될 확률)

=1−(A, B 모두 당첨되지 않을 확률)

$=1-\left(1-\frac{1}{3}\right)\times\left(1-\frac{1}{3}\right)=1-\frac{4}{9}=\frac{5}{9}$

11 연속하여 꺼내는 경우의 확률 (2)

본문 ○ 214쪽

1254 $\frac{4}{7}$, $\frac{4}{7}$, $\frac{5}{14}$ **1255** $\frac{3}{28}$ **1256** $\frac{13}{28}$
1257 $\frac{15}{56}$ **1258** $\frac{9}{14}$ **1259** $\frac{1}{12}$ **1260** $\frac{1}{4}$
1261 $\frac{1}{4}$ **1262** $\frac{1}{2}$ **1263** $\frac{5}{12}$ **1264** $\frac{7}{12}$

1255 $\frac{3}{8}\times\frac{2}{7}=\frac{3}{28}$

1256 (같은 색의 공이 나올 확률)

=(모두 흰 공이 나올 확률)+(모두 검은 공이 나올 확률)

$=\frac{5}{8}\times\frac{4}{7}+\frac{3}{8}\times\frac{2}{7}=\frac{5}{14}+\frac{3}{28}=\frac{13}{28}$

1257 $\frac{5}{8}\times\frac{3}{7}=\frac{15}{56}$

1258 (적어도 한 개는 검은 공이 나올 확률)

=1−(모두 흰 공이 나올 확률)

$=1-\frac{5}{8}\times\frac{4}{7}=1-\frac{5}{14}=\frac{9}{14}$

1259 A가 당첨될 확률은 $\frac{3}{9}=\frac{1}{3}$

B가 당첨될 확률은 $\frac{2}{8}=\frac{1}{4}$

따라서 구하는 확률은 $\frac{1}{3}\times\frac{1}{4}=\frac{1}{12}$

1260 A가 당첨될 확률은 $\frac{3}{9}=\frac{1}{3}$

B가 당첨되지 않을 확률은 $\frac{6}{8}=\frac{3}{4}$

따라서 구하는 확률은 $\frac{1}{3}\times\frac{3}{4}=\frac{1}{4}$

1261 A가 당첨되지 않을 확률은 $\frac{6}{9}=\frac{2}{3}$

B가 당첨될 확률은 $\frac{3}{8}$

따라서 구하는 확률은 $\frac{2}{3}\times\frac{3}{8}=\frac{1}{4}$

1262 (한 명만 당첨될 확률)

=(A만 당첨될 확률)+(B만 당첨될 확률)

$=\frac{1}{3}\times\frac{3}{4}+\frac{2}{3}\times\frac{3}{8}=\frac{1}{4}+\frac{1}{4}=\frac{1}{2}$

1263 A가 뽑은 제비가 당첨 제비가 아닐 확률은 $\frac{6}{9}=\frac{2}{3}$

B가 뽑은 제비가 당첨 제비가 아닐 확률은 $\frac{5}{8}$

따라서 구하는 확률은 $\frac{2}{3}\times\frac{5}{8}=\frac{5}{12}$

1264 (적어도 한 명은 당첨될 확률)

=1−(두 명 모두 당첨되지 않을 확률)

$=1-\frac{2}{3}\times\frac{5}{8}=1-\frac{5}{12}=\frac{7}{12}$

핵심 07~11 Mini Review Test

본문 ○ 215쪽

1265 ⑤ **1266** $\frac{7}{12}$ **1267** ① **1268** $\frac{13}{35}$
1269 ② **1270** $\frac{5}{9}$ **1271** (1) $\frac{16}{49}$ (2) $\frac{2}{7}$
1272 $\frac{7}{18}$

1265 모든 경우의 수는 $6\times6=36$

두 눈의 수의 곱이 4인 경우는 (1, 4), (2, 2), (4, 1)의

3가지이므로 그 확률은 $\frac{3}{36}=\frac{1}{12}$

두 눈의 수의 곱이 6인 경우는 (1, 6), (2, 3), (3, 2), (6, 1)의 4가지이므로 그 확률은 $\frac{4}{36}=\frac{1}{9}$

따라서 구하는 확률은 $\frac{1}{12}+\frac{1}{9}=\frac{7}{36}$

1266 모든 경우의 수는 $4\times3=12$

두 자리의 자연수가 20 이하인 경우는 12, 13, 14의 3가지이므로 그 확률은 $\frac{3}{12}=\frac{1}{4}$

두 자리의 자연수가 34 이상인 경우는 34, 41, 42, 43의 4가지이므로 그 확률은 $\frac{4}{12}=\frac{1}{3}$

따라서 구하는 확률은 $\frac{1}{4}+\frac{1}{3}=\frac{7}{12}$

1267 $\frac{1}{4}\times\frac{2}{5}=\frac{1}{10}$

1268 (ⅰ) 호동이가 지각하고, 승기는 지각하지 않을 확률은

$\frac{1}{5}\times\left(1-\frac{2}{7}\right)=\frac{1}{7}$ ······❶

(ⅱ) 호동이는 지각하지 않고, 승기가 지각할 확률은

$\left(1-\frac{1}{5}\right)\times\frac{2}{7}=\frac{8}{35}$ ······❷

따라서 어느 한 사람만 지각할 확률은

$\frac{1}{7}+\frac{8}{35}=\frac{13}{35}$ ······❸

채점 기준	배점
❶ 호동이만 지각할 확률	40 %
❷ 승기만 지각할 확률	40 %
❸ 어느 한 사람만 지각할 확률	20 %

1269 (두 사람 중 적어도 한 사람이 명중할 확률)

$=1-$(두 사람 모두 명중하지 못할 확률)

$=1-\left(1-\frac{1}{4}\right)\times\left(1-\frac{2}{3}\right)=1-\frac{1}{4}=\frac{3}{4}$

1270 축구 선수가 한 경기에서 한 골을 넣을 확률은 $\frac{1}{3}$이므로

(두 경기에서 적어도 한 골을 넣을 확률)

$=1-$(두 경기 모두 골을 못 넣을 확률)

$=1-\left(1-\frac{1}{3}\right)\times\left(1-\frac{1}{3}\right)$

$=1-\frac{4}{9}=\frac{5}{9}$

1271 (1) $\frac{4}{7}\times\frac{4}{7}=\frac{16}{49}$

(2) $\frac{4}{7}\times\frac{3}{6}=\frac{2}{7}$

1272 A만 당첨될 확률은 $\frac{2}{9}\times\frac{7}{8}=\frac{7}{36}$

B만 당첨될 확률은 $\frac{7}{9}\times\frac{2}{8}=\frac{7}{36}$

따라서 한 사람만 당첨될 확률은

$\frac{7}{36}+\frac{7}{36}=\frac{14}{36}=\frac{7}{18}$

Memo

Memo

Memo